Criadas y Señoras

Kathryn Stockett

Criadas y Señoras

**Tres mujeres a punto de dar un paso extraordinario,
una historia con corazón y esperanza**

Traducción:
ÁLVARO ABELLA

E M BOLSILLO

Título original:
THE HELP

Ilustración de portada:
OPALWORKS

Fotografía de la autora:
KEM LEE

Adaptación de cubierta:
ROMI SANMARTÍ

Diseño de colección:
TONI INGLÈS

1.ª edición: octubre de 2010
2.ª edición: diciembre de 2010
3.ª edición: febrero de 2011

© Kathryn Stockett, 2009. Publicado por acuerdo con G.P. Putnam's Sons,
   parte de Penguin Group (USA) Inc.
© de la traducción: ÁLVARO ABELLA, 2009
© de esta edición: EMBOLSILLO, 2010
   Benito Castro, 6
   28028 MADRID
   emaeva@maeva.es
   www.maeva.es

ISBN: 978-84-15140-04-7
Depósito legal: M-7.518-2011

Fotomecánica: Gráficas 4, S. A.
Impresión: Lavel, S. A.
Impreso en España / Printed in Spain

La madera utilizada para elaborar las páginas de este libro procede
de bosques sujetos a un programa de gestión sostenible. Certificado
por SGS según N.º: SGS-PEFC/COC-0405.

Al abuelo Stockett, el mejor narrador de historias de todos

Aibileen

Capítulo 1

Agosto de 1962

Mae Mobley nació una mañana de domingo en agosto de 1960. Un bebé de misa, como los llamamos nosotros. Me dedico a cuidar bebés de familias blancas, además de a cocinar y limpiar sus casas. A lo largo de mi vida, he criado diecisiete niños. Sé cómo conseguir que se duerman, que dejen de llorar y que se sienten en el orinal antes de que sus madres se levanten de la cama.

Sin embargo, nunca antes había visto a un bebé berrear tanto como a Mae Mobley Leefolt. El primer día que entré en esa casa allí estaba, colorada como un tomate y aullando debido a un cólico, luchando por quitarse de encima el biberón que le ofrecía su madre como si le estuvieran intentando meter en la boca un rábano podrido. Miss Leefolt contemplaba aterrorizada a su propia hija.

—¿Qué hago mal? ¿Por qué no consigo que esta cosa se calle?

«¿Esta cosa?» Ése fue el primer indicio que tuve de que había algo raro en esta historia.

Tomé a aquel bebé rosita y llorón entre mis brazos y lo puse sobre mi cadera para darle botecitos y removerle los gases. En menos de dos minutos, la pequeña dejó de llorar y me miró sonriente. Sin embargo, ese día Miss Leefolt no volvió a tener en brazos a su propia hija. He visto a un montón de mujeres

7

con esa depresión que las asalta después de dar a luz, así que pensé que se trataría de eso.

Os contaré algo más sobre Miss Leefolt: además de estar todo el santo día de mala leche, es una flacucha. Tiene las piernas tan delgadas que parece que todavía está en edad de crecer. A sus veintitrés años, es desgarbada como una chavala de catorce. Hasta el pelo lo tiene delicado, de un marrón casi transparente. Aunque intenta cardárselo, sólo consigue que parezca más fino. Su rostro se parece a ese diablillo rojo que sale en las cajas de caramelitos de canela, incluida la barbilla puntiaguda. De hecho, todo su cuerpo está lleno de ángulos afilados y esquinas. Por eso no sabe calmar a la criatura. A los bebés les gusta la grasa, enterrar el rostro en tu sobaco y echarse a dormir. También les encantan las piernas grandes y gordas. Yo sé bastante de eso, ¡sí señor!

Con un año, Mae Mobley me seguía a todas partes. Al llegar las cinco en punto, la hora en la que termino de trabajar, se agarraba a mis zuecos y se arrastraba por el suelo, llorando como si me marchara para no volver nunca. Miss Leefolt me lanzaba una mirada de enojo, como si yo hubiera hecho algo malo, y me arrancaba de las piernas a la pequeña, que no paraba de berrear. Supongo que es el riesgo que corres cuando dejas que otra persona críe a tus retoños.

Mae Mobley tiene ahora dos años, unos ojazos marrones y tirabuzones de color miel. La calva que tiene detrás de la cabeza estropea un poco el conjunto. Cuando se enfurruña, le sale la misma arruga en el entrecejo que a su madre. Se parecen bastante, aunque Mae Mobley es más gordita. No creo que le den el premio a la niña más guapa del condado, y tengo la impresión de que esto molesta a Miss Leefolt, pero a mí me da igual. Mae Mobley es mi Chiquitina especial.

Perdí a mi propio hijo, Treelore, justo antes de entrar a servir en casa de Miss Leefolt. El pobre tenía veinticuatro años, estaba en la flor de la vida. ¡Era demasiado pronto para dejar este mundo!

Vivía en un pequeño apartamento en Foley Street y salía con una jovencita muy maja llamada Frances. Yo tenía esperanzas de que algún día se casaran, aunque él se tomaba este tema con calma. No es que estuviese buscando algo mejor, simplemente era de esos que meditan mucho las cosas antes de hacerlas. Llevaba unas gafas enormes y se pasaba todo el tiempo leyendo. Incluso había empezado a escribir un libro sobre la vida de un hombre negro que trabajaba en Misisipi. ¡Ay, Señor! ¡Qué orgullosa estaba de él! Pero una noche se quedó a trabajar hasta tarde en el molino de Scanlon-Taylor, cargando troncos en un camión, con astillas que le atravesaban los guantes y se le clavaban en las manos. Era muy bajo para ese tipo de faenas, pero necesitaba el trabajo. Estaba cansado y no paraba de llover. Se resbaló de la plataforma y cayó a la carretera. El conductor del camión no lo vio y le aplastó el pecho antes de que tuviera tiempo de apartarse. Cuando me lo contaron, ya estaba muerto.

Ese día, todo mi mundo se volvió negro: el aire era negro; el sol era negro; incluso, cuando me incorporaba un poco en la cama, veía que las paredes de mi casa eran negras. Minny se pasaba por casa todos los días para asegurarse de que yo todavía respiraba y me alimentaba para mantenerme con vida. Tardé tres meses en atreverme a mirar por la ventana para comprobar si el mundo seguía allí, y me sorprendí al descubrir que la Tierra no se había detenido porque mi hijo se hubiera muerto.

Cinco meses después del funeral, salí de la cama. Me puse mi uniforme blanco y mi crucecita de oro en el cuello y entré a servir en casa de Miss Leefolt, que acababa de tener una hija. No tardé en darme cuenta de que algo en mí había cambiado. Una amarga semilla se había plantado en mi interior, y ya no era tan comprensiva como antes.

—Arregla la casa y luego prepara una ensalada de pollo —me dice Miss Leefolt.

Es su día de partida de *bridge*, como todos los últimos miércoles de cada mes. Por supuesto, yo ya lo tengo todo preparado: la ensalada de pollo está lista desde esta mañana y los manteles los planché ayer. Miss Leefolt me vio hacerlo, pero, aunque no tiene más que veintitrés años, le gusta escucharse dándome órdenes.

Lleva puesto el vestido azul que le he planchado esta mañana, ese con sesenta y cinco pliegues en la cintura, tan diminutos que me dejo la vista cada vez que lo plancho. Hay pocas cosas que odie en esta vida, pero ese vestido y yo no nos llevamos muy bien.

—Asegúrate de que Mae Mobley no entra a molestarnos. Ya te he dicho que estoy muy enfadada con ella. Rasgó mi elegante papel para notas en mil pedazos y tengo que redactar quince cartas de agradecimiento para la Liga de Damas.

Arreglo esto y aquello para sus amiguitas. Saco la vajilla buena y la cubertería de plata. Miss Leefolt no prepara una mesita de cartas cualquiera, como las otras señoritas. Aquí se sientan en la mesa del comedor, que tengo que cubrir con un mantel para ocultar la enorme raja en forma de ele, y pongo el centro de flores sobre el aparador para esconder los arañazos que tiene en la madera. A Miss Leefolt le gusta quedar bien cuando tiene invitadas. Puede que lo haga para compensar que su casa es pequeña. No son gente rica, no señor. Los ricos no se toman tan en serio estas cosas.

Estoy acostumbrada a trabajar para matrimonios jóvenes, pero creo que ésta es la casa más pequeña en la que he servido. Sólo tiene una planta. El cuarto de la señora y de Mister Leefolt está en la parte de atrás y es bastante grande, pero la habitación de Chiquitina es muy pequeña. El comedor y el salón están como unidos. Sólo hay dos cuartos de baño, lo cual es un alivio, porque he servido en casas en las que había cinco o seis lavabos y tardaba todo un día en limpiar los servicios. Miss Leefolt sólo me paga noventa y cinco centavos la hora, el sueldo más bajo que me han pagado en años, pero después de la muerte de Treelore acepté lo primero que encontré. Mi casero no estaba dispuesto a esperar mucho más. De todos modos, aunque la casa es pequeña, Miss Leefolt intenta hacer que resulte lo más acogedora posible. Es bastante buena con la máquina de coser. Cuando no puede permitirse renovar un mueble, se agencia un trozo de tela y cose una cubierta.

Suena el timbre y abro la puerta.

–Hola, Aibileen –me saluda Miss Skeeter, porque es de las que habla con el servicio–. ¿Cómo estás?

–*Güenos* días, Miss Skeeter. *To* bien. ¡Buf, qué *caló* hace ahí fuera!

Miss Skeeter es muy alta y flacucha. Tiene el pelo rubio y se lo acaba de cortar por encima del hombro porque cuando le crece se le enmaraña un montón. Tendrá unos veintitrés años, como Miss Leefolt y las demás. Tras entrar, deja el bolso en la silla y se arregla un poco la ropa. Lleva una blusa de encaje blanca abotonada hasta el cuello como las monjas, zapatos sin tacón, supongo que para no parecer más alta, y una falda azul abierta en la cintura. Da la impresión de que Miss Skeeter se viste siguiendo las órdenes de alguien.

Oigo el claxon del coche de Miss Hilly y su madre, Miss Walter, que aparca enfrente de casa. Miss Hilly vive a dos pasos de aquí, pero siempre viene en coche. Le abro la puerta y pasa por mi lado sin pronunciar palabra. Creo que ha llegado la hora de despertar a Mae Mobley de la siesta.

En cuanto entro en su cuarto, Mae Mobley me sonríe y estira hacia mí sus bracitos gordezuelos.

–¿Ya estás despierta, Chiquitina? ¿Por qué no me has *avisao*?

La pequeña se ríe y se alborota, esperando que la aúpe. Le doy un fuerte abrazo. Supongo que cuando me marcho no le dan muchos achuchones como éste. Muy a menudo, cuando llego a trabajar, la encuentro berreando en la cuna mientras Miss Leefolt, ocupada en la máquina de coser, pone los ojos en blanco molesta, como si se tratara de un gato de la calle maullando tras la puerta y no de su hija. Esta Miss Leefolt es de las que se arreglan todos los días y siempre se ponen maquillaje. Tiene casa con jardín, garaje y un frigorífico de dos puertas con congelador incorporado. La gente que la ve en el supermercado Jitney 14 nunca se imaginaría que es capaz de salir de casa y dejar a su hija llorando en la cuna de ese modo. Pero la criada lo sabe, ¡vaya si lo sabe! El servicio siempre se entera de todo.

De todos modos, hoy es un buen día. La niña sonríe.

—Aibileen —le digo.

—Ai-bi —me responde.

—Amor.

—A-mor.

—Mae Mobley.

—Ai-bi —dice ella, y rompe a reír sin parar.

Está muy contenta con sus primeras palabras. La verdad es que ya era hora. Treelore tampoco aprendió a hablar hasta los dos años. Sin embargo, cuando estaba en tercero, hablaba mejor que el presidente de Estados Unidos. Volvía de la escuela usando palabras como «conjugación» o «parlamentario». Cuando empezó la secundaria, teníamos un juego entre los dos: yo le daba una palabra sencilla y él tenía que buscar una parecida. Si le decía «gatito», él respondía «felino doméstico». Con «batidora», respondía «cuchillas con motor». Un día le dije *Crisco*[1] y empezó a rascarse la cabeza. No podía creerse que le hubiera ganado con algo tan sencillo como el Crisco. Se convirtió en una broma secreta entre él y yo, algo cuyo significado nadie podría descubrir por mucho que lo intentara. Empezamos a llamar a su padre Crisco, porque no puedes guardarle respeto a un hombre que se dedicó toda su vida a machacar a su familia. Además, era el vago más grasiento que se pueda imaginar, así que el nombre le venía como anillo al dedo.

Llevo a Mae Mobley a la cocina y la siento en su trona, pensando en dos faenas que tengo que terminar hoy antes de que a Miss Leefolt le dé un ataque: separar las servilletas que han empezado a deshilacharse y ordenar la cubertería de plata en la vitrina. ¡Ay, Señor! Tendré que hacerlo mientras las señoritas están aquí, supongo.

Saco la bandeja de huevos rellenos al comedor. Miss Leefolt preside la mesa, y a su izquierda están Miss Hilly Holbrook y

---

[1] Conocida marca de manteca vegetal. *(N. del T.)*

su madre, Miss Walter, a quien su hija trata sin ningún respeto. A la derecha de Miss Leefolt se sienta Miss Skeeter.

Ofrezco los huevos a las invitadas, empezando por Miss Walter por ser la más mayor. Aunque hace calor en casa, la mujer lleva un grueso jersey marrón sobre los hombros. Toma un huevo y está a punto de caérsele porque tiene párkinson. Después me acerco a Miss Hilly, quien sonríe y se sirve dos. Tiene la cara redonda como una torta y lleva el pelo, de color marrón oscuro, con un peinado cardado. Su piel es de color aceituna y tiene pecas y lunares. Viste un montón de cuadros escoceses de color rojo y le está engordando el trasero. Hoy, como hace mucho calor, lleva un vestido sin mangas ni cinturón. Es una de esas mujeres que todavía visten como las niñas, con grandes lazos, sombreritos a juego y cosas de ésas. No es mi favorita.

Me acerco a Miss Skeeter, pero frunce la nariz y me dice: «No, gracias», porque no come huevos. Cada vez que tienen partida de *bridge* se lo recuerdo a Miss Leefolt, pero le da igual, siempre me manda preparar huevos rellenos. Le da miedo que Miss Hilly se moleste.

Finalmente, le ofrezco la bandeja a Miss Leefolt. Es la anfitriona, por eso le toca servirse la última. En cuanto he terminado, Miss Hilly me dice:

—Si se me permite...

Y se hace con otro par de huevos, lo cual no me sorprende.

—No os imagináis a quién he visto en el salón de belleza —comenta Miss Hilly a las otras señoritas.

—¿A quién? —pregunta Miss Leefolt.

—A Celia Foote. ¿Y sabéis qué me ha pedido? ¡Si podía ayudarnos en la organización de la Gala Benéfica!

—¡Qué bien! —exclama Miss Skeeter—. Lo necesitamos.

—Bueno, tampoco tanto. Le dije: «Celia, tienes que ser miembro o colaboradora de la Liga para poder participar». ¿Qué se ha creído ésa que es la Liga de Damas de Jackson? ¿Una fraternidad universitaria en la que puede entrar cualquiera?

—¿No vamos a aceptar donaciones de los que no sean miembros este año? ¿Tanto dinero hemos recaudado? —quiso saber Miss Skeeter.

13

—Bueno, sí —admitió Miss Hilly—. Pero no iba a decírselo así a *ésa*.

—No me puedo creer que Johnny se casara con una mujer tan chabacana como esa Celia —comenta Miss Leefolt.

Miss Hilly asiente ante estas palabras con un gesto de la cabeza y empieza a barajar las cartas.

Mientras les sirvo la ensalada de gelatina y los sándwiches de jamón, no puedo evitar escuchar su charla. Las señoritas sólo hablan de tres cosas: sus hijos, sus ropas y sus amigas. Si oigo la palabra Kennedy, sé que no están hablando de política, sino comentando cómo vestía la Primera Dama el otro día en la tele.

Cuando llego a Miss Walter, no se sirve más que medio sándwich.

—¡Mamá! —le grita su hija—, toma otro sándwich. Estás más delgada que un poste de teléfonos. —Miss Hilly mira a las demás señoritas y añade—: ¡Mira que se lo repito! Si esa Minny no sabe cocinar, lo que tiene que hacer es despedirla.

Mis oídos se aguzan al escuchar esto. Están hablando de Minny, la criada de Miss Walter, que resulta que es una de mis mejores amigas.

—Minny cocina bien —replica la anciana Miss Walter—. El problema es que yo he perdido el apetito.

Minny es la mejor cocinera del condado de Hinds, y puede que la mejor de todo el Estado de Misisipi. Cada otoño, cuando hacen la Gala Benéfica de la Liga de Damas, todas las señoritas le piden que prepare diez tartas de caramelo para subastarlas. Debe de ser la asistenta más cotizada del condado. Su único problema es que tiene la lengua demasiado larga. Siempre anda respondiendo a la gente: unas veces al dueño blanco del supermercado Jitney Jungle, otras a su marido y, a diario, a la señorita blanca para quien trabaja. La única razón por la que sigue sirviendo en casa de Miss Walter es porque la señora es sorda como una tapia.

—Creo que estás desnutrida, mamá —le grita Miss Hilly—. Esa Minny no te alimenta para poder robarte hasta el último penique que dejes. —Se levanta refunfuñando y añade—: Voy al lavabo. Vigiladla, no se vaya a morir de inanición.

Cuando su hija ha salido de la habitación, Miss Walter dice muy bajito:

—¡Seguro que te encantaría que me muriera!

Todas hacen como si no hubieran oído nada. Tendré que llamar a Minny esta noche y contarle lo que ha dicho Miss Hilly.

En la cocina, Chiquitina sigue sentada en su trona con la cara manchada de zumo. En cuanto entro, se pone a sonreír. No arma mucho alboroto cuando la dejo sola, sé que se queda tranquila mirando la puerta hasta que vuelvo, pero no me gusta tardar mucho.

Le acaricio la cabecita y vuelvo a salir para servir el té helado. Miss Hilly está de regreso en su silla y ahora parece molesta por otra cosa.

—¡Cuánto lo siento, Hilly! Tendrías que haber usado el lavabo de invitados —dice Miss Leefolt mientras ordena sus cartas—. Aibileen no limpia el otro hasta después de comer.

Hilly levanta la barbilla y suelta uno de sus «¡Ejem!». Tiene este modo tan delicado de aclararse la garganta que atrae la atención de todo el mundo sin que se den cuenta de que lo hace a propósito.

—El lavabo de invitados lo utiliza la criada —dice Miss Hilly.

Durante un segundo, nadie dice nada. Después Miss Walter asiente con un gesto de la cabeza, como si ya se lo explicara todo, y comenta:

—Está mosqueada porque la negra usa el mismo baño que nosotras.

¡Ay, Señor! Esa historia otra vez, no. De repente, todas me miran mientras ordeno el cajón de la cubertería en el aparador. Me doy cuenta de que debo retirarme, pero antes de que me dé tiempo a colocar la última cucharilla en su sitio, Miss Leefolt me lanza una mirada y dice:

—Tráenos más té, Aibileen.

Salgo para hacer lo que me ha pedido, aunque sus tazas están llenas a rebosar.

Me quedo un minuto de pie en la cocina, pero no tengo nada que hacer allí. Debo volver al comedor para poder terminar de ordenar la cubertería. Además, hoy tengo que limpiar el armario de las servilletas que está en el recibidor, justo al lado de donde ahora juegan las señoritas. No quiero quedarme hasta tarde sólo porque Miss Leefolt tenga partida de cartas.

Espero unos minutos sacando brillo a la encimera. Le doy más jamón a Chiquitina, que lo devora rápidamente. Finalmente, salgo al recibidor, rezando para que nadie me vea.

Las cuatro señoritas tienen un cigarrillo en una mano y las cartas en la otra. De pronto, oigo decir a Miss Hilly:

–Elizabeth, si tuvieras la oportunidad, ¿no preferirías que hiciera sus cosas fuera?

Con mucho cuidado, abro el cajón de las servilletas, más preocupada porque Miss Leefolt me vea que por lo que están diciendo. Esta conversación no es nueva. Por toda la ciudad hay retretes para la gente de color, y en la mayoría de las casas, también. Levanto la mirada y veo que Miss Skeeter me está observando. Me quedo paralizada, pensando que voy a tener problemas.

–¡Voy a corazones! –dice Miss Walter.

–No sé –comenta Miss Leefolt, frunciendo el ceño sobre sus cartas–. Con el nuevo negocio en que se ha metido Raleigh y los impuestos cada seis meses... últimamente tenemos que apretarnos un poco el cinturón.

Miss Hilly habla despacio, como si estuviera espolvoreando azúcar glas sobre una tarta:

–Dile a Raleigh que recuperará cada penique que invierta en ese retrete cuando vendáis esta casa. –Asiente con la cabeza, como si quisiera demostrar que está de acuerdo consigo misma–. ¿Os habéis fijado en todas las casas que se construyen últimamente sin lavabos para el servicio? Me parece algo tan peligroso... Todos sabemos que transmiten enfermedades distintas a las nuestras. ¡Doblo la apuesta!

Con toda tranquilidad, recojo una pila de servilletas. No sé por qué, pero de repente me apetece escuchar qué tiene que

16

decir Miss Leefolt a eso. Es mi jefa, supongo que todo el mundo se pregunta qué piensa su jefe de él.

—Estaría bien —contesta Miss Leefolt, dando una calada a su cigarrillo—. Así no tendría que usar el baño de casa. ¡Voy con un tres de picas!

—Precisamente por eso he pensado en una campaña que llamo «Iniciativa de Higiene Doméstica» —comenta Miss Hilly—, como una medida de prevención de enfermedades.

Me sorprende el nudo que se forma en mi garganta. Hace tiempo que había aprendido a controlar este sentimiento de humillación.

Miss Skeeter parece confundida ante la ocurrencia de su amiga:

—La Iniciativa... ¿qué?

—Una propuesta de ley que obligue a todo hogar blanco a tener un cuarto de baño separado para el servicio de color. Se lo he enviado al inspector general de Sanidad de Misisipi para ver si aprueba la idea. ¡Paso!

Miss Skeeter mira enojada a Miss Hilly. Arroja las cartas sobre la mesa y dice con toda naturalidad:

—Igual deberíamos construirte un retrete fuera para ti también, Hilly.

¡Diablos! ¡Qué silencio se hace en la habitación!

—Creo que no deberías bromear sobre el asunto de los negros. Por lo menos, si quieres conservar tu puesto de editora del boletín de la Liga de Damas, Skeeter Phelan —responde Miss Hilly.

Miss Skeeter se ríe, pero puedo sentir que no le ha hecho ninguna gracia el comentario.

—¿Qué vas a hacer? ¿Despedirme por no estar de acuerdo contigo?

Miss Hilly levanta una ceja y dice:

—Haré lo que tenga que hacer para proteger nuestra ciudad. ¡Te toca, mamá!

Me retiro a la cocina y no vuelvo a salir hasta que oigo cerrarse la puerta tras Miss Hilly.

Cuando sé que Miss Hilly se ha marchado, dejo a Mae Mobley en su parquecito y saco la basura porque hoy pasa el camión a recogerla. En la calle, casi me atropella el coche de Miss Hilly y la loca de su madre mientras reculan para marcharse. Las dos mujeres me piden disculpas amistosamente desde la ventanilla. Regreso a la casa, contenta de que no me hayan partido las piernas.

Cuando entro en la cocina, veo a Miss Skeeter apoyada en la encimera con un aire serio en el rostro, más de lo habitual.

–Hola, Miss Skeeter. ¿Quiere que le sirva algo?

Tiene la mirada fija en la calle, donde Miss Leefolt charla con Miss Hilly por la ventanilla de su coche.

–No, sólo estoy... esperando.

Empiezo a secar una bandeja con un paño. La miro por el rabillo del ojo y veo que sigue contemplando con preocupación la ventana. Esta chica no es como las otras señoritas. Es muy alta y tiene los pómulos muy acentuados. Sus ojos azules, alicaídos, le dan un aspecto triste. La habitación está en silencio, con la excepción de la pequeña radio de la encimera, en la que suena la emisora de góspel. Me gustaría que Miss Skeeter se marchase y me dejara hacer mis tareas sola.

–Eso que suena en la radio, ¿es un sermón del predicador Green? –me pregunta.

–Sí, señorita.

Miss Skeeter sonríe.

–Me trae recuerdos de la criada que teníamos cuando era niña.

–¡Oh! Yo conocía muy bien a Constantine.

Ella aparta la vista de la ventana y la dirige hacia mí.

–Ella me crió; ¿lo sabías?

Asiento con la cabeza, deseando no haber abierto la boca, pues sé muy bien lo que le pasó a Constantine.

–He intentado conseguir la dirección de su familia en Chicago –añade Miss Skeeter–, pero nadie sabe decirme nada.

–Yo tampoco la sé, señorita.

Miss Skeeter vuelve a mirar por la ventana al Buick de Miss Hilly. Menea un poco la cabeza y dice:

–Aibileen, esa conversación que hemos tenido antes... Me refiero a lo que ha dicho Hilly...

Tomo una taza de café y comienzo a pasarle el trapo con esmero.

–¿A veces no desearías poder... cambiar las cosas? –me pregunta.

No puedo evitarlo y la miro a los ojos. Es una de las preguntas más tontas que he oído nunca. Tiene una expresión confundida y de disgusto, como si hubiera echado sal en lugar de azúcar en el café.

Me vuelvo y continúo secando los platos, para que no me vea suspirar.

–No, señorita, las cosas están bien como están.

–Pero esa conversación sobre los retretes...

Se corta en la palabra «retretes», pues Miss Leefolt entra en la cocina.

–Ah, estás aquí, Skeeter. –Nos mira a las dos con cierta sorna–. Perdonadme, ¿os he interrumpido?

Las dos nos quedamos calladas, preguntándonos qué habrá escuchado.

–Tengo que irme corriendo –dice Miss Skeeter–. Te veo mañana, Elizabeth. –Se dirige a la puerta, la abre y, antes de marcharse, me dedica un cumplido–: Gracias por la cena, Aibileen.

Salgo al comedor y empiezo a limpiar la mesa de las cartas. Como me suponía, Miss Leefolt viene detrás de mí con su sonrisa de mosqueo. Estira el cuello, dispuesta a decirme algo. No le gusta que hable con sus amigas cuando ella no está presente. Nunca le ha gustado. Siempre quiere saber de qué hablamos. Paso a su lado y me dirijo a la cocina. Siento a Chiquitina en la trona y me pongo a limpiar el horno.

Miss Leefolt me sigue a la cocina, agarra un tarro de Crisco, lo contempla un rato y lo vuelve a dejar en su sitio. Chiquitina estira los brazos para que su mamá la levante, pero Miss Leefolt abre un armario y hace como si no la viera. Después, lo cierra de un portazo y abre otro. Finalmente se queda quieta. Yo estoy de rodillas en el suelo, y llevo tanto rato con la cabeza dentro del horno que da la impresión de que estoy intentando suicidarme.

–Por lo visto Miss Skeeter y tú estabais hablando de cosas serias.

–No, señora. Sólo me preguntaba si... quería unas ropas usadas.

Mi voz suena como si estuviera en el fondo de un pozo. La grasa me resbala por los brazos. Huele a sobaco ahí dentro. El sudor no tarda en caerme por la nariz, y cada vez que me rasco me dejo un pegote de mugre en la cara. El interior de un horno debe de ser el peor lugar del mundo para estar metida, ya sea para limpiarlo o para que te cocinen. Seguro que esta noche sueño que estoy atrapada dentro y que alguien abre el gas. Pero no quiero sacar la cabeza de este asqueroso sitio, prefiero dejarla aquí antes que tener que responder a las preguntas de Miss Leefolt sobre lo que Miss Skeeter estaba intentando decirme. ¡Figúrate! ¿Pues no me ha preguntado esa mujer si me gustaría «cambiar» las cosas?

Al poco rato, Miss Leefolt se marcha enfadada y sale al garaje. Supongo que estará pensando en dónde construir mi nuevo retrete para negros.

Capítulo 2

Aunque vivo aquí, nunca me imaginé que la ciudad de Jackson, en Misisipi, tuviera doscientos mil habitantes. Cuando leí este dato en el periódico me pregunté: ¿Dónde se mete toda esa gente?, ¿bajo tierra? Yo conozco a casi todos los de este lado del puente, y también a un montón de familias blancas, y puedo aseguraros que no llegan a doscientos mil ni de lejos.

Seis días a la semana tomo el autobús que cruza el puente Woodrow Wilson para llegar al distrito en el que viven Miss Leefolt y todas sus amigas blancas, un barrio llamado Belhaven. Junto a Belhaven está el centro de la ciudad y el Capitolio, la sede del gobierno estatal. Aunque nunca he entrado, es un edificio muy grande y bonito visto por fuera. Me pregunto cuánto pagarán por limpiar ese lugar.

Más allá de Belhaven, siguiendo la carretera, está el vecindario blanco de Woodland Hills, y después empieza el bosque de Sherwood, con kilómetros de enormes robles llenos de musgo pegado en la corteza. Todavía está sin habitar, pero ahí lo tienen los blancos para cuando quieran mudarse a un sitio nuevo. Luego viene el campo, donde vive Miss Skeeter en la plantación de algodón de Longleaf. Ella no lo sabe, pero yo estuve allí recogiendo algodón en 1931, durante la Gran Depresión, cuando no teníamos nada para comer, sólo el queso que nos daba el gobierno.

21

Así pues, Jackson es una sucesión de barrios blancos a los que se suman los nuevos vecindarios que van surgiendo a lo largo de la carretera. La parte negra de la ciudad, nuestro enorme hormiguero, se encuentra rodeada de terrenos municipales que no están en venta. Aunque crecemos en número, no podemos expandirnos, y nuestra porción de la ciudad se nos va quedando cada vez más pequeña.

Esta tarde he tomado el bus número 6, que va de Belhaven a Farrish Street. En el autobús sólo hay sirvientas que regresamos a casa con nuestros uniformes blancos. Charlamos y nos reímos en voz alta, como si el vehículo fuera nuestro. Lo hacemos no porque nos dé igual que haya blancos en el autobús (gracias a Miss Parks, ahora podemos sentarnos donde queremos), sino porque somos todas buenas amigas.

Veo a Minny en medio del asiento del fondo del autobús. Minny es bajita y rechoncha y lleva unos brillantes rulos negros. Se sienta abierta de piernas con los gruesos brazos cruzados. Es veinte años más joven que yo. Seguramente podría levantar este autobús por encima de su cabeza si se lo propusiera. Una anciana como yo tiene suerte de tenerla como amiga.

Me acomodo en el asiento de delante de ella, me vuelvo y la escucho. Todo el mundo escucha a Minny.

—... así que le digo: «Miss Walter, al mundo le interesa tan poco su blanco trasero como el mío negro, así que entre en casa y póngase unas bragas y algo de ropa, por *favó*».

—¿Estaba desnuda en el porche de su casa? —pregunta Kiki Brown.

—¡Teníais que *habé* visto el trasero de la vieja! ¡Le cuelga hasta las rodillas!

El autobús entero ríe, se carcajea y mueve divertido la cabeza.

—¡Dios mío! Esa *mujé* está loquísima —dice Kiki—. No sé cómo te lo montas *pa* que siempre te toquen las más *chiflás*, Minny.

—Sí, claro, como tu Miss Patterson, ¿*verdá*? —responde Minny a Kiki—. ¡Carajo! Si es la que pasa lista en el club de señoritas *zumbás*.

Todo el autobús ríe. A Minny no le gusta que hablen mal de su jefa blanca. Sólo ella puede hacerlo. Es su trabajo, y por eso tiene derecho.

El autobús cruza el puente y hace su primera parada en el barrio de color. Una docena de asistentas se baja y aprovecho para sentarme junto a Minny, que me sonríe y me saluda con un golpecito del codo. Después se reclina en su asiento porque sabe que conmigo no tiene que montar el numerito.

—¿Qué tal *to*? ¿Te tocó *planchá* pliegues esta mañana?

Río y asiento con la cabeza.

—Me he *pasao* una hora y media con eso.

—¿Qué le has *dao* hoy de *comé* al grupito de *bridge* de Miss Walter? Me he *pasao toa* la mañana preparándole una tarta de caramelo a esa tonta, y luego ni la ha *probao*.

Esto me recuerda lo que Miss Hilly ha dicho hoy en la mesa. Si fuera cualquier otra blanca, no le habría dado importancia, pero todas queremos saber si Miss Hilly anda detrás de nosotras. No sé cómo sacar el tema.

Miro por la ventanilla y veo pasar el hospital para la gente de color y los puestos de frutas.

—Me pareció *escuchá* a Miss Hilly comentando algo sobre lo *delgá* que se estaba quedando su madre —digo con el mayor tacto posible—. Ha dicho que la ve *desnutría*.

Minny me mira.

—Así que eso dice Miss Hilly, ¿eh? —Sólo de pronunciar el nombre de la mujer se le han abierto los ojos como platos—. ¿Y qué más dice esa *mujé*?

Es mejor que siga y se lo cuente todo.

—Creo que va a por ti, Minny. Intenta... *tené* mucho *cuidao* cuando ella ande cerca.

—Es ella la que debe andarse con ojo cuando yo esté cerca. ¿Qué está insinuando?, ¿que no sé *cociná*? ¿Que ese viejo saco de huesos no come porque no la alimento bien?

Minny se levanta, subiéndose el asa del bolso por el brazo.

—Lo siento, Minny. Sólo quería prevenirte *pa* que estés atenta...

23

–Si se atreve a decírmelo a la cara, se va a *enterá* de quién es Minny –concluye y baja las escalerillas del autobús muy cabreada.

La contemplo a través de la ventanilla mientras se acerca a su casa dando fuertes pisotones. Miss Hilly es alguien con quien no conviene estar a malas. ¡Ay, Señor! No tendría que habérselo contado.

Unos días más tarde me bajo del autobús y recorro una manzana hasta llegar a casa de Miss Leefolt. Me encuentro un camión cargado de madera aparcado frente al porche. Hay dos hombres de color en su interior, uno tomándose una taza de café y el otro dormido en el asiento. Paso a su lado y entro en la cocina.

Mister Raleigh Leefolt está todavía en casa esta mañana, algo extraño. Siempre que le veo por aquí parece que está contando los minutos que faltan para poder volver a su trabajo de contable, incluso los sábados. Pero hoy está ocupado con algo.

–¡Ésta es mi maldita casa y pago por todo lo que se hace aquí! –grita Mister Leefolt.

Miss Leefolt intenta mantener la compostura, con esa sonrisa que denota que no está contenta. Me refugio en el cuarto de la lavadora. Han pasado dos días desde que surgió el tema del retrete y pensaba que ya se les había pasado. Mister Leefolt abre la puerta trasera para mirar el camión, que sigue allí, y la cierra de un portazo.

–Mira, no me importa que te pases todo el santo día de compras ni todos tus malditos viajes a Nueva Orleans con tus amiguitas de la Liga, pero esto es el colmo.

–Pero aumentará el valor de la casa. ¡Me lo ha dicho Hilly!

Sigo en el cuarto de la lavadora, pero casi me parece escuchar los esfuerzos que está haciendo Miss Leefolt para conservar su sonrisa de siempre.

–¡No nos lo podemos permitir! ¡Y no vamos a seguir las órdenes de los Holbrook!

Durante un minuto reina el silencio. Después oigo el «pappap» de las sandalias de Chiquitina.

—¿Pa-pi?

Salgo del cuarto de la lavadora y entro en la cocina, porque Mae Mobley es de mi incumbencia. Mister Leefolt está arrodillado ante la pequeña mostrándole una sonrisa falsa.

—¿Sabes qué, cariño?

La pequeña le sonríe, esperando una sorpresa.

—De mayor no vas a poder ir a la universidad, pero por lo menos las amigas de tu mamá no tendrán que usar el mismo retrete que la criada.

El hombre se levanta y sale dando un portazo tan fuerte que Chiquitina parpadea asustada.

Miss Leefolt mira a su hija y empieza a mover el dedo amenazante.

—Mae Mobley, ¡sabes que no debes bajarte sola de la cuna!

Chiquitina mira la puerta que su padre acaba de cerrar con violencia y luego a su madre echándole la bronca. ¡Mi pequeña! La pobrecita traga saliva haciendo un verdadero esfuerzo para no llorar.

Me apresuro a subir a Chiquitina en brazos y le digo al oído:

—¡Vamos al salón a *jugá* con el muñeco que habla! ¿Qué dice el burrito?

—Sigue bajándose de la cuna. ¡Esta mañana ya he tenido que devolverla a la cama tres veces!

—Eso es porque alguien necesita que le cambien los pañales... ¿Quién seráááá? ¡Mi Chiquitinaaaa!

Miss Leefolt chasquea la lengua y dice:

—No me había fijado.

Y vuelve a mirar por la ventana el camión de las maderas.

Me retiro a la habitación, tan sorprendida que casi me tropiezo. Chiquitina lleva metida en la cuna desde las ocho de la tarde de ayer, ¿cómo no va a necesitar que la cambien? ¡A ver si Miss Leefolt aguantaba doce horas sin ir al baño!

Tumbo a la pequeña en el cambiador, intentando contener mi rabia. Ella me mira mientras le quito el pañal. Estira el brazo y me toca la boca con sus deditos.

25

–¿Mae-Mo mala? –pregunta.

–No, pequeña, tú no eres mala –le digo, acariciándole el pelo–. Eres buena, muy buena.

Desde 1942 vivo en una casita alquilada en Gessum Avenue. La verdad es que el barrio tiene mucha personalidad. Las casas son pequeñas y los jardines delanteros, todos distintos: unos, llenos de zarzas y sin hierba, como la calva de un anciano; otros, con arbustos de azalea, rosales y espesos y verdes céspedes. El mío, supongo que se queda a medio camino entre unos y otros.

Tengo unas cuantas camelias rojas delante de la casa. En el césped hay algunas calvas y todavía tiene una marca amarillenta en el lugar donde la camioneta de Treelore estuvo aparcada durante tres meses después del accidente. No tengo árboles. El patio trasero sí es bonito, se parece al jardín del Edén. Es donde la vecina de la puerta de al lado, Ida Peek, tiene su huerto.

Ida no puede disfrutar de su propio patio trasero por culpa del montón de chatarra que acumula su marido: motores de coches, frigoríficos viejos y neumáticos. El hombre siempre dice que va a reparar todos esos cacharros, pero nunca lo hace. Por eso le dije a Ida que plantara sus hortalizas en mi patio. Así no tengo que ocuparme de cortar el césped y ella me deja recolectar lo que necesite, con lo que consigo ahorrarme dos o tres dólares por semana. Ida guarda en conserva todo lo que no nos comemos y me da algunos tarros para pasar los meses de invierno: buenos grelos, berenjenas, un montón de ocra y todo tipo de calabazas. No sé cómo se las arregla para que el pulgón no ataque a los tomates, pero lo consigue. Y le salen muy ricos.

Esta tarde está cayendo una buena ahí fuera. Saco un tarro de col y tomate de los que me dio Ida Peek y me lo como con la rodaja que me queda del pan de maíz de ayer. Después me siento a repasar mis finanzas, porque últimamente han sucedido dos cosas importantes: el autobús ha subido a quince céntimos el trayecto y el alquiler a sesenta dólares al mes. Trabajo

26

para Miss Leefolt de ocho a cuatro, seis días a la semana, con los sábados libres. Cada viernes me pagan cuarenta y tres dólares, lo que hace un total de ciento setenta y dos dólares al mes. Eso significa que tras pagar las facturas de luz, agua, gas y teléfono, me quedan siete dólares y cincuenta centavos cada semana para la compra, mi ropa, la peluquería y el cepillo de la iglesia. Sin contar que el giro postal de las facturas me sale por cinco centavos. Mis zapatos de trabajo están tan ajados que parece que se estén muriendo de hambre. Unos nuevos cuestan siete dólares, lo cual quiere decir que tendré que alimentarme a base de col y tomate hasta que me convierta en un conejo. Aun así, debo dar gracias a Dios por las conservas de Ida Peek, pues de otro modo no tendría qué comer.

Suena el teléfono y doy un respingo. Antes de que pregunte quién es, oigo hablar a Minny. Parece que se ha quedado trabajando hasta tarde esta noche.

–Miss Hilly va a *meté* a su madre en un asilo. Tengo que buscarme otro sitio *pa trabajá*. ¿Sabes cuándo se va? La semana que viene.

–¡Oh, no, Minny!

–Ya he *estao* buscando. Hoy he *llamao* a diez casas, pero no han *mostrao* el más mínimo interés.

Siento decir que no me sorprende.

–Lo primero que haré mañana será *preguntá* a Miss Leefolt si conoce a alguien que ande buscando una asistenta...

–Un momento –me interrumpe Minny. Escucho de fondo la voz de Miss Walter y luego a Minny gritándole–: ¿Quién se piensa que soy? ¿Su chofer? ¡No la pienso *llevá* al club de campo con la que está cayendo!

Después de robar, lo peor que puedes hacer si trabajas de asistenta es tener la lengua larga. De todos modos, Minny es tan buena cocinando que con eso muchas veces compensa este defecto.

–No te preocupes, Minny. Te encontraremos a alguien sordo como una tapia, como Miss Walter.

–Miss Hilly ha *estao* insinuando que me fuera a *trabajá pa* ella.

27

–¿Qué? Escúchame bien, Minny –replico, lo más seria que puedo–, prefiero mantenerte yo con mi sueldo que dejarte *trabajá pa* esa bruja.

–¿Pero qué te piensas, Aibileen, que soy un chimpancé atontado? Ya puestas, podría *trabajá* también *pal* Ku Klux Klan, ¡no te fastidia! Además, sabes que nunca le quitaría el trabajo a Yule May.

–Lo siento, Dios me perdone. –Siempre me pongo muy nerviosa cuando está Miss Hilly de por medio–. Voy a *llamá* a Miss Caroline, la de Honeysuckle, a ver si sabe de alguien. También probaré con Miss Ruth, es una *mujé* encantadora, de esas que te rompen el corazón con sus historias. Cuando trabajaba *pa* ella, limpiaba la casa a *toa* prisa por la mañana *pa podé pasá* el resto del día en su compañía. Su *marío* murió de escarlatina.

–*Grasias,* Aibileen. ¡Vamos, Miss Walter, cómase estas alubias! Hágalo por mí.

Minny se despide y cuelga el teléfono.

A la mañana siguiente me encuentro con que el camión verde cargado de maderas sigue ahí. Los martillazos ya han empezado y Mister Leefolt no anda hoy por casa. Supongo que es consciente de que ha perdido esta batalla antes incluso de empezarla.

Miss Leefolt, con su albornoz azul, está sentada en la mesa de la cocina hablando por teléfono. Chiquitina tiene la cara llena de algo rojo y pegajoso y se apoya en las rodillas de su madre intentando llamar su atención.

–¡*Güenos* días, Chiquitina! –le digo.

–¡Ma-má! ¡Ma-má! –grita ella, intentando trepar a las rodillas de Miss Leefolt.

–No, Mae Mobley. –Miss Leefolt la empuja para que se baje–. Mamá está hablando por teléfono. Deja a mamá hablar tranquila.

–Ma-má, aúpa –Mae Mobley lloriquea y lanza los brazos hacia su madre–. Aúpa Mae-Moe. Aúpa.

–Chist –la reprime Miss Leefolt.

Rápidamente, alzo a Chiquitina y la llevo al lavabo, pero sigue estirando el cuello y llamando a su madre entre sollozos, intentando atraer su atención.

–Pues sí, le conté lo que me dijiste –explica Miss Leefolt al teléfono–, que cuando nos mudemos a otro sitio, eso aumentará el valor de la casa.

–Vamos, Chiquitina, pon las manos aquí, bajo el agua –le digo a la niña.

Pero Chiquitina no deja de revolverse. Intento enjabonarle las manos, pero se retuerce sin parar. Consigue deslizarse de mis brazos y escapa corriendo hacia su madre. Levantando la barbilla, tira del cable del teléfono con todas sus fuerzas. El auricular sale despedido de la mano de Miss Leefolt y cae al suelo.

–¡Mae Mobley! –le grito.

Corro para llevármela de allí, pero su madre llega antes, con los labios fruncidos y una temible sonrisa. Da un cachete a Chiquitina en la parte trasera de los muslos con tanta fuerza que hasta yo doy un respingo de dolor. Después agarra a Mae Mobley del brazo y la sacude con fuerza mientras le chilla:

–¡Mae Mobley, no se te ocurra volver a tocar este teléfono! Aibileen, ¿cuántas veces te he dicho que la mantengas lejos de mí cuando hablo por teléfono?

–Lo siento, señora –contesto. Recojo a Mae Mobley y trato de abrazarla, pero la pequeña berrea con toda la cara colorada y se me resiste.

–Vamos, Chiquitina. Ya pasó, ya...

Mae Mobley me hace una mueca, retrocede un poco y... ¡pumba!, me golpea en toda la oreja.

Miss Leefolt señala hacia la puerta y grita:

–¡Aibileen! ¡Fuera de aquí las dos!

Me llevo a la pequeña a la cocina. Estoy tan cabreada con Miss Leefolt que tengo que morderme la lengua. Si la muy estúpida le prestara un poco de atención a su hija, esto no habría pasado. Cuando consigo meter a Mae Mobley en su cuarto, me siento en la mecedora. La pequeña gime con la cabeza hundida en mi hombro mientras le acaricio la espalda. Menos mal que no puede ver mi cara de enfado. No quiero que piense que es por su culpa.

—¿Estás bien, Chiquitina? —le susurro al oído.

Me escuece el porrazo que me ha dado en la oreja, pero me consuela que me lo haya dado a mí en vez de a su madre. No quiero imaginar lo que le habría hecho esa mujer. Todavía puedo ver las marcas rojas de sus dedos en los muslos de la pequeña.

—Estoy aquí, Chiquitina, Aibi está aquí contigo.

La acuno y le doy mimos, la acuno y le doy mimos... pero Chiquitina llora y llora sin parar.

A eso de la hora de comer, cuando empiezan mis series favoritas en la tele, se interrumpe el jaleo en el jardín. Mae Mobley está sentada en mi regazo ayudándome a pelar las judías. Todavía está un poco enfurruñada por lo que ha pasado esta mañana. La verdad es que yo también lo estoy, pero me he guardado el enfado dentro de mí, en un lugar muy profundo, donde no tenga que preocuparme por él.

Vamos a la cocina y le preparo su bocadillo de mortadela. Fuera, los obreros almuerzan sentados en el camión. Me agrada la paz que se respira. Sonrío a Chiquitina y le ofrezco una fresa. Gracias a Dios que estaba yo aquí cuando se peleó con su madre. No quiero pensar qué habría ocurrido de no encontrarme yo cerca. Se mete la fresa en la boca y me devuelve la sonrisa. Diría que ella piensa lo mismo que yo.

Miss Leefolt no está en casa, por eso se me ocurre telefonear a Minny a casa de Miss Walter para ver si ya ha encontrado algo. Pero antes de que pueda hacerlo, llaman a la puerta trasera. Abro y me encuentro a uno de los obreros. Es un hombre muy mayor y lleva puesto un mono por encima de una camisa blanca.

—*Güenas*, mamita. ¿Le importa darme un poco de agua? —me pregunta.

No le conozco, debe de ser del sur de la ciudad.

—¡*Pos* claro que no!

Saco un vaso de plástico del armario. Todavía tiene dentro globos del segundo cumpleaños de Mae Mobley. Sé que a Miss Leefolt no le haría gracia que le ofreciera un vaso normal.

El hombre se lo bebe de un trago y me devuelve el vaso. Parece muy cansado y sus ojos muestran cierta tristeza.

–¿Qué tal lo lleváis? –le pregunto.

–Tirando –dice–. Todavía no hemos *empalmao* el agua. Supongo que tiraremos una tubería *d' allá*, desde la carretera.

–Tu compadre, ¿no quiere *bebé* algo? –le pregunto.

–*Mu* amable –me agradece.

Le doy otro colorido vaso de cartón lleno de agua del grifo para su compañero. El hombre espera un poco antes de llevárselo y me dice:

–Perdón, pero ¿*ánde...*? –Se queda callado por un instante, con los ojos fijos en el suelo–. ¿*Ánde pueo* ir a *hacé* un pis?

Levanta la mirada. Lo contemplo y durante un minuto nos quedamos los dos así. A ver, es una situación graciosa. No como un chiste, pero sí de esas cosas divertidas que te hacen pensar: «¡Leches! Tenemos dos lavabos en esta casa y están construyendo otro, pero todavía no hay un sitio para que este señor haga sus necesidades». Nunca me había visto en una situación así.

–*Pos...*

Supongo que Robert, el chiquito que cada dos semanas se pasa a arreglar el jardín, hace sus cosas antes de venir. Pero este señor es mayor. Tiene unas enormes manos llenas de callos. Setenta años de preocupaciones han dejado tantas arrugas en su cara que parece un mapa de carreteras.

–Me temo que tendrás que ir a los arbustos de detrás de la casa –le digo, deseando no tener que hacerlo–. Hay un chucho, pero no te molestará.

–*Mu* bien –dice–. *Grasias*.

Me quedo observando cómo se dirige muy despacito hacia su compañero con el vaso de agua en la mano.

Los golpes y los martillazos continúan el resto de la tarde.

Todo el día siguiente hay martillazos y ruido de gente cavando en el jardín. No le pregunto nada a Miss Leefolt sobre el asunto y ella tampoco me da ninguna explicación. Cada hora, la mujer echa un vistazo por la puerta para ver cómo van las cosas.

A las tres en punto se acaba el jaleo y los hombres montan en su camión y se marchan. Miss Leefolt los ve alejarse y suelta un largo suspiro. Después, sube en su coche y se marcha a hacer lo que tenga que hacer ahora que ya no tiene que preocuparse porque un par de negros anden rondando por casa.

Al cabo de un rato, suena el teléfono.

—Residencia de los Leef...

—¡Le está diciendo a *tol* mundo que robo! ¡Por eso nadie me quiere *da* trabajo! ¡Esa bruja me ha puesto como si fuera la criada más ladrona e insolente del condado de Hinds!

—Tranquila, Minny, respira un poco...

—Antes de *vení* a *trabajá* esta mañana, me pasé por casa de los Renfroe en Sycamore y Miss Renfroe casi me echa a *patás* de su *propiedá*. ¡Me ha dicho que Miss Hilly ya le ha advertido sobre mí y que *tol* mundo sabe que robé un candelabro de Miss Walter!

Casi puedo escuchar cómo aprieta el auricular, parece que vaya a aplastarlo con la mano. Oigo a Kindra voceando por detrás y me pregunto por qué estará Minny ya en casa. Normalmente no sale del trabajo hasta las cuatro.

—¡Lo único que he hecho es *da* de comer y *cuidá* a esa vieja!

—Minny, sé que eres honrada, y Dios también lo sabe.

Su voz se va suavizando, como el zumbido de las abejas cuando llegan al panal.

—Cuando entré en casa de Miss Walter esta mañana, Miss Hilly estaba allí e intentó darme veinte dólares. Me dijo: «Toma, sé que lo necesitas». Casi le escupo en la cara. Pero no lo hice, ¡no *señó*! —Su respiración se acelera—. Hice algo *peó*.

—¿Qué hiciste?

—No te lo puedo *contá*. No pienso decirle a nadie lo que hice con esa tarta. ¡Pero se lo merecía!

32

Está a punto de llorar y siento un escalofrío recorriéndome la espalda. Es mejor no jugar con Miss Hilly.

–Nunca volveré a *encontrá* trabajo en esta *ciudá*. Leroy va a matarme... –se lamenta Minny.

De fondo, oigo cómo Kindra empieza a berrear. Minny cuelga sin tan siquiera despedirse. No sé a qué se refería con lo de la tarta. ¡Ay, Dios! Conociendo a Minny, no puede tratarse de nada bueno.

Esa noche me preparo una ensalada con hojas de ombú y un tomate del huerto de Ida. Frío un poco de jamón y me hago una tostada grasienta. He peinado y pulverizado mi peluca y llevo los rulos puestos. Me he pasado toda la tarde preocupada por Minny. Tengo que quitármela de la cabeza si quiero dormir algo.

Me siento a cenar en la mesa y enciendo la radio. El pequeño Stevie Wonder está cantando *Fingertips*. Ser de color no le ha afectado mucho a ese muchacho. Con doce añitos y a pesar de ser ciego ya tiene un éxito que suena en las emisoras. Cuando termina la canción empieza el sermón del pastor Green. Muevo el dial y me detengo en la WBLA. Dan sesiones de *blues* en vivo.

Me gustan esos sonidos de humo y licores cuando cae la noche. Me hacen sentir que mi casa está llena de gente. Casi puedo verlos, moviéndose en mi cocina, bailando al son del *blues*. Cuando apago la luz del techo, me imagino que estamos en el Raven, con sus mesitas iluminadas por lámparas rojas. Es mayo o junio y hace calor. Clyde, mi hombre, me ofrece su blanca sonrisa y dice: «Cariño, ¿qué quieres *bebé?*», y yo le contesto: «¡Un Black Mary bien *cargao!*». Me echo a reír de mí misma, aquí sentada en mi cocina y soñando despierta. ¡Si la bebida más fuerte que he probado en mi vida es el refresco de uva!

Memphis Minnie empieza a cantar en la radio *Lean Meat won't Fry*, una canción sobre amores que terminan. De vez en cuando, pienso que debería buscarme a otro hombre, alguno de mi iglesia. El problema es que, por mucho que amo al Señor, los hombres que asisten a misa nunca se fijan demasiado en mí. El tipo de hombre que me gusta no es de esos que se dedican a vaguear y gastarse todo el dinero que llevas a casa. Ya cometí ese error hace veinte años. Cuando mi marido Clyde me dejó por esa indeseable ramera de Farrish Street, esa a la que llaman Cocoa, decidí que lo mejor sería dar carpetazo al tema de los hombres.

Un gato comienza a maullar fuera y me trae de vuelta a mi fría cocina. Apago la radio, enciendo la luz y saco mi libro de oraciones del bolso. No es más que un cuadernillo azul que compré en la tienda de Ben Franklin. Uso un lápiz para poder borrar lo que escribo hasta que me sale bien. Desde que estaba en la escuela escribo mis plegarias. Cuando le dije a mi profesora de séptimo que iba a dejar de ir a clase porque tenía que ayudar a mi mamá, la señorita Ross casi se echa a llorar.

–Eres la más lista de la clase, Aibileen –me dijo–. La única forma de que sigas aprendiendo es que leas y escribas todos los días.

Por eso empecé a escribir mis oraciones en lugar de recitarlas. Sin embargo, desde entonces nadie me ha vuelto a llamar lista.

Paso las páginas de mi libro de oraciones para ver por quién voy a rogar esta noche. Algunas veces se me pasa por la cabeza incluir a Miss Skeeter en mi lista, no tengo muy claro por qué. Siempre es amable conmigo cuando la veo, pero su presencia me pone nerviosa y no puedo evitar preguntarme qué quería de mí aquel día en la cocina de Miss Leefolt con eso de si me gustaría cambiar las cosas. Además, sacó el tema de Constantine, la asistenta que la crió. Claro que sé lo que pasó entre Constantine y la mamá de Miss Skeeter, pero de ningún modo voy a contarle esa historia.

La cosa es que, si empiezo a rezar por Miss Skeeter, sé que esa conversación se repetirá la próxima vez que la vea. Y la siguiente, y la siguiente... Porque para eso sirve la oración. Es como la electricidad, hace que las cosas se activen. Lo del retrete es algo en lo que no me apetece nada pensar.

Echo un vistazo a mi lista de oraciones. Mi pequeña Mae Mobley es la primera, seguida de Fanny Lou, mi pobre amiga de la iglesia que anda con reumatismo. También están mis hermanas de Port Gibson, Inez y Mable, que entre las dos tienen dieciocho hijos, seis de ellos con gripe. Cuando la lista es corta, suelo meter a ese viejo blanco maloliente que duerme enfrente del supermercado, el que perdió la chaveta por beber betún pensando que era alcohol. Pero esta noche la lista es bastante larga.

Y mira a quién he puesto en la lista: ¡a la mismísima Bertrina Bessemer! Todo el mundo sabe que Bertrina y yo no nos tragamos desde que, hace años, me llamó «negra loca» por casarme con Clyde.

–Minny –le pregunté a mi amiga el pasado domingo–, ¿por qué Bertrina me pide que rece por ella?

Estábamos volviendo a casa de la misa de nueve. Minny me contestó:

–Bueno, la gente dice por ahí que tus oraciones tienen poderes, que consigues mejores *resultaos* que la gente normal.

–¿Qué dices?

–Cuando Eudora Green se rompió la cadera la pusiste en tu lista y una semana después ya estaba andando. Y cuando Isaiah se cayó del camión de algodón, lo metiste esa misma noche en la lista y al día siguiente volvió al trabajo.

Al escuchar esto, me puse a pensar que no tuve tiempo de rezar por Treelore. Quizá por eso Dios se lo llevó tan rápido, no quería tener que discutir conmigo.

–Y lo de Snuff Washington –seguía diciendo Minny–, o Lolly Jackson. ¡Diablos! Dos días después de que pusieras a Lolly en tu lista, se levantó de su silla de ruedas como si la hubiera *tocao* Jesucristo. *Tol* mundo en el condado de Hinds lo sabe.

–Pero no es por mí. Es por las oraciones.

–Pero Bertrina... –Minny se echó a reír y añadió–: ¿*T'a-cuerdas* de Cocoa, esa con la que se fugó Clyde?

–¡Uf! ¿Cómo iba a olvidarme de ella?

–Una semana después de que Clyde te dejara, me enteré de que un día Cocoa se levantó con una infección en el chocho.

Le apestaba como una almeja *podría* y no se le curó en tres meses. Bertrina es una buena amiga de Cocoa y sabe que tus oraciones funcionan.

Me quedé con la boca abierta. ¿Por qué no me lo había contado antes?

—¿Estás diciendo que la gente se cree que hago magia negra?

—Sabía que te preocuparías si te lo contaba. Sólo piensan que *tiés* una *mejó* conexión con el *Señó* que los demás. *Tos* tenemos nuestra línea *particulá pa hablá* con Dios, pero tú estás *sentá* justo en su oreja.

La tetera empieza a silbar en el fuego, devolviéndome al mundo real. ¡Ay, Dios! Pienso que lo mejor es seguir adelante y poner a Miss Skeeter en la lista. ¿Por qué lo hago? No lo sé. Esto me recuerda algo en lo que no quiero pensar: que Miss Leefolt me está construyendo un retrete porque cree que puedo transmitirle enfermedades y que Miss Skeeter me ha preguntado si no me gustaría cambiar las cosas. Como si cambiar Jackson, Misisipi, fuera tan sencillo como cambiar una bombilla.

Estoy pelando alubias en la cocina de Miss Leefolt cuando suena el teléfono. Espero que sea Minny para decirme que ha encontrado algo. He llamado a todas las casas en las que he servido y todos me contestaron lo mismo: «No queremos a nadie», aunque lo que en realidad querían decir es: «No queremos a Minny».

Sólo hace tres días que Minny dejó el trabajo, pero anoche Miss Walter la llamó en secreto para pedirle que fuera hoy a hacerle compañía porque la casa estaba muy vacía sin ella. Además, Miss Hilly se había llevado casi todos los muebles. Todavía no sé lo que pasó entre Minny y Miss Hilly, y creo que prefiero no saberlo.

—Residencia de los Leefolt, ¿dígame?

—Esto... ¡Buenas! Soy... —La voz de mujer se detiene y carraspea—. ¡Hola! ¿Podría...? ¿Podría hablar con Elizabeth *Leer-folt,* por favor?

–La señora Leefolt no está ahora en casa. ¿Quiere dejarle un *recao*?

–¡Vaya por Dios! –exclama, como si le molestara haberse puesto tan tensa para nada.

–¿Puede decirme con quién hablo?

–Soy... Celia Foote. Mi esposo me pasó este número. Yo no conozco a Elizabeth, pero... Bueno, mi marido me dijo que ella lo sabe todo sobre las campañas benéficas de la Liga de Damas.

Me suena su nombre, pero no puedo ubicarlo. Esta mujer habla con un acento tan de pueblo que parece que tenga maíz plantado en los zapatos. Tiene una voz suave, aguda, pero no suena como la de las señoritas de por aquí.

–Le pasaré su mensaje. ¿Puede decirme su número?

–Soy nueva por aquí. Bueno, no es cierto, ya llevo un tiempo en la ciudad. ¡Casi un año! Pero no conozco a mucha gente. La verdad es que... no salgo mucho.

Carraspea de nuevo y me pregunto por qué me estará contando todo esto. Soy la criada, no va a hacer muchas amistades hablando conmigo.

–Estaba pensando que podría ayudarles con la colecta desde mi casa –añade.

Entonces caigo en quién es. ¡Es la mujer a la que Miss Hilly y Miss Leefolt siempre ponen a parir porque se casó con el ex novio de Miss Hilly!

–Le pasaré el *recao* a la señora *pa* que la llame cuando vuelva. ¿Puede repetirme su número?

–¡Vaya! Es que ahora tenía pensado salir al supermercado. Bueno, quizá debería quedarme en casa y esperar a que me llame.

–Si no la encuentra en casa, Miss Leefolt puede *dejá* un mensaje a su criada.

–No tenemos criada. De hecho, quería preguntarle a Elizabeth también sobre ese tema, si podría recomendarme a alguna de fiar.

–¿Necesita una asistenta?

–La verdad es que me cuesta encontrar a alguien que quiera venir hasta el condado de Madison.

¡Estupendo!

–Conozco a una persona *mu* buena. Cocina de maravilla y puede *cuidá* a sus hijos. Además, tiene coche propio y podría *llegá* hasta su casa sin problemas.

–Oh, de acuerdo... Pero me gustaría comentárselo a Elizabeth primero. ¿Te he dado mi número?

–Todavía no, señora. –Suspiro–. Dígame.

Miss Leefolt nunca recomendará a Minny. No después de todas las mentiras que ha contado Miss Hilly.

–Está a nombre del señor Johnny Foote, y el número es Emerson, dos, seis, cero, seis, cero, nueve.

–La asistenta se llama Minny –digo, por si acaso–. Vive en Lakewood y su número es ocho, cuatro, cuatro, tres, dos. ¿Lo tiene?

Chiquitina me tira del vestido y dice: «Tri-pa pu-pa», tocándose la barriga. Se me ocurre una idea.

–Un momento –digo al teléfono, y simulo una conversación con la pequeña–: ¿Miss Leefolt ya ha *venío?*... Vale, se lo comento. –De nuevo al auricular, continúo con mi treta–: Miss Celia, Miss Leefolt acaba de *llegá* y dice que no se encuentra bien. También dice que si necesita una asistenta puede *llamá* a Minny y que la telefoneará si necesita ayuda con la campaña benéfica.

–¡Oh! Dígale que se lo agradezco y que espero que se recupere pronto. ¡Ah! Y que puede llamarme cuando quiera.

–Recuerde: Minny Jackson, Lakewood, ocho, cuatro, cuatro, tres, dos. Un momento, por *favó*... ¿Sí, señora?

Tomo una galleta y se la doy a Mae Mobley, disfrutando del placer de hacer el mal. Soy consciente de que estoy mintiendo, pero no me importa.

Vuelvo al teléfono y le cuento otra trola a Miss Celia Foote:

–La señora dice que no le comente a nadie el asunto de Minny, porque *toas* sus amigas quieren emplearla y se enfadarían si supieran que la ha *recomendao* a otra persona.

—No contaré este secreto si ella no revela el mío. No quiero que mi marido se entere de que he contratado una asistenta.

¡Caramba! Si esto no es que las cosas salgan a pedir de boca, no sé qué es.

En cuanto cuelgo, me dispongo a llamar a Minny lo más rápido posible. Pero antes de que me dé tiempo a hacerlo, Miss Leefolt entra por la puerta.

¡Vaya! ¡La he armado buena! Le acabo de dar a esta Miss Celia el número de casa de Minny, pero mi amiga estará ahora haciendo compañía a Miss Walter porque la mujer se siente sola. Así que cuando Miss Celia la llame, contestará Leroy y le dará el número de Miss Walter porque ese hombre es así de tonto. Si la anciana responde cuando Miss Celia llame se descubrirá todo el pastel, porque le contará a esta mujer todo lo que Miss Hilly anda diciendo por ahí. Tengo que localizar a Minny o a Leroy antes de que esto suceda.

Miss Leefolt se dirige a su dormitorio y, como me temía, lo primero que hace es apoderarse del teléfono. Primero llama a Hilly; luego a su peluquera; luego a una tienda para encargar un regalo de boda. Charla, charla y charla... En cuanto cuelga, sale de la habitación y me pregunta qué hay para cenar esta semana. Saco el cuaderno y repaso con ella la lista. No, no quiere chuletas de cerdo; está intentando que su marido adelgace; prefiere filetes a la plancha y ensalada; ¿cuántas calorías creo que tienen los merengues?; no tengo que volver a dar galletas a Mae Mobley porque está muy gorda y bla, bla, bla...

¡Dios mío! Esta mujer, que nunca habla conmigo más que para darme órdenes y decirme que use tal o cual cuarto de baño, de repente no para de charlar como si yo fuera su mejor amiga. Mae Mobley baila y se mueve como una loca intentando llamar la atención de su madre. Justo cuando Miss Leefolt está a punto de agacharse para atenderla un poco... ¡Ahí va! Resulta que tiene que salir a todo correr porque se ha olvidado un recado importantísimo que tenía que hacer y ya lleva casi una hora pajareando.

Estoy tan nerviosa que no consigo que mis dedos hagan girar el disco del teléfono tan rápido como me gustaría.

–¡Minny! Te he *encontrao* un trabajo. Tienes que *contestá* al teléfono...

–La *mujé* ya ha *llamao* –me dice con voz chafada–. Leroy le dio el número.

–Y Miss Walter contestó –adivino yo.

–Está sorda como una tapia, pero esta vez, como por milagro divino, resulta que va y escucha el timbre del teléfono. Yo estaba entrando y saliendo de la cocina, sin prestarle mucha atención, pero oí que decía mi nombre. Luego llamó Leroy y me enteré de lo que pasaba.

La voz de Minny suena rasgada, aunque es de esas que nunca se rinden.

–Bueno, igual Miss Walter no le ha *contao* las patrañas que se inventó Hilly. Nunca se sabe.

Ni tan siquiera yo soy tan ingenua como para creerme eso.

–Aunque no le haya *contao* eso, Miss Walter sabe lo que hice *pa* vengarme de Miss Hilly. Todavía no sabes lo que pasó, Aibileen, y prefiero que no te enteres. Hice una trastada terrible. Estoy *convencía* de que Miss Walter le habrá dicho a esa *mujé* que soy el mismísimo Demonio.

Su voz me da miedo, como si fuera un tocadiscos sonando a pocas revoluciones.

–¡Cuánto lo siento! Tendría que haberte *llamao* antes *pa* que estuvieses atenta y contestaras la primera al teléfono.

–Has hecho lo que has *podío*. Ya no hay *na* que *hacé* por mí.

–Rezaré por ti.

–*Grasias* –dice, con voz rota–. Y *grasias* por *intentá* ayudarme.

Colgamos y me pongo a fregar el suelo. El tono de la voz de Minny me ha asustado. Siempre ha sido una mujer fuerte, una luchadora. Después de la muerte de Treelore, estuvo tres meses enteros trayéndome la cena por la noche. Todos los días me decía: «¡No señora! No voy a permitir que este mundo cruel se quede sin ti». Y, podéis creerme, yo pensaba en abandonarlo muy a menudo.

Ya tenía el nudo preparado cuando Minny encontró la soga. Era una cuerda de Treelore, de cuando hizo un trabajo para su clase de ciencias con poleas y aros. No estoy segura de si habría sido capaz de utilizarla, pues sé que es un pecado tremendo a los ojos de Dios, pero no estaba muy en mis cabales. En cuanto a Minny, no hizo ninguna pregunta. Sólo sacó la cuerda de debajo de la cama, la metió en el cubo de la basura y la llevó a la calle. Cuando regresó, se frotó las manos como si acabara de sacar la basura normalmente. Es muy eficiente, esta Minny. Pero ahora parece que está bastante mal. Tendré que echar un vistazo debajo de su cama esta noche.

Pongo en el cubo un abrillantador que a las señoritas les encanta porque sale todo el rato en la tele. Me siento a descansar un poco en la silla y aparece Mae Mobley sujetándose la tripita.

—Quítame la pu-pa —me dice.

Descansa la cara en mi pierna. Le acaricio el pelo una y otra vez hasta que casi ronronea, sintiendo el cariño en mi mano. Pienso en todas mis amigas, en lo que han hecho por mí y en lo que hacen cada día por las mujeres blancas a las que sirven; en el dolor en la voz de Minny; en Treelore, sepultado bajo tierra. Miro a Chiquitina y, en lo más profundo de mí, sé que no podré evitar que termine pareciéndose a su mamá. Todo junto se me amontona encima. Cierro los ojos y rezo por mí esta vez. Pero no consigo sentirme mejor.

¡Ayúdame, Señor! Habría que hacer algo.

Chiquitina se pasa toda la tarde abrazada a mi pierna. Un par de veces estoy a punto de caerme, pero no me importa. Miss Leefolt no nos ha dicho nada a ninguna de las dos desde esta mañana. Ha estado muy ocupada con su máquina de coser en su dormitorio, intentando hacer una cubierta para ocultar algo que no le gusta cómo queda en su casa.

Tras un rato, Mae Mobley y yo entramos en el salón. Tengo un montón de camisas de Mister Leefolt que planchar y después debo preparar la comida. Ya he limpiado los baños, cambiado las sábanas y pasado la aspiradora a las alfombras.

Siempre intento terminar las tareas del hogar pronto para poder quedarme con Chiquitina y jugar.

Miss Leefolt entra y observa cómo plancho. Es algo que hace a menudo: fruncir el ceño y mirarme. Cuando levanto la vista, me dirige una rápida sonrisa y se toca el pelo por detrás, intentando darle volumen.

–Aibileen, tengo una sorpresa para ti.

Ahora tiene una amplia sonrisa, pero no enseña los dientes, sólo sonríe con los labios, algo digno de ver.

–Mister Leefolt y yo hemos decidido construirte un cuarto de baño para ti sola. –Da un par de palmaditas y me hace un gesto con el mentón–. Está ahí fuera, en el porche del garaje.

–*Mu* bien, señora.

¿En qué mundo piensa que vivo?

–Así que, desde ahora, en lugar de utilizar el baño de invitados, puedes usar el tuyo propio. ¿No te parece genial?

–Sí, señora.

Sigo planchando. La tele está encendida y mi programa favorito está a punto de empezar. Sin embargo, se queda ahí y sigue mirándome.

–Así que ahora usarás el cuarto de baño del porche, ¿entendido?

No levanto la mirada. No lo hago para buscar problemas, sino simplemente porque ella ya ha dejado claro lo que quiere.

–¿Quieres llevar un poco de papel y salir a utilizarlo?

–No necesito ir al baño en este momento, Miss Leefolt.

Mae Mobley me señala con el dedo desde su parque y dice:

–Mae-Mo, ¿zu-mo?

–Ahora te traigo un zumo, pequeña.

–¡Oh! –Miss Leefolt se pasa la lengua por los labios unas cuantas veces–. Pero cuando tengas ganas, irás ahí fuera y usarás ese baño. Es decir... sólo puedes usar ése, ¿de acuerdo?

Miss Leefolt lleva puesto un montón de maquillaje, algo cremoso y espeso. Ese potingue amarillento le cubre también los labios, así que casi no se le ve la boca. Por fin digo lo que ella quiere escuchar:

–Desde ahora, utilizaré mi servicio de *coló*. Y ahora mismo voy a *desinfectá* bien los cuartos de baño de blancos.

–Bueno, no hay prisa. Puedes hacerlo en cualquier momento del día.

Por el modo en el que se queda de pie jugueteando con su anillo de casada, me queda claro que quiere que lo haga ahora mismo.

Dejo muy despacito la plancha, sintiendo esa amarga semilla crecer en mi pecho. Esa que se plantó tras la muerte de Treelore. Siento calor en el rostro y me tiembla la lengua. No se me ocurre qué decirle. Lo único que sé es que no voy a abrir la boca, y que ella tampoco va a decir lo que en realidad quiere. Algo extraño sucede aquí, porque nadie dice nada y, aun así, estamos teniendo una conversación.

Minny

Capítulo 3

Mientras espero en el porche del patio trasero en casa de esta blanca, me digo: «¡Muérdete la lengua, Minny! Trágate todo lo que te venga a la boca, y al trasero también. Compórtate como una criada que sólo hace lo que se le ordena». ¡Qué nerviosa estoy! Juro que no volveré a responder a nadie si me dan este trabajo.

Me estiro las medias, que se me han quedado arrugadas a la altura de los tobillos, un problema que tenemos las mujeres gordas y bajitas. Repaso lo que tengo que decir y lo que debo callarme, doy un paso y pulso el timbre.

La campana suena haciendo un largo ding-dong muy apropiado para esta gran mansión en medio del campo. Estoy delante de la puerta y me parece un castillo de ladrillo gris elevándose hacia el cielo, y también extendiéndose a izquierda y derecha. El césped del jardín está rodeado de bosque por todas partes. Si este lugar estuviera en un libro de cuentos, habría brujas de esas que se comen a los niños ocultas entre los árboles.

La puerta de servicio se abre y aparece Miss Marilyn Monroe, o algo parecido.

−¡Hola! Llegas puntual. Soy Celia, Celia Rae Foote.

La blanca me tiende la mano mientras la estudio con la mirada: aunque se da un aire a Marilyn, ésta no podría salir en

44

las películas. Hay restos de harina en su peinado rubio, en sus pestañas postizas y por todo el traje pantalón (muy hortera, por cierto) que lleva puesto. A su alrededor se levanta una nube de polvo y me pregunto cómo podrá respirar embutida en esa ropa tan ajustada.

–*Güenas*, señora. Soy Minny Jackson. –Me arreglo el uniforme blanco en lugar de darle la mano, pues no quiero que me ensucie–. ¿Está cocinando algo?

–Una de esas tartas de frutas que salen en las revistas –Suspira–. Pero no me está saliendo muy bien.

La sigo al interior de la casa y entonces me doy cuenta de que la harina sólo ha causado daños menores a Miss Celia Rae Foote. El resto de la cocina no ha tenido tanta suerte: las encimeras, el frigorífico de dos puertas y el robot de cocina están cubiertos por una capa de medio centímetro de harina, como si hubiera nevado. Un caos que sería suficiente para volver loca a cualquier criada. Todavía no me han dado el trabajo y ya estoy buscando un trapo en el fregadero.

–Supongo que todavía me queda mucho por aprender –comenta Miss Celia.

–*Pos* sí –digo, mordiéndome con fuerza la lengua.

«Minny –me digo–, no vaciles a esta blanca como hacías con la otra, que te estuviste metiendo con ella hasta que la llevaron al asilo.»

Pero Miss Celia sonríe ante mi comentario mientras se lava los pegotes de harina de la mano en un fregadero lleno de platos. Me pregunto si no me habrá tocado otra sorda como Miss Walter. ¡Ya me gustaría!

–Parece que no consigo pillarle el truco a la cocina –murmura.

Aunque intenta hablar entre suspiros peliculeros a lo Marilyn, resulta evidente que es una mujer de pueblo, muy de pueblo. Bajo la vista y veo que la bruta de ella no lleva zapatillas, como los blancos pobres. Las señoritas blancas de verdad no andan por ahí descalzas.

Será quince o veinte años más joven que yo, tendrá unos veintidós o veintitrés, y es muy guapa, pero ¿por qué lleva todo

45

ese pringue en la cara? Apuesto a que se pone el doble de maquillaje que las otras señoritas blancas. También tiene bastante más pecho que ellas. Lo tiene casi tan grande como el mío, pero luego está delgada en todas las partes en las que yo no lo estoy. Espero que le guste comer, porque soy buena cocinera y por eso me contrata la gente.

–¿Quieres beber algo? –me pregunta–. Siéntate y te traigo un refresco.

Ahora ya no tengo dudas: algo muy extraño está pasando aquí.

Cuando me llamó, hace tres días, le dije a mi marido: «Leroy, esta *mujé tié* que *está* loca. *Tol* mundo en la ciudad piensa que robé el candelabro de plata de Miss Walter. Y seguro que ella también lo sabe, porque la escuché hablando por teléfono con la vieja». «Los blancos son gente rara –me dijo Leroy–. ¿Quién sabe? Igual esa vieja le habló bien de ti.»

Me quedo mirando a Miss Celia Rae Foote. Nunca en toda mi vida una mujer blanca me había pedido que me sentara y se había ofrecido para servirme un refresco. ¡Carajo! Me empiezo a preguntar si esta loca realmente quiere una asistenta o si me ha hecho venir hasta aquí sólo por diversión.

–Igual es *mejó* que me enseñe la casa primero, señora.

Sonríe como si nunca se le hubiera pasado por esa cabeza llena de laca que debería enseñarme la casa que se supone que tengo que limpiar.

–¡Anda! ¡Vale! Ven conmigo, Maxie. Primero te enseñaré nuestro magnífico comedor.

–Me llamo Minny –la corrijo muy despacito.

Puede que no esté sorda o chiflada. Igual simplemente es idiota. Un rayo de esperanza vuelve a brillar en mí.

La sigo mientras recorre ese estercolero de casa sin parar de hablar. Hay diez habitaciones en la planta baja, y en una tienen un oso pardo disecado que parece haber devorado a la última asistenta y estar esperando a la siguiente. En la pared hay enmarcada una antigua bandera confederada medio quemada y en la mesa se expone una pistola de plata con el nombre del general de la Confederación John Foote grabado en la culata.

46

Apuesto a que el tatarabuelo Foote asustó a unos cuantos esclavos con ella.

Seguimos el recorrido y me doy cuenta de que es una bonita casa de blancos, pero también de que es, con diferencia, la más grande en la que he estado y de que está llena de suelos sucios y alfombras polvorientas. Los ilusos que no tienen ni idea de esto dirían que la mitad de las cosas están para tirar, pero yo sé reconocer una antigüedad cuando la veo. He trabajado en muchas casas de gente elegante. Sólo espero que estos blancos no sean tan de pueblo como para no tener aspiradora.

—La madre de Johnny no me deja cambiar la decoración. Yo tengo otro estilo: quitaría todas estas antiguallas y pondría alfombras blancas y adornos dorados en toda la casa.

—¿De *ánde* es *usté*? —le pregunto.

—Soy de... Sugar Ditch —contesta, bajando un poco la voz.

Sugar Ditch es lo peor que puedes encontrar en Misisipi, y puede que en todo Estados Unidos. Está en el condado de Tunica, cerca de Memphis. Una vez vi fotos del lugar en el periódico. Era todo chabolas de alquiler, y hasta los niños blancos parecía que no habían comido en semanas.

—Es la primera vez que tengo una asistenta —dice Miss Celia forzando una sonrisa.

—*Pos* ya era hora, porque la necesitaba.

¡Esa boca, Minny!

—Me alegró mucho que Miss Walter te recomendara. Me lo contó todo de ti. Dice que eres la mejor cocinera de la ciudad.

Esto no tiene sentido. ¡Después de lo que le hice a Miss Hilly delante de las narices de Miss Walter!

—¿Le contó... algo más sobre mí?

Pero Miss Celia ya está subiendo las enormes escaleras en curva. La sigo al piso de arriba y llego a un amplio recibidor iluminado por la luz del sol que entra por las ventanas. Aunque hay dos dormitorios amarillos para niñas y uno verde y otro azul para niños, está claro que en esta casa no viven críos. Sólo hay polvo.

—Tenemos cinco dormitorios y cinco cuartos de baño en la casa principal. —Señala hacia la ventana y veo que detrás de

47

una enorme piscina azul hay «otra» casa. Se me acelera el corazón–. Aquélla es la casita de la piscina.

En mi situación, aceptaría cualquier trabajo, pero limpiar una casa como ésta tiene que estar bien pagado. Tener mucha faena no me preocupa, no me asusta trabajar.

–¿Cuándo van a *tené* críos *pa llená* estas camitas? –Intento sonreír y parecer amistosa.

–¡Oh! Vamos a tener hijos, sí... –Traga saliva y se mueve nerviosa–. ¡Claro! Los niños son lo único que merece la pena en esta vida.

Baja la vista y se queda mirando al suelo. Tras un segundo se dirige de nuevo hacia las escaleras. La sigo y me doy cuenta de que se agarra con fuerza a la barandilla, como si tuviera miedo de caerse.

De regreso al comedor, Miss Celia empieza a menear la cabeza.

–Como has visto, hay mucho que hacer –dice–. Todos los dormitorios, los suelos...

–Sí, señora. Tienen ustedes una casa *mu* grande –comento, pensando que si viera la mía, con un catre en el salón y un solo cuarto de baño para seis traseros, echaría a correr–. Pero yo tengo mucha energía.

–... y además hay que limpiar toda esta plata.

Abre un armario del tamaño del salón de mi casa y coloca una vela que se ha caído de un candelabro. ¡Ahora entiendo por qué parece tan indecisa y preocupada!

Después de que toda la ciudad se tragara las mentiras de Miss Hilly, tres señoritas seguidas me colgaron el teléfono en cuanto dije mi nombre, así que me preparo para recibir el golpe. «Dilo, mujer –pienso para mis adentros–. Di lo que estás pensando sobre tu plata y yo.» Siento deseos de llorar al pensar en lo mucho que necesito este trabajo y en todo lo que ha hecho Miss Hilly para que no me lo den. Me pongo a mirar por la ventana, esperando y rezando para que la entrevista no termine aquí.

–Sé lo que estás pensando –dice ella por fin–. Esas ventanas son demasiado altas. Nunca he intentado limpiarlas.

48

Vuelvo a respirar. ¡Carajo! Las ventanas son para mí un tema mucho más agradable que la plata.

–No me asustan las ventanas. Limpiaba de arriba abajo las de Miss Walter una vez al mes.

–Su casa, ¿es de una planta o de dos?

–Bueno, sólo tenía una... Pero había mucha faena. Las casas antiguas tienen muchos recovecos, ya sabe.

Finalmente, regresamos a la cocina. Las dos miramos hacia la mesa de desayuno, pero ninguna se sienta. Me estoy poniendo tan nerviosa preguntándome qué piensa de mí, que empiezo a sudar.

–Tiene una casa *mu* grande y preciosa –digo–. Aquí, en medio del campo... Hay mucho trabajo que *hacé*.

Empieza a juguetear con su anillo de casada.

–Supongo que la casa de Miss Walter era bastante más fácil de limpiar que ésta. A ver, ahora sólo estamos nosotros dos, pero cuando tengamos hijos...

–¿Tiene... esto... otras candidatas *pal* trabajo?

Suspira y dice:

–Por aquí han pasado un montón. El problema es que todavía no he encontrado... a la apropiada.

Se muerde las uñas y mueve los ojos nerviosa.

Supongo que ahora me va a decir que yo tampoco soy la apropiada, pero se queda callada y seguimos de pie respirando la harina que flota en el aire. Por fin, me decido a jugar mi última carta y, en voz muy baja, disparo mi último cartucho:

–¿Sabe? La *verdá* es que dejé de *trabajá pa* Miss Walter porque se fue a un asilo, no porque me despidieran.

Ella agacha la cabeza y contempla sus pies descalzos y ahora llenos de polvo porque no ha barrido el suelo desde que se instaló en este sucio caserón. Está claro que esta mujer no me quiere.

–Bueno –dice–. Te agradezco que hayas venido hasta aquí. ¿Quieres que te dé algo de dinero por la gasolina?

Recojo mi bolso y me lo coloco bajo el sobaco. Me dirige una sonrisa alegre y me gustaría borrársela de un puñetazo. ¡Maldita Hilly Holbrook!

49

–No, señora, no hace falta.

–Sabía que iba a ser difícil encontrar a alguien, pero...

Me quedo allí contemplando cómo se hace la compungida mientras pienso: «No ha funcionado con esta mujer, tengo que decirle a Leroy que deberíamos irnos a vivir al Polo Norte con Santa Claus, donde todavía no han llegado los embustes que Hilly cuenta sobre mí».

–... si estuviera en tu lugar, yo tampoco querría limpiar una casa tan grande.

La miro fijamente a los ojos. Ahora se está pasando un poco con sus excusas, pretendiendo que Minny no consigue el trabajo porque Minny «no quiere» el trabajo.

–¿Acaso he dicho que no quiera *limpiá* esta casa?

–No, si yo lo comprendo... Ya son cinco las asistentas que me han dicho que es demasiado trabajo.

Bajo la cabeza para mirar mi propio cuerpo. Mis setenta y cinco kilos y mi metro y medio están a punto de reventar el uniforme de rabia.

–¿*Demasiao pa* mí?

La mujer pestañea durante un segundo, incrédula.

–¿Lo... lo harías?

–¿*Pa* qué se piensa que he *venío* hasta aquí? ¿*Pa gastá* gasolina? –Cierro mi bocaza de golpe. «No lo estropees ahora, Minny. Te está ofreciendo un tra-ba-jo»–. Miss Celia, me encantaría *trabajá pa usté*.

La loca de ella sonríe y se acerca a mí dispuesta a abrazar-me, pero yo retrocedo un paso para dejarle claro que conmigo no se hacen esas cosas.

–Espere un momento, primero tenemos que *hablá* de algu-nas cosas. Tiene que decirme qué días quiere que venga... y ese tipo de cosas, ya sabe.

«Como cuánto vas a pagarme, blanquita», pienso.

–Pues... puedes venir cuando te apetezca –dice.

–Con Miss Walter trabajaba de domingo a viernes.

Miss Celia se arranca otro trocito de uña con los dientes y me dice:

–Los fines de semana no puedes venir.

–Está bien. –Necesito trabajar todo lo posible, pero igual más adelante me deja venir para servir en alguna fiesta o lo que sea–. Entonces, de lunes a viernes. ¿A qué hora quiere que esté aquí por la mañana?

–¿A qué hora quieres venir?

Nunca me habían dejado elegir estas cosas. Entrecierro los ojos.

–¿Qué tal a las ocho? Es cuando entraba a *trabajá* en casa de Miss Walter.

–¡Vale! Las ocho está bien –dice, y se queda callada, como esperando mi próximo movimiento.

–Ahora se supone que tiene que decirme a qué hora *pueo* marcharme.

–¿A qué hora? –pregunta Celia.

Pongo los ojos en blanco.

–Miss Celia, ¡se supone que *usté* es quien debe decidirlo! Así se hacen las cosas.

Traga saliva, como si de verdad le estuviera costando entenderlo. Sólo quiero terminar con esto cuanto antes, no vaya a ser que la mujer cambie de opinión.

–¿Qué le parece a las cuatro? –propongo–. Trabajaré de ocho a cuatro, con un descanso *pa almorzá* o lo que sea.

–Me parece bien.

–Ahora... tenemos que *hablá* del sueldo –digo, retorciendo los dedos de los pies en mis zapatos. No creo que esta mujer ofrezca mucho cuando cinco asistentas antes que yo han rechazado el trabajo.

Ninguna de las dos abre la boca.

–Vamos, Miss Celia. ¿Cuánto le ha dicho su *marío* que puede pagarme?

Dirige la vista al robot de cocina, que estoy convencida de que no sabe utilizar, y dice:

–Johnny no lo sabe.

–Bueno, entonces pregúntele esta noche cuánto está dispuesto a *pagá*.

–No. Johnny no sabe que quiero contratar una asistenta.

Agacho la cabeza hasta que la barbilla toca con el pecho.

–¿Qué quiere *decí* con eso de que no lo sabe?

–Que no voy a decírselo –comenta, abriendo mucho los ojos azules, como si le tuviera un miedo mortal a su marido.

–¿Y qué va a *hacé* Mister Johnny si vuelve a casa y se encuentra a una *mujé* de *coló* en su cocina?

–Lo siento, es que no puedo...

–Le diré lo que va a *hacé* su marido: agarrará la pistola de su abuelo y le pegará un tiro a Minny aquí mismo, sobre este suelo de vinilo.

Miss Celia sacude la cabeza y añade:

–¡Pero si no voy a contárselo!

–Entonces es *mejó* que me marche –digo.

¡Mierda! Sabía que algo iba a salir mal. Desde que entré por esa puerta me di cuenta de que esta mujer estaba chiflada.

–Yo no quiero mentirle a mi marido, pero necesito una asistenta...

–¡Claro que necesita una asistenta! Porque seguro que a la última que tuvo, su marido le pegó un tiro...

–Él nunca vuelve a casa durante el día. Sólo tienes que hacer las tareas de limpieza más pesadas y enseñarme a preparar la cena. No serán más que unos meses...

Un olor a quemado me invade la nariz. Veo una humareda que sale del horno.

–Y luego, ¿qué? Cuando pasen esos meses, ¿va a despedirme?

–Después... despúes se lo contaré a mi marido –dice, pero sólo de pensarlo frunce el ceño–. Por favor, quiero que piense que soy capaz de llevar la casa yo sola. Quiero que piense... que todas las molestias que le causo merecen la pena.

–Miss Celia –meneo la cabeza, sin creerme que ya estoy discutiendo con esta mujer y no llevo ni dos minutos trabajando para ella–, creo que se le está quemando la tarta.

Agarra un trapo, se dirige a todo correr al horno e intenta sacar como puede el postre que estaba preparando.

–¡Ayyy! ¡Me cago en la leche!

Dejo el bolso y la aparto de en medio.

–Miss Celia, no se *pué agarrá* una fuente caliente con un trapo mojado.

Con un paño seco, saco la tarta quemada a la calle, posándola en las escaleras de cemento.

Miss Celia mira la quemadura que se ha hecho en la mano.

–Miss Walter dice que eres una cocinera muy buena.

–Esa señora se come un par de judías y dice que ya está llena. No pude *conseguí* que comiera *na*.

–¿Cuánto te pagaba?

–Un dólar la hora –contesto, sintiéndome un poco avergonzada: cinco años trabajando para ella y ni siquiera me pagaba el salario mínimo.

–Te pagaré dos dólares.

Siento que me quedo sin aire.

–¿A qué hora sale de casa Mister Johnny por las mañanas? –pregunto, limpiando la barra de mantequilla que se derrite sobre la encimera, pues ni siquiera tiene un plato debajo.

–A las seis. No aguanta quedarse mucho tiempo vagueando en casa. A eso de las cinco de la tarde vuelve de su oficina en la agencia inmobiliaria.

Hago mis cálculos e incluso aunque sean menos horas de trabajo, está muy bien pagado. Claro que si me pegan un tiro, no podré cobrar.

–Entonces, me marcharé a las tres, así tengo dos horas de margen *pa* asegurarme de que no me lo encuentro en el camino.

–¡Muy bien! –exclama ella–. Más vale prevenir.

En las escaleras de afuera, Miss Celia mete la tarta quemada en una bolsa de papel.

–Tendré que enterrar esto en el fondo del cubo de la basura para que no se entere de que se me ha vuelto a quemar algo.

Le arrebato la bolsa.

–Mister Johnny no verá *na*. Ya la tiro yo en mi casa.

–¡Caray! ¡Gracias!

Miss Celia mueve la cabeza como si se tratara de la cosa más amable que alguien haya hecho por ella nunca. Salgo hacia el coche y la dejo en la mesa, feliz, apoyando la barbilla sobre los puños.

Me encajo en el hundido asiento del Ford por el que Leroy todavía paga doce dólares semanales a su jefe. Me siento aliviada. Por fin he encontrado un trabajo. No tendré que mudarme al Polo Norte. ¡Santa Claus se va a llevar un chasco!

—Sienta tu trasero aquí, Minny, porque voy a enseñarte las reglas de oro *pa trabajá* en casa de una señorita blanca.

En aquel entonces yo tenía catorce años. Me senté a la mesita de madera de la cocina de mi mamita y miraba cómo una tarta de caramelo se enfriaba en una bandeja, esperando el momento de meterla en la nevera. Mi cumpleaños era el único día del año en el que me permitían comer todo lo que quisiera.

Estaba a punto de abandonar la escuela y empezar mi primer trabajo de verdad. Mi mamita quería que continuara estudiando hasta llegar a noveno. A ella le habría gustado ser maestra en lugar de pasarse la vida sirviendo en casa de Miss Woodra. Pero con el problema de corazón de mi hermana y con el borracho de mi padre, sólo quedábamos ella y yo. Ya había aprendido a hacer las tareas de la casa. Al volver de la escuela, me encargaba de cocinar y limpiar. Pero, ahora que iba a ir a trabajar en casa de otras personas, ¿quién se iba a ocupar de la nuestra?

Mi madre me rodeó por los hombros y me giró para que la mirara a ella y no a la tarta. Mamá era una negrera, pero era muy noble, nunca se llevaba nada de nadie. Movió el dedo tan cerca de mi cara que me hizo bizquear.

—La primera regla cuando trabajas *pa* una señorita blanca, Minny: *Na* es de tu incumbencia. No metas las narices en los problemas de la blanca ni vayas a llorarle con los tuyos... ¿Que no te llega *pa pagá* la factura de la luz? ¿Que te duelen los pies? ¡Te callas! Recuerda una cosa: los blancos no son tus amigos. No les interesa *escuchá* tus penas. Y si una señorita blanca sorprende a su *marío* con la vecina, no se te ocurra meterte por medio, ¿me oyes?

54

»Regla número dos: Nunca dejes que la señorita blanca te pille utilizando su cuarto de baño. No importa si *tiés* tantas ganas de *meá* que se te va a *salí* el pis por las orejas. Si no hay un retrete *pal* servicio en el jardín, te aguantas hasta que la señorita no esté en casa y entonces utilizas el lavabo que ella no use habitualmente.

»Regla número tres. –Mamá me giró la barbilla para que volviera a mirarla porque la tarta me había hipnotizado de nuevo–. Regla número tres: Cuando estés cocinando *pa* los blancos, prueba la comida con una cuchara diferente. Si te llevas a la boca la cuchara y no hay nadie mirando, puedes devolverla a la cazuela, pero lo *mejó* es tirarla al fregadero.

»Regla número cuatro: Usa la misma taza, el mismo *tenedó* y el mismo plato *tos* los días. Guárdalos en un armario *separao* y dile a la señorita blanca que son los que vas a *utilizá* de ahora en adelante.

»Regla número cinco: Come en la cocina.

»Regla número seis: No pegues a sus hijos. A los blancos les gusta dar ellos mismos las bofetadas.

»Regla número siete: Ésta es la última, Minny. ¿Me estás escuchando? No respondas nunca a una blanca.

–Mamá, ya sé cómo...

–Mira, cuando crees que no estoy escuchando, te oigo cómo murmuras si te mando *limpiá* la estufa o cómo protestas cuando a la pobre Minny le toca el trozo más pequeño de pollo. Si le respondes a una blanca, no tardarás en estar en la calle.

Había visto cómo actuaba mi madre cuando Miss Woodra la acercaba a casa, todos esos «Sí, señora», «No, señora», «¡Cómo se lo agradezco, señora!». ¿Por qué tenía yo que terminar así? Yo sé cómo plantarle cara a la gente.

–Ahora, ven aquí y dale un abrazo a tu mamita, que es tu cumpleaños. ¡Díos mío! Pesas casi tanto como una casa, Minny.

–No he comido *na* en todo el día, ¿cuándo me vas a dar mi tarta?

–No digas «*na*», ahora tienes que hablar bien. No te he educado para que hables como una burra.

Mi primer día en casa de la señorita blanca, comí mi bocadillo de jamón en la cocina y puse el plato en el espacio reservado para mí en el armario. Cuando su maldita mocosa me robó el bolso y lo escondió en el horno, no le calenté el trasero. Pero cuando la señorita blanca dijo:

—Ahora quiero asegurarme de que primero lavas a mano toda la ropa y luego la pones en la lavadora para terminar la colada.

Le contesté:

—¿Por qué tengo que lavarla a mano si se puede *meté* en la lavadora? Es la mayor pérdida de tiempo que he oído en mi vida.

La señorita blanca me sonrió y, cinco minutos más tarde, me puso de patitas en la calle.

Con el trabajo para Miss Celia, podré ver a mis hijos marcharse a la escuela por la mañana y tener algo de tiempo para mí cuando vuelva a casa por la tarde. No me echo una siesta desde que nació Kindra en 1957, pero con este horario de ocho a tres podré dormir todos los días si me apetece. Como no hay ningún autobús que pase por casa de Miss Celia, tendré que usar el coche de Leroy.

—No te vas a *llevá* mi carro *tos* los días, *mujé*. ¿Qué pasa si tengo turno de mañana y necesito...?

—Me van a *pagá* setenta dólares limpios *tos* los viernes, Leroy.

—Creo que podré *usá* la bici de Sugar.

El martes, el día después de la entrevista, aparco el coche en la cuneta de la carretera que lleva a casa de Miss Celia, detrás de una curva para que no quede a la vista. Recorro a paso ligero la calle vacía y el jardín sin cruzarme con otro coche.

—¡Ya estoy aquí, Miss Celia!

Asomo la cabeza a su dormitorio esa primera mañana y allí está ella, sentada en la cama, perfectamente maquillada y con su camisón ajustado de los viernes, a pesar de que hoy es martes. Lee esa mierda del *Hollywood Digest* como si fuera la Biblia.

–¡Buenos días, Minny! ¡Qué alegría verte! –contesta y se me eriza el pelo al escuchar a una mujer blanca siendo tan amable.

Echo un vistazo al dormitorio, calculando el trabajo que me espera. Es grande, con una alfombra de color crema, una cama de matrimonio amarilla con baldaquino y dos sillones del mismo color. Está todo muy ordenado: no hay ropas tiradas por el suelo, la colcha se encuentra bien puesta debajo de la señorita y la manta, perfectamente doblada sobre el sillón. Pero miro, observo y puedo sentirlo: hay algo que no encaja.

–¿Cuándo comenzamos con la primera lección de cocina? –me pregunta–. ¿Empezamos hoy?

–Supongo que dentro de unos días, cuando haya ido *usté* a la tienda y *comprao* lo que necesitamos.

Reflexiona unos momentos y replica:

–Quizá deberías ir tú, Minny, porque sabes mejor lo que hay que comprar y todo eso.

La contemplo. A casi todas las mujeres blancas les gusta hacer ellas mismas la compra.

–Está bien, haré la compra por la mañana.

Veo que ha colocado una alfombrilla rosa de pelo largo sobre la alfombra, junto a la puerta del cuarto de baño, un poco descentrada. No soy decoradora, pero sé que una alfombrilla rosa no encaja en una habitación amarilla.

–Miss Celia, antes de ponerme manos a la obra, quiero *sabé* cuándo piensa hablarle de mí a Mister Johnny.

Contempla la revista que tiene en sus rodillas y dice:

–Dentro de unos meses, supongo. Cuando sepa cocinar y todo eso...

–Pero con «unos meses», ¿se refiere a dos?

Se muerde el labio repleto de carmín y responde:

–Bueno, calculo que serán algo así como... cuatro.

¿Qué? No pienso trabajar durante cuatro meses como una fugitiva.

–¿No se lo va a *decí* hasta 1963? No, señora. *Tié* que hacerlo antes de *Navidá*.

–Está bien. Pero justo antes –suspira.

Echo mis cuentas y digo:

—Eso son ciento... ciento dieciséis días. *Tié* que decírselo dentro de ciento dieciséis días.

Frunce el ceño, preocupada. Seguro que no se esperaba que la criada fuera tan buena con las matemáticas.

—De acuerdo —asiente por fin.

Después le pido que se vaya al salón para que yo pueda trabajar en este cuarto. Cuando ha salido, ojeo la habitación, que parece muy ordenada. Muy despacio, abro el armario y, tal como me suponía, cuarenta y cinco trastos me caen en la cabeza. Luego, miro debajo de la cama y veo tanta ropa sucia que apuesto a que no ha hecho la colada en varios meses.

Cada cajón es un desastre, hasta el rincón más escondido está lleno de ropa sucia y montañas de medias. Me encuentro quince cajas de camisas nuevas para que Mister Johnny no descubra que su esposa no sabe lavar y planchar la ropa. Por último, levanto esa peculiar alfombrilla rosa. Debajo hay una gran mancha del color del óxido. Me pongo a temblar.

Por la tarde, Miss Celia y yo hacemos una lista de lo que vamos a cocinar esa semana, y a la mañana siguiente hago la compra. Tardo el doble en llegar al trabajo, porque debo conducir hasta el supermercado Jitney Jungle en el centro de la ciudad al que van los blancos, en lugar de comprar en el Piggly Wiggly que queda cerca de mi casa. Me imagino que a la señorita no le agradará la comida de un supermercado de color, y la verdad es que no la culpo, conociendo esas patatas con brotes de un par de centímetros y la leche agria. Cuando llego a casa de Miss Celia, me preparo para recibir una bronca por el retraso, pero me encuentro a la señorita en la cama, igual que ayer, sonriendo como si no le importara nada. Se ha arreglado, aunque no va a salir. Se queda cinco horas ahí sentada leyendo revistas. Sólo la veo levantarse para tomarse un vaso de leche o para mear. Pero no hago preguntas, yo sólo soy la criada.

Después de limpiar la cocina, empiezo con el salón. Me detengo en la puerta y me quedo contemplando a ese oso pardo.

Mide dos metros y enseña los dientes. Tiene unas garras largas y curvas, de aspecto aterrador. A sus pies hay un cuchillo de caza con el mango de hueso. Me acerco y compruebo que tiene el pelo enmarañado y lleno de polvo. Hay una telaraña entre sus colmillos.

Primero, intento sacarle el polvo a escobazos, pero es muy espeso y está enredado entre el pelo, así que sólo consigo removerlo. Agarro un paño y trato de limpiarlo, pero me pincho cada vez que esos pelos duros como alambres me rozan la mano. ¡Blancos! A ver, he limpiado de todo, desde frigoríficos a guardabarros de coches, pero ¿qué le hace pensar a esta blanca que sé cómo limpiar un maldito oso disecado?

Voy por la aspiradora. La paso por el oso y, a excepción de algunas partes en las que le he dado muy fuerte y le he hecho unas calvas, creo que la suciedad ha salido bastante bien.

Una vez que he terminado con el oso, limpio el polvo de los malditos libros que nadie lee, los botones confederados y la pistola de plata. En una mesita hay una foto con marco dorado de Miss Celia y Mister Johnny en el altar. Me acerco para ver qué clase de hombre es su marido, esperando que sea gordo y patizambo por si me toca escapar de él, pero en absoluto. Es fuerte, alto y delgado. El caso es que no me resulta extraño. ¡Díos mío! ¡Es el que estuvo saliendo con Miss Hilly todos esos años cuando empecé a trabajar para Miss Walter! Nunca lo conocí, pero le vi suficientes veces como para estar segura de lo que digo. Me da un escalofrío y mis temores se triplican. Ese dato dice más sobre él que cualquier otra cosa.

A la una en punto, Miss Celia aparece en la cocina y me dice que está lista para su primera clase. Se sienta en un taburete. Lleva un jersey rojo ajustado, una falda del mismo color y maquillaje de sobra para dejar a una ramera a la altura del barro.

–Vale. ¿Qué sabe *cociná?* –le pregunto.

Se lo piensa, arruga la frente y responde:

–Creo que lo mejor será empezar por lo básico.

59

–¡Pero algo debe de *sabé usté!* ¿Qué le enseñó su madre de pequeña?

Baja la vista a sus pies embutidos en las medias y dice:

–Sé freír tortitas de maíz.

No puedo evitar reírme.

–Además de las tortitas de maíz, ¿qué otra cosa sabe *hacé?*

–Sé cocer patatas. –Su voz cada vez suena más bajito–. Y también hago gachas. Donde yo vivía no había electricidad, ¿sabes? Pero estoy lista para aprender a utilizar una cocina de verdad.

¡Díos mío! Nunca había conocido a una persona más miserable que yo, quitando a Mister Wally, ese desequilibrado que vive detrás del colmado de Canton y se alimenta de comida para gatos.

–¿Le da de *comé* gachas y tortitas de maíz a su *marío tos* los días?

Asiente con un gesto de la cabeza.

–Pero me vas a enseñar a cocinar bien, ¿verdad que sí?

–Haré lo que pueda –digo, aunque nunca antes en mi vida me he encontrado en la situación de tener que decirle a una mujer blanca lo que tiene que hacer, y no sé por dónde empezar.

Me arremango y me pongo a pensar. Por último, señalo una lata que hay en la encimera.

–Supongo que si existe algo que debe *aprendé* sobre cocina, es a *usá* eso.

–Pero eso es manteca, ¿no?

–No, no es sólo manteca. Es el invento más importante *pa* la cocina desde los botes de mayonesa.

–Pero ¿qué tiene de especial la grasa de cerdo? –pregunta, con la nariz arrugada.

–No es de cerdo. ¡Es vegetal! –¿Cómo es posible que haya alguien que no conozca el Crisco?–. ¿Tiene idea de la *cantidá* de cosas que se pueden *hacé* con el contenido de esta lata?

–¿Freír? –aventura, encogiéndose de hombros.

–No sólo *freí.* ¿Alguna vez se le ha *quedao* algo pegajoso, chicle por ejemplo, en el pelo? –Tamborileo con los dedos

60

sobre la lata–. ¡Se quita con Crisco! Y si lo pone en el culito de un niño, nunca se le irritará por los pañales. –Echo tres cucharadas en la sartén y añado–: ¡Leches! He *conocío* a mujeres que se lo untaban debajo de los ojos *pa* las patas de gallo, y otras que lo utilizaban *pa* las durezas de los pies de sus *maríos*...

–¡Mira qué bonito es! –dice–. Se parece a la nata de las tartas.

–... Y también quita los restos de las etiquetas que se quedan *pegaos* en la ropa, hace que las bisagras no chirríen... Si se va la luz, le pones una mecha y *pués* utilizarlo como vela. –Enciendo el fuego y contemplamos cómo se derrite en la sartén–. ¡Y además de *to* eso, sirve *pa freí* pollo!

–De acuerdo –dice, muy concentrada–. ¿Cuál es el siguiente paso?

–He *dejao* el pollo en remojo con suero de leche –le explico–. Ahora mezclo las especias.

Pongo harina, sal, un poco más de sal, pimienta negra, pimentón dulce y una cayena en una bolsa de papel doblada.

–Ahora, meta los trozos de pollo en la bolsa y agítela.

Miss Celia pone un trozo de pollo crudo dentro de la bolsa y la sacude.

–¿Así? ¿Como el anuncio de rebozados Shake 'N Bake que ponen en la tele?

–¡Eso es! –digo, mordiéndome la lengua.

Si eso no es un insulto, no sé qué es. «¡Como el anuncio de rebozados Shake 'N Bake!», dice la tía. De repente, me quedo helada al oír el sonido de un motor en la carretera. Sin atreverme a mover un pelo, escucho. Veo que los ojos de Miss Celia se abren como platos y que también está escuchando. Las dos pensamos lo mismo: ¿Y si es él? ¿Dónde voy a esconderme?

El sonido del motor se aleja, y las dos volvemos a respirar.

–Miss Celia –rechino los dientes–, ¿cómo es posible que no le cuente a su *marío* que tiene una asistenta? ¿No se va a dar él cuenta cuando vea que la comida mejora?

–¡Anda! No se me había ocurrido. Igual es preferible dejar que el pollo se queme un poco.

La miro de soslayo. No pienso quemar el pollo. No ha contestado a mi pregunta, pero no tardaré en sonsacarle la verdad.

Con mucho cuidado, pongo los trozos de pollo, ahora oscuros por el rebozado, en la sartén. Empiezan a crepitar como una canción, y nos quedamos mirando cómo las pechugas y los muslos se van tostando. Levanto la mirada y descubro que Miss Celia me contempla con una sonrisa de alelada.

–¿Qué pasa? ¿Tengo monos en la cara?

–No –dice, a punto de saltársele las lágrimas. Me toma del brazo y añade–: ¡Qué suerte tengo de que estés conmigo!

Retiro mi brazo y le digo:

–Miss Celia, hay muchas cosas por las que debería dar *grasias* a Dios, no sólo por mí.

–Lo sé. –Mira su despampanante cocina como si fuera algo que le sabe mal–. Nunca soñé que tendría todo esto.

–Bueno, ¿no es *usté* feliz?

–Nunca he sido más feliz en toda mi vida.

Lo dejo ahí. Bajo toda esa felicidad, está claro que no es feliz.

Esa noche llamo a Aibileen.

–Miss Hilly estuvo en casa de Miss Leefolt ayer –me dice mi amiga–. Preguntó si alguien sabía dónde trabajas ahora.

–¡Ay, Dios! Si lo descubre, lo echará *to* a *perdé*, seguro.

Han pasado dos semanas desde que hice la terrible trastada a esa mujer. Seguro que le encantaría ver cómo me despiden.

–¿Qué dijo Leroy cuando le contaste que te dieron el trabajo? –me pregunta Aibileen.

–¡Carajo! Se puso a *montá* el numerito, haciéndose el chulo en la cocina como un gallito porque los niños estaban delante. Ya sabes, *pa demostrá* que él es el único que mantiene esta familia y que yo sólo hago esto *pa* entretenerme porque, ¡pobrecita de mí!, me aburro *tol* día *metía* en casa. Pero fíjate: más tarde, en la cama, el machito que tengo por *marío* casi se echa a llorar.

–Leroy es muy orgulloso –dice Aibileen entre risas.

–¡Sí, señora! Lo único que me preocupa es que ese Mister Johnny no me pille en su casa.

–¿Y la *mujé* no te ha dicho por qué no quiere que su *marío* lo sepa?

–Quiere que él piense que puede *hacé* la comida y *limpiá* ella solita. Pero no creo que se trate de eso. Le debe de *está* ocultando algo.

–¿No es gracioso? Miss Celia no puede contárselo a nadie porque su *marío* se enteraría. Así que Miss Hilly no podrá descubrirlo, porque Miss Celia lo guarda en secreto. Si lo hubieras hecho a propósito, no te habría *salío mejó*.

–*Pos* sí –es lo único que contesto.

No quiero parecer una desagradecida, porque Aibileen fue quien me encontró el trabajo, pero no puedo evitar pensar que ahora tengo dos problemas: Miss Hilly y Mister Johnny.

–Minny, quería preguntarte una cosa –Aibileen carraspea–. ¿Conoces a Miss Skeeter?

–¿Una *mu* alta que solía pasarse por casa de Miss Walter *pa jugá* a las cartas?

–Esa misma. ¿Qué tal te cae?

–*Pos* no sé. Es una blanca, como las otras. ¿Por qué? ¿Qué te ha dicho de mí?

–No ha dicho *na* sobre ti. Te lo comento porque... es que hace unas semanas... No sé por qué sigo pensando en ello. La cosa es que me preguntó algo. Me dijo si no quería *cambiá* las cosas. Las mujeres blancas nunca hacen ese tipo de...

De repente, Leroy sale del dormitorio dando un portazo y pide su café antes de marcharse al turno de noche.

–¡Mierda! Mi hombre se ha *levantao* ya –digo–. Cuéntame, rápido.

–*Na*, no merece la pena. No tiene importancia.

–¿Qué? ¿Qué pasó? ¿Qué te dijo esa *mujé*?

–*Na*, sólo tonterías. Cosas sin *sentío*.

Capítulo 4

Durante mi primera semana en casa de Miss Celia, me dedico a fregar todas las habitaciones hasta que no queda un trapo, un trozo de sábana vieja ni unas medias usadas con las que frotar los suelos. La segunda semana, vuelvo a limpiar la casa porque me parece que la suciedad ha regresado. Sólo a la tercera semana me doy por satisfecha y conforme.

Cada mañana, cuando llego, Miss Celia me mira como si no pudiera creerse que siga acudiendo a trabajar. Soy la única novedad que interrumpe esa tranquilidad en la que vive. En mi casa siempre hay barullo, con cinco críos, un marido y los vecinos todo el día rondando por ahí. Muchas mañanas, cuando llego a casa de Miss Celia, agradezco la paz que se respira aquí.

Siempre, en todas las casas en las que he servido, ordeno las tareas del hogar del mismo modo: los lunes saco brillo a los muebles; los martes, un día que odio, lavo y plancho las malditas sábanas; los miércoles me toca frotar a fondo la bañera, aunque todas las mañanas la limpio con un paño húmedo; el jueves friego los suelos y paso el aspirador a las alfombras (las más antiguas tengo que hacerlas con un cepillo para que no se deshilachen); el viernes es el día de cocinar para el fin de semana y demás; y, por supuesto, cada día hay que barrer, lavar la ropa, planchar las camisas para que no se amontonen y, en general, mantener la casa limpia. La plata y las ventanas, cuando es necesario. Como no hay niños a los que cuidar, dispongo de mucho tiempo para las clases de cocina de Miss Celia.

Ella nunca está ocupada con nada, así que todos los días dejamos lista la cena que tomará Mister Johnny cuando regrese del trabajo: chuletas de cerdo, pollo frito, rosbif, empanada de pollo, costillas de cordero, jamón asado, tomates fritos, puré de patatas y ensaladas. Aunque sería mejor decir que yo cocino mientras Miss Celia curiosea sin parar quieta. Se parece a una niña de cinco años más que a una señorita rica que me paga el sueldo. Cuando terminamos la lección, sale corriendo para volver a tumbarse. De hecho, el único momento del día en el que Miss Celia camina más de cinco metros es cuando viene a la cocina para sus clases, o cuando sube las escaleras cada dos o tres días y se mete en las desoladas habitaciones del piso de arriba.

No sé qué hace durante los cinco minutos que pasa en la planta superior, pero no me gusta nada esa parte de la casa. Esos cuartos tendrían que estar llenos de críos riendo, gritando y revolviéndolo todo. Pero lo que Miss Celia haga con su vida no es de mi incumbencia y, la verdad, me alegra que se mantenga apartada. Ya me ha tocado andar detrás de demasiadas señoritas con una escoba en una mano y un cubo de basura en la otra, intentando arreglar lo que ellas van desordenando. Mientras se quede en la cama, no tendré mucho trabajo. Aunque no tenga hijos y nada que hacer en todo el día, es la mujer más vaga que he conocido. ¡Incluso más que mi hermana Doreena, que de pequeña nunca movió un dedo para ayudar en casa debido a ese problema de corazón que tenía! Más tarde, los médicos descubrieron que en realidad era una mosca que se había posado en el aparato de rayos X cuando le hicieron las radiografías.

Pero no sólo se queda en la cama. Miss Celia no sale de casa más que para ir a la peluquería a hacerse mechas y cortarse las puntas. Hasta ahora, sólo la he visto salir una vez en las tres semanas que llevo trabajando. Aunque tengo ya treinta y seis años, todavía puedo oír las palabras de mi madre: «Nada es de tu incumbencia». Pero me gustaría saber por qué a esta mujer le da tanto miedo salir de este lugar.

Cada día de pago le recuerdo a Miss Celia la cuenta atrás:

–Le quedan noventa y nueve días *pa* contárselo *to* a Mister Johnny.

–¡Jolines! ¡Qué rápido pasa el tiempo! –comenta con una mirada angustiada.

Yo le devuelvo la misma mirada, porque no sé qué podrá hacer ese hombre cuando se entere. Igual le dice que me despida.

–Esta mañana, un gato se ha *colao* en el porche y casi me da un ataque al *corasón* pensando que era su *marío*.

Como yo, Miss Celia se pone más nerviosa a medida que se acerca la fecha.

–Espero que nos dé tiempo, Minny. ¿Crees que estoy mejorando con la cocina? –me pregunta.

La observo atentamente. Tiene una bonita sonrisa, con una dentadura perfecta y blanca, pero es la peor cocinera que he visto en mi vida. Por eso vuelvo a repetir la primera lección y le enseño otra vez las cosas más sencillas, porque quiero que aprenda, y deprisa. ¡Cómo no! Necesito que le explique a su esposo por qué una negra de setenta y cinco kilos tiene las llaves de su casa. Quiero que ese hombre sepa por qué pasan por mis manos todos los días su plata de ley y los pendientes de rubíes de tropecientos quilates de su mujer. Tiene que saber el motivo antes de que un buen día me descubra y llame a la policía o, para ahorrarles trabajo, se encargue él mismo de solucionar las cosas.

–Saque el codillo. Compruebe que hay suficiente agua. Está bien. Ahora suba el fuego. ¿Ve las burbujitas? Eso significa que el agua está contenta.

Miss Celia contempla la cazuela como si pudiera leer en ella su futuro.

–Minny, ¿tú eres feliz?

–¿Por qué me hace esas preguntas tan raras, señora?

66

–¿Lo eres?

–¡*Pos* claro que sí! Y *usté* también. Tiene una casa enorme con jardín y un *marío* que la cuida.

Frunzo el ceño y me aseguro de que Miss Celia puede verlo. ¡Estos blancos, todo el santo día preocupándose de si son felices!

Cuando Miss Celia quema las alubias por enésima vez, intento utilizar ese autocontrol que mi madre aseguraba que nunca tuve.

–Está bien –digo entre dientes–. Empezaremos otra vez antes de que Mister Johnny vuelva a casa.

Me habría encantado dar órdenes, aunque sólo fuera durante una hora, a cualquier otra señorita para las que he trabajado, a ver qué les parecía. Pero con Miss Celia y con esas miradas que me lanza con sus enormes ojos, como si yo fuera lo mejor que le ha pasado después de la laca en *spray*, casi prefiero que me estuviera dando órdenes, como se supone que debería hacer. Me empiezo a preguntar si el hecho de que se pase todo el santo día tirada en la cama no tendrá algo que ver con su negativa a hablarle a su marido de mí. Supongo que puede ver la sospecha en mis ojos, porque un día aparece de repente y me dice:

–Tengo una pesadilla que se repite un montón de veces. Sueño que tengo que volver a vivir en Sugar Ditch. Por eso me paso el día tumbada –acompaña las palabras con un gesto muy rápido con la cabeza, como si lo hubiera estado practicando–, porque no puedo dormir bien por la noche.

Le dedico una sonrisa de boba, como si me lo hubiera tragado, y sigo limpiando los espejos.

–No te esfuerces mucho, deja algunas manchas –me dice.

Siempre hay que dejar algo: espejos, suelos, un vaso sucio en el fregadero o el cubo de la basura hasta el borde.

–Tenemos que hacerlo creíble –comenta, y termino fregando cien veces ese vaso sucio. Me gustan las cosas limpias y ordenadas.

–¡Ojalá pudiera cuidar de esas azaleas que tenemos ahí fuera! –me dice un día Miss Celia.

Ahora le da por tumbarse en el sofá mientras veo mis series favoritas en la tele, y me interrumpe todo el rato. Llevo veinticuatro años enganchada a *The Guiding Light,* desde que tenía diez años y la seguía en la radio de mamá.

La emisión se interrumpe con un anuncio de detergente Dreft, y Miss Celia contempla a través de la ventana que da al patio cómo el jardinero de color barre las hojas muertas con un rastrillo. Tiene tantos arbustos de azalea en el jardín que cuando llegue la primavera se parecerá al de *Lo que el viento se llevó*. No me gustan las azaleas y, por supuesto, la película tampoco. La esclavitud parecía una gran fiesta, todo el día felices. Si yo hubiera hecho el papel de Mammy, le habría dicho a la señorita Escarlata que se podía meter todos sus retazos verdes por su culito blanco y que se hiciera ella sola su maldito vestido atrapahombres.

–Y sé que podría hacer florecer de nuevo ese rosal podándolo bien –añade Miss Celia–. Pero lo primero que haría sería cortar ese árbol de mimosa.

–¿Qué le ocurre a la mimosa? –pregunto mientras paso la punta de la plancha por el cuello de una camisa de Mister Johnny.

Nunca he tenido una mata, y mucho menos un árbol, en mi jardín.

–No me gustan esas flores peludas. –Se queda con la mirada perdida, como si se le hubieran reblandecido los sesos–. Me recuerdan al pelo de los bebés.

Me pone de los nervios cuando habla así.

–¿Sabe *usté* mucho de flores?

–Me encantaba ocuparme de mis flores en Sugar Ditch –contesta tras soltar un suspiro–. Aprendí a cultivarlas con la esperanza de poder maquillar un poco la fealdad de aquel lugar.

–¡*Pos* salga ahí fuera! –le digo, intentando que no se me note muy exasperada–. Haga algo de ejercicio, tome el aire.

«Salga de aquí y déjeme hacer mi trabajo en paz», pienso para mis adentros.

–No –se lamenta Miss Celia–. No puedo andar por ahí fuera. Tengo que quedarme aquí.

Me empieza a irritar que nunca abandone la casa y el modo en que sonríe cuando entro por la puerta, como si la llegada de su criada por la mañana fuera lo mejor que le sucede en todo el día. Es como un picor, cada día intento quitármelo pero no puedo rascármelo, y cada día pica más. Cada día Miss Celia sigue ahí, incordiando.

–Quizá debería salir *usté* un poco y hacer amigas –le aconsejo–. Hay un montón de señoritas de su edad en la *ciudá*.

Frunce el ceño y me contesta:

–¡Ya lo he intentado! No te puedes imaginar cuántas veces he llamado a esas mujeres para ver si puedo ayudarlas con las colectas benéficas o hacer algo desde mi casa. Pero nunca me contestan. Ninguna.

Guardo silencio, porque la verdad es que no me sorprende. No hay más que ver sus tetas asomando por el escote y su cabello de color dorado.

–Entonces, salga de tiendas. Vaya a comprarse ropa nueva, a hacer lo que hacen las mujeres blancas cuando tienen a la criada en casa.

–No, creo que prefiero ir a descansar un rato –dice, y un par de minutos después oigo cómo arrastra los pies por las habitaciones vacías del piso de arriba.

Movida por el viento, una rama del árbol de mimosa golpea contra la ventana. Doy un respingo y me quemo el dedo. Cierro los ojos para tranquilizar mi corazón. Me quedan todavía noventa y cuatro días de tortura y no sé cómo aguantar un minuto más.

—Mami, hazme algo de *comé*, tengo hambre –me dijo anoche mi hija pequeña, Kindra, de seis años, con una mano en la cintura y un pie estirado.

Tengo cinco críos y me enorgullezco de haberles enseñado a decir «Sí, mamá» y «Por favor, mamá», antes incluso de que aprendieran a decir «galleta». A todos menos a ésta.

—No vas a *comé na* hasta la hora de la cena.

—¿Por qué eres tan mala conmigo? ¡Te «odio»! —me gritó y salió corriendo.

Miré al techo, porque no consigo acostumbrarme a estas respuestas, aunque he criado a cuatro antes que a ella. Cuando un hijo te dice que te odia, y todos pasan por esa etapa, es como si te dieran una patada en la boca del estómago.

Pero esta Kindra... ¡Ay, Señor! Empiezo a pensar que no es que esté pasando por una mala etapa. ¡Es que esta niña está saliendo como yo!

Estoy en la cocina de Miss Celia pensando en lo que pasó anoche, en Kindra y su lengua, en Benny y su asma, en mi marido Leroy, que la semana pasada volvió borracho a casa dos veces... Sabe que es lo único que no puedo soportar, después de haber tenido que aguantar las borracheras de mi padre durante dieciséis años. Mamá y yo partiéndonos la espalda para que no le faltara una botella que llevarse a la boca. Supongo que debería estar más enfadada con él, pero anoche, como para pedirme perdón, Leroy volvió a casa con una bolsa llena de ocra. Sabe que es mi comida favorita. Esta tarde pienso freírla rebozada en harina de maíz y comer como mi mamá nunca me dejó.

Ése no es el único lujo que pienso darme hoy. Es el primero de octubre y aquí estoy, pelando melocotones. La madre de Mister Johnny trajo dos cajas de México, melocotones grandes como pelotas de béisbol. Están maduros y son muy dulces. Su carne es tierna como la mantequilla. Nunca acepto las cosas que las señoritas blancas me ofrecen por caridad, porque sé muy bien que lo hacen para que les deba algo. Pero cuando Miss Celia me dijo que podía llevarme una docena de melocotones, no me lo pensé. Metí en una bolsa doce piezas. Cuando regrese a casa esta noche, voy a cenar ocra rebozada y de postre, pastel de melocotón.

Observo las mondas largas y aterciopeladas que se van acumulando en el fregadero de Miss Celia, sin prestarle atención a la entrada de la casa. Normalmente, cuando estoy en el fregadero de la cocina, planeo un modo de escapar de Mister Johnny. La cocina es el mejor lugar, porque desde la ventana se avista toda la calle. Los arbustos de azalea me mantienen oculta, pero puedo ver si alguien se acerca por detrás de ellos. Si viniera por la puerta principal, podría salir por la trasera y refugiarme en el garaje. Si apareciera por detrás, podría escaparme por la puerta de delante. Además, hay otra puerta en la cocina que da al salón, por si acaso. Pero con el jugo de los melocotones cayéndome por los brazos y medio ebria por el olor a mantequilla en la sartén, me encuentro como flotando en un sueño mientras pelo la fruta. No me doy cuenta de la camioneta azul que se acerca.

Cuando levanto la vista, el hombre ha recorrido ya la mitad del jardín. Puedo ver de reojo un trozo de camisa blanca de las que plancho todos los días y una pernera de unos pantalones color caqui como los que cuelgo en el armario de Mister Johnny. Ahogo un grito y el cuchillo se me cae en el fregadero.

–¡Miss Celia! –grito, mientras entro escopetada en su dormitorio–. ¡Mister Johnny ha *venío!*

Miss Celia salta de la cama más rápido de lo que nunca la había visto moverse. Me pongo a andar en círculo como una idiota. ¿Dónde me meto?, ¿adónde voy?, ¿qué ha pasado con mi plan de huida? Tomo una decisión: ¡el cuarto de baño de invitados!

Me meto dentro y cierro el pestillo. Me subo a la tapa del inodoro y me pongo en cuclillas para que no vea mis pies por debajo de la puerta. Hace calor y está muy oscuro. Siento que me arde la cabeza. El sudor me resbala por la barbilla y cae al suelo. Me mareo con el olor a jabón de gardenia del lavabo.

Oigo pasos y contengo la respiración.

Los pasos se detienen. Mi corazón retumba como un gato dentro de una secadora. ¿Y si Miss Celia finge que no me conoce para evitarse problemas? ¿Y si hace como si yo fuera una ladrona? ¡Demonios, cómo la odio! ¡Odio a esa idiota!

Miss Skeeter

Capítulo 5

Conduzco a toda velocidad el Cadillac de mi madre por la pista de gravilla que lleva a mi casa. Con todas las piedrecitas rebotando en la carrocería, casi no puedo oír a Patsy Cline en la radio. Sé que Madre se va a enfadar, pero piso un poco más el acelerador. No puedo dejar de pensar en lo que Hilly me ha dicho hoy durante la partida de *bridge*.

Hilly, Elizabeth y yo somos amigas íntimas desde que íbamos a la escuela Power. Mi fotografía preferida es una de cuando estábamos en secundaria, en la que salimos las tres sentadas en las gradas del campo de fútbol. Lo que hace especial esa imagen es que las gradas están completamente vacías, sólo aparecemos nosotras, sentadas bien juntitas, porque en aquella época éramos inseparables.

Cuando entramos a la universidad, Hilly y yo compartimos cuarto durante dos años. Después ella dejó la carrera para casarse y yo seguí hasta terminar los estudios. Cada noche, en la hermandad femenina Ji-Omega, le ponía trece rulos en el pelo. Pero hoy, esta misma Hilly me ha amenazado con expulsarme de la Liga de Damas. No es que me preocupe mucho esa asociación de mujeres, pero me ha dolido descubrir lo fácil que a mi amiga le resultaría echarme.

Tomo el camino que conduce hasta Longleaf, la plantación de algodón de mi familia. La gravilla deja paso a una arena

73

suave y amarillenta y reduzco la velocidad para que Madre no pueda ver lo rápido que voy. Aparco frente a la casa y salgo del coche. Madre está en la mecedora del porche.

—Ven a sentarte conmigo, cariño —dice, indicándome la mecedora que tiene a su lado—. Pascagoula acaba de encerar los suelos, tenemos que esperar a que se sequen un poco.

—Está bien, mamá.

Le doy un beso en su empolvada mejilla, pero no me siento. Me apoyo en la barandilla del porche y contemplo los tres musgosos robles que tenemos en el jardín. Aunque estamos a apenas cinco minutos de la ciudad, mucha gente considera este lugar como el campo. Rodeando nuestro jardín se encuentran las cuatro mil hectáreas de cultivo de algodón que posee Padre, con plantas verdes y fuertes que me llegan por la cintura. A lo lejos, veo a una cuadrilla de hombres de color sentados en un cobertizo, refugiándose del calor. Todos esperan lo mismo: que se abran los capullos de algodón.

Reflexiono sobre cuánto han cambiado las cosas entre Hilly y yo desde que regresé de la universidad. Pero ¿quién es la que ha cambiado, ella o yo?

—¿No te lo he contado todavía? —me pregunta Madre—. ¡Fanny Peatrow se ha prometido!

—Me alegro por ella.

—No ha pasado ni un mes desde que encontró ese trabajo de contable en el Banco Rural.

—¡Qué bien, mamá!

—Pues sí. —Me giro hacia ella y puedo ver una de sus miradas de lámpara chisporroteante—. ¿Por qué no te acercas al banco a ver si necesitan más contables?

—No quiero trabajar de contable, mamá.

Madre suspira y mira con mala cara a *Shelby*, nuestro cocker spaniel, que se está lamiendo sus vergüenzas. Contemplo la puerta de casa, sintiendo la tentación de echar a perder los suelos recién encerados. Ya hemos mantenido esta conversación demasiadas veces.

—Mi hija se pasa cuatro años en la universidad... ¿y con qué vuelve? —pregunta Madre de forma retórica.

74

–¿Con un título?

–Sí, un bonito trozo de papel.

–Ya te lo he dicho. No conocí en la universidad a ningún chico con el que me apeteciera casarme.

Madre se levanta de la silla y se inclina para que pueda contemplar su hermoso rostro de piel tersa. Lleva un vestido azul marino que se ajusta a su delgada complexión. Como de costumbre, se ha pintado los labios. Cuando se acerca a mí y le da la brillante luz del atardecer, puedo ver que hay unas manchas oscuras, profundas y secas, en su ropa. Me fijo más en ellas, tratando de cerciorarme de que realmente son manchas.

–Mamá, ¿te encuentras bien?

–Si pusieras un poco más de interés, Eugenia...

–Tienes unas manchas en el vestido.

Madre se cruza de brazos y sigue con el mismo tema:

–Acabo de hablar con la madre de Fanny y me ha dicho que a su hija le llovían los pretendientes desde que consiguió el trabajo.

Me olvido del tema del vestido. Nunca podré contarle a mi madre que, en realidad, lo que me gustaría es ser escritora. Se lo tomaría como otro obstáculo que me alejaría del matrimonio. Tampoco puedo hablarle de Charles Gray, mi compañero en clase de matemáticas durante la última primavera en la universidad, ni de cómo se emborrachó en la fiesta de fin de curso y me besó apretándome las manos con tanta fuerza que tendría que haber sentido dolor, pero no fue así. Al contrario, la forma en que me agarraba y me miraba a los ojos me pareció maravillosa. Poco después, se casó con la «metro y medio» de Jenny Sprig.

Lo que debería hacer es buscarme un apartamento en la ciudad, en uno de esos edificios en los que viven mujeres solitarias y sencillas: solteronas, secretarias, profesoras... Pero la única vez que se me ocurrió mencionar que deseaba utilizar mis ahorros, Madre se echó a llorar con lágrimas de verdad.

–¡El dinero no está para eso, Eugenia! ¿Irte a vivir a uno de esos edificios de apartamentos de alquiler? ¿Pasarte todo el día con olores extraños a cocina y viendo medias colgadas en las ventanas? Y cuando se te acabe el dinero, ¿qué? ¿De qué piensas vivir?

Después se enroscó una gasa mojada en la cabeza y se pasó el resto del día en la cama.

Y ahora aquí está, agarrada a la barandilla, esperando a ver si hago lo mismo que Fanny Peatrow para salvarme. Mi propia madre me mira contrariada por mi aspecto, por mi estatura, por mi pelo rebelde. Afirmar que tengo el cabello rizado sería quedarse corto. Lo tengo enmarañado, parece vello púbico más que pelo de la cabeza. Es rubio tirando a blanco y se quiebra con mucha facilidad, como la paja. Mi piel es muy pálida, de un color que algunos llaman nata, pero cuando estoy seria (que es casi todo el tiempo) parece el color de los muertos. También tengo un ligero bulto de cartílago en la parte superior de la nariz. Pero mis ojos son de un azul añil, como los de Madre. La gente dice que son mi punto fuerte.

—Sólo tienes que buscar una situación en la que puedas conocer un hombre para después...

—Mamá —le digo, con intención de poner fin a la conversación—, ¿tan terrible sería si nunca encontrara un esposo?

Madre se frota los brazos desnudos como si sólo de pensarlo sintiera frío.

—Eugenia, no... no digas eso. ¿Por qué? Cada semana, cuando bajo a la ciudad y veo a un hombre alto, pienso: Si Eugenia lo intentara...

Se lleva la mano al estómago, como si le estuvieran doliendo las úlceras de sólo pensarlo. Me quito los zapatos y bajo las escaleras del porche mientras Madre me grita que me calce, advirtiéndome del peligro de contagiarme de tiña o de que me pique el mosquito de la encefalitis. Me previene como siempre: contra la muerte inexorable que sobreviene a quienes andan descalzos, contra la desgracia de no encontrar un marido... Me estremezco con esa sensación de desamparo que siento desde que me licencié hace ya tres meses. Me siento arrojada en un lugar al que ya no pertenezco. No me encuentro cómoda en casa con Madre y Padre, y creo que tampoco con mis amigas Hilly y Elizabeth.

–Ya tienes veintitrés años... A tu edad, yo ya había tenido a Carlton Jr. –sigue diciendo Madre.

Me quedo bajo el árbol de mirto rosa, contemplando a Madre en el porche. Las azaleas están empezando a perder sus flores blancas. Se acerca septiembre.

No fui un bebé hermoso. Cuando nací, mi hermano Carlton me miró y exclamó delante de toda la gente que estaba reunida en la habitación del hospital: «No es un bebé, ¡es un *Skeeter*!»[2], y desde entonces se me quedó el nombre. Vine al mundo alta, con las piernas largas y delgadas como las de un mosquito. Mis sesenta centímetros batieron récords en el Hospital Baptista. Cuando crecí un poco, el apodo me cuadró más todavía debido a mi nariz puntiaguda y afilada. Madre se ha pasado toda la vida intentando convencer a la gente de que me llame por mi verdadero nombre, Eugenia.

A la señora Charlotte Boudreau Cantrelle Phelan no le gustan los motes.

A los dieciséis años, además de ser un poco fea, era terriblemente alta. Ese tipo de altura que hace que te releguen a la última fila en las fotos de la escuela, junto a los chicos. La estatura que hace que tu madre se pase las noches descosiendo dobladillos, tirando de las mangas de los jerséis, alisándote el pelo para asistir a bailes a los que nadie te había invitado, apretándote la cabeza como si pudiera encogerte y hacerte volver a los años en los que tenía que recordarte que anduvieses tiesa. Cuando cumplí diecisiete, Madre prefería que tuviese una diarrea incontenible a que caminara erguida. Ella medía uno sesenta y cinco y llegó a ser finalista en el concurso de Miss Carolina del Sur. Decidió que, ante un caso como el mío, sólo había una cosa que hacer.

La regla número uno del Manual para cazar un buen esposo de la señora Charlotte Phelan era: Una chica de estatura media

---

[2] Término coloquial que significa «mosquito» y se utiliza para referirse a las personas muy delgadas. (*N. del T.*)

acentuará su atractivo con maquillaje y buenas maneras. Una larguirucha y poco agraciada, con una buena cuenta corriente.

Así pues, mido un metro ochenta, pero tengo en el banco veinticinco mil dólares procedentes del algodón a mi nombre. Si un hombre no encuentra esto atractivo, entonces es que no merece entrar en nuestra familia.

El dormitorio de mi infancia se encuentra en la planta superior de la casa de mis padres. Tiene molduras con rieles blancos y querubines rosados en las esquinas. La pared está empapelada con flores de color verde menta. En realidad, es un ático con techo inclinado, y en muchas partes de la habitación no puedo estar de pie. Gracias a la ventana voladiza la habitación parece redonda. Desde que Madre me insiste un día sí y otro también para que me busque un marido, me veo obligada a dormir en esta tarta de boda.

Y sí, éste es mi santuario privado. El calor asciende y se acumula en esta parte de la casa, como si se tratara de un globo aerostático, lo cual no lo convierte en un lugar muy acogedor para el resto de la humanidad. Las escaleras son estrechas y a mis padres les resulta difícil subirlas. Nuestra anterior sirvienta, Constantine, solía quedarse mirando esos empinados escalones todos los días, como si fueran enemigos acérrimos. Era la única cosa que no me gustaba de dormir en la parte más alta de la casa, que me separaba de mi querida Constantine.

Días después de mi conversación con Madre en el porche, extiendo las páginas de anuncios de empleo del *Jackson Journal* en mi escritorio. Madre lleva toda la mañana detrás de mí con un nuevo invento para alisarme el cabello, y Padre se ha pasado todo el día en el porche gruñendo y maldiciendo porque los campos de algodón se le están derritiendo como la nieve en verano. Después del pulgón, que devora los capullos, la lluvia es lo peor que le puede suceder a mi padre en tiempo de cosecha. Septiembre no ha hecho más que empezar, pero los chubascos otoñales ya han hecho su aparición.

Armada con mi bolígrafo rojo, estudio la pequeña y solitaria columna que aparece bajo el título de «Ofertas de empleo para mujeres»: «Grandes Almacenes Kenningtons precisa dependienta con soltura, maneras y una bonita sonrisa.» «Se busca secretaria esbelta y joven. No se precisa mecanografía. Interesadas dirigirse a Mr. Sanders.» ¡Jesús! Si el tal Mr. Sanders no necesita que su secretaria escriba a máquina, ¿para qué la quiere? «Se busca taquígrafa. Percy & Gray S.L., 1.25$/h.» Éste es nuevo. Lo rodeo con un círculo.

Nadie puede decir que no me haya tomado los estudios universitarios en serio. Mientras mis amigas estaban por ahí, bebiendo ron con cola en las fiestas de las fraternidades Fi-Delta-Zeta y cosiendo coronas de margaritas, yo me encerraba en la sala de estudio y me pasaba las horas escribiendo: principalmente, trabajos de clase, pero también cuentos, poesía fácil, episodios del *Dr. Kildare*[3], canciones para los anuncios de Pall Mall, cartas de protesta, notas de rescate, mensajes de amor a chicos a los que veía en clase pero con los que no me atrevía a hablar y que nunca echaba al correo. Como todas, soñaba con salir con algún miembro del equipo de fútbol, pero mi verdadero sueño era llegar a escribir algo que la gente pudiera leer.

El último trimestre que pasé en la universidad, me presenté a un puesto de trabajo. Uno bastante bueno, a diez mil kilómetros de Misisipi. Hice una montañita con veintidós monedas de diez centavos en la cabina del supermercado Oxford Mart y llamé para preguntar por un trabajo en Harper & Row, una editorial de la calle Cincuenta y siete, en Manhattan. Había leído el anuncio en *The New York Times,* en la biblioteca de la universidad y les envié mi currículo ese mismo día. En un arrebato de esperanza, llamé para preguntar por un apartamento de alquiler que encontré en la calle Ochenta y cinco, con una habitación y una cocinilla eléctrica por cuarenta y cinco dólares al mes. En Delta Airlines me dijeron que un billete de ida al

---

[3] Famosa serie estadounidense de radio y televisión de los años cincuenta y sesenta. *(N. del T.)*

aeropuerto de Idlewild me saldría por setenta y tres dólares. No se me ocurrió presentarme a más de un trabajo a la vez, y desde entonces estoy esperando recibir noticias de ellos.

Bajo la vista al apartado de «Ofertas de empleo para varones». Hay por lo menos cuatro columnas llenas de puestos de gerente, contable, responsable de créditos, operario de recogida de algodón... En esta parte de la página, Percy & Gray S.L. ofrece a sus mecanógrafos cincuenta céntimos más la hora.

–¡Miss Skeeter, la llaman por teléfono! –me grita Pascagoula desde las escaleras.

Bajo hasta el único teléfono de la casa. La criada está sujetando el auricular. Es delgada como una niña, no medirá metro y medio y es negra como la noche. Tiene el pelo muy rizado y lleva un uniforme blanco que se nota que ha sido retocado para que se ajuste a sus diminutos brazos y piernas.

–Miss Hilly al aparato –dice, pasándome el auricular con su mano mojada.

Me siento en la mesa blanca de planchar. La cocina es grande, cuadrada y hace mucho calor en ella. Las baldosas blancas y negras de linóleo están rajadas en algunos sitios y muy desgastadas frente al fregadero. El nuevo lavavajillas plateado está en medio de la estancia, con una manguera que lo une al grifo.

–Va a venir el próximo fin de semana –dice Hilly–, el sábado por la noche. ¿Estás libre?

–A ver, espera que consulte mi agenda... –bromeo.

No noto en su voz rastros de nuestra tensa discusión durante la partida de cartas. Aunque no me fío, me alivia un poco.

–¡No me puedo creer que por fin vaya a suceder! –exclama Hilly, que lleva meses intentando arreglarme una cita con el primo de su marido. Está empeñada, aunque el joven es demasiado atractivo para mí, además de ser hijo de un senador.

–¿No crees que deberíamos... conocernos antes? –pregunto–. Es decir, antes de salir en una cita de verdad...

–No te pongas nerviosa. William y yo no nos despegaremos de vuestro lado ni un momento.

Suspiro. Esta cita ya se ha cancelado un par de veces, así que sólo me queda esperar que en esta ocasión también se anule. De todos modos, me alegra que Hilly tenga tanta fe en que alguien como él pueda estar interesado por una mujer como yo.

–¡Ah! Y necesito que vengas a recoger unas notas que he escrito –dice Hilly–. Quiero que mi iniciativa aparezca en el próximo boletín de la Liga de Damas, junto a la página de fotos de sociedad.

Me quedo en silencio un rato.

–¿Lo de los retretes? –Aunque fue ayer cuando sacó este tema durante la partida de *bridge*, esperaba que se le hubiera olvidado.

–Se llama la Iniciativa de Higiene Doméstica... ¡William Junior! ¡Bájate de ese armario ahora mismo o te parto la cara! ¡Yule May, ven aquí!... y lo quiero para esta semana.

Soy la editora del boletín de la Liga de Damas, pero Hilly es la presidenta de la asociación y siempre está intentando decirme lo que debo publicar.

–Miraré a ver. No sé si queda algún espacio libre en el próximo número –le miento.

Desde el fregadero, Pascagoula me mira de reojo, como si pudiera escuchar lo que está diciendo Hilly. Contemplo el retrete de Constantine, ahora de Pascagoula. Está fuera, saliendo de la cocina. La puerta se encuentra entreabierta y puedo ver una minúscula habitación con un inodoro, la cadena de la cisterna por encima y una bombilla con una pantalla de plástico amarillenta. El diminuto lavabo esquinero apenas puede contener un vaso de agua. Nunca he estado ahí dentro. Cuando éramos niños, Madre nos decía que nos daría una zurra si entrábamos en el retrete de Constantine. ¡Ay, Constantine! La echo de menos más que a cualquier otra cosa en esta vida.

–Pues hazle un hueco –dice Hilly–, porque es un asunto de suma importancia.

Constantine vivía a eso de un kilómetro de nuestra casa, en el pequeño pueblo negro de Hotstack, llamado así por la fábrica de alquitrán que había cerca. El camino que lleva a Hotstack pasa por la linde norte de nuestras tierras y, hasta donde me alcanza la memoria, los niños de color recorrían esa distancia jugando y chutando la gravilla roja camino de la carretera 49 para hacer autoestop.

Cuando era niña, también solía recorrer ese kilómetro de camino. Si se lo rogaba y me aprendía mi catecismo, Madre me dejaba ir a casa de Constantine algún viernes por la tarde. Tras veinte minutos a paso lento, pasábamos junto a la tienda de artículos baratos para gente de color, luego al lado de un carnicero que tenía gallinas en el patio y, a lo largo de todo el camino, había decenas de casuchas con techumbre de latón y porches inclinados. Había una vivienda pintada de amarillo en cuya puerta trasera todo el mundo decía que se podía comprar whisky. Era muy emocionante estar en un mundo tan diferente, y me remordía un poco la conciencia ver lo bonitos que eran mis zapatos y lo limpio que estaba el peto blanco que Constantine me acababa de planchar. Cuanto más nos acercábamos a su casa, más me sonreía la mujer.

–¡*Mu güenas*, Carl Bird! –saludaba Constantine a gritos al vendedor de raíces, que se quedaba sentado en una mecedora detrás de su furgoneta.

El hombre tenía sacos llenos de sasafrás, regaliz y hojas de parra. Constantine le echaba un ojo a la mercancía y regateaba con el vendedor, moviendo todo su cuerpo al hablar como si se le hubieran descoyuntado las articulaciones. Constantine no sólo era alta, también corpulenta. Tenía las caderas anchas y las rodillas le daban constantemente problemas. Sus ojos eran de un sorprendente color cacao claro, aunque tenía la piel muy oscura. Sentada sobre un tocón en la esquina de su calle, se metía una pizca de rapé Happy Days debajo del labio y más tarde lo escupía como una flecha. Me dejaba mirar el oscuro polvo de tabaco en su cajita redonda, pero me decía:

–¡No se *t'ocurra* contárselo a tu mamita!

Siempre había perros raquíticos y sarnosos rondando por el camino. Desde un porche, una joven de color a la que llamaban Mordisco-de-Gato nos gritaba: «¡Miss Skeeter! Dele recuerdos a su papá. Dígale que *toy mu* bien». Fue mi padre quien le puso el apodo hace años, un día que pasaba con su coche por la carretera y vio un gato rabioso atacando a una niñita de color. «Ese gato casi se la come», me contó más tarde Padre. Mató al gato y llevó a la niña al médico, que le prescribió un tratamiento de veintiún días de inyecciones contra la rabia.

Siguiendo por el camino, llegábamos a casa de Constantine. Tenía tres habitaciones y no había alfombras. Siempre me quedaba mirando la única fotografía que tenía, de una niña blanca a quien me contó que había estado cuidando durante veinte años en Port Gibson. Yo estaba convencida de saberlo todo sobre Constantine: que tenía una hermana; que habían crecido en una granja comunal en Corinth, Misisipi; que sus padres habían muerto; que, por norma, no comía cerdo; que vestía una talla cuarenta y calzaba un cuarenta y uno... Pero me quedaba contemplando la hermosa sonrisa de esa niña de la foto con celos, preguntándome por qué no tenía también una foto mía.

A veces venían dos niñas de la casa de al lado para jugar conmigo. Se llamaban Mary Nell y Mary Roan. Eran tan negras que no podía distinguirlas, por eso las llamaba Mary a las dos.

—Pórtate bien con las niñas de color cuando estés allí —me dijo Madre una vez, y recuerdo que me la quedé mirando divertida.

—¿Por qué no iba a hacerlo? —le pregunté, pero no me contestó.

Pasada una hora, aparecía Padre en la puerta y le daba un dólar a Constantine. Ella nunca lo invitaba a entrar en su casa. A pesar de mi corta edad, comprendía que estábamos en terreno de Constantine y que ella no estaba obligada a ser amable con nadie en su propia casa. Después, Padre me llevaba a la tienda de color para tomar un refresco y una piruleta.

–No le digas a tu madre que le he dado algo de dinero a Constantine, ¿vale?

–Vale, papá –le respondía.

Era el único secreto que compartíamos Padre y yo.

La primera vez que me llamaron fea, yo tenía trece años. Fue uno de los amigos ricos de mi hermano Carlton, que había venido a nuestra casa a practicar tiro en el campo.

–¿Por qué lloras, mi niña? –preguntó Constantine en la cocina.

Le conté lo que me había llamado el chico, con las lágrimas resbalándome por el rostro.

–¿Y bien? ¿Lo eres?

Parpadeé sorprendida y dejé de llorar.

–Si soy, ¿el qué?

–Vamos a *ve*, Eugenia –dijo, pues Constantine era la única que a veces seguía la norma de Madre respecto a mi nombre–: Lo feo está en el *interió*. Feas son las personas malas, las que *hasen* daño a los demás. ¿Tú eres así?

–No sé, no creo –contesté entre sollozos.

Constantine se sentó a mi lado a la mesa de la cocina. Escuché cómo crujían sus articulaciones hinchadas. Apretó con fuerza la palma de mi mano con su dedo pulgar, un gesto que ambas sabíamos qué significaba: «Escucha. Escúchame bien».

–*Toas* las mañanas hasta el día en que la entierran a una, hay que *reflexioná* un poco sobre esto. –Estaba tan cerca de mí que podía ver lo rosadas que eran sus encías–: Hay que preguntarse: ¿Me voy a *creé* lo que la mala gente diga hoy sobre mí?

Siguió presionando mi mano con su pulgar. Con un gesto de la cabeza, le hice ver que entendía. A pesar de mi edad, ya era lo suficientemente inteligente como para comprender que se refería a los blancos. Aunque me seguía sintiendo miserable y sabía que era más bien fea, fue la primera vez en la que Constantine se dirigió a mí como si fuera algo más que una niña de mamá blanca. Durante toda mi vida me habían dicho lo que

84

tenía que pensar sobre política, sobre los negros, sobre el hecho de ser mujer... Pero con el pulgar de Constantine apretándome la palma de la mano, me di cuenta de que yo era libre para elegir en qué creer.

Constantine llegaba a trabajar a nuestra casa a las seis de la mañana, y en época de cosecha, a las cinco. De este modo, le daba tiempo a preparar los bollos y la salsa de Padre antes de que saliera al campo. Casi todos los días me levantaba y la encontraba en la cocina mientras el predicador Green soltaba su sermón en la radio de la mesa. Nada más verme, sonreía y me saludaba:

—¡*Güenos* días, guapa!

Yo me sentaba a la mesa y le contaba lo que había soñado. Constantine decía que en los sueños se podía adivinar el futuro.

—Estaba en el ático, mirando desde arriba la granja —le contaba—. Podía ver las copas de los árboles.

—¡Vas a *se* una médica de esas que hacen *operaciones* de cerebro! *Soñá* con que estás encima de una casa tiene que *ve* con la cabeza.

Madre se tomaba el desayuno temprano en el comedor y luego se quedaba en la sala de estar para hacer punto o escribir cartas a los misioneros del África. Desde su sillón verde, podía controlar los movimientos de todas las personas por la casa. Era sorprendente lo que era capaz de deducir nada más verme durante el segundo que me costaba atravesar la puerta. Yo solía pasar a todo correr, pues me sentía como una diana con un enorme punto rojo al que Madre lanzaba sus dardos: «Eugenia, sabes que el chicle está prohibido dentro de casa», «Eugenia, ve a echarte alcohol en esa mancha», «Eugenia, sube a tu cuarto y péinate. ¿Qué pasa si de repente vienen visitas?».

Aprendí que los calcetines son un medio de transporte más sigiloso que los zapatos, a utilizar la puerta de atrás, a llevar sombreros o a taparme la cara cuando pasaba delante de ella... Pero, sobre todo, aprendí a quedarme en la cocina.

Un mes de verano podía durar años aquí, en Longleaf. No tenía amigas que vinieran a visitarme cada día, pues vivíamos demasiado lejos para tener vecinos blancos. En la ciudad, Hilly y Elizabeth se pasaban los fines de semana yendo una a casa de la otra, mientras que a mí sólo me permitían pasar la noche fuera o que alguna amiga se quedase a dormir un fin de semana sí y otro no. Solía protestar mucho por esto. A veces me olvidaba de que Constantine estaba ahí pero, por norma general, creo que era consciente de lo afortunada que era por tenerla conmigo.

Empecé a fumar cigarrillos a los catorce años. Los birlaba de los paquetes de Marlboro que Carlton escondía en los cajones de su armario. Mi hermano casi tenía dieciocho y desde hacía años a nadie le preocupaba que fumara en donde le diese la gana, en casa o con Padre en el campo. Padre a veces fumaba en pipa, pero no era muy cigarrero, y Madre no fumaba nunca, aunque casi todas sus amigas lo hacían. Madre me dijo que yo no podría fumar hasta que no cumpliera los diecisiete.

Así que me iba al patio trasero y me sentaba en la rueda que teníamos de columpio, escondida bajo un enorme roble. A veces, por la noche, salía a la ventana de mi cuarto y fumaba. Madre tenía una vista de lince, pero casi carecía de sentido del olfato. En cambio, Constantine me descubría al momento. Fruncía el ceño y sonreía ligeramente, pero nunca me dijo nada. Si Madre salía al porche trasero cuando yo estaba oculta tras el árbol, Constantine se ponía a pasar el mango de su escoba por la barandilla metálica de la escalera.

—Constantine, ¿qué demonios estás haciendo? —le preguntaba Madre, pero para entonces yo ya había apagado el pitillo y tirado la colilla en un agujero que había en el tronco.

—Estoy limpiando esta vieja escoba, Miss Charlotte.

—Bueno, pues intenta hacer menos ruido, por favor. ¡Diantres, Eugenia! ¿Has vuelto a crecer esta noche? ¿Qué vamos a hacer contigo? Ven, pruébate este vestido, a ver si se te ha quedado pequeño.

—Sí, mamá —respondía, mientras Constantine y yo cambiábamos una sonrisa cómplice.

Era maravilloso tener a alguien con quien compartir tus secretos. Si hubiera tenido una hermana o un hermano de mi edad, supongo que habría sido así. Pero no se trataba sólo de fumar o de esquivar a Madre. Era tener a alguien que te entendiera cuando tu madre se desesperaba porque eras un bicho raro, condenadamente alta y de pelo ensortijado. Alguien cuyos ojos sencillamente te dijeran, sin palabras: «Para mí, estás bien así».

Sin embargo, Constantine no siempre me hablaba con dulzura, a veces se ponía seria. Un día, cuando tenía quince años, una niña me señaló con el dedo y preguntó: «¿Quién es esa cigüeña?». Hasta Hilly se giró con una sonrisa antes de sacarme de allí como si no hubiéramos oído nada.

—¿Cuánto mides, Constantine? —le pregunté esa tarde, incapaz de contener las lágrimas.

Frunció el ceño y me soltó:

—¿Cuánto mides tú?

—Un metro ochenta —sollocé—. Ya soy más alta que los chicos del equipo de baloncesto.

—Bueno, yo mido uno ochenta y cinco, así que deja de preocuparte.

Constantine es la única mujer con la que he tenido que alzar la vista para mirarle a los ojos.

El rasgo más destacado de Constantine, además de su estatura, eran sus ojos. Los tenía de un sorprendente color miel que contrastaba con el tono oscuro de su piel. Nunca había visto unos ojos claros en una persona negra. De hecho, las variedades del marrón en el cuerpo de Constantine eran infinitas: sus codos parecían totalmente negros, a pesar de la capa de suciedad y las durezas que le salían en invierno; la piel de sus brazos, cuello y rostro era de color ébano, muy oscura; las palmas de las manos, de un tono anaranjado. Siempre me pregunté si tendría igual las plantas de los pies, pero nunca la vi descalza.

—Este fin de semana nos vamos a *quedá* tú y yo solitas en casa —me dijo sonriente un día.

Era el fin de semana que Madre y Padre llevaron a Carlton a ver las universidades de Luisiana y Tulane, pues mi hermano iba a entrar en la universidad al curso siguiente. Aquella mañana, Padre sacó el catre y lo puso en la cocina, cerca del retrete exterior. Ahí es donde dormía siempre Constantine cuando tenía que pasar la noche con nosotros.

–Ve a ver lo que he *traío pa* ti –me dijo Constantine, señalándome el armario de las escobas. Lo abrí y encontré, metido en una bolsa, un puzle de quinientas piezas del Monte Rushmore. Era nuestro pasatiempo favorito cuando Constantine se quedaba a dormir.

Aquella noche, nos pasamos horas comiendo cacahuetes y rebuscando piezas sobre la mesa de la cocina. Fuera bramaba la tormenta, lo que daba una sensación acogedora a la habitación mientras encajábamos las figuras. La luz de la bombilla parpadeó un poco y luego volvió a brillar.

–¿Éste quién es? –preguntó Constantine, mirando la caja del puzle con sus gafas de pasta negra.

–Jefferson.

–Ah, *pos* sí. ¿Y ese otro?

–Ése... –dudé, y me incliné sobre la caja–. Ése creo que es Roosevelt.

–Al único que conozco es a Lincoln. Se parece a mi papá.

Me quedé callada, con una pieza del puzle en la mano. Tenía catorce años y siempre había sacado sobresalientes en la escuela. Era inteligente, pero muy inocente todavía. Constantine dejó la tapa de la caja y de nuevo comenzó a rebuscar entre las piezas.

–¿Lo dices porque tu padre era muy... alto? –le pregunté.

Soltó una risa burlona y contestó:

–No. Lo digo porque mi papá era blanco. La altura la heredé de mi mamá.

La pieza que tenía en la mano se me cayó al suelo.

–¿Tu... padre era blanco y tu madre... negra?

–¡Sí, señorita! –dijo y sonrió, encajando dos piezas–. ¡Mira qué bien! He *encontrao* una difícil.

Se me ocurrían tantas preguntas que hacerle: ¿Quién era él? ¿Dónde estaba? Sabía que no se había casado con la madre de Constantine, porque eso iba contra la ley. Saqué un cigarrillo de mi escondite. Tenía catorce años, pero me sentía muy adulta. Encendí el pitillo. En cuanto lo hice, la luz de la bombilla se tornó de un color marrón pálido y sucio y empezó a zumbar.

—Mi *papaíto* me quería, sí señorita. Siempre me decía que yo era su *prefería*. —Se reclinó en la silla—. Se pasaba por casa *tos* los sábados por la tarde. Una vez, me regaló un juego de diez lazos *pal* pelo, cada uno de un *coló* diferente. Los había hecho *traé* de París y estaban fabricados con seda del Japón. Me quedaba *sentá* en sus rodillas desde que llegaba hasta que se marchaba. Mamá ponía un disco de Bessie Smith en el gramófono que él le había *comprao* y yo cantaba: «Es bastante extraño, sin duda / Nadie te conoce cuando estás en la ruina».

Yo la escuchaba, con los ojos abiertos como platos y una expresión estúpida, fascinada por su voz en la tenue luz. Si el chocolate fuera un sonido, habría sido la voz de Constantine cantando. Si la música fuera un color, hubiera sido el color de ese chocolate.

—Hubo una época que lo pasé mal, estaba *mu resentía* con *to*. Recuerdo que escribí una lista con las cuarenta y cinco cosas de mi vida que me molestaban: la pobreza, el agua fría de la ducha, mis dientes *picaos* y no me acuerdo de qué más... Entonces llegaba él, me acariciaba la cabeza y me abrazaba durante un buen rato. Cuando lo miraba, veía que estaba llorando como yo y entonces... hacía eso que te hago para que sepas que te estoy hablando en serio: me apretaba la palma de la mano con su pulgar y me decía: «Lo siento».

Estábamos allí sentadas, mirando las piezas del puzle. A Madre no le gustaría que supiera esto, que el padre de Constantine era blanco y que le pedía disculpas por cómo eran las cosas. Era algo que se supone que yo no debía saber. Me sentía como si Constantine me hubiera hecho un regalo.

Me terminé el cigarrillo y lo apagué en el cenicero de plata para invitados. La bombilla volvió a brillar. Constantine me sonrió y le devolví la sonrisa.

—¿Por qué no me lo habías contado antes? —le pregunté mirando sus ojos claros.

—No te puedo *contá to*, Skeeter.

–Pero ¿por qué?

Ella lo sabía todo sobre mí y sobre mi familia. ¿Por qué iba a ocultarle yo mis secretos?

Me miró y pude ver una profunda y sombría tristeza ahí, en su interior. Al cabo de un rato, dijo:

–Hay algunas cosas que es *mejó* que me guarde *pa* mí. Eso es todo.

Cuando me llegó el turno de ir a estudiar a la universidad, Madre lloró como una Magdalena mientras Padre y yo nos alejábamos en la camioneta. Yo, sin embargo, me sentí libre. Estaba fuera de la granja, lejos de toda crítica. Me hubiera gustado preguntarle a Madre: «¿No estás contenta? ¿No te alivia saber que ya no tendrás que andar angustiada por mí todo el día?». Pero Madre parecía abatida.

Fui la persona más feliz en la residencia de novatos. Le escribía una carta por semana a Constantine hablándole de mi cuarto, de las clases, de la hermandad femenina. Como el servicio postal no llegaba a Hotstack, se las enviaba a nuestra casa y tenía que confiar en que Madre no las abriera. Dos veces al mes, Constantine me respondía con cartas escritas en papel de estraza, del que usaba para cocinar. Tenía una letra grande y hermosa, aunque sus renglones se torcían un poco hacia abajo. Me relataba hasta el más mundano detalle de la vida en Longleaf: «Sigo mal de la espalda, pero ahora son los pies los que me están matando», o «La batidora se me cayó al suelo y empezó a dar vueltas por la cocina. La gata pegó un bufido y salió pitando. No la he vuelto a ver desde entonces». Me contaba que Padre había pillado un resfriado o que Rosa Parks iba a ir a su iglesia a dar una charla. A veces me preguntaba si yo era feliz y me pedía que le contara detalles de mi nueva vida. Nuestras cartas eran como una conversación de un año, con preguntas y respuestas yendo y viniendo. Una conversación que continuábamos cara a cara en Navidad y en las vacaciones de verano.

Las cartas de Madre eran más escuetas, se resumían en: «*Reza tus oraciones* y *no te pongas zapatos de tacón porque te harán más alta*», y traían grapado un cheque de treinta y cinco dólares.

En abril de mi último año de carrera, me llegó una carta de Constantine que decía: «Tengo una sorpresa para ti, Skeeter. Estoy tan emocionada que siento que me voy a desmayar. Pero no me hagas preguntas. Ya lo descubrirás cuando vuelvas a casa».

La recibí muy cerca de los exámenes finales, apenas a un mes de la fiesta de graduación. Ésa fue la última carta que me llegó de Constantine.

No asistí a la fiesta de graduación de la universidad. Todas mis amigas habían dejado de estudiar para casarse y no me parecía lógico hacer conducir tres horas a mis padres para verme subir al estrado, cuando Madre lo que en realidad quería era verme subir a un altar. Los de la editorial Harper & Row no me habían contestado, así que en lugar de comprarme un billete de avión a Nueva York, volví a Jackson en el Buick de Kay Turner, una amiga que estudiaba segundo. Hice el viaje encogida en el asiento delantero, con mi máquina de escribir a los pies y su vestido de novia entre ella y yo. Kay Turner se iba a casar con Percy Stanhope al mes siguiente. Durante tres horas, tuve que escuchar sus dilemas acerca de qué sabor sería el más adecuado para su tarta de bodas.

Cuando llegué a casa, Madre dio un paso atrás para verme mejor.

—¡Vaya! Tu cutis tiene muy buen aspecto —dijo—, pero tu pelo...

Y suspiró, meneando la cabeza.

—¿Dónde está Constantine? —pregunté—. ¿En la cocina?

Como si estuviera dando el parte meteorológico, Madre contestó:

—Constantine ya no trabaja aquí... ¡Venga! Vamos a deshacer estas maletas antes de que te manches la ropa.

Me volví, parpadeando confundida. Pensé que no la había escuchado bien.

—¿Qué has dicho?

Madre se puso más seria y, alisándose el vestido, añadió:

—Constantine se ha ido, Skeeter. Se marchó a vivir con su familia de Chicago.

—Pero..., ¿cómo? En sus cartas no mencionó nada de irse a Chicago.

Sabía que ésa no podía ser su sorpresa. Constantine me habría contado una noticia tan terrible. Madre aspiró profundamente y enderezó la espalda.

—Le pedí a Constantine que no te contara que se marchaba. No podía hacerlo en medio de tus exámenes finales. ¿Qué habría pasado si hubieras suspendido? ¡Dios mío, habrías tenido que repetir curso! Cuatro años en la universidad es más que suficiente.

—Y ella... ¿estuvo de acuerdo? ¿Aceptó no escribirme para decirme que se marchaba?

Madre miró a lo lejos y suspiró.

—Luego hablamos de eso, Skeeter. Ahora ven a la cocina y te presentaré a la nueva asistenta, Pascagoula.

No seguí a Madre a la cocina. Me quedé allí, mirando mis maletas, horrorizada ante la idea de deshacerlas en ese lugar. La casa me resultaba enorme y vacía sin Constantine. Fuera, una cosechadora traqueteaba en un campo de algodón.

Para septiembre, no sólo había perdido la esperanza de recibir noticias de Harper & Row, sino que también abandoné la idea de encontrar a Constantine. Nadie parecía saber nada, nadie me decía cómo podía localizarla. Al fin, dejé de preguntar a la gente si sabían por qué se había marchado. Era como si, sencillamente, hubiera desaparecido. Debía aceptar que Constantine, mi única amiga, me había dejado a merced de esta gente.

Capítulo 6

Una calurosa mañana de septiembre me despierto en la cama de mi infancia. Me calzo las sandalias guaraches que mi hermano Carlton me trajo de México. Son de hombre, ya que, por lo visto, las mujeres mexicanas no calzan un cuarenta y dos. Madre las odia; dice que parecen las zapatillas de un pordiosero.

Con una de las camisas viejas de Padre puesta por encima del camisón, salgo al jardín delantero. Madre está en el porche trasero vigilando cómo Pascagoula y Jameso abren ostras.

–Nunca puedes dejar a un negro y una negra solos sin vigilancia –me explicó Madre hace mucho tiempo–. Ellos no tienen la culpa; simplemente, no son capaces de controlar sus instintos.

Bajo las escaleras para ver si ha llegado al buzón el ejemplar de *El guardián entre el centeno* que pedí por correo. Siempre encargo los libros prohibidos a una distribuidora ilegal de California, suponiendo que si el estado de Misisipi los prohíbe es porque deben de ser buenos. Cuando llego a la valla de la casa, tengo las sandalias y los pies cubiertos de un fino polvo amarillento.

A ambos lados de la carretera, los campos de algodón están de un verde deslumbrante y las plantas tienen los capullos bien hinchados. Padre perdió la cosecha de la parte de atrás con las

93

lluvias del mes pasado, pero el resto ha florecido sin problemas. Están empezando a aparecer motas marrones en las hojas por efecto del defoliante químico que les acaban de echar. Todavía se percibe en el aire el amargo olor del producto. La carretera está desierta. Abro el buzón.

Allí dentro, bajo la revista *Mujer de su Hogar* de Madre, encuentro una carta dirigida a Miss Eugenia Phelan. En una esquina del sobre, en mayúsculas de color rojo, está escrito: «Editorial Harper & Row». La abro allí mismo y la leo con mi camisón largo y la vieja camisa marca Brooks Brothers de mi padre:

> *4 de septiembre de 1962*
> *Querida Miss Phelan:*
> *Me he permitido responder en persona a su solicitud de empleo porque encuentro digno de admiración que una jovencita de su edad y sin ninguna experiencia previa se presente a un puesto de editora en una editorial tan reputada como la nuestra. Es mi obligación comunicarle que para un trabajo como éste se requiere un mínimo de diez años de experiencia. Si se hubiera informado un poco sobre el sector lo habría sabido.*
> *De todos modos, como hace años yo también fui una jovencita ambiciosa, me he decidido a escribirle para darle un consejo: diríjase al periódico local de su ciudad y solicite un puesto de colaboradora. En su carta afirma que «disfruta muchísimo escribiendo». Cuando no esté haciendo copias o preparando café para su jefe, mire a su alrededor, investigue y escriba. No pierda el tiempo en cosas fútiles. Escriba sobre lo que le molesta, sobre todo si es algo que a los demás parece no importarles.*
> *Con mucho aprecio,*
> *Elaine Stein*
> *Editora - Departamento de Libros para Adultos*

Bajo los caracteres mecanografiados, hay una nota escrita a mano con letra garabateada en bolígrafo azul:

P.D.: Si se lo toma en serio, estaré encantada de echar-
le un vistazo a sus mejores ideas y darle mi opinión. Me
ofrezco a hacerlo, Miss Phelan, por ninguna razón en espe-
cial. Sólo porque hace tiempo alguien hizo lo mismo por mí.

Un camión cargado de algodón traquetea por la carretera. El negro que ocupa el asiento del copiloto asoma la cabeza por la ventanilla y me mira. Me he olvidado de que soy una mujer blanca y estoy en la puerta de casa en camisón. Acabo de recibir una carta, e incluso podría decir que me han dado ánimos, desde la mismísima ciudad de Nueva York. Pronuncio el nombre en voz alta: «Elaine Stein». Nunca antes había conocido a un judío.

Vuelvo apresurada a casa, intentando que el viento no se lleve volando la carta que sujeto en la mano. No quiero que se arrugue. Subo corriendo las escaleras mientras Madre me grita que me quite esas horribles zapatillas de vaquero mexicano. Ya en mi cuarto, me pongo manos a la obra y empiezo a escribir una lista de todas las malditas cosas que me molestan en la vida, sobre todo las que parecen no preocupar a los demás. Las palabras de Elaine Stein son como plata ardiente recorriéndome las venas y tecleo lo más rápido que puedo. Al final, me sale una relación increíblemente larga.

Al día siguiente, estoy lista para enviar mi primera carta a Elaine Stein con una lista de ideas que considero un interesante material periodístico: la pervivencia del analfabetismo en Misisipi; el elevado número de accidentes de tráfico debidos al alcohol en nuestro condado; las escasas oportunidades de trabajo para las mujeres...

Después de echar la carta al buzón, me doy cuenta de que probablemente he elegido las ideas que creo que podrían impactar a esa mujer, pero no aquellas en las que estoy realmente interesada.

Inspiro hondo y empujo la pesada puerta de cristal. Me recibe el femenino tintineo de una campanilla. Una recepcionista no tan femenina me observa. Es enorme, y los mofletes le cuelgan a ambos lados del rostro.

–Bienvenida al *Jackson Journal*. ¿En qué puedo ayudarte?

Anteayer, apenas una hora después de recibir la carta de Elaine Stein, llamé al periódico local y solicité una entrevista para cualquier trabajo que quisieran ofrecerme. Me sorprendió que aceptaran recibirme tan pronto.

–Tengo una cita con Mister Golden, por favor.

La recepcionista lleva un vestido que parece una tienda de campaña. Se levanta y camina basculando por su peso a cada paso que da. Intento aquietar mis manos temblorosas. A través de la puerta abierta, veo una pequeña estancia con las paredes de madera. En su interior, cuatro hombres trajeados toman notas en cuadernos y teclean en sus máquinas de escribir. Tienen la espalda torcida, aspecto demacrado y a tres de ellos sólo les queda un poco de pelo en la nuca. En la habitación hay una espesa nube de humo de los cigarrillos que fuman.

La recepcionista reaparece y me indica con el pulgar que la siga, mientras el cigarrillo que lleva en la mano gira en el aire.

–Ven por aquí.

A pesar de los nervios, lo único que me viene a la mente es una vieja regla de la universidad: «Una Ji-Omega nunca fuma mientras camina». La sigo y pasamos junto a las mesas, cuyos ocupantes me observan entre la neblina, hasta llegar a un despacho.

–¡Cierra esa puerta! –grita Mister Golden en cuanto entro en la estancia–. No dejes que entre ese maldito humo.

Mister Golden se pone de pie tras su escritorio. Es unos quince centímetros más bajo que yo, delgado y más joven que mis padres. Tiene unos dientes grandes, expresión burlona y el pelo oscuro y grasiento de un hombre tacaño.

–¿No te has enterado? –dice–. La semana pasada anunciaron que el tabaco puede matar.

–Nunca lo había oído.

Espero que no lo hayan publicado en primera página de su periódico.

–¡Demonios! Conozco a negros de más de cien años que parecen más jóvenes que esos memos que tengo ahí fuera trabajando. –Vuelve a sentarse, pero yo permanezco de pie porque no hay más sillas en el despacho–. Bueno, a ver qué me traes.

Le entrego mi currículo y una selección de artículos que escribí en el instituto. Crecí viendo el *Jackson Journal* siempre en la mesa de la cocina, abierto por la sección de deportes o las páginas sobre el campo, pero pocas veces me entretuve leyéndolo.

Mister Golden no sólo mira mis papeles, también se dedica a corregirlos con un lápiz rojo.

–Editora de la revista del Instituto Murrah, tres años; editora de la revista *Agitación,* dos años; editora en la revista de la fraternidad Ji-Omega, tres años; licenciada en Lengua Inglesa y Periodismo, cuarta alumna de su promoción... ¡leches, jovencita! –mascula–. ¿Tú no te diviertes?

–¿Es... –carraspeo–, es eso importante?

Me lanza una mirada y dice:

–Eres bastante alta, pero supongo que una chica bonita como tú habrá salido con todos los miembros del equipo de baloncesto de la universidad.

Me quedo mirándolo en silencio, sin saber si se está riendo de mí o se trata de un piropo.

–Doy por supuesto que sabes limpiar... –murmura, mientras echa un vistazo a mis artículos y los llena de violentas marcas rojas.

Me ruborizo y de repente siento mucho calor.

–¿Limpiar? No he venido aquí a limpiar, sino a escribir.

Por debajo de la puerta se cuela el humo de tabaco, como si el edificio estuviera en llamas. ¡Me siento tan estúpida por haber pensado que nada más llegar me darían un trabajo de periodista!

El hombre exhala un profundo suspiro y me alarga un grueso archivador lleno de papeles.

–No te preocupes, pequeña, vas a escribir. Miss Myrna nos ha dejado colgados. Se ha debido de beber el bote de laca para el pelo o algo así. Leete estos artículos y escribe las respuestas como hace ella. Nadie notará la diferencia.

—¿Cómo?

Sostengo el archivador porque no sé qué otra cosa puedo hacer.

No tengo ni idea de quién es esa tal Miss Myrna. Le hago la única pregunta segura que se me ocurre:

—¿Cuánto... dijo que pagaban?

El hombre me evalúa mirándome de abajo arriba; comienza por mis zapatos planos y termina en mi soso peinado. Un extraño instinto latente me dice que sonría y me pase la mano por el cabello. Me siento ridícula, pero lo hago.

—Ocho dólares a la semana. Se cobra los lunes.

Asiento con la cabeza, intentando pensar en la manera de preguntarle de qué va este trabajo sin que descubra mi ignorancia.

Se inclina hacia delante y dice:

—Sabes quién es Miss Myrna, ¿verdad?

—Por supuesto. Las... mujeres la leemos siempre —contesto, y volvemos a sostenernos la mirada durante el tiempo suficiente como para que un lejano teléfono suene tres veces.

—Entonces, ¿qué? ¿Ocho dólares te parece poco? Jesús, mujer, ¡seguro que a tu marido le limpias el retrete gratis!

Me muerdo el labio, pero antes de que pueda decir nada, el hombre suspira y exclama:

—¡Está bien, está bien! Diez dólares. Entrega el texto los jueves, y si no me gusta tu estilo ni se publica ni cobras tu mísero sueldo.

Salgo con el archivador y le doy las gracias, seguramente más de lo que debería. Me ignora, levanta el auricular de su teléfono y hace una llamada antes incluso de que yo abandone su despacho. Cuando subo en el coche, me pongo cómoda en el suave asiento de cuero del Cadillac. Permanezco un rato sentada, sonriendo mientras paso las páginas del archivador.

¡He conseguido un trabajo!

Entro en casa andando con la espalda bien recta, como no lo hacía desde que tenía doce años, antes de dar el estirón. Estoy rebosante de orgullo. Aunque todas mis neuronas me dicen que no lo haga, no puedo resistirme a contárselo a Madre. Me apresuro a la sala de estar y le explico que me han dado un trabajo como redactora de la columna de Miss Myrna, una sección semanal sobre consejos del hogar.

—¡Vaya! ¡Esto sí que es una ironía! —exclama con un suspiro que parece significar que no merece la pena vivir en tales circunstancias. Pascagoula refresca su té helado.

—Bueno, es una forma de empezar...

—¿De empezar con qué? ¡Vas a dar consejos sobre cómo llevar un hogar cuando tú ni siquiera...! —se interrumpe y vuelve a suspirar, con una espiración larga y lenta, como un neumático que se desinfla.

Desvío la mirada, preguntándome si todo el mundo en la ciudad pensará lo mismo. Mi alegría inicial comienza a desvanecerse.

—Eugenia, ni tan siquiera sabes sacarle brillo a la plata. ¿Cómo vas a dar consejos para mantener una casa limpia?

Abrazo el archivador contra mi pecho. Tiene razón, no seré capaz de responder a las preguntas de las lectoras. De todos modos, pensaba que Madre estaría orgullosa de mí.

—Además, sentada delante de tu máquina de escribir no vas a conocer a nadie. Eugenia, ten un poco de sentido común, por favor.

La rabia me empieza a trepar por los brazos. Me pongo en pie, muy tiesa otra vez.

—¿Te imaginas que quiero vivir aquí? ¿Contigo? —replico, y suelto una carcajada que espero que la hiera.

Veo el dolor en sus ojos. Madre aprieta los labios ante el golpe que acabo de propinarle. Sin embargo, no pienso retractarme de mis palabras porque por fin, ¡por fin!, he conseguido que escuche algo que digo.

Me quedo allí, no quiero marcharme. Deseo escuchar qué responde a eso. Quiero oírle decir que lo siente.

–Tengo que... preguntarte algo, Skeeter. –Juega con su pañuelo y hace una extraña mueca–. El otro día leí que algunas... algunas chicas sufren un trastorno y empiezan a tener... bueno, a tener cierto tipo de pensamientos «contra natura».

No tengo ni idea de lo que está hablando. Miro el ventilador del techo, que está puesto a mucha velocidad. «Clac-clac, clac-clac, clac-clac...»

–Tú... esto... ¿los hombres te resultan atractivos? ¿Tienes pensamientos con...? –Cierra los ojos con fuerza–. ¿Con chicas o... o mujeres?

La contemplo deseando que el ventilador del techo se caiga y nos aplaste a las dos.

–Verás, en el artículo ponía que hay un remedio, una infusión de una raíz especial...

–Madre –digo, cerrando los ojos–, me gustan las mujeres tanto como a ti... Jameso.

Me dirijo hacia la puerta a toda prisa, pero antes de marcharme le lanzo una mirada y añado:

–A no ser, claro, que te gusten los negros.

Madre se estremece y le entra la tos. Subo las escaleras pisando con fuerza los peldaños.

Al día siguiente, dispongo las cartas de Miss Myrna en una ordenada pila. Tengo treinta y cinco dólares en mi cartera, la asignación semanal que Madre todavía me da. Bajo las escaleras con una gran sonrisa de beata en el rostro. Al vivir en casa de mis padres, si quiero salir de la plantación tengo que pedir permiso a Madre para usar su coche, lo cual significa que me preguntará adónde voy y que tengo que mentirle a diario. Esto es agradable en sí, pero, al mismo tiempo, un poco degradante.

–Voy a acercarme a la iglesia, a ver si necesitan ayuda para la catequesis.

–Oh, cielito, ¡qué idea más encantadora! Ve en el coche y vuelve cuando quieras.

Anoche decidí que necesito la ayuda de una profesional para escribir la columna. Mi primera idea fue pedírselo a Pascagoula,

100

pero apenas la conozco. Además, no podía soportar la idea de Madre metiendo las narices y criticándome todo el tiempo. La criada de Hilly, Yule May, es tan tímida que dudo que quiera ayudarme. La única sirvienta a quien veo con frecuencia es la de Elizabeth, Aibileen. Me recuerda un poco a Constantine. Además, es más mayor y parece que tiene mucha experiencia.

De camino a casa de Elizabeth, paso por la papelería de Ben Franklin y compro un archivador, una caja de lápices del dos y un cuaderno de tapas azules. Tengo que entregar mi primera columna mañana. A las dos en punto tiene que estar en la mesa de Mister Golden.

–Skeeter, pasa, querida.

Abre la puerta la propia Elizabeth, así que me temo que Aibileen tenga hoy libre. Mi amiga lleva puesto su albornoz azul, y unos rulos enormes hacen que parezca que tiene una cabeza muy grande y un cuerpo más minúsculo todavía. Elizabeth está con los rulos puestos casi todo el día, pero nunca consigue dar suficiente volumen a su fino cabello.

–Siento recibirte con esta facha. Mae Mobley me ha tenido media noche despierta y no tengo ni idea de dónde se ha metido Aibileen.

Entro en el diminuto recibidor. Es una casa de techos bajos y habitaciones pequeñas. Todo en su interior parece de segunda mano: las desgastadas cortinas azules de flores, la arrugada cobertura del sofá... He oído que a Raleigh no le va muy bien con su nueva gestoría. Puede que en Nueva York o en cualquier otro sitio sea un negocio rentable, pero en Jackson, Misisipi, a la gente no le interesa contratar los servicios de un inepto, bruto y condescendiente como él.

El coche de Hilly está aparcado fuera, pero no se la ve por ningún sitio. Elizabeth se sienta en la máquina de coser que tiene en la mesa del comedor.

–Ahora mismo termino –dice–. Déjame acabar esta costura...

Cuando finaliza, se pone en pie, sujetando un vestido de domingo verde con cuello blanco.

–Dame tu opinión, y sé sincera, por favor –susurra mirándome con unos ojos que están suplicando todo lo contrario–: ¿Parece hecho a mano?

El dobladillo es más largo por un lado que por el otro. La tela está arrugada y un puño ha empezado a deshilacharse.

–Parece totalmente de boutique. Se diría que lo has comprado en Maison Blanche –digo, porque sé que es la tienda favorita de Elizabeth: cinco plantas de prendas caras en Canal Street en Nueva Orleans. Una ropa que nunca podrías encontrar aquí, en Jackson.

Elizabeth me ofrece una sonrisa de agradecimiento.

–¿Mae Mobley está dormida? –le pregunto.

–Sí, por fin –contesta, molesta con un mechón de pelo rebelde que se le ha escapado del rulo. A veces, cuando habla de su pequeña, su voz se vuelve afilada.

La puerta del cuarto de baño de invitados se abre y aparece Hilly diciendo:

–Mucho mejor así, ¡dónde vamos a ir a parar! Ahora cada cual tiene su sitio para ir a hacer sus cosas...

Elizabeth manipula la aguja de su máquina. Parece preocupada.

–Puedes decirle a Raleigh «de nada» de mi parte –añade Hilly, y por fin me doy cuenta de lo que está hablando: Aibileen ya tiene su propio retrete en el garaje.

Hilly me sonríe y soy consciente de que va a sacar el asunto de su campaña.

–¿Qué tal está tu madre? –le pregunto, aunque sé que odia hablar de este tema–. ¿Se ha adaptado bien al asilo?

–Creo que sí. –Se baja el jersey rojo por el rechoncho michelín de su cintura. Lleva unos pantalones de cuadros escoceses, rojos y verdes, que aumentan el volumen de su trasero, haciéndolo más redondo y contundente que nunca–. Por supuesto, no me agradece nada de lo que hago por ella. Tuve que despedir yo misma a esa criada que tenía. ¡Imagínate! La pillé intentando robar ese maldito candelabro de plata delante de mis narices. –Sus ojos se entrecierran–. Por cierto, ¿sabéis si esa Minny Jackson está trabajando ahora para alguien?

102

Las dos negamos con la cabeza.

—Dudo que vuelva a encontrar trabajo en esta ciudad —comenta Elizabeth.

Hilly asiente, rumiando la idea. Inspiro hondo, ansiosa por contarles la noticia.

—¡He conseguido un trabajo en el *Jackson Journal*! —exclamo.

Se hace el silencio en la estancia. De repente, Elizabeth suelta un gritito alegre. Hilly me sonríe, tan orgullosa que me hace sonrojarme. Me encojo de hombros, intentando quitarle importancia al asunto.

—Serían unos idiotas si no te hubieran contratado, Skeeter Phelan —dice Hilly, y alza su vaso de té helado en un brindis.

—Esto... ¿alguna de vosotras lee la columna de Miss Myrna? —pregunto.

—Pues la verdad es que no —confiesa Hilly—. Pero supongo que para las mujeres blancas pobres de South Jackson será como la Biblia.

—Todas esas pobres mujeres sin criada... —dice Elizabeth, asintiendo con la cabeza—. Sí, seguro que la leen.

—¿Te importaría si hablo con Aibileen para que me ayude a contestar algunas de las cartas?

Elizabeth se queda callada por un momento y luego pregunta sorprendida:

—¿Aibileen? ¿«Mi» Aibileen?

—Es que hay algunas preguntas que no sé contestar.

—Bueno... mientras esto no interfiera en su trabajo.

Me callo, sorprendida por su actitud. Sin embargo, me digo a mí misma que, a fin de cuentas, es Elizabeth quien la paga por lo que hace.

—Pero, por favor, hoy no, Mae Mobley está a punto de despertarse, y entonces tendría que hacerme cargo de ella.

—Está bien. ¿Puedo... puedo pasarme mañana por la mañana?

Cuento las horas con los dedos de la mano. Si termino de hablar con Aibileen a media mañana, todavía tengo tiempo de volver corriendo a casa, pasar a máquina las respuestas e ir otra vez a la ciudad antes de las dos.

Elizabeth mira enfurruñada su carrete de hilo verde.

–Sí, pero sólo unos minutos, ¿vale? Mañana es el día de sacarle brillo a la plata.

–No la entretendré mucho, te lo prometo.

Elizabeth cada día me recuerda más a mi madre.

A la mañana siguiente, a las diez, Elizabeth me abre la puerta y me saluda con un gesto de cabeza, como una maestra de escuela.

–¡Muy bien! Pasa, pasa... No tardes mucho, Mae Mobley puede despertarse en cualquier momento.

Entro en la cocina con mis cuadernos y papeles bajo el brazo. Aibileen me sonríe desde el fregadero, mostrándome su brillante diente de oro. Es un poco ancha de caderas, pero su gordura resulta agradable, y bastante más bajita que yo. ¿Quién no? Su piel marrón, oscura y brillante, contrasta con el blanco de su almidonado uniforme. Tiene las cejas grises, aunque su pelo todavía es negro.

–*Güenas,* Miss Skeeter. ¿Miss Leefolt está todavía en la máquina de *cosé?*

–Sí.

Me resulta extraño, incluso después de todos los meses que llevo de regreso en Jackson, escuchar a la gente refiriéndose a Elizabeth como Miss Leefolt y no como Miss Elizabeth o incluso por su apellido de soltera, Miss Fredericks.

–¿Puedo? –pregunto, señalando el frigorífico.

Antes de que me dé tiempo a servirme, Aibileen lo abre y me pregunta:

–¿Qué quiere *tomá?* ¿Una *Ca-cola?*

Asiento. Abre la botella con el abridor que está fijado en la mesa y me la sirve en un vaso.

–Aibileen –tomo aire–, me preguntaba si podrías ayudarme con una cosa.

Le cuento la historia de la columna y me alegro cuando me dice que sabe quién es Miss Myrna.

–Así que he pensado que podría leerte algunas de las cartas y tú podrías... ayudarme con las respuestas. Dentro de un

104

tiempo, puede que aprenda y... –Me quedo callada. No creo que nunca pueda ser capaz de responder a cuestiones de limpieza del hogar yo sola. Sinceramente, no tengo ninguna intención de aprender a hacer las tareas de casa–. Sé que suena un poco injusto, ¿verdad? Utilizar tus respuestas y hacer como si fueran mías... o de Myrna, mejor dicho.

Suspiro y veo que Aibileen menea la cabeza.

–*Güeno*, a mí no me importa. Pero no creo que Miss Leefolt dé su aprobación.

–Me dijo que le parecía bien.

–¿Durante mis horas de trabajo?

Asiento con la cabeza, recordando la seriedad de las palabras de Elizabeth.

–*Mu* bien, entonces –acepta Aibileen, y se encoge de hombros. Mira el reloj que hay encima del fregadero y añade–: Pero supongo que tendremos que dejarlo cuando Mae Mobley se levante.

–¿Podemos sentarnos? –propongo, y señalo la mesa de la cocina.

Aibileen mira de reojo la puerta que da al salón y dice:

–Siéntese *usté*, yo estoy bien de pie.

Ayer me pasé la noche entera leyendo los artículos de Miss Myrna de los últimos cinco años, pero aún no he tenido tiempo de revisar la correspondencia sin responder. Preparo mi cuaderno, lápiz en mano.

–Aquí hay una carta remitida desde el condado de Rankin, dice así:

Querida Miss Myrna, ¿cómo puedo quitar las manchas de sudor que le salen en el cuello de la camisa al seboso y desaliñado de mi marido, que parece un cerdo y suda como si lo fuera?

¡Magnífico! Por lo visto, la columna no sólo trata sobre limpieza, sino que también habla de problemas de pareja. Dos temas en los que soy una auténtica ignorante.

105

–¡Jesús! ¿De qué se quiere *deshacé* esa *mujé* –pregunta Aibileen–, de las manchas o del *marío?*

Contemplo el papel en blanco. No sabría cómo aconsejarla para librarse de ninguna de las dos cosas.

–Dígale que lo meta a remojo en una mezcla de lejía Pine-Sol y vinagre. Luego, que lo ponga a *secá* al sol un rato.

Escribo apresuradamente en mi cuaderno.

–¿Durante cuánto tiempo tiene que dejarlo al sol?

–Como una hora. Hasta que se seque.

Leo la siguiente carta y Aibileen responde con la misma rapidez. Tras cuatro o cinco consejos, respiro aliviada.

–Gracias, Aibileen. No tienes ni idea de cuánto me sirve tu ayuda.

–No hay de qué. Mientras Miss Leefolt no me necesite *pa* otros menesteres...

Recojo mis papeles y le doy un último sorbo a mi refresco, permitiéndome cinco segundos de relax antes de marcharme a escribir la columna. Aibileen comienza a limpiar brotes de helecho. La habitación está en silencio, a excepción de la radio en la que suena, muy bajito, el sermón del predicador Green, como de costumbre.

–Aibileen, ¿de qué conocías a Constantine? ¿Erais parientes?

Aibileen mueve nerviosa los pies enfrente del fregadero.

–No. Estábamos... en el mismo grupo de amigas de la iglesia.

Siento un amargo picor que se ha convertido en algo habitual cuando hablo de Constantine.

–Ni siquiera dejó una dirección. Yo... No me puedo creer que se marchara así.

Aibileen parece estudiar con mucho detenimiento los brotes de helecho.

–*Güeno,* no se fue por su propia *voluntá.*

–¡Sí lo hizo! Mi madre dice que se despidió ella misma, allá por marzo. Que se fue a Chicago a vivir con unos parientes.

Aibileen toma otro brote de helecho y se pone a lavar su largo tallo y su punta curvada y verde.

–No fue así, mamita –niega, tras una pausa.

106

Me cuesta unos segundos ser consciente de lo que me está contando.

—Aibileen —digo, intentando que me mire a los ojos—, ¿estás diciendo que Constantine fue despedida?

Pero el rostro de Aibileen se ha vuelto impenetrable, como un cielo azul.

—Creo que no me acuerdo bien —contesta.

Soy consciente de que piensa que ya me ha contado demasiado para ser yo una mujer blanca. Se oye gritar a Mae Mobley, y Aibileen se disculpa y sale por la puerta. Pasan unos segundos antes de que me dé cuenta de que debo irme a mi casa.

Cuando entro en casa, diez minutos más tarde, encuentro a mi madre leyendo en la mesa del comedor.

—Madre —digo, apretando mi cuaderno contra el pecho—, ¿despedisteis a Constantine?

—Que si hicimos... ¿qué? —me pregunta Madre.

Pero sé que me ha oído bien, porque ha posado sobre la mesa el boletín de la Asociación de Hijas de la Revolución Americana. Sólo una pregunta comprometida podría apartarla de una lectura tan apasionante.

—Eugenia, ya te expliqué que su hermana se puso enferma, así que se marchó a Chicago con su familia —responde—. ¿Por qué lo preguntas? ¿Alguien te ha contado otra cosa?

Ni en un millón de años mencionaría a Aibileen.

—Esta tarde oí decir algo en la ciudad.

—¿Quién podría contar algo así? —Madre entrecierra los ojos tras sus gafas de leer—. Seguro que ha sido algún negro.

—¿Qué le hiciste, Madre?

Madre se humedece los labios y me lanza una larga y penetrante mirada por encima de sus lentes bifocales.

—No lo entenderías, Eugenia. No, mientras no hayas tenido una sirvienta tú misma.

—¿La... despediste? ¿Por qué?

—Eso no importa ahora. Es algo que ya pasó y no tengo intención de volver a pensar en ello.

107

–Pero madre, ella me crió. ¡Cuéntame ahora mismo lo que sucedió! –exijo, molesta por el deje chillón de mi voz y el aire infantil de mi petición.

Madre levanta las cejas ante el tono de mi voz y se quita las gafas.

–Fueron cosas de negros. Es cuanto te puedo decir.

Se pone las gafas de nuevo y regresa a la lectura de su boletín de la Asociación de Hijas de la Revolución Americana.

Estoy temblando de ira. Subo corriendo las escaleras. Me siento ante la máquina de escribir, atónita ante la idea de que mi madre haya podido deshacerse de alguien que le hizo el mayor favor de su vida: educar a sus hijos, enseñarme a ser buena y tener dignidad. Contemplo mi habitación, con su papel de color rosa, las cortinas de rieles, las amarillentas fotografías de familia en la pared, que ahora me resultan tan delezables... Constantine se pasó veintinueve años trabajando para nosotros.

Durante la siguiente semana, Padre se levanta antes de que amanezca. Me despierto con el ruido de los motores de las camionetas, el traqueteo de las cosechadoras y el barullo de los jornaleros y sus gritos dándose prisa. Los campos están marrones y crujen con tallos muertos de algodón ya defoliados para que las máquinas puedan recoger los capullos. La hora de la cosecha ha llegado.

Durante la época de cosecha, Padre no deja de trabajar ni tan siquiera para ir a misa. Sin embargo, el domingo por la noche, después de la cena y antes de que se vaya a dormir, le abordo en el oscuro recibidor de casa:

–Papá, ¿puedes contarme qué pasó con Constantine? –Está hecho polvo y suspira sin darme una respuesta–. ¿Cómo pudo Madre despedirla, papá?

–¿Qué? Cariño, Constantine se marchó. Sabes que tu madre nunca la despediría.

Parece decepcionado conmigo por hacerle una pregunta como ésa.

108

–¿Sabes dónde fue? ¿Tienes su dirección?

Niega con la cabeza.

–Pregúntale a tu madre, ella sabrá. –Me palmea en el hombro–. A veces la gente tiene que marcharse, Skeeter. A mí también me habría gustado que se quedara con nosotros.

Se arrastra por el pasillo hacia la cama. Es un hombre demasiado sincero para esconderme algo, así que estoy convencida de que no tiene más información sobre lo que sucedió.

Esa semana, como todas a partir de entonces, me paso de nuevo por casa de Elizabeth para hablar con Aibileen. Mi amiga parece cada vez más disgustada con lo que hacemos. Cuanto más tiempo me quedo en la cocina, más entra Elizabeth con nuevas tareas para Aibileen hasta que me marcho: que si debe sacar brillo a los pomos de las puertas, que si hay que quitar el polvo de encima del frigorífico, que si tiene que cortarle las uñas a Mae Mobley... Aibileen me dispensa un trato cordial, pero guarda las distancias conmigo. Siempre permanece de pie junto al fregadero y nunca deja de trabajar mientras hablamos. No tardo en entregar mis textos con adelanto y Mister Golden se muestra complacido con mi columna. Las dos primeras apenas me costó veinte minutos escribirlas.

Cada semana, le pregunto a Aibileen por Constantine. ¿No podría conseguirme su dirección? ¿No podría explicarme por qué la despidieron? Debió de montarse una buena, porque no me imagino a Constantine agachando la cabeza, diciendo «Está bien, señora» y marchándose por la puerta de atrás. Cuando madre le echaba la bronca porque había encontrado una cucharilla sucia, Constantine le servía su tostada quemada durante una semana. No quiero pensar cómo podrían llevar entre las dos un despido.

De todos modos, no importa mucho, porque lo único que hace Aibileen es encogerse de hombros y afirmar que no sabe nada.

Una tarde, después de preguntarle cómo eliminar las manchas resistentes de la bañera (en mi vida he limpiado una bañera), vuelvo a casa. Paso por el cuarto de estar y veo que la televisión está encendida. Pascagoula la mira de pie, a apenas diez centímetros de la pantalla. Oigo que están hablando de la Universidad de Misisipi y en las borrosas imágenes puedo ver a un grupo de hombres blancos con trajes oscuros arremolinándose alrededor de la cámara. Me acerco al aparato y veo a un hombre de color, más o menos de mi edad, en medio de la turba de blancos, protegido por militares. La cámara gira y aparece el rectorado de mi universidad. El gobernador Ross Barnett está allí, de brazos cruzados, mirando desafiante a los ojos al alto chico negro. Junto al gobernador aparece el senador Whitworth, con cuyo hijo una vez Hilly intentó organizarme una cita a ciegas.

Contemplo la escena embobada. No estoy alegre ni molesta ante la noticia de que vayan a admitir por primera vez a un negro en la Universidad de Misisipi, sólo sorprendida. Sin embargo, Pascagoula parece tan emocionada que puedo oír su respiración acelerada. Permanece inmóvil, sin darse cuenta de que estoy justo detrás de ella. Roger Sticker, un presentador local, está nervioso, sonríe y habla muy rápido.

—El presidente Kennedy ha ordenado al gobernador que se aparte y deje pasar a James Meredith. Repito, el presidente de Estados...

—¡Eugenia, Pascagoula! ¡Apagad ese trasto ahora mismo!

Pascagoula se gira bruscamente y nos ve a Madre y a mí. Agacha la cabeza y abandona la estancia a toda prisa.

—No pienso tolerarlo, Eugenia –suspira Madre–. No voy a permitir que les apoyes en cosas como éstas.

—¿Apoyarles? Mamá, sólo estamos viendo las noticias.

Madre toma aire y dice:

—No está bien que veáis las noticias juntas.

Cambia de canal, y se detiene en una reposición vespertina del *Show de Lawrence Welk*.

—Mira, ¿no te parece que esto es mucho más entretenido?

En un fresco sábado de finales de septiembre, con el algodón ya cosechado y los campos vacíos, Padre trae a casa un nuevo televisor en color y pone el viejo, en blanco y negro, en la cocina. Sonriente y orgulloso, enchufa su nuevo receptor en el cuarto de estar y el partido de fútbol entre la Universidad de Misisipi y su eterno rival, la Universidad de Luisiana, retumba por casa el resto de la tarde.

Madre, por descontado, está pegada a los colores de la pantalla, soltando exclamaciones de admiración ante los vibrantes rojos y azules de los jugadores. Ella y Padre son unos fanáticos de los Rebels, el equipo de mi universidad. Madre lleva puestos unos pantalones con los colores del equipo, a pesar del sofocante calor, y tiene extendida sobre la silla la vieja manta de la hermandad Kappa-Alfa de los tiempos universitarios de Padre. Nadie menciona a James Meredith, el estudiante de color al que la institución acaba de admitir.

Me dirijo a la ciudad en el Cadillac. Madre no se explica cómo puede ser que no me interese quedarme viendo al equipo de mi universidad corriendo detrás de una pelota. Pero sé que Elizabeth y su familia están viendo el partido en casa de Hilly, así que Aibileen se ha quedado sola en casa, trabajando. Espero que le resulte un poco más cómodo hablar conmigo sin Elizabeth rondando por ahí. Lo cierto es que tengo la esperanza de que me cuente algo, lo que sea, sobre Constantine.

Aibileen me abre la puerta y la sigo a la cocina. Apenas se la nota algo más relajada por el hecho de que la casa esté vacía. Contempla la mesa de la cocina, como si hoy se atreviera a sentarse, pero cuando la invito a acompañarme, responde:

—No, estoy bien de pie. Siéntese *usté*.

Saca un tomate de una bolsa de papel y empieza a pelarlo con un cuchillo.

Me apoyo en la encimera y le presento el último acertijo para resolver: cómo evitar que los perros revuelvan los cubos de la basura que el vago de tu marido siempre saca a la calle el día que no hay recogida y no se entera porque se pasa todo el tiempo borracho.

—Que ponga un poco de *neumoniaco* en la basura. Los chuchos no volverán a acercarse a los cubos.

111

Tomo nota del consejo, corrigiendo «neumoniaco» por «amoníaco», y saco la siguiente carta. Cuando levanto la mirada, Aibileen me está sonriendo.

–No quisiera ser grosera, Miss Skeeter, pero... ¿no es un poco extraño que sea *usté* la nueva Miss Myrna cuando no sabe *na* sobre tareas del *hogá?*

Esta mujer me acaba de presentar la realidad de una forma muy distinta a como lo hizo mi madre hace un mes. En esta ocasión, me echo a reír y le cuento lo que todavía no he confesado a nadie: las llamadas de teléfono a Nueva York, el currículo que envié a Harper & Row, que me encantaría ser escritora, los consejos que me dio Elaine Stein... Es agradable poder contárselo a alguien.

Aibileen asiente y pasa el cuchillo por otro tomate rojo y maduro.

–A mi pequeño Treelore le gustaba mucho *escribí*.

–No sabía que tuvieras un hijo.

–Murió. Hace dos años.

–¡Oh, cuánto lo siento!

Por un momento, en la cocina sólo se oye al predicador Green y el sonido de las mondas del tomate al caer en el fregadero.

–Sacaba sobresalientes en *tos* los exámenes de lengua. Luego, cuando era más *mayó,* se agenció una máquina de *escribí* y empezó a *trabajá* en una idea... –Los hombros plisados de su uniforme se hundieron–. Decía que iba a *escribí* un libro él solito, ¡sí *señó!*

–¿Sobre qué escribía? Si no te importa contármelo, claro...

Aibileen se queda callada unos instantes, mientras sigue pelando tomates sin parar.

–Había *leío* un libro que se llamaba *El hombre invisible.* Cuando lo terminó, dijo que iba a *escribí* sobre cómo es la vida de un negro que trabaja *pa* los blancos en Misisipi.

Aparto la mirada, consciente de que en este punto Madre abandonaría la conversación. Sonreiría y cambiaría de tema: lo difícil que resulta sacar brillo a la plata, el precio del arroz...

–Yo también leí *El hombre invisible,* aunque más tarde –prosigue Aibileen–. Me gustó mucho.

Asiento, aunque no conozco la obra. Nunca pensé que Aibileen leyera.

–Escribió unas cincuenta páginas –añade–. Dejé que su novia, Frances, se las quedara.

Aibileen deja de pelar. Veo que su garganta se mueve y luego traga saliva.

–Por *favó,* no le cuente esto a nadie –me ruega, bajando la voz–. Quería *escribí* sobre su patrón blanco.

Se muerde el labio y me sorprende que todavía tema por él. Aunque haya perdido a su hijo, el instinto protector todavía pervive en ella.

–No te preocupes. Gracias por contármelo, Aibileen. Me parece una idea... muy valiente.

Mantiene mi mirada por un momento. Luego, sostiene otro tomate y se dispone a hundir el cuchillo en la piel. La contemplo, esperando que brote el jugo rojo. Pero Aibileen se detiene antes de cortarlo y observa la puerta de la cocina.

–No me parece justo que no sepa lo que le pasó a Constantine. Es sólo que... Lo siento, pero no creo que esté bien contárselo...

Me quedo callada. No sé qué ha provocado que salga el tema, pero no quiero desperdiciar la oportunidad.

–Sólo *pueo* decirle que fue algo que tuvo que ver con la hija de Constantine... La chica se pasó a ver a su madre de *usté.*

–¿Hija? ¡Constantine nunca me contó que tuviera una hija! Conocí a Constantine durante veintitrés años, ¿por qué me iba a ocultar algo así?

–Era un poco difícil *pa* ella. La niña salió bastante... pálida.

Me quedo de piedra, recordando lo que Constantine me había contado hacía años.

–¿Quieres decir... de piel clara? ¿Como... blanca?

Aibileen asiente con la cabeza, mientras reanuda su trabajo en el fregadero.

–Tuvo que enviarla lejos, al Norte, creo.

113

–El padre de Constantine era blanco. Oh... Aibileen..., ¿no creerás...?

Un pensamiento horrible me atraviesa la cabeza. Estoy tan aturdida que no soy capaz de terminar la frase.

–No, no, no, mamita –dice Aibileen moviendo la cabeza–. No... no es eso. El hombre de Constantine, Connor, era negro. Pero como Constantine tenía la sangre de su padre blanco en las venas, la niña le salió tirando a mulata. Es algo que a veces sucede.

Me avergüenzo de haber pensado lo peor. De todos modos, sigo sin comprender.

–¿Por qué no me lo contó nunca? –pregunto, sin muchas esperanzas de recibir una respuesta–. ¿Por qué la mandó lejos de aquí?

Aibileen vuelve a asentir con un gesto de la cabeza, como si entendiera. Pero yo no.

–Nunca la vi pasarlo tan mal. Constantine repetía un millón de veces que se moría por que llegara el día en que volviera a *está* junto a su hija.

–Has dicho que esta hija tuvo algo que ver en el despido de Constantine. ¿Qué pasó?

Ante esto, el rostro de Aibileen se vuelve impenetrable. Ha echado el telón. Señala las cartas de Miss Myrna, dejando claro que ya me ha dicho cuanto tenía que contarme. Por lo menos, hasta ahora.

Un poco más tarde, me paso por la fiesta futbolera en casa de Hilly. La calle está a rebosar, con rancheras y enormes Buick aparcados en doble fila. Me obligo a atravesar el umbral, sabiendo que seré la única soltera en el lugar. Dentro, veo la sala de estar repleta de parejas sentadas en los sofás, en las sillas, en los reposabrazos de los sillones. Las esposas se sientan con la espalda muy recta y las piernas cruzadas, mientras los maridos se inclinan hacia delante. Todos los ojos se encuentran fijos en el mueble de la televisión. Me quedo en el fondo e intercambio unas sonrisas y algún saludo silencioso.

A excepción de la voz del comentarista, la habitación permanece en un completo silencio.

–¡Bieeen! –gritan todos de repente, alzando los brazos. Las mujeres se ponen en pie y aplauden sin parar. Yo me muerdo las uñas.

–¡Así se hace, Rebels! ¡Enseñad a esos Tigers cómo se juega!

–¡Rebels! ¡Rebels! –anima Mary Frances Truly, dando saltitos con su conjunto de jersey y rebeca a juego.

Me miro el dedo. Tengo una cutícula enrojecida y me escuece. El ambiente en la estancia está cargado. Huele a *bourbon*, a lana roja y a anillos de diamantes. Me pregunto si a las chicas realmente les interesa el fútbol, o si sólo actúan así para impresionar a sus maridos. En los cuatro meses que llevo en la Liga de Damas, ninguna chica me ha preguntado: «Oye, ¿qué tal van los Rebels?». Me abro paso entre varias parejas hasta que llego a la cocina. Yule May, la alta y delgada criada de Hilly, está rellenando una masa con unas diminutas salchichas. Otra chica de color, más joven, friega los platos. Hilly me hace un gesto mientras conversa con Deena Doran.

–¡Los mejores pastelitos que he probado en mi vida! Deena, eres la cocinera con más talento de la Liga de Damas.

Hilly se mete en la boca el resto del dulce, moviendo la cabeza y relamiéndose de placer.

–Muchas gracias, Hilly. Son difíciles de preparar, pero creo que merece la pena.

Deena sonríe de oreja a oreja. Parece que se vaya a echar a llorar ante las alabanzas de Hilly.

–Entonces, ¿qué? ¿Estás dispuesta a hacerlo? Dios mío, no sabes lo contenta que estoy. El comité de venta de pasteles necesita la ayuda de una excelente cocinera como tú.

–¿Y cuántos necesitáis?

–Quinientos, para mañana por la tarde.

La sonrisa de Deena se congela.

–Esto…Vale. Creo que podré… pasarme la noche preparándolos.

–Skeeter, ¡qué bien que hayas podido venir! –dice Hilly, y Deena abandona la cocina.

–No puedo quedarme mucho –replico, quizá demasiado deprisa.

–Oye, tengo buenas noticias. –Hilly me dirige una sonrisa cómplice–. Esta vez sí va a venir. Dentro de tres semanas.

Contemplo cómo los largos dedos de Yule May despegan la masa de un cuchillo y suspiro, pues sé muy bien a quién se refiere.

–No sé, Hilly. Lo hemos intentado ya muchas veces y nunca ha funcionado. Puede que sea mi destino.

El mes pasado, antes de que él llamara la víspera de la cita para cancelarla, me permití sentir un poco de excitación. No me apetece volver a pasar por algo así.

–¿Qué? ¡Ni se te ocurra pensarlo!

Aprieto los dientes, porque ya ha llegado la hora de que lo diga:

–Hilly, sabes que no voy a ser su tipo.

–¡Mírame a mí! –dice, y hago lo que me pide; es lo que suele pasar con Hilly, la gente le obedece.

–Hilly, no puedes hacerme pasar por...

–Ha llegado tu hora, Skeeter. –Alarga el brazo y me aprieta la mano, pellizcándome con el pulgar y los demás dedos con más fuerza de lo que nunca hizo Constantine–. Es tu momento. Además, ¡maldita sea!, no pienso dejar que pierdas esta oportunidad sólo porque tu madre te haya convencido de que no eres lo bastante buena para alguien como él.

Me duelen sus palabras. Son amargas, pero ciertas. Además, me emociona la tenacidad que demuestra mi amiga conmigo. Hilly y yo siempre hemos sido irremediablemente sinceras la una con la otra, incluso para las pequeñas cosas. Con otra gente, Hilly esgrime mentiras igual que los presbiterianos esgrimen el sentimiento de culpabilidad. Pero este acuerdo tácito, esta estricta honestidad, es tal vez la única cosa que nos mantiene unidas.

Elizabeth aparece en la cocina con un plato vacío. Sonríe, se detiene y las tres nos miramos.

–¿Qué? –dice Elizabeth.

Estoy segura de que piensa que estábamos hablando de ella.

–Entonces, dentro de tres semanas –me dice Hilly–. Vendrás, ¿verdad que sí?

–¡Pues claro que irá! ¡Faltaría más! –responde Elizabeth por mí.

Contemplo sus rostros sonrientes y siento sus esperanzas depositadas en mí. No se parece a la constante indiscreción de Madre, son unas expectativas limpias, puras, sin amargura ni dolor. No me gusta que mis amigas hayan estado hablando a mis espaldas de cómo se va a decidir mi destino en una noche. Pero, aunque es algo que me molesta, al mismo tiempo me siento halagada.

Me dirijo de vuelta a la plantación antes de que termine el partido. Llevo el cristal de la ventanilla del Cadillac bajado; los campos aparecen cortados y quemados. Hace ya unas semanas que Padre terminó la última cosecha, pero la cuneta de la carretera todavía parece nevada, con restos de algodón pegados a la hierba. En el aire revolotean y flotan hebras de la planta.

Compruebo el buzón sin bajarme del coche. Dentro hay un número del *Almanaque del Granjero* y una carta. Es de Harper & Row. Entro en el garaje y maniobro para aparcar. La carta está escrita a mano en un pequeño papel de carta cuadrado:

Miss Phelan:

No dudo de que pueda perfeccionar sus habilidades como escritora con temas tan sosos y fútiles como el alcohol al volante o el analfabetismo. Sin embargo, esperaba que propusiera temas con más gancho. Siga buscando, y sólo si se le ocurre algo realmente original, escríbame para contármelo.

Paso por delante de Madre en el comedor mientras la invisible Pascagoula quita el polvo a las fotos de la pared. Subo

117

mis empinadas escaleras. Me arde el rostro. Lucho para que no se me salten las lágrimas por lo que dice la carta de Miss Stein. Me digo que tengo que centrarme. Lo peor de todo es que no se me ocurren mejores ideas.

Me concentro en mi próximo artículo sobre el hogar, y luego en el boletín de la Liga de Damas. Por segunda semana consecutiva, dejo fuera la iniciativa de los retretes de Hilly. Una hora más tarde, acabo con la mirada perdida por la ventana. En la repisa, descansa *Elogiemos ahora a hombres famosos*. Me acerco al libro y lo abro, temiendo que la luz del sol desgaste la cubierta, que muestra una foto en blanco y negro de una familia humilde y empobrecida. El libro es pesado y está caliente por el efecto del sol. Me pregunto si podré escribir algún día algo que merezca la pena. Me giro cuando escucho a Pascagoula llamando a mi puerta. Entonces se me ocurre la idea.

No. No podría. Eso sería... cruzar la línea.

Pero la idea no se aparta de mi mente.

Aibileen

Capítulo 7

La ola de calor terminó por fin a mediados de octubre y ahora tenemos unos quince grados. Por las mañanas, el retrete de ahí fuera está frío y cada vez que me siento en él doy un respingo. Lo han puesto en un cuartucho que han levantado bajo la cubierta del garaje. Dentro hay un váter y un pequeño lavabo pegado a la pared. De un cable cuelga una bombilla y el suelo está forrado con papel de periódico.

Cuando servía en casa de Miss Caulier, el garaje estaba unido a la casa, por eso no tenía que salir fuera. Y donde trabajaba antes, tenían habitaciones para el servicio, con un pequeño dormitorio para cuando me tenía que quedar a pasar la noche. Pero aquí no, aquí tengo que salir para hacer mis necesidades.

Una tarde de martes, me llevo mi almuerzo a las escaleras del porche trasero y me siento en el frío cemento. El césped de Miss Leefolt no crece muy bien en esta parte del jardín, porque un enorme magnolio da sombra a casi todo el lugar. Estoy segura de que este árbol se va a convertir en el refugio de Mae Mobley. Dentro de unos cinco años lo utilizará para esconderse de su madre.

Al cabo de un rato, Mae Mobley aparece en el porche. Trae media hamburguesa en la mano. Me sonríe y me dice: «Buenas».

–¿Por qué no estás dentro con tu mamita? –le pregunto, aunque sé la respuesta: prefiere sentarse aquí fuera con la criada antes que ver cómo su madre hace cualquier cosa menos prestarle atención; es como uno de esos polluelos que se equivocan y se ponen a seguir a los patitos.

Mae Mobley señala los arrendajos que se preparan para afrontar el invierno, gorjeando en la pequeña fuentecita gris del jardín.

–¡Pío-pío! –imita señalando a las aves, y se le cae la hamburguesa en las escaleras.

De repente, *Aubie*, el viejo perro de caza al que ya nadie hace caso, aparece de no sé dónde y se zampa el bocadillo de la pequeña. No aguanto los chuchos, pero la verdad es que éste da un poco de pena. Le acaricio la cabeza. Apuesto a que a este bicho no le dan mimos por lo menos desde la pasada Navidad.

Cuando Mae Mobley lo ve, suelta un chillido y le agarra de la cola. El animal se revuelve unas cuantas veces y ella sigue tirándole del rabo. ¡Pobrecito! Aúlla y mira a la niña con esos ojos de pena que a veces tienen los perros, con la cabeza ladeada y las cejas alzadas. Casi me parece oír que le pide a la pequeña que le suelte. No es de los que muerden.

Finalmente, la niña lo deja marchar.

–Mae Mobley, ¿y si *t' agarro* yo de tu cola?

Por supuesto, Chiquitina se lo cree y empieza a mirarse la espalda con la boca muy abierta, como si hasta ahora no se hubiera dado cuenta de que tiene cola. Se tropieza dando vueltas sobre sí misma, intentando vérsela.

–¡Pero si tú no *tiés* cola!

Río y la cojo antes de que se caiga por las escaleras. El perro husmea el suelo buscando más restos de la hamburguesa.

Siempre me ha hecho gracia cómo los bebés se creen todo lo que les dices. Tate Forrest, un chico a quien hace mucho tiempo crié de bebé, me paró la semana pasada cuando iba camino del súper y me dio un gran abrazo de lo feliz que se sentía al verme. Ahora es todo un hombre. Yo no disponía de mucho tiempo porque tenía que volver a casa de Miss Leefolt,

120

pero comenzó a evocar entre risas los días en que lo cuidaba cuando era pequeño: aquella primera vez que se le durmió el pie, cuando me dijo que le hacía cosquillas y le contesté que eran los ronquidos del pie; o la ocasión en que le dije que si bebía café se volvería negro. Me contó que, a sus veintidós años, no ha probado nunca el café. Siempre es agradable ver a los niños a los que he cuidado convertidos en hombres hechos y derechos.

–¿Mae Mobley? ¡Mae Mobley Leefolt!

Miss Leefolt acaba de darse cuenta de que su hija no está con ella en la misma habitación.

–Está aquí fuera conmigo, Miss Leefolt –le grito desde la puerta.

–¡Mae Mobley! ¡Te he dicho mil veces que comas en la trona! ¿Por qué todas mis amigas tienen unos angelitos de hijos y yo tengo que cargar contigo? No lo entiendo, la verdad...

De repente suena el teléfono y oigo que la mujer corre para contestar.

Miro a Chiquitina y veo que tiene el entrecejo arrugado. Parece muy concentrada pensando en algo.

–¿Estás bien, pequeña? –le pregunto, pellizcándole la mejilla.

–Mae-Mo... ma-la –exclama.

Me duele escuchar la forma en que lo dice, como si se tratara de algo evidente.

–Mae Mobley –le digo, porque siento que tengo que intentar hacer algo–, ¿eres una niñita lista?

Me contempla como si no supiera la respuesta.

–¡Eres una niñita lista! –afirmo esta vez.

–Mae Mo... lis-ta –repite.

–¿Eres una niñita buena? –pregunto.

Me mira en silencio. Sólo tiene dos años, todavía no sabe muy bien lo que es.

–¡Eres una niñita buena! –digo, y ella asiente con la cabeza y repite mis palabras.

Antes de que pueda decirle otra frase, se levanta y se pone a corretear entre risas por el jardín persiguiendo al pobre chucho.

Al ver su reacción, me pregunto qué pasaría si todos los días le digo lo buena que es.

La niña da vueltas y vueltas alrededor de la fuente, sonríe y grita:

—¡Hola, Aibi! ¡Te quiero, Aibi!

Noto un cosquilleo en mi interior, suave como el aleteo de una mariposa, viéndola jugar ahí fuera. Algo parecido a lo que sentía al mirar a Treelore. El recuerdo de mi hijo me pone un poco triste.

Al cabo de un rato, Mae Mobley se acerca, junta su mejilla con la mía y se queda pegada a mí, como si hubiera notado que estoy triste. La abrazo y le susurro al oído:

—Eres una niña «lista» y «buena», Mae Mobley. ¿Me oyes?

Y sigo diciéndoselo hasta que ella lo repite.

Las siguientes semanas son muy importantes para Mae Mobley. Seguro que, aunque lo pensáramos, no recordaríamos la primera vez que hicimos nuestras cositas en la taza en lugar de en los pañales. Probablemente tampoco nos acordaríamos de quién nos enseñó a hacerlo. No he criado a ningún bebé que de mayor me haya dicho: «Aibileen, te estoy muy agradecido por haberme enseñado a usar el váter».

Pero se trata de un asunto complicado. Si intentas que un bebé vaya al retrete antes de tiempo, le puedes crear un trastorno. Igual todavía no tiene edad para saber aguantarse las ganas y termina pensando que es un negado. Pero creo que Chiquitina ya está lista, y estoy segura de que lo sabe. Pero, ¡ay, Señor!, me va a machacar las piernas de tanto andar detrás de ella. La pongo en la sillita de madera adaptada para que no se cuele por la taza, pero en cuanto me doy la vuelta, se ha bajado de ese trasto y está otra vez corriendo por ahí.

—¡Tienes que *hacé* pipí, Mae Mobley!

—¡No!

—*T'has tomao* dos vasos de zumo de uva, sé que tienes ganas de ir al baño.

—¡Nooo!

–Te daré una galleta si haces pipí. ¡Hazlo por mí!

La vuelvo a sentar y nos quedamos contemplándonos un buen rato. Ella empieza a mirar de reojo la puerta. No oigo que caiga nada en el váter. Normalmente, consigo que aprendan en un par de semanas, pero siempre y cuando las madres me ayuden. Los pequeños tienen que observar a sus papás haciéndolo de pie, y las niñas tienen que ver a sus mamás sentadas. Pero Miss Leefolt no deja que su hija se acerque cuando ella está en el baño, y ése es el problema.

–Venga, Chiquitina, un poquito. Hazlo por mí.

Aprieta los labios y menea la cabeza.

Miss Leefolt ha salido a la peluquería. Si no, de nuevo le pediría que se sentara en el váter para darle ejemplo, aunque la mujer ya me ha dicho cinco veces que no. La última vez que se negó estuve tentada de decirle cuántos niños he criado en mi vida y preguntarle cuántos había criado ella, pero terminé contestándole «Está bien, señora», como siempre hago.

–¡Te daré dos galletas! –digo, aunque su madre siempre me echa la bronca porque dice que la estoy cebando.

Mae Mobley niega con la cabeza y responde:

–Pi-pí... tú.

Bueno, no puedo decir que sea la primera vez que me dicen esto, y normalmente sé cómo esquivarlo. Pero también sé que Chiquitina tiene que ver cómo se hace antes de ponerse ella sola manos a la obra.

–Yo no tengo ganas de hacer pipí.

Nos quedamos mirándonos. Me señala otra vez e insiste:

–Pi-pí... tú.

Empieza a llorar y a revolverse porque la sillita le ha causado una pequeña herida en el culete. Soy consciente de lo que tengo que hacer, pero no sé cómo hacerlo. ¿Debería sacarla fuera, a mi retrete, o enseñarle aquí, en este lavabo? ¿Y si Miss Leefolt vuelve a casa y me encuentra sentada en este váter? ¡Lo mismo le da un ataque!

Le pongo otra vez el pañal y salimos al garaje. La lluvia hace que huela un poco a humedad. Incluso con la bombilla encendida, mi retrete es un lugar oscuro y no hay papel de colores en las paredes como dentro de la casa. De hecho, no hay paredes propiamente dichas, sino contrachapado unido por clavos. Me pregunto si a la pequeña no le dará miedo este lugar.

—*Mu* bien, Chiquitina, éste es el cuarto de baño de Aibileen.

Asoma la cabeza al interior, su boca adopta la forma de una rosquilla y exclama:

—Oooh.

Me bajo las medias y hago pis a toda velocidad. Luego me limpio con el papel y dejo todo como estaba antes de que a la pequeña le dé tiempo a ver nada. Por último, tiro de la cadena.

—¡Así es como se va al baño! —le explico.

Parece muy sorprendida. Se queda con la boca abierta como si acabara de ver un milagro. Salgo del retrete y, antes de que me dé cuenta, la niña se quita el pañal, se sube a la taza, se sujeta para no caerse y hace pipí ella solita.

—¡Mae Mobley! ¡Lo has hecho! ¡*Mu* bien!

Sonríe y la subo en brazos antes de que se resbale dentro del váter. Volvemos a casa y le doy sus dos galletas.

Más tarde, la siento otra vez en su sillita del baño y vuelve a pedirme que le enseñe cómo se hace. Las primeras veces son la parte más dura, pero al final del día siento que hemos progresado. Está empezando a hablar, así que estoy segura de cuál va a ser la nueva palabra de hoy.

—¿Qué ha hecho Chiquitina hoy?

—Pi-pí.

—¿Qué van a *escribí* en los libros de Historia que pasó hoy?

—Pi-pí.

—¿A qué huele Miss Hilly?

—A pi-pí.

Pero me arrepiento de haber hecho esta broma. No está bien decir esas cosas, y además temo que la niña lo ande repitiendo por ahí.

Esa tarde, pasado un rato, Miss Leefolt llega a casa con el pelo cardado. Se ha hecho la permanente y huele a *neumoniaco*.

124

–¿Sabe qué ha hecho hoy Mae Mobley? –le digo–. ¡Ha hecho pipí en la taza del váter!

–¡Oh, magnífico! –exclama, y le da un abrazo a su hija, algo que no estoy muy acostumbrada a ver. Además, estoy segura de que lo hace de todo corazón, porque a Miss Leefolt no le gusta nada cambiar pañales.

–*Tié* que asegurarse de que a *partí* de ahora lo hace siempre en la taza. Si no, se sentirá *mu* confundida –le explico.

–Muy bien –asiente Miss Leefolt, sonriente.

–A ver si conseguimos que haga pipí otra vez antes de que me marche.

Entramos en el cuarto de baño. Le quito los pañales y la siento en la taza, pero Chiquitina niega con la cabeza.

–Vamos, Mae Mobley, ¿no vas a *hacé* pipí *pa* que te vea tu mamita?

–¡Nooo!

Termino por bajarla de la taza.

–Bueno, no pasa *na*. Ya lo hiciste *mu* bien antes.

Miss Leefolt empieza a hacer sus muecas de desaprobación, murmurando y frunciendo el ceño. Antes de que me dé tiempo a ponerle el pañal, Chiquitina echa a correr lo más rápido que puede. ¡Un bebé blanquito correteando con el culo al aire por la casa! Entra en la cocina, abre la puerta del jardín trasero, sale al garaje e intenta llegar al pomo de mi retrete. Corremos detrás de ella y, cuando la alcanzamos, Miss Leefolt la amenaza con el dedo. Su voz suena diez tonos más alta que antes:

–¡¡Ése no es tu cuarto de baño!!

Chiquitina menea la cabeza y grita:

–¡Mi ba-ño!

Miss Leefolt la sube en brazos y le pellizca con fuerza la pierna.

–Miss Leefolt, ella no se da cuenta de lo que hace...

–¡Entra en casa, Aibileen!

Muy a disgusto, regreso a la cocina. Me quedo de pie, dejando la puerta abierta detrás de mí.

–¡No te he educado para que uses el retrete de los negros! –oigo que masculla a su hija, creyendo que no la escucho.

125

«Mujer –pienso–, si tú apenas has hecho algo en tu vida por educar a tu hija...»

–Ese sitio es sucio, Mae Mobley. ¡Puedes contraer sus enfermedades! ¡No, no, no!

Oigo cómo le da un cachete en las piernas.

Pasados unos segundos, Miss Leefolt arrastra a su hija al interior de la casa. No puedo hacer nada más que observar. Siento que el corazón quiere salir por mi garganta. Miss Leefolt deja a Mae Mobley delante de la tele, se va a su dormitorio y cierra de un portazo. Voy a darle un abrazo a Chiquitina, que sigue llorando y parece terriblemente confundida.

–Lo siento muchísimo, Mae Mobley –le susurro.

Me maldigo por haberla sacado a mi retrete, pero no se me ocurre qué más puedo decirle, así que simplemente la abrazo.

Nos quedamos viendo la serie para niños *Lil' Rascals* hasta que Miss Leefolt sale de su habitación y me pregunta si no ha llegado ya la hora de que me marche. Busco los diez céntimos para el autobús y le doy un último abrazo a Mae Mobley, susurrándole al oído:

–Eres una niña lista, una niña buena.

En el trayecto de vuelta a casa no me fijo en las grandes casas blancas que van desfilando por la ventana del autobús, ni hablo con mis amigas. Sólo puedo pensar en los azotes que le han dado a Chiquitina por mi culpa. Veo a la pequeña escuchando cómo su madre me llama sucia y le dice que tengo enfermedades.

El autobús acelera al pasar por State Street. Mientras atravesamos el puente Woodrow Wilson, mi mandíbula está tan tensa que siento que se me van a romper los dientes. Noto cómo la amarga semilla que se plantó en mi interior el día que murió Treelore sigue creciendo. Quiero gritar muy alto, para que Chiquitina pueda oírme, que la suciedad no es de color, que los barrios negros de la ciudad no están contaminados con enfermedades. Quiero evitar que llegue ese momento (que sucede en la vida de todo niño blanco) en que empiece a pensar que los negros no somos tan buenos como los blancos.

Giramos en la calle Farish y me levanto porque mi parada se acerca. Rezo por que no le llegue ese momento. Rezo para que todavía estemos a tiempo.

Las siguientes semanas las cosas están bastante tranquilas. Mae Mobley ya se pone unas braguitas de niña mayor. Casi no ha tenido incidentes con el tema del baño. Después de lo sucedido en el garaje, Miss Leefolt se ha tomado muy en serio las costumbres higiénicas de Mae Mobley. Incluso le permite verla mientras hace sus cosas como los blancos en su cuarto de baño. Sin embargo, alguna vez, cuando su madre no está en casa, he pillado a la pequeña intentando colarse en mi retrete. En alguna ocasión lo hizo antes de que pudiera evitarlo.

–*Güenas,* señora Clark –saluda Robert Brown, el joven de color que se ocupa del jardín de Miss Leefolt, cuando aparece en las escaleras del porche trasero. Fuera, hace un fresco agradable. Abro la puerta.

–¿Qué tal te va, hijo? –le pregunto, dándole unas palmaditas en el hombro–. *M'han* dicho que *t'ocupas* de *tos* los jardines de la calle.

–Sí, mamita. Tengo dos críos que *alimentá* –dice con una sonrisa.

Es un joven atractivo, alto y con el pelo corto. Iba al instituto con mi Treelore. Eran buenos amigos, jugaban juntos al baloncesto. Me agarro de su brazo, pues necesito volver a sentir esa sensación.

–¿Qué tal está tu abuelita?

Adoro a Louvenia, es la persona más encantadora que conozco. Robert y ella vinieron juntos al funeral. Esto me recuerda que se acerca la fecha; será la próxima semana: el peor día del año.

–¡Más fuerte que yo! –exclama, y se ríe–. El próximo sábado me pasaré por su casa *pa* cortarle la hierba, señora Clark.

Treelore siempre se encargaba de cuidar mi pequeño jardín. Ahora es Robert quien lo hace, sin que se lo haya pedido y sin aceptar ni un centavo a cambio.

–*Grasias,* Robert. Te lo agradezco mucho.

–De *na. Pa* eso estamos. Cualquier cosa que necesite, señora Clark, me avisa, ¿vale?

–Muchas *grasias,* hijo.

Oigo el timbre de la puerta y veo que el coche de Miss Skeeter está fuera. Miss Skeeter lleva todo el mes pasándose por casa de Miss Leefolt una vez por semana para hacerme las consultas de Miss Myrna: me pregunta cómo quitar manchas de humedad y le respondo que untándolas de crémor tártaro; me pregunta cómo desenroscar el casquillo de una bombilla que se ha roto dentro de la lámpara y le respondo que usando una patata cruda; me pregunta qué pasó entre su anterior criada Constantine y su madre y me callo. Pensaba que si le hablaba un poco de la hija de Constantine, me dejaría en paz, pero Miss Skeeter sigue haciéndome preguntas. Estoy segura de que no entendería por qué una mujer de color no puede criar a un bebé blanquito en Misisipi. Sería condenarse a una vida dura y solitaria, sin pertenecer ni a unos ni a otros.

Todos los días, cuando Miss Skeeter termina de preguntarme cómo limpiar esto, arreglar lo otro o el paradero de Constantine, acabamos charlando de otras cosas. No es algo que yo haya hecho muy a menudo con mis jefas o sus amigas, pero le cuento que Treelore nunca sacó menos de notable, o que el nuevo diácono de la parroquia me pone de los nervios porque cecea al hablar. No son más que tonterías, pero nunca pensé que le contaría estas cosas a una blanca.

Hoy, intento explicarle los distintos métodos para sacar brillo a la plata. Le cuento que sólo la gente más chabacana la pone a remojo en bicarbonato, porque aunque es más rápido, no sale igual de bien que frotándolas a mano. Miss Skeeter ladea un poco la cabeza, frunce el ceño y me dice:

–Aibileen, ¿te acuerdas de que una vez me contaste que... Treelore tenía una idea?

Afirmo con la cabeza y siento un pinchazo en el estómago. Nunca debí contarle eso a una blanca.

Miss Skeeter entrecierra los ojos como aquella vez que sacó el tema del retrete para gente de color.

–He estado pensando en ello. Me gustaría hablar contigo...

Pero antes de que le dé tiempo a terminar la frase, Miss Leefolt entra en la cocina y descubre a Chiquitina jugando con un peine que ha sacado de mi bolso, así que sugiere que Mae Mobley debería tomar su baño un poco más temprano esa tarde. Me despido de Miss Skeeter y voy a preparar la bañera.

Tras pasarme un año entero intentando no pensar en esa fecha, llega el 15 de noviembre. La víspera, me acuesto consciente de que apenas conseguiré dormir un par de horas. Me levanto al amanecer y pongo una taza de café al fuego. Cuando me agacho para ponerme las medias, me duele horriblemente la espalda. Antes de salir de casa, suena el teléfono.

–Sólo quería *ve* si estás bien. ¿Has *dormío* algo?

–Lo que he *podío*.

–Por la noche te voy a *llevá* una tarta de caramelo, te vas a *sentá* en la cocina y te la comes entera *pa cená*, ¿entendido?

Intento sonreír, pero no lo consigo. Le doy las gracias a Minny.

Hoy se cumplen tres años de la muerte de Treelore, pero en la agenda de Miss Leefolt toca limpiar los suelos. El día de Acción de Gracias es la próxima semana y tengo mucho trabajo que hacer. Friego durante toda la mañana mientras escucho las noticias de las doce. Me pierdo las telenovelas porque las señoritas están en el salón en una de sus reuniones benéficas y no se me permite encender la televisión cuando hay visitas. A pesar de todo, no me importa. Siento escalofríos en los músculos de lo cansada que estoy, pero no quiero dejar de moverme.

A eso de las cuatro, Miss Skeeter entra en la cocina. Antes incluso de que pueda decirme hola, Miss Leefolt aparece detrás de ella y comenta:

–Aibileen, mi madre acaba de llamar y dice que va a venir mañana de Greenwood y que se va a quedar hasta el día de Acción de Gracias. Quiero que saques brillo a la cubertería de plata y que laves las toallas de invitados. Mañana te daré una lista con más cosas.

Miss Leefolt menea la cabeza ante Miss Skeeter, como si quisiera hacerle ver que es la mujer más atareada de toda la ciudad, y sale de la cocina. Me dirijo al comedor y saco la cubertería de plata.

Cuando regreso a la cocina, Miss Skeeter está todavía esperándome. Tiene una carta de Miss Myrna en la mano.

–¿Tiene alguna pregunta sobre el hogar? Dígame.

–La verdad es que no... Sólo quería preguntarte... El otro día...

Echo un chorro de abrillantador en el paño y empiezo a frotar la plata, pasando el trapo por el motivo decorativo en forma de rosa, el borde y el mango. ¡Dios, haz que sea ya mañana! No quiero ir al cementerio. No puedo, es demasiado duro...

–Aibileen, ¿te encuentras bien?

Me detengo y levanto la mirada. No me había dado cuenta de que Miss Skeeter lleva un buen rato hablándome.

–Lo siento, sólo estaba... pensando en mis cosas.

–Parecías muy triste.

–Miss Skeeter –empiezo, y siento las lágrimas asomando a mis ojos. Tres años no es mucho tiempo. Cien años todavía serían pocos–, ¿le importaría si le ayudo con las preguntas mañana?

Miss Skeeter abre la boca dispuesta a decir algo, pero se calla.

–En otro momento –dice finalmente–. Espero que te mejores.

Termino con la cubertería de plata y con las toallas y le digo a Miss Leefolt que tengo que irme a casa urgentemente, aunque todavía falta media hora para que termine mi trabajo y sé que me lo descontará de mi paga. Abre la boca, dispuesta a protestar, y entonces le susurro mi mentira:

–No me encuentro bien. He *vomitao*.

–¡Vete, vete!

Después de a su madre, no hay nada a lo que Miss Leefolt tenga más miedo que a las enfermedades de los negros.

–Muy bien. Volveremos en media hora. Estate aquí a las diez menos cuarto –me dice Miss Leefolt a través de la ventanilla de su coche.

Miss Leefolt me ha dejado en el supermercado Jitney 14 para comprar el resto de cosas que necesitan para mañana, día de Acción de Gracias.

–No olvides traer la factura de lo que compres, ¿entendido? –me suelta Miss Fredericks, la vieja y tacaña madre de Miss Leefolt.

Las tres están sentadas en los asientos delanteros, Mae Mobley encajada en medio de las dos mujeres con una mirada que me da mucha pena. Se diría que la llevan a poner la inyección del tétanos. ¡Pobrecita! Esta vez, Miss Fredericks se va a quedar dos semanas.

–¡No te olvides del pavo! –dice Miss Leefolt–. Y dos botes de salsa de arándano.

Me río por dentro. Llevo preparando el pavo de Acción de Gracias para familias blancas desde que Calvin Coolidge era presidente.

–¡Deja de moverte, Mae Mobley! –grita Miss Fredericks–. O te pellizco.

–Miss Leefolt, déjela conmigo en el *supermecao*. Me ayudará con las compras.

Miss Fredericks se dispone a protestar, pero Miss Leefolt se le adelanta: «¡Sí, sí, quédatela!». Antes de que me dé cuenta, Chiquitina se arrastra sobre las piernas de su abuela y trepa por la ventanilla hasta mis brazos, como si yo fuera Cristo Salvador. La subo a mis hombros y las dos mujeres se marchan en dirección a Fortification Street. A Chiquitina y a mí nos da un ataque de risa, como si fuéramos un par de escolares.

Empujo la puerta metálica, me hago con un carrito y siento a Mae Mobley en la sillita delantera, sacándole las piernas por los huecos. Mientras lleve puesto mi uniforme blanco, se me permite comprar en este supermercado para blancos. Echo de menos los viejos tiempos, en los que tenía que andar hasta Fortification Street, donde estaban los granjeros con sus carretillas gritando: «¡Boniatos, frijoles, judías verdes, ocra! ¡Nata fresca, cuajada, queso! ¡Huevos!». Pero el supermercado Jitney tampoco está tan mal. Por lo menos, tiene aire acondicionado.

–¡*Mu* bien, Chiquitina! A ver qué necesitamos.

En la sección de verduras, elijo seis boniatos y tres puñados de judías verdes. En la carnicería, compro un codillo de cerdo ahumado. La tienda está reluciente, todo ordenado y limpio. No se parece en nada al colmado para negros Piggly Wiggly, con su suelo lleno de serrín. Aquí, casi todas las clientas son damas blancas, sonrientes y con sus nuevos peinados listos para la celebración del día de Acción de Gracias. También hay cuatro o cinco criadas de color con sus uniformes.

–¡Sal-sa Mo-ra-da! –dice Mae Mobley, y le dejo que agarre el bote de salsa de arándano.

Sonríe como si el bote fuera un viejo amigo. Le encanta la «salsa morada». En la sección de condimentos, echo en el carrito una bolsa de un kilo de sal para poner el pavo en sal-muera. Cuento las horas con los dedos de la mano: diez, once, doce. Si hay que dejar en remojo al bicho durante catorce horas, tendré que meterlo en la palangana a eso de las tres de esta tarde. Mañana iré a casa de Miss Leefolt a las cinco de la madrugada y cocinaré el pavo durante seis horas. Ya he cocido dos tortas y un pan de maíz y los he dejado a reposar en la enci-mera para que queden crujientes. Tengo una tarta de manzana lista para meter al horno y por la mañana haré las galletas.

–¿Preparando las cosas *pa* mañana, Aibileen?

Me giro y veo a Franny Coots detrás de mí. Es una amiga de la parroquia que sirve en casa de Miss Caroline en Manship.

–¡Mira qué cosita más guapa! ¡Qué piernas más regordetas *tiés*! –le dice a Mae mientras la pequeña chupa el bote de salsa de arándano. Franny inclina un poco la cabeza y añade–: ¿*T' has enterao* de lo que *l' ha pasao* al nieto de Louvenia Brown esta mañana?

–¿A Robert? ¿El jardinero?

–Se metió en un baño *pa* blancos en la tienda de jardinería de Pinchman. Dice que no vio el cartel de «*prohibío* gente de *coló*». Dos blancos le pillaron y le dieron una paliza con una barra de hierro.

¡Oh, no! ¡Robert, no!

–¿Él... está...?

132

Franny menea la cabeza.

–No se sabe. Está en el hospital. Dicen que *s'ha quedao* ciego.

–¡Díos mío, no!

Cierro los ojos. Louvenia es la mujer más buena y amable que conozco. Se encargó de criar a su nieto cuando éste perdió a su madre.

–¡*Pobresita* Louvenia! No sé por qué siempre a la gente más *güena* le pasan estas *desgrasias* –concluye Franny.

Esa tarde trabajo como una loca; pico cebollas y apio, preparo la salsa, cuezo boniatos, pelo judías, saco brillo a la cubertería... Me han dicho que un grupo de hermanas se va a pasar por casa de Louvenia Brown a las cinco y media para rezar por Robert, pero cuando saco de la salmuera el pavo de casi diez kilos, estoy tan cansada que casi no soy capaz de levantar los brazos.

No termino de cocinar hasta las seis, dos horas más tarde de lo normal. Sé que no me van a quedar fuerzas para acercarme a casa de Louvenia. Tendré que hacerlo mañana, cuando termine de limpiar el pavo. Cuando me bajo del autobús, me arrastro hacia mi casa. Me cuesta mantener los ojos abiertos. Al dar la vuelta a la esquina de la calle Gessum, veo que hay un gran Cadillac blanco aparcado ante mi puerta. Me encuentro a Miss Skeeter, con vestido y zapatos rojos, sentada en las escaleras de mi porche, llamando la atención de todo el barrio.

Muy lentamente, atravieso el jardín preguntándome qué más puede sucederme hoy. Miss Skeeter se levanta, apretando con fuerza su bolso como si se lo fueran a robar. Los blancos no entran en este barrio más que para acercar a sus criadas a casa, y a mí me parece bien. ¡Me paso todo el día sirviendo a gente blanca, no necesito que también me vengan a visitar a mi casa!

–Espero que no te importe que haya venido –dice–. Es que... no se me ocurrió otro lugar en el que pudiéramos hablar tranquilas.

133

Me siento en las escaleras. Me duelen todas las malditas vértebras. Chiquitina está tan nerviosa con su abuela en casa que se mea encima cada dos por tres y mi ropa huele a su pis. Por la calle pasa gente que se dirige a casa de la pobre Louvenia para rezar por Robert. Unos críos juegan al fútbol. Todo el mundo nos mira al pasar, pensando que me estarán despidiendo o que habré hecho algo malo.

—A ver, señorita –suspiro–. ¿Qué puedo hacer por *usté?*

—Se me ha ocurrido una idea. Quiero escribir sobre algo, pero necesito tu ayuda.

Suelto todo el aire que tengo dentro. ¡Por Dios, qué mujer! ¿No le habría bastado con llamarme por teléfono? Seguro que nunca se presentaría a la puerta de una de sus amiguitas blancas sin llamar antes. Pero conmigo, no. Conmigo se planta aquí como si tuviera derecho a meterse en mi casa cuando le plazca.

—Quiero hacerte una entrevista y que me hables de tu trabajo de criada.

Una pelota roja rueda unos metros por mi jardín. El hijo pequeño de los Jones cruza corriendo la calle para recuperarla. Cuando ve a Miss Skeeter se detiene en seco. Agarra el balón, se da la vuelta y sale disparado, como si tuviera miedo de que la blanca fuera a comérselo.

—¿Como la columna de Miss Myrna? –le digo, machacada y sin fuerzas–. ¿Sobre limpieza y cosas de ésas?

—No, no tiene nada que ver con Miss Myrna. Estoy hablando de escribir un libro –dice, con los ojos abiertos como platos. Parece muy emocionada con la idea–. Quiero contar cómo es trabajar para una familia blanca. Qué se siente al servir en casa de gente como, por ejemplo... Elizabeth.

Me giro y la observo un momento. Eso es lo que ha estado intentando contarme durante las dos últimas semanas en la cocina de Miss Leefolt.

—¿*Usté* cree que a Miss Leefolt le va a *hacé grasia* que cuente historias sobre ella?

—Bueno, no. –Miss Skeeter baja la vista–. La verdad es que había pensado en no contárselo. Tengo que asegurarme de que las otras criadas guarden el secreto.

Arrugo la frente, pues empiezo a comprender lo que realmente quiere.

–¿Otras criadas?

–Había pensado en entrevistar a cuatro o cinco. Para mostrar cómo es la vida de una sirvienta aquí, en Jackson.

Miro a mi alrededor. Estamos en la calle, a la vista de todo el mundo. ¿Esta mujer no se da cuenta de lo peligroso que es hablar sobre estos temas en público?

–Pero ¿qué tipo de historias piensa que le vamos a *contá*?

–Cuánto os pagan, cómo os tratan, los cuartos de baño, los bebés... Todas las cosas que veis, las buenas y las malas.

Parece muy emocionada, como si se tratara de un juego. No entiendo nada, no sé si porque estoy perdiendo la cabeza o por el cansancio.

–Miss Skeeter –digo en voz muy baja–, ¿a *usté* no le parece todo esto un poco peligroso?

–No, si tenemos cuidado...

–Chiiist. ¡Hable más bajo, por *favó*! ¿No se da cuenta de lo que me podría *pasá* si Miss Leefolt descubre que he *estao* hablando de ella a sus espaldas?

–No se lo contaremos. Ni a ella ni a nadie. –Baja un poco la voz, pero no lo suficiente–. Serán entrevistas privadas.

Me quedo mirándola. ¡Esta mujer está zumbada!

–¿No ha oído lo que le ha *pasao* a ese chico de *coló* esta mañana? ¿Ese al que le han roto las costillas por meterse por *erró* en el lavabo de los blancos?

Me mira y parpadea sorprendida.

–Sé que las cosas están un poco calientes, pero esto...

–¿Y lo que le pasó a mi prima Shinelle, en el *condao* de Cauter? Le quemaron el coche sólo porque se le ocurrió acercarse a un colegio *electorá*.

–Nunca se ha escrito un libro sobre esto –dice suspirando, porque supongo que empieza a comprender–. Estaríamos pisando un terreno nuevo, tendríamos muchas posibilidades de éxito.

Un grupo de criadas con sus uniformes pasa al lado de mi casa. Me lanzan una mirada y me ven sentada en el porche con esta mujer blanca. Rechino los dientes, pues estoy segura de que el teléfono va a estar sonando toda la noche.

–Miss Skeeter –digo muy despacito para que haga más efecto–, *hacé* lo que me está pidiendo sería como prenderle fuego a mi propia casa.

Miss Skeeter empieza a morderse las uñas.

–Pero ya he... –empieza, y cierra los ojos.

Se me pasa por la cabeza preguntarle qué ha hecho ya, pero me asusta pensar en lo que me pueda responder. Abre su bolso, saca un papel y apunta en él su teléfono.

–Por favor, prométeme que por lo menos te lo pensarás.

Suspiro y miro al jardín. Lo más delicadamente que puedo, digo:

–No, señorita.

Deja el papel entre nosotras, en la escalera, y se dirige a su Cadillac. Estoy demasiado cansada para levantarme. Me quedo ahí, contemplando cómo su coche se aleja lentamente por la calle. Los niños dejan de jugar a la pelota y se apartan a su paso, mirando alelados desde la acera como si estuvieran ante un coche fúnebre.

Miss Skeeter

Capítulo 8

Avanzo por Gessum Avenue al volante del Cadillac de Madre. Un poco más adelante, un niño de color vestido con un peto me contempla con los ojos abiertos como platos y aprieta con fuerza su pelota roja. Miro por el espejo retrovisor. Aibileen todavía está en las escaleras de su casa con su uniforme blanco. Ni tan siquiera me ha mirado a los ojos al decirme: «No, señorita». Tenía la vista fija en la pequeña franja de césped amarillento de su jardín.

Había imaginado que esta visita sería como las que hacía a casa de Constantine: amistosas personas de color saludándome sonrientes, contentas de ver en su barrio a la niñita blanca hija del dueño de la gran plantación. Pero aquí, la gente frunce el ceño al verme pasar. Cuando mi coche se acerca a su lado, el niño de la pelota se da la vuelta y corre a refugiarse detrás de una casa en cuyo porche hay un grupo de una media de docena de hombres de color reunidos, con bandejas y bolsas. Me masajeo las sienes, intentando pensar en algún otro método para convencer a Aibileen.

Hace una semana, Pascagoula llamó a la puerta de mi dormitorio.

–Una conferencia *pa usté,* Miss Skeeter. De parte de una tal Miss... Stern, creo que *m' ha* dicho.

–¿Stern? –repetí, y de repente di un respingo–. ¿No querrás decir... Stein?

–Esto... *pué* ser que dijera Stein. Habla con un *asento* raro.

Aparté a Pascagoula y bajé corriendo las escaleras. Por alguna estúpida razón, mientras me dirigía al teléfono, intenté arreglar mi pelo rizado como si se tratara de una entrevista cara a cara y no de una llamada telefónica. En la cocina, agarré el auricular que colgaba de la pared.

Tres semanas antes, había escrito la carta en el mejor papel de la marca Strathmore. Tres folios con un bosquejo de mi idea, los detalles del proyecto... y la mentira: que una respetable y trabajadora criada negra había aceptado entrevistarse conmigo para describirme con todo detalle los entresijos de servir para las mujeres blancas de nuestra ciudad. Lo estuve sopesando: podía decirle que «tenía previsto» pedirle a una mujer de color que me ayudara con el proyecto, pero inventarme que ya lo tenía «todo pactado» me pareció infinitamente más atractivo.

Estiré el cable del teléfono hasta el interior de la despensa y encendí la bombilla que cuelga del techo. Nuestra despensa es una pequeña estancia con baldas en las paredes llenas de encurtidos, botes de sopa, melaza, verduras en conserva y confitura. Es el escondite que utilizo, desde que iba a la escuela, cuando necesito algo de intimidad.

–Eugenia al habla, ¿dígame?

–Espere un momento, por favor, voy a pasar su llamada.

Hubo una serie de pitidos y después oí una voz muy, muy lejana, casi tan profunda como la de un hombre, presentándose:

–Aquí Elaine Stein.

–¿Hola? Soy Skeet... esto... Eugenia Phelan, de Misisipi.

–Ya sé que es usted, Miss Phelan. Soy yo la que ha llamado. –Pude escuchar el sonido de una cerilla al encenderse, seguido de una aspiración corta y profunda–. Recibí su carta la semana pasada. Me gustaría hacerle algunos comentarios.

–Sí, señora.

Me apoyé en una enorme lata de harina King Biscuit. Mi corazón latía acelerado mientras me esforzaba por oírla. La conferencia desde Nueva York sonaba tan entrecortada como se podía esperar de los miles de kilómetros que nos separaban.

–¿De dónde sacó esta idea? Eso de entrevistar a asistentas del hogar. Tengo curiosidad por saberlo.

Me senté, paralizada durante un segundo. Ni saludo, ni presentación ni posibilidad de conversación preliminar... Me di cuenta de que lo mejor sería contestar a su pregunta, tal y como se me pedía.

–Bueno... a mí me crió una mujer de color. He visto lo sencilla y lo compleja que puede ser la relación entre las familias y sus criadas...

Tragué saliva. Mi voz sonaba tensa, como si estuviera hablando con un profesor en la escuela.

–Continúe.

–Bueno... –Aspiré profundamente–. Me gustaría escribir algo que ofreciera el punto de vista de las criadas, de las mujeres de color de por aquí. –Intenté dibujar en mi mente el rostro de Constantine o el de Aibileen–. De una persona que cría a un niño blanco para que luego, veinte años más tarde, se convierta en su empleador. Me resulta irónico que, a pesar de todo, las queramos y ellas nos quieran... –Tragué saliva otra vez, y seguí con voz temblorosa–. Aunque no les permitamos utilizar los cuartos de baño de nuestra casa.

De nuevo reinó el silencio. Me sentí forzada a continuar:

–Y bueno, todo el mundo sabe lo que pensamos los blancos al respecto. El aprecio que tenemos por esa encantadora figura de la Mammy que dedica su vida entera a cuidar de nuestra familia. Margaret Mitchell ya se encargó de hablar de ello. Pero, hasta ahora, nadie le ha preguntado a Mammy qué siente ella.

Gotas de sudor me resbalaban por el pecho, dejando motitas en mi blusa de algodón.

–Así pues, quiere mostrar un punto de vista que nunca antes ha sido abordado –dijo Miss Stein.

139

–¡Sí! Porque nadie habla de ello. Por aquí, nadie habla nunca de nada.

Elaine Stein soltó una risa parecida a un gruñido. Tenía un acento duro, muy del Norte.

–Miss Phelan, yo viví en Atlanta durante seis años con mi primer marido.

Me agarré a esta pequeña conexión.

–Entonces... sabe cómo son las cosas aquí en el Sur...

–Lo suficiente como para salir pitando de allí –dijo, y escuché cómo exhalaba el humo–. Mire, he leído su bosquejo. Es bastante... original, pero no funcionaría. ¿Qué criada en su sano juicio estaría dispuesta a contarle la verdad?

Pude ver las zapatillas rosas de Madre pasando detrás de la puerta. Intenté ignorarlas. Miss Stein estaba a punto de descubrir mi farol.

–La primera entrevistada está... dispuesta a contarme su historia.

–Miss Phelan –dijo Elaine Stein, y no se trataba precisamente de una pregunta–, ¿esa mujer ha aceptado hablar con usted tan fácilmente? ¿Sobre su trabajo con familias blancas? Eso suena demasiado arriesgado en un lugar como Jackson, Misisipi.

Me senté, parpadeando nerviosa. Sentí los primeros síntomas de preocupación que me avisaban de que Aibileen no sería tan fácil de convencer como había pensado. Poco sabía entonces sobre lo que me iba a decir en las escaleras de su casa una semana más tarde.

–He visto en las noticias lo que pasó cuando intentaron acabar con la segregación en el servicio de autobuses de su ciudad –añadió Miss Stein–. Cincuenta y cinco negros acabaron apretujados en un calabozo con capacidad para cuatro personas.

Me mordí los labios e insistí:

–Pues esa mujer aceptó. Eso fue lo que me dijo.

–Bueno, es digno de admiración. Pero ¿de veras cree que otras criadas hablarán con usted? ¿Qué pasaría si los empleadores se enteraran?

–Las entrevistas se llevarán a cabo en secreto, puesto que, como usted sabe, las cosas están un poco difíciles por aquí últimamente.

La verdad es que yo no tengo mucha idea de cómo están las cosas, porque me he pasado los últimos cuatro años encerrada en la sala de estudio de mi residencia leyendo a Keats y Eudora Welty, y ocupada con mis trabajos trimestrales.

–¿Un poco difíciles? –se rio ella–. Las revueltas de Birmingham, Martin Luther King, los niños de color a los que atacaron con perros... Querida, es un tema de máxima actualidad en todo el país. De todos modos, siento decirte que tu idea no funcionará. Al menos no en formato de artículo, porque ningún periódico del Sur se atreverá a publicarlo. Y tampoco como libro. Los libros de entrevistas nunca venden.

–¡Vaya! –me oí decir. Cerré los ojos, sintiendo cómo toda mi emoción se desvanecía, y repetí–: ¡Vaya!

–La he llamado porque, sinceramente, creo que es una gran idea, pero... no hay medio de conseguir que se publique.

–Pero... ¿y si...?

Mis ojos empezaron a recorrer la despensa mientras buscaba el modo de hacer que recuperara el interés. Quizá debería presentarlo como un artículo para una revista, aunque ella ya me había dicho que no funcionaría...

–¡Eugenia! ¿Con quién estás hablando ahí dentro?

La voz de Madre cortó de golpe mis pensamientos. Abrió un poco la puerta y la cerré de un empujón. Tapé el auricular y le bufé:

–¡Madre! ¡Estoy hablando con Hilly!

–¿En la despensa? ¿Vuelves a ser una adolescente?

–En fin... –Miss Stein chasqueó la lengua–. Supongo que podré leer lo que consigas. ¿Quién sabe? El mundo editorial siempre tiene sus truquillos.

–¿Lo dice en serio? Oh, Miss Stein, no sabe lo...

–No estoy diciendo que vaya a hacerlo. Pero... haga la entrevista y, si merece la pena seguir intentándolo, se lo comunicaré.

Tartamudeé una serie de sonidos ininteligibles, que finalmente tomaron la siguiente forma:

—Gracias, Miss Stein. No sé cómo expresarle lo mucho que le agradezco su ayuda.

—No me dé las gracias todavía. Si necesita ponerse en contacto conmigo, llame a Ruth, mi secretaria.

Y colgó el teléfono.

El miércoles llevo una vieja mochila a la partida de *bridge* en casa de Elizabeth. Es roja y muy fea, pero para hoy me sirve.

Es la única bolsa que he encontrado en casa de Madre lo suficientemente grande para que quepan las cartas de Miss Myrna. El cuero está agrietado y despeluchado y la correa tiene partes peladas que me han dejado manchas marrones en la blusa. Era la mochila de jardinería de mi abuela Claire. La utilizaba para llevar sus útiles de jardinería cuando cuidaba de las plantas. El fondo está todavía lleno de semillas de begonia. No pega para nada con la ropa que llevo, pero no me preocupa.

—¡Dos semanas! —exclama Hilly mostrándome dos dedos levantados—. En dos semanas lo tenemos aquí.

Sonríe y le devuelvo el gesto.

—Ahora mismo vengo —digo, y me escabullo a la cocina con mi mochila.

Aibileen está de pie ante el fogón.

—*Güenas* tardes —me saluda muy tranquila.

Ha pasado ya una semana desde que la visité en su casa.

Permanezco por un minuto contemplando cómo remueve el té helado. Por su postura, puedo notar que no se siente cómoda, que teme que le pida otra vez que me ayude con el libro. Saco unas cuantas cartas de la bolsa y, al verme hacerlo, los hombros de Aibileen se destensan un poco. Mientras le leo una pregunta sobre manchas de moho, sirve un poco de té en un vaso, lo prueba y añade más azúcar a la jarra.

—Oh, antes de que se me olvide, encontré la respuesta a esa pregunta sobre los cercos que dejan los vasos en la mesa. Minny dice que se quitan frotándolos con un poco de mayonesa.

142

–Aibileen exprime medio limón en el té–. También me dijo que *pa* que no vuelvan a *salí,* lo *mejó* es *mandá* al mamarracho del *marío* a freír monas. –Revuelve y prueba–. Minny no se lleva *mu* bien con los *maríos,* ¿sabe *usté?*

–Gracias, lo anotaré.

Con toda la naturalidad que puedo, saco un sobre de la bolsa.

–Toma. Quería darte esto.

Aibileen vuelve a ponerse tensa, como cuando entré en la cocina.

–¿Qué hay dentro? –me pregunta sin tocarlo.

–Es por tu ayuda –digo tranquilamente–. He calculado cinco dólares por cada artículo. En total son treinta y cinco dólares.

Los ojos de Aibileen se dirigen rápidamente hacia el té.

–No, *grasias,* señorita.

–Por favor, acéptalo. Te lo has ganado.

Se oye ruido de sillas que se arrastran por la madera del suelo del comedor y la voz de Elizabeth.

–Por *favó,* Miss Skeeter. A Miss Leefolt le daría un ataque si se entera de que me está dando dinero –susurra Aibileen.

–No tiene por qué enterarse.

Me mira. El blanco de sus ojos está amarillento de cansancio. Puedo ver que se lo está pensando.

–Ya se lo dije el otro día. Lo siento, pero no *pueo* ayudarle con ese libro, Miss Skeeter.

Dejo el sobre en la encimera, consciente de que he cometido un grave error.

–Por *favó,* búsquese a otra sirvienta de *coló.* Una más joven que yo. Otra...

–Pero es que no conozco a ninguna tan bien como a ti, eres... –respondo, tentada de utilizar la palabra «amiga», pero no soy tan ilusa. Sé que no lo somos.

La cabeza de Hilly asoma por la puerta.

–Vamos, Skeeter, ya estoy barajando –anuncia, y desaparece.

143

–Se lo ruego –dice Aibileen–, quite de ahí ese dinero, no lo vaya a ver Miss Leefolt.

Asiento con la cabeza, avergonzada. Devuelvo el sobre a la bolsa, consciente de que sólo he empeorado las cosas. Se lo ha tomado como un soborno para que me deje entrevistarla. Un soborno disfrazado de buenas intenciones y agradecimiento. Es cierto que llevaba tiempo planeando darle el dinero, cuando juntase una cantidad respetable, pero también es verdad que elegí entregárselo hoy deliberadamente. Ahora, la he espantado para siempre.

–Cariño, pruébalo. Me costó once dólares, tiene que ser bueno.

Madre me ha arrinconado en la cocina. Busco con la mirada la puerta del salón o la del porche mientras Madre se me acerca con esa cosa en la mano. Me fijo en lo delgada que es su muñeca y en lo frágiles que parecen sus brazos llevando el peso de esa máquina gris. Me empuja hacia una silla y descubro que no es tan delicada como parece. Me pasa por la cabeza un tubo ruidoso que escupe un pringue en mi pelo. Madre lleva dos días persiguiéndome con este nuevo invento para dejar el pelo suave y sedoso: el mágico Shinalator.

Me unta la crema en el pelo con ambas manos. Casi puedo sentir la esperanza en sus dedos. Es consciente de que ningún ungüento va a achatar mi nariz ni a encogerme treinta centímetros; tampoco podrá dar un toque refinado a mis casi invisibles cejas ni añadir peso a mi raquítico cuerpo. Mis dientes están perfectos, así que lo único que le queda por arreglar es mi pelo.

Madre me cubre la chorreante cabeza con un gorro de plástico y une un manguito que sale del gorro a una máquina cuadrada.

–¿Cuánto dura esto, Madre?

Agarra el manual de instrucciones con unos dedos pringosos y lee:

–Aquí dice: «Cubra el cabello con el milagroso Gorro Alisador, encienda la máquina y podrá ver los resultados pasados...».

–Se producirá.... ¿pasados diez minutos? ¿Quince...?

144

Oigo un clic y un ruidito que va en aumento. Siento un calor lento e intenso en mi cabeza. De repente, suena un «pum». El tubo se ha soltado de la máquina y empieza a volar en el aire como una manguera loca. Madre chilla e intenta agarrarlo, pero no lo consigue. Por fin, lo atrapa y lo engancha de nuevo a la máquina.

Aspira profundamente y vuelve a consultar el libro de instrucciones.

–El milagroso Gorro Alisador tiene que permanecer durante dos horas en la cabeza para que los resultados sean...

–¿Dos horas?

–Le diré a Pascagoula que te prepare un vaso de té, cariño –contesta Madre, me palmea el hombro y sale silbando por la puerta de la cocina.

Durante un par de horas fumo cigarrillos, ojeo la revista *Life*, termino de leer *Matar a un ruiseñor* y acabo leyendo el *Jackson Journal*. Hoy es viernes, así que no habrá columna de Miss Myrna. En la página cuatro, leo: «El joven atacado por usar un baño segregado pierde la vista». Se interroga a los sospechosos. Me suena... familiar. Al poco rato recuerdo. ¡Debe de ser el vecino de Aibileen!

Un par de veces esta semana me he acercado a casa de Elizabeth, con la esperanza de no encontrarla en casa para poder hablar con Aibileen a solas e intentar convencerla para que me ayude. Pero Elizabeth se pasa el día encorvada en su máquina de coser, tratando de que su vestido de Navidad esté listo con algo de antelación. Otra vez es un vestido verde, barato y sin gracia. Debe de haberse hecho con una ganga en las ofertas de tela verde. Me gustaría ir con ella a Kennington's y comprarle algo nuevo, pero sé que se moriría de vergüenza si se lo propongo.

–¿Ya sabes lo que te vas a poner para la cita? –me preguntó Hilly la segunda vez que me pasé–. Es el próximo sábado, recuérdalo.

–Supongo que tendré que ir de compras –respondí, encogiéndome de hombros.

En ese momento, Aibileen trajo una bandeja de café y la dejó en la mesita.

–Gracias –le dijo Elizabeth.

–Pues sí, gracias, Aibileen –añadió Hilly echando azúcar a su taza–. Tengo que admitir que eres la negra que mejor hace el café en esta ciudad.

–*Grasias,* señorita.

–Aibileen –siguió diciendo Hilly–, ¿qué te parece tu nuevo retrete de ahí fuera? Es agradable tener un lavabo para ti sola, ¿verdad?

Aibileen se quedó de pie, mirando la raja en la mesa del comedor.

–Sí, señorita.

–¿Sabes que mi marido, Mister Holbrook, se encargó de montar ese retrete, Aibileen? Fue él quien envió a los obreros; y el equipamiento, también –Hilly sonrió.

Aibileen seguía inmóvil en el mismo sitio. En ese momento, deseé no tener que estar en la habitación presenciando eso. «Por favor –pensé–, por favor, no le des las gracias.»

–Sí, señorita.

Aibileen abrió un armario y buscó algo en su interior, pero Hilly seguía mirándola. Resultaba muy evidente lo que quería de ella.

Pasó otro segundo y nadie se movió. Hilly carraspeó y por fin Aibileen agachó la cabeza y musitó:

–*Grasias,* señorita.

Después se retiró a la cocina. Con razón no quería hablar conmigo.

Al atardecer, Madre me quita el gorro vibrador de la cabeza y me aclara el potingue del cabello en el fregadero de la cocina. Rápidamente, me pone una docena de rulos y me coloca el casco secador de su cuarto de baño.

Una hora más tarde, salgo con la piel rosa, jaqueca y mucha sed. Madre me sienta delante del espejo, empieza a quitarme los rulos y peina los gigantescos tirabuzones de mi pelo.

Nos miramos la una a la otra, estupefactas.

146

–¡Santo Dios! –exclamo.

Lo único en lo que se me ocurre pensar es en mi cita, la cita a ciegas del próximo fin de semana.

Madre sonríe sin dar crédito a lo que ven sus ojos. Ni tan siquiera me regaña por haber soltado un juramento. Mi pelo está genial. ¡El Shinalator ha funcionado!

Capítulo 9

El sábado, día de mi cita con Stuart Whitworth, me paso dos horas sentada bajo el Shinalator (los resultados, por lo que he comprobado, sólo aguantan hasta el siguiente lavado). Después de secarme el cabello, voy a Kennington's y me compro los zapatos más planos que encuentro y un vestido ajustado de crepé negro. Odio ir de tiendas, pero en esta ocasión me viene bien, porque me distraigo un poco y así no paso toda la tarde pensando en Miss Stein o Aibileen. Cargo los ochenta y cinco dólares a la cuenta de Madre, pues siempre me está rogando que vaya a comprarme ropa nueva («Algo que vaya bien con tu tamaño»). Soy consciente de que Madre mostrará su más profundo rechazo al escote de este vestido. La verdad es que nunca he tenido una prenda así.

En el aparcamiento de Kennington's, pongo el coche en marcha, pero no empiezo a moverme porque de repente siento un agudo pinchazo en el estómago. Agarro el volante forrado de blanco, repitiéndome por décima vez que es absurdo hacerme ilusiones con algo que nunca tendré. ¿Por qué me imagino el tono azul de sus ojos cuando lo único que he visto de él es una fotografía en blanco y negro? Estoy tomándomelo como la oportunidad de mi vida cuando hasta ahora no es nada más que papel y cenas pospuestas. Pero el vestido y mi nuevo peinado me quedan bastante bien. No puedo evitar sentir esperanzas ante esta cita.

Cuatro meses antes, Hilly me enseñó su foto un día que estábamos en la piscina del patio trasero de su casa. Mi amiga tomaba el sol y yo me abanicaba resguardada a la sombra. En julio, se me había declarado la urticaria, y desde entonces no había remitido.

–No estoy libre –le dije.

Hilly se sentó en el borde de la piscina, fofa y con las carnes flácidas de las mujeres que acaban de dar a luz. Sin embargo, parecía inexplicablemente orgullosa de cómo le quedaba su bañador negro. A pesar de su tripa hinchada, mi amiga todavía conserva unas piernas torneadas y bonitas.

–¡Si todavía no te he dicho cuándo viene! –exclamó–. Además, es de muy buena familia.

Por supuesto, se refería a la suya, pues era primo segundo de su marido William.

–¿Por qué no pruebas a quedar con él y ver qué te parece?

Volví a mirar la foto. Era un joven de ojos claros muy abiertos y pelo rizado castaño, y destacaba por su estatura entre un grupo de hombres que posaban a la orilla de un lago. Su cuerpo aparecía medio oculto detrás de los otros. Quién sabe, igual lo hacía para que no se viera que le faltaba algún miembro.

–No tiene ningún defecto –aseguró Hilly–. Pregúntale a Elizabeth, lo conoció en la Gala Benéfica del año pasado, cuando tú estabas en la universidad. Además, estuvo saliendo en serio con Patricia van Devender.

–¿Patricia van Devender? –pregunto sorprendida–. ¡Esa chica fue elegida Miss Universidad de Misisipi durante dos años consecutivos!

–Por si eso fuera poco, acaba de abrir su propio negocio petrolero en Vicksburg, así que si la cita no funciona, no tendrás que cruzarte con él cada día cuando bajes al centro.

–Está bien –acepté finalmente, sobre todo para que Hilly dejara de atosigarme.

Son las tres pasadas cuando regreso a la plantación después de comprar el vestido. Se supone que tengo que estar en casa de Hilly a las seis para conocer a Stuart. Me miro al espejo. Mis bucles están empezando a deshacerse en las puntas, pero el resto del cabello todavía está liso. Madre se mostró encantada cuando le dije que quería volver a probar el Shinalator, y ni siquiera sospechó la causa. No sabe nada sobre mi cita de esta noche porque, si se enterara, se pasaría los próximos tres meses crucificándome con preguntas del tipo: «¿Ha llamado?» o «¿Qué hiciste mal?», en el caso de que las cosas no funcionasen.

Madre está abajo, en la sala de estar, aullando junto a Padre frente al televisor con el partido de baloncesto de los Rebels. Mi hermano Carlton les acompaña, sentado en el sofá con su radiante nueva novia. Acaban de llegar este mediodía de la Universidad de Luisiana. Ella tiene el pelo muy liso y recogido en una oscura cola de caballo y lleva un jersey rojo.

Cuando me encuentro con Carlton a solas en la cocina, se ríe y me tira del pelo como cuando éramos niños.

–¿Cómo estás, hermanita?

Le cuento que tengo un trabajo en el periódico y que soy la editora del boletín de la Liga de Damas. También le sugiero que, cuando termine sus estudios, debería volver a casa.

–Para que Madre se entretenga un poco contigo. Ahora me estoy llevando mi buena porción de atención –digo entre dientes.

Se ríe como si entendiera, pero dudo mucho que sea capaz de comprenderme. Es tres años mayor que yo y bastante atractivo: alto, con el pelo ondulado y rubio, y está terminando Derecho en la Universidad de Luisiana, separado de Madre por más de doscientos kilómetros de carreteras mal asfaltadas.

Cuando regresa junto a su novia, busco las llaves del coche de Madre, pero no las encuentro por ningún sitio. Son ya las cinco menos cuarto. Me asomo al hueco de la puerta del salón y trato de llamar la atención de Madre. Tengo que esperar a que termine su serie de preguntas a Cola de Caballo sobre su familia y sus orígenes. Madre no acaba hasta que no encuentra, por lo menos, a una persona en común entre ambas familias. Después vienen las cuestiones sobre la hermandad a la que pertenecía la chica en Vanderbilt y, por último, termina preguntándole cuál es su cubertería favorita. Madre siempre dice que es más efectivo que el horóscopo.

Cola de Caballo dice que su familia siempre ha usado cuberterías de plata Chantilly, pero que cuando se case le gustaría elegir su propio modelo, «...pues me considero un espíritu independiente». Carlton le acaricia la cabeza, y al notar su mano, ella retoza como una gatita. Ambos me miran y sonríen.

–Skeeter –me dice Cola de Caballo desde la habitación–, ¡qué afortunada eres de que tu familia tenga una cubertería Francisco I! ¿La conservarás cuando te cases?

–Querida, para mí la Francisco I es algo sagrado –contesto con una sonrisa falsa–. Cuando me case no pienso hacer otra cosa que pasarme horas enteras mirando esos tenedores.

Madre me lanza una mirada reprobadora. Me dirijo a la cocina y tengo que esperar otros diez minutos hasta que por fin aparece.

–¿Dónde demonios has puesto las llaves del coche, mamá? ¡Voy a llegar tarde a casa de Hilly! Por cierto, esta noche me quedaré a dormir con ella.

–¿Qué? ¡Si Carlton está hoy con nosotros! ¿Qué va a pensar su nueva novia si te marchas? ¿Es que tienes mejores planes que pasar la velada con tu familia?

He estado evitando contarle esto porque sabía que, con o sin Carlton en casa, terminaríamos peleando.

–Pascagoula ha preparado un asado y tu padre tiene lista la leña para encender esta noche la chimenea del salón.

–¡Pero si estamos a treinta grados, mamá!

–Escúchame bien, hija: tu hermano está en casa y espero que te comportes como una buena hermana. No quiero que te marches hasta que no hayas hecho buenas migas con esa chica. –Mira su reloj, mientras hago un esfuerzo por recordar que ya tengo veintitrés años, y añade–: Por favor, cariño.

Suspiro y llevo una maldita bandeja de julepes de menta al salón.

–Mamá –digo al regresar a la cocina a las cinco y veintiocho minutos–, tengo que irme. ¿Dónde están las llaves? Hilly me está esperando.

–¡Pero si todavía no hemos sacado los saladitos!

–Hilly está... mal del estómago –susurro–, y su criada no va mañana. Necesita que la ayude a cuidar de los críos.

–Supongo que eso quiere decir que mañana irás a misa con ellos –dice Madre tras un suspiro–. ¡Y yo que pensaba que iríamos a la iglesia como una familia unida y luego pasaríamos la tarde del domingo juntos!

–¡Mamá, por favor! –exclamo, revolviendo en la canastilla donde suele guardarlas–. Tus llaves no aparecen por ningún sitio.

–No puedes llevarte el Cadillac. Lo necesitamos para ir a la iglesia mañana.

En menos de media hora, mi cita estará en casa de Hilly. Tengo que vestirme y arreglarme el pelo allí para que Madre no sospeche. No puedo llevarme la furgoneta nueva de Padre porque está llena de fertilizantes, y además sé que la necesita mañana temprano.

–Está bien, me llevaré la camioneta vieja.

–Creo que tiene un remolque enganchado. Pregúntale a tu padre.

Pero no puedo preguntar a Padre, no estoy dispuesta a volver a pasar por esto delante de otras tres personas que se ofenderán al ver que me marcho. Agarro las llaves de la camioneta vieja y digo:

–No pasa nada. Me voy directamente a casa de Hilly.

Salgo enfurruñada y descubro que la vieja camioneta no sólo tiene un remolque enganchado, sino que en el remolque hay un tractor de media tonelada de peso.

Así que termino bajando a la ciudad, para acudir a mi primera cita en dos años, al volante de una camioneta Chevrolet de 1941, roja, de cuatro marchas y con una máquina John Deere enganchada detrás. El motor renquea y petardea, y me pregunto si aguantará hasta la ciudad. Los neumáticos escupen rozos de barro. El vehículo se cala al llegar a la carretera

152

principal, y mi vestido y mi bolso se caen del asiento al sucio suelo. Tengo que volver a arrancarlo un par de veces.

A las seis menos cuarto, un bicho negro aparece corriendo delante de mí y noto un golpe en la carrocería. Intento parar, pero no es fácil frenar cuando detrás llevas maquinaria agrícola de varias toneladas. Soltando una maldición, me detengo en el arcén y bajo a comprobar qué ha pasado. Sorprendentemente, el gato se levanta, mira atontado a su alrededor y sale espantado hacia el bosque, tan rápido como apareció.

A las seis menos tres minutos, tras recorrer la ciudad a veinte por hora, con cláxones sonando detrás de mí y adolescentes que hacen burla a mi paso, aparco en una calle cercana a la casa de Hilly, ya que su callejón no es el lugar más apropiado para maniobrar con lo que llevo en el remolque. Agarro mi bolso y entro en su casa sin tan siquiera llamar a la puerta, desfallecida, sudorosa y despeinada por el viento. Allí están ellos, los tres, mi pareja incluida, tomándose unas copas en la sala de estar.

Me quedo paralizada en el recibidor mientras todos me miran. William y Stuart se ponen en pie. ¡Dios, es muy alto! Unos diez centímetros más que yo, por lo menos. Los ojos de Hilly se abren como platos y me agarra por el brazo.

—Chicos, ahora mismo volvemos. Poneos cómodos y hablad de béisbol y esas cosas de hombres.

Me arrastra hacia su vestidor y empezamos a rezongar. ¡Qué desastre!

—¡Skeeter, ni siquiera te has pintado los labios! Y tu pelo parece un nido de pájaros.

—Ya lo sé, ¡mírame! —Cualquier efecto que pudiera quedar del milagroso Shinalator ha desaparecido—. La camioneta vieja no tiene aire acondicionado, y he tenido que venir con las malditas ventanillas bajadas.

Me restriego la cara y Hilly me sienta en la silla de su cambiador. Empieza a peinarme el pelo como mi madre, enroscándolo en esos rulos gigantes y pulverizándolo con laca.

—¿Y bien? ¿Qué te ha parecido? —me pregunta.

Suspiro y cierro los ojos, aún sin rímel.

—Es bastante guapo.

153

Me pringo de maquillaje, algo que nunca he sabido muy bien cómo hacer. Hilly me contempla sorprendida ante mi falta de experiencia. Limpia mi chapuza con un pañuelo y vuelve a ponerme los cosméticos. Me enfundo en el vestido negro de amplio escote y me calzo mis zapatos planos marca Delman. Hilly me cepilla el pelo a toda prisa. Me lavo las axilas con un trapo húmedo mientras mi amiga entorna los ojos.

—He atropellado a un gato.

—Ya se ha tomado dos copas esperándote.

Me levanto y me estiro el vestido.

—Muy bien —digo—, ¿qué nota me pondrías de uno a diez?

Hilly me mira de arriba abajo y se detiene en la apertura delantera del vestido, alzando las cejas. Nunca en mi vida he llevado escote, así que seguro que mi amiga no se había dado cuenta de que tengo pecho.

—Un seis —declara, sorprendida.

Nos miramos por un segundo. Hilly suelta un gritito alegre y sonrío. Nunca antes me había puesto más de un cuatro.

Cuando regresamos a la sala de estar, William está apuntando a Stuart con el dedo.

—Voy a presentarme a ese escaño y, Dios mediante, si tu padre...

—Stuart Whitworth —anuncia Hilly—, permíteme que te presente a Skeeter Phelan.

Se pone en pie y por fin, durante un minuto, consigo relajarme. Dejo que me mire, como una tortura autoimpuesta, mientras me saluda.

—Stuart estudió en la Universidad de Alabama —dice William, y añade—: ¡Es todo un *Roll Tide*[4]!

—Encantado de conocerte. —Stuart me dirige una breve sonrisa y le da un trago tan largo a su bebida que oigo cómo los cubitos de hielo chocan con su dentadura. Luego, se dirige a William—: Bueno, ¿adónde vamos?

---

[4] Sobrenombre por el que se conoce a los equipos deportivos de la Universidad de Alabama. *(N. del T.)*

154

Montamos en el Oldsmobile de William para ir al hotel Robert E. Lee. Stuart me abre la puerta y se instala junto a mí en el asiento trasero, pero se inclina sobre el respaldo del conductor y se pasa el resto del trayecto charlando con William sobre la temporada de caza del ciervo.

Ya en el restaurante, retira la silla para que me siente y le doy las gracias.

–¿Quieres tomar una copa? –me pregunta, mirando en otra dirección.

–No, gracias, sólo agua, por favor.

Se gira hacia el camarero y pide:

–Un Old Kentucky doble sin hielo y una botella de agua.

Creo que es después de su quinto *bourbon* cuando me decido a hablar:

–Hilly me ha dicho que te dedicas al negocio del petróleo. Debe de ser muy interesante...

–Se gana dinero, si eso es lo que te interesa saber.

–Oh, no era mi...

Me interrumpo porque veo que está estirando el cuello para mirar algo. Alzo la mirada y descubro que tiene los ojos clavados en una mujer que hay junto a la puerta, una rubia tetuda que lleva un pintalabios muy rojo y un ajustadísimo vestido verde.

William se gira para ver qué está mirando Stuart, pero se da la vuelta rápidamente con cara de circunstancias. Hace un gesto muy ligero de reprobación con la cabeza a Stuart, y entonces veo al ex novio de Hilly, Johnny Foote, coger del brazo a la mujer y dirigirse hacia la salida. Me imagino que esa rubia debe de ser Celia, su nueva esposa. Cuando se marchan, William y yo cruzamos una mirada cómplice, aliviados porque Hilly no se haya dado cuenta de su presencia.

–¡Demonios! ¡Esa tía estaba más buena que el pan! –dice Stuart con la respiración acelerada.

Supongo que es en ese momento cuando lo que pueda ocurrir esta noche deja de preocuparme.

Un poco más tarde, Hilly cruza una mirada conmigo para ver cómo van las cosas. Sonrío como si todo marchara bien y ella me devuelve el gesto, feliz al comprobar que las cosas van sobre ruedas.

–¡William! Acaba de entrar el vicegobernador. Vamos a saludarle antes de que se siente –dice Hilly de repente.

Se marchan los dos, dejándonos solos. Un par de tortolitos sentados en el mismo lado de la mesa, mirando al resto de felices parejitas del restaurante.

–Entonces –me dice, sin girar apenas la cabeza hacia mí–, ¿has ido alguna vez a ver un partido de fútbol del equipo de Alabama?

Nunca he pisado el estadio de Colonel Field, que queda a medio kilómetro de mi casa.

–Pues no. La verdad es que no me gusta mucho el fútbol.

Miro el reloj. Apenas son las siete y cuarto.

–¡Vaya! –exclama y contempla la bebida que le sirve el camarero como si le apeteciera tomársela de un trago–. Entonces, ¿a qué te dedicas en tu tiempo libre?

–Escribo... una columna sobre consejos del hogar en el *Jackson Journal*.

Arruga el entrecejo y suelta una carcajada.

–¿Consejos del hogar? ¿Te refieres a cosas de amas de casa?

Asiento con la cabeza.

–¡Jesús! –Remueve su bebida–. No se me ocurre nada más aburrido que leer una columna sobre cómo limpiar la casa... –reflexiona, y me doy cuenta de que tiene un diente un poquitín torcido. Me encantaría comentarle ese defecto, pero termina su frase añadiendo–: Bueno, sí que hay algo más aburrido que leerla: escribirla.

Lo observo mientras sigue hablando:

–Me suena a treta, a truco para encontrar marido. Hacerse experta en «consejos del hogar».

–¡Vaya, sin duda eres un genio! Has descubierto todo mi plan.

–¿Acaso no es eso a lo que os dedicáis todas las mujeres de la Universidad de Misisipi? ¿A la caza profesional de esposo?

Lo contemplo estupefacta. Es cierto que hace un siglo que no salgo con un hombre, pero ¿quién se cree este tipo que es?

–Perdona la indiscreción –le corto–. ¿Tú te diste un golpe en la cabeza de pequeño y te quedaste bobo?

Me mira sorprendido y sonríe por primera vez en toda la noche.

–Ya sé que no te interesa –prosigo–, pero si quiero llegar a ser periodista tengo que hacer este tipo de preguntas.

Creo que con esto le he dejado impresionado, pero vacía su copa y su rostro recupera el temple.

Continuamos cenando y, al mirar su perfil, puedo ver que tiene la nariz un poco afilada, las cejas muy espesas y un pelo castaño demasiado áspero. No hablamos mucho, por lo menos el uno con el otro. Hilly parlotea sin parar, soltando de vez en cuando alguna indirecta, como por ejemplo: «Stuart, ¿sabes que Skeeter vive en una plantación al norte de la ciudad? Tu padre, el señor senador, creció también en una plantación de cacahuete, ¿verdad?».

Stuart pide otra copa.

Llegado un momento, Hilly y yo vamos juntas al baño y me sonríe esperanzada.

–¿Qué te parece?

–Que es... alto –contesto, sorprendida de que no se haya dado cuenta de que mi acompañante no sólo es extremadamente grosero, sino que está borracho como una cuba.

Por fin termina la cena y William y él se reparten la cuenta. Se levanta y me ayuda con la chaqueta, demostrando por fin un poco de cortesía.

–¡Jesús! Nunca había conocido a una mujer con los brazos tan largos –dice.

–Ni yo a un hombre con un problema tan grave de alcoholismo.

–Tu chaqueta huele a... –Se inclina, la olisquea y hace un gesto de asco–. ¡Abono!

Se dirige dando zancadas al cuarto de baño y deseo que me trague la tierra.

El trayecto de regreso, de apenas tres minutos, transcurre en un silencio total y se me hace muy largo.

Entramos en casa de Hilly. Yule May aparece con su uniforme blanco y dice:

–Los niños están bien, señora. Ya se fueron a *dormí*.

Dicho esto, se retira por la puerta de la cocina. Me excuso y voy al baño.

–Skeeter, ¿te importaría acercar a Stuart a su casa? –me pide William cuando vuelvo a la sala–. Es que estoy hecho polvo. ¿Tú también, Hilly?

Hilly me mira intentando adivinar qué me apetece hacer. Creo que lo he dejado suficientemente claro después de pasarme diez minutos en el cuarto de baño.

–¿No... ha traído su coche? –pregunto haciéndome la tonta delante de Stuart.

–Creo que mi primo no está en condiciones de conducir –aclara William entre risas.

De nuevo se hace el silencio.

–Es que he venido en la camioneta. No creo que...

–¡Demonios! –dice William, palmeando la espalda de Stuart–. A Stuart no le importa montar en una camioneta, ¿verdad, hombre?

–William –interviene Hilly–, ¿por qué no conduces tú y que Skeeter os acompañe?

–No creo que pueda. Estoy bastante borracho yo también –dice William, aunque es él quien nos acaba de traer a casa.

Al fin salgo de su casa y Stuart me sigue. No dice nada ante el hecho de que no haya aparcado enfrente de casa de Hilly ni en su callejón. Cuando llegamos a la camioneta, nos detenemos y contemplamos el tractor de cinco metros de largo que llevo enganchado al remolque.

–¿Has traído hasta aquí esa cosa?

Suspiro. Está claro que soy muy alta y que nunca me he sentido muy femenina ni cursi, pero este tractor es demasiado.

–¡Joder! Esto es lo más divertido que he visto nunca.

Me separo de él.

–Hilly puede acercarte a casa. Que te lleve ella.

158

Se gira y me mira a la cara por primera vez en toda la noche. Tras un buen rato de sentirme observada, se me llenan los ojos de lágrimas. Me siento agotada.

—Oh, mierda —dice, hundiendo los hombros y acercándose a mí—. Mira, le dije a Hilly que no estaba listo para una maldita cita.

—No se te ocurra... —digo, y me aparto más de él para regresar luego a casa de Hilly.

El domingo por la mañana me levanto muy temprano, antes que Hilly y William, antes que los niños y antes de que empiece el tráfico de feligreses que se dirigen a misa. Conduzco a casa con el tractor retumbando detrás de mí. El olor del fertilizante me produce una sensación de resaca, aunque ayer sólo bebí agua.

La noche anterior regresé a casa de Hilly con Stuart arrastrándose detrás de mí. Llamé a la puerta del dormitorio de mi amiga y le pedí a William, que ya tenía la boca llena de dentífrico, si no le importaba llevar a Stuart a su casa. Antes incluso de que respondiera, subí a la habitación de invitados.

Cuando llego a casa, paso junto a los perros de Padre en el porche. Dentro, veo a Madre en la sala de estar y le doy un abrazo. Cuando intenta separarse de mis brazos, no la dejo.

—¿Qué pasa, Skeeter? Espero que Hilly no te haya pasado su dolor de estómago.

—No, estoy bien.

Me gustaría poder contarle lo que me pasó anoche. Me siento culpable por no ser más amable con ella, por no sentir que la necesito hasta que me van mal las cosas. ¡Ojalá Constantine estuviera aquí!

Madre sonríe y me retoca el pelo. El viento lo ha revuelto y debo de parecer cinco centímetros más alta.

—¿Seguro que te encuentras bien?

—Sí, mamá.

Estoy muy cansada para resistir. Me duele el estómago como si me hubieran dado una patada en la tripa, y no se me pasa.

–¿Sabes? –me comenta sonriente–, creo que esta chica va a ser la definitiva para Carlton.

–Qué bien, mamá. Me alegro por él.

El día siguiente, lunes, a las once de la mañana, suena el teléfono. Por suerte, estoy en la cocina y soy la primera en llegar al aparato.

–¿Miss Skeeter?

Me quedo helada, sin mover un músculo. Miro a Madre, que está consultando su talonario en la mesa del comedor, y a Pascagoula, que en ese momento saca un asado del horno. Me meto en la despensa y cierro la puerta.

–¿Aibileen? –susurro.

Permanece callada durante un segundo, y después me suelta de repente:

–¿Qué... qué pasaría si no le gustan las cosas que voy a contarle? Me refiero... a lo que pueda contarle sobre... sobre los blancos.

–Bueno, yo... no se trata de lo que yo opine. Lo que yo piense no importa.

–Pero ¿cómo sé que no se va a *enfadá* y va a *utilizá* lo que le cuente contra mí?

–No sé... supongo que tendrás que confiar en mí –contesto, y contengo el aliento, esperando su respuesta con esperanza.

Tras una larga pausa, Aibileen dice:

–¡Que el *Señó* se apiade de mí! Está bien, lo haré.

–Aibileen... –El corazón me late acelerado–. No te puedes imaginar lo mucho que aprecio...

–Miss Skeeter, hay que *tené* mucho *cuidao*.

–Lo tendremos, te lo prometo.

–Y va a *tené* que *cambiá* mi nombre. El mío, el de Miss Leefolt y los de *tol* mundo.

–Por supuesto. –Debería habérselo propuesto antes–. ¿Cuándo podemos vernos? ¿Y dónde?

–En el barrio blanco no *pué se,* eso seguro. A ver... tendremos que hacerlo en mi casa.

160

–¿Sabes de otras criadas que pudieran estar interesadas? –le pregunto, aunque Miss Stein sólo me ha dicho que iba a leer una entrevista, pero debo estar preparada en caso de que le guste lo que le envíe.

–Supongo que podría preguntarle a Minny –dice Aibileen tras un momento de silencio–, aunque no le hace mucha *grasia hablá* con blancos.

–¿Minny? ¿Te refieres a... esa que servía en casa de Miss Walter? –digo, consciente de repente de lo incestuoso que se está volviendo este asunto. No sólo voy a estar fisgoneando en la vida de Elizabeth, sino también en la de Hilly.

–Minny tiene unas *güenas* historias *pa contá,* se lo aseguro.

–Aibileen, gracias, muchas gracias.

–De *na,* señorita.

–Sólo... me gustaría preguntarte una cosa: ¿qué te ha hecho cambiar de idea?

Aibileen ni tan siquiera se lo piensa y me contesta:

–Miss Hilly.

Me quedo en silencio, pensando en Hilly, en su iniciativa de los retretes para negros, en cómo acusó a su criada de robarle, en sus comentarios sobre las enfermedades de la gente de color... Repito para mis adentros el nombre de mi amiga, que me resulta desagradable y amargo como una nuez pocha.

Minny

Capítulo 10

$\mathbf{M}$e dirijo al trabajo con una idea rondándome la cabeza. Hoy es 1 de diciembre y, mientras el resto de Estados Unidos se dedica a quitarle el polvo a las figuritas del belén y a sacar sus roñosos calcetines viejos del armario, yo espero la llegada de un hombre que no es Santa Claus ni el Niño Jesús. No, se trata del señor Johnny Foote Jr., quien en Nochebuena va a enterarse de que Minny Jackson trabaja de sirvienta en su casa.

Espero la llegada del día 24 como si fuera la fecha de una citación judicial. No tengo ni idea de lo que va a hacer Mister Johnny cuando descubra que estoy trabajando en su casa. Igual dice: «¡Muy bien! ¡Ven cuando quieras a limpiarnos la cocina! ¡Toma algo de dinero!». Pero no soy tan tonta, hay algo que huele mal en la forma en que su mujer mantiene en secreto mi existencia. No creo que sea un blanquito sonriente que vaya a subirme el sueldo. Lo más probable es que el día de Navidad me quede sin trabajo.

Esta incertidumbre me está matando, pero lo único que tengo seguro es que hace ya un mes decidí que hay formas más dignas de morir que de un ataque al corazón en cuclillas sobre la taza del retrete de una blanquita. Además, aquella vez ni tan siquiera era Mister Johnny el que se presentó en casa, sino el maldito cobrador de la electricidad.

Cuando se me pasó aquel susto no me sentí muy aliviada. Lo que más me preocupó fue la reacción de Miss Celia, pues cuando regresamos a la clase de cocina, la mujer aún tenía tales temblores que no era capaz de medir la sal en una cuchara.

Llega el lunes y no puedo dejar de pensar en Robert, el nieto de Louvenia Brown. El pasado fin de semana salió del hospital y, como sus padres están muertos, se ha ido a vivir con su abuela. Anoche me pasé a visitarles y les llevé una tarta de caramelo. Robert tenía el brazo escayolado y los ojos vendados. «Ay, Louvenia» es lo único que acerté a decir cuando lo vi. El muchacho estaba dormido en el sofá. Le habían afeitado media cabeza para operarlo. Louvenia, a pesar de todos sus problemas, me preguntó qué tal estaban todos y cada uno de los miembros de mi familia. Cuando su nieto empezó a desperezarse, me pidió que me marchara porque Robert suele despertarse entre gritos, asustado y recordando todo el rato que se ha quedado ciego, y quería evitarme presenciar ese momento tan duro. No puedo dejar de pensar en ello.

—Voy a ir a la tienda dentro de *na* –le digo a Miss Celia.

Le enseño la lista de la compra para que la vea. Cada lunes hacemos lo mismo: ella me entrega el dinero para ir a la tienda y cuando vuelvo a casa le coloco la factura ante la cara. Quiero que compruebe que no falta ni un centavo del cambio. Miss Celia no hace más que encogerse de hombros, pero yo guardo esos tickets a buen recaudo en un cajón por si algún día me preguntan algo.

Platos de Minny:
1. Jamón cocido con piña
2. Alubias
3. Boniatos
4. Tarta de chocolate y crema
5. Galletas

Platos de Miss Celia:
1. Frijoles

–¡Pero si ya hice frijoles la semana pasada!

–Aprenda a *hacé* bien los frijoles y lo demás le resultará más fácil.

–Bueno, supongo que es lo mejor –dice–. Por lo menos pelando frijoles estoy sentada.

Han pasado tres meses y la bruta de ella todavía no es capaz ni de hervir un puchero de café. Preparo la masa de la tarta. Quiero dejarla lista antes de ir a la tienda.

–¿Podemos hacer una tarta de chocolate esta vez? ¡Me encanta la tarta de chocolate!

Rechino los dientes. No sé cómo voy a salir de ésta.

–No sé *hacé* tartas de chocolate –miento.

Nunca. Nunca más después de lo de Miss Hilly.

–¿No sabes? ¡Jolín! Yo pensaba que podías cocinar de todo. Igual deberíamos hacernos con un libro de recetas.

–¿Qué otro tipo de tarta le apetece?

–Bueno, ¿qué tal esa de melocotón que hiciste una vez? –dice, sirviéndose un vaso de leche–. ¡Estaba riquísima!

–Eran melocotones de México. Aquí todavía no ha *llegao* la temporada.

–Pero si los he visto anunciados en el periódico...

Suspiro. Nada resulta fácil con esta mujer, pero por lo menos se ha olvidado de la tarta de chocolate.

–Tiene que *sabé* una cosa: la fruta es mucho *mejó* cuando es de temporada. En verano no se pueden *hacé* calabazas, y en otoño no se puede *cociná* con melocotones. Así son las cosas. Si no encuentra una fruta en los puestos de la carretera, es *mejó* olvidarse de ella. ¿Por qué no hacemos una tarta de nueces?

–A Johnny le encantaron los pralinés que hiciste. Cuando se los puse, me dijo que era la mujer con más talento que había conocido.

Me agacho sobre la masa para que no pueda verme la cara. En un minuto ha conseguido sacarme dos veces de mis casillas.

–¿Alguna cosa más con la que quiera *impresioná* a su *marío?*

Además de estar aterrorizada en esta casa, estoy hasta las narices y muy cansada de que otra persona haga pasar mi comida

164

por suya. Además de mis hijos, mi cocina es lo único de lo que me siento orgullosa en esta vida.

–No, es suficiente –dice Miss Celia sonriendo.

No se da cuenta de que he presionado con tanta fuerza la masa de la tarta que mis dedos han dejado cinco profundos agujeros en ella. Sólo me quedan veinticuatro días más de esta mierda. Ruego a Dios y al Diablo para que Mister Johnny no aparezca antes.

Un día sí y otro también, escucho a Miss Celia hablar por teléfono desde su habitación, llamando una y otra vez a las señoritas de la Liga de Damas. Hace apenas tres semanas fue la Gala Benéfica de la asociación y esta tonta ya está ofreciéndose como voluntaria para organizar la del año que viene. Ni ella ni su marido asistieron al evento, pues me lo habrían contado mis compañeras que hicieron de camareras. Aunque pagan bien, este año no trabajé con ellas porque corría el riesgo de encontrarme con Miss Hilly.

–¿Podría decirle que Celia Foote le ha vuelto a llamar? Le dejé un mensaje hace unos días y no me ha contestado...

Su voz es alegre, como la de los anuncios de la tele. Cada vez que la oigo, me entran ganas de arrancarle el teléfono de la mano y decirle que deje de perder el tiempo. Además de por sus pintas de furcia, existe una razón de peso por la cual Miss Celia no tiene ninguna amiga, me di cuenta de ello en cuanto vi la foto de Mister Johnny. He servido el almuerzo en suficientes partidas de *bridge* como para conocer los secretos de todas las mujeres blancas de esta ciudad: Mister Johnny dejó a Miss Hilly por Miss Celia cuando estaban en la universidad y Miss Hilly no ha conseguido superarlo.

El miércoles por la tarde voy a la iglesia. Está sólo medio llena porque apenas son las siete menos cuarto y el coro no empieza a cantar hasta las siete y media. Pero Aibileen me pidió que viniera pronto y aquí estoy. Tengo curiosidad por saber qué quiere contarme. Además, Leroy estaba hoy de buen humor y jugando con los críos, así que me he dicho: «La ocasión la pintan calva».

Veo a Aibileen en nuestro banco de siempre, en la cuarta fila a la izquierda del altar, justo al lado del ventilador. Somos miembros de honor de la congregación, así que nos merecemos unos asientos especiales. Tiene el pelo recogido por detrás, y los tirabuzones le caen por el cuello. Lleva un vestido azul con enormes lunares blancos que nunca le había visto. Aibileen tiene un montón de ropa de blanca. A las señoritas les encanta regalar sus prendas viejas. Como de costumbre, parece una respetable mujerona negra, pero a pesar de ser tan correcta y formal, Aibileen te puede contar un chiste verde que te hace mearte en las bragas.

Avanzo por el pasillo y veo que Aibileen está pensativa, con el ceño fruncido y la frente arrugada. Durante un segundo soy consciente de los quince años que nos separan, pero luego recupera su sonrisa y su rostro vuelve a parecer juvenil y rellenito.

—¡Santo Dios! –digo nada más sentarme.

—Pues sí. Alguien tendría que decírselo.

Aibileen se abanica el rostro con su pañuelo. Esta mañana le tocaba a Kiki Brown limpiar y toda la iglesia apesta a esa lejía con olor a limón que prepara y que intenta vender a veinticinco centavos la botella. Tenemos una lista de voluntarios que hacemos turnos para limpiar la parroquia. Si por mí fuera, echaría a Kiki Brown de la lista y añadiría a más hombres. Que yo sepa, ningún hombre se ha apuntado nunca.

A pesar del olor, la iglesia está bonita. Kiki ha sacado brillo a los bancos con tanto esmero que puedes verte reflejada en ellos. El árbol de Navidad ya está puesto, junto al altar, lleno de guirnaldas y con una brillante estrella dorada en la punta. Tres ventanas de la iglesia tienen vidrieras: el nacimiento de Cristo, la resurrección de Lázaro y las enseñanzas a esos malditos fariseos. Las otras siete tienen paneles blancos normales. Estamos recaudando dinero para completarlas.

—¿Qué tal el asma de Benny? –me pregunta Aibileen.

–Ayer tuvo una pequeña crisis. Leroy lo va a traer con los demás dentro de poco. Espero que este pestazo a limón no me lo mate.

–¡Leroy! –Aibileen menea la cabeza y se ríe–. Dile que o se porta bien o le sacaré de mi lista de oraciones.

–Ojalá lo hagas. ¡Ay, Dios! ¡Esconde la comida!

La creída de Bertrina Bessemer se acerca hacia nosotras moviendo el trasero. Se inclina sobre el banco de delante y sonríe. Lleva un enorme gorro azul muy hortera. Bertrina ha estado poniendo a parir a Aibileen durante muchos años.

–Minny, cómo me alegré cuando me enteré de lo de tu nuevo trabajo.

–*Grasias,* Bertrina.

–Ah, Aibileen, *grasias* por ponerme en tu lista de oraciones. Mis anginas están mucho *mejó.* Ya te llamo este fin de semana y te cuento.

Aibileen sonríe y asiente con la cabeza. La otra avanza moviendo su enorme culo hasta su banco.

–Creo que deberías *se* un poco más selectiva a la hora de *elegí* a las personas por las que rezas –comento.

–¡Bah! Ya no le guardo *rencó.* Y fíjate, ha *perdío* bastante peso.

–Le anda contando a *tol* mundo que ha *adelgazao* veinte kilos –aclaro.

–¡Santo Dios!

–Ya sólo le falta *perdé* otros cien.

Aibileen intenta no reírse, y hace como que se abanica para apartar el olor a limón.

–Bueno, ¿*pa* qué querías que viniera tan pronto? –le pregunto–. ¿Tanto me echas de menos?

–No, *pa na* importante. Sólo algo que me han *contao.*

–¿Qué?

Aibileen respira hondo y mira a su alrededor para comprobar que nadie nos escucha. Aquí somos como la realeza, todos están todo el rato murmurando sobre nosotras.

–¿Conoces a esa tal Miss Skeeter? –me pregunta.

–Ya te dije el otro día que sí.

Baja la voz y prosigue:

–Bueno, *¿t' acuerdas* que te dije que una vez me fui de la lengua con ella y le conté que Treelore escribía un libro sobre la vida de las personas de *coló?*

–*M' acuerdo.* ¿Qué pasa? ¿Esa blanquita quiere denunciarte por eso?

–¡No, qué va! Es una *mujé mu* simpática. Pero ha *tenío* el descaro de *preguntá* si yo y algunas criadas más querríamos *poné* por escrito cómo es *serví* en las casas de los blancos. Dice que quiere *escribí* un libro.

–¿Qué?

Aibileen asiente y enarca las cejas:

–Lo que has oído.

–Fiuu... *Pos* dile que es como un picnic en el campo. Que nos pasamos *tol* fin de semana soñando con que llegue el lunes *pa podé* ir a sus casas a sacarle brillo a sus cuberterías. ¡No te digo!

–Ya se lo dije, que en los libros de Historia está *to.* Los blancos han *recogío* las opiniones de los negros desde el principio de los tiempos.

–¡Eso es! ¡Bien dicho!

–*Pos* sí. Y también le dije que estaba loca. Le pregunté qué pasaría si le contáramos la *verdá*: el miedo que tenemos a *pedí* el salario mínimo, que ninguna tenemos *seguridá sosial,* cómo nos sienta cuando la propia señora dice que tienes... –Se interrumpe, mueve la cabeza y, gracias a Dios, no continúa la frase–. Lo mucho que queremos a sus hijos cuando son chiquitines... –sigue diciendo mi amiga, y puedo ver que le tiembla un poco el labio inferior–, *pa* que al final terminen saliendo igual que sus madres.

Bajo la mirada y veo que agarra con fuerza su bolso negro, como si fuera la única cosa que le quedara en este mundo. Aibileen siempre cambia de trabajo cuando los niños crecen y dejan de ser insensibles a las diferencias de color. Nunca hablamos de ello.

–Incluso aunque cambie *tos* los nombres de las criadas y las señoritas blancas... –murmura sorbiéndose la nariz.

–Está loca si piensa que vamos a *hacé* algo tan peligroso por ella.

–¡Claro que no! No queremos meternos en ese lío: *contá* a la gente la *verdá*. ¡Qué despropósito! –remata, y se suena la nariz con un pañuelo.

–¡*Pos* claro que no! –asiento, pero me quedo callada un momento.

Hay algo extraño en la palabra «verdad». Llevo intentando decirles la verdad a las mujeres blancas para las que trabajo desde que tengo catorce años.

–No queremos *cambiá* las cosas –dice Aibileen, y nos quedamos las dos en silencio, pensando en todas las cosas que nos gustan como están.

Entonces, me mira entrecerrando los ojos y me pregunta:

–¿Qué pasa? ¿No te parece una locura?

–Sí, sólo que...

En ese momento me di cuenta de lo que estaba intentando Aibileen. Somos amigas desde hace dieciséis años, desde el día en que llegué a Jackson procedente de Greenwood y nos conocimos en la parada del autobús. Puedo leer su mente como si fuera un periódico abierto.

–Te lo estás pensando, ¿*verdá?* –digo–. Te gustaría *hablá* con Miss Skeeter.

Se encoge de hombros y sé que he dado en el clavo. Antes de que mi amiga tenga tiempo de confesar, el reverendo Johnson aparece, se sienta en el banco de detrás y asoma la cabeza entre nuestros hombros.

–Minny, siento no haber tenido la oportunidad hasta ahora de darte la enhorabuena por tu nuevo trabajo.

Me aliso el vestido y respondo:

–¡Vaya! Muchas *grasias,* reverendo.

–Seguro que Aibileen te ha incluido en su lista de oraciones –dice, y le da unas palmaditas en el hombro.

–¡Seguro! Le estaba comentando a Aibileen que, con este don que tiene, debería *empezá* a *cobrá* por sus oraciones.

El reverendo suelta una carcajada y después se levanta y se dirige con lentitud hacia el altar. La iglesia se queda en silencio.

No me puedo creer que Aibileen quiera contarle la verdad a Miss Skeeter.

La «verdad».

Es una palabra que me refresca, como agua lavando mi cuerpo ardiente y sudoroso, enfriando un fuego que lleva quemándome toda la vida.

La «verdad», repito para mis adentros, sólo para volver a disfrutar de esa agradable sensación.

El reverendo Johnson eleva los brazos y comienza la misa con voz suave y profunda. El coro empieza a entonar el salmo *Habla con Jesús* y todos nos ponemos en pie. Pasado medio minuto, estoy sudando.

–¿No te interesaría *hablá* con Miss Skeeter? –me pregunta Aibileen entre susurros.

Miro hacia la puerta y veo que Leroy entra con los niños. Como de costumbre, llega tarde.

–¿Quién? ¿Yo? –digo demasiado alto. Intento bajar la voz para que no se me oiga, pero no lo consigo–. De ningún modo pienso *hacé* una locura como ésa.

Con el único fin de tocarme las narices, en diciembre se presenta una ola de calor. En agosto, cuando estamos a cuarenta grados, sudo como un vaso de té helado, y esta mañana, al levantarme, he oído en la radio que hoy las temperaturas rondarán los treinta y ocho. Me he pasado media vida intentando luchar contra el sudor: cremas desodorantes de Dainty Lady, patatas congeladas metidas en los bolsillos, bolsas de hielo atadas a la cabeza (tuve que pagarle a un médico por ese estúpido consejo)... Sin embargo, cada cinco minutos se me empapan las compresas que me pongo debajo de los sobacos. Nunca salgo de casa sin mi abanico de propaganda de la funeraria Fairley. Es bastante efectivo y lo conseguí gratis.

Por el contrario, Miss Celia parece estar gozando con esta semana de calor y se dedica a salir y tumbarse en la piscina, con esa horterada de gafas de sol blancas que lleva y su peludo albornoz. Doy gracias al cielo porque así pasa la mayor parte

170

del tiempo fuera de casa. Al principio pensaba que igual tenía alguna enfermedad, pero ahora creo que lo que tiene mal es la mollera. No al estilo de esas viejas que hablan solas, como Miss Walter, que todas sabemos que es por cosas de la edad, sino una loca con mayúsculas, de esas que terminan con una camisa de fuerza allá en el sanatorio de Whitfield.

Últimamente la pillo casi todos los días colándose en los dormitorios vacíos del piso de arriba. Oigo sus pasos furtivos por el salón haciendo crujir el suelo de madera. Procuro no pensar demasiado en ello. ¡Qué demonios! Está en su casa, que haga lo que le venga en gana. Pero es que lo repite un día, y otro y otro... Y lo que me hace sospechar es que lo hace con mucho sigilo, esperando al momento en que paso el aspirador o estoy ocupada preparando una tarta. Se pasa siete u ocho minutos allí arriba y luego asoma su cabecita por la barandilla para asegurarse de que no la veo y baja las escaleras.

–No te metas en sus asuntos –me dice Leroy–. Sólo asegúrate de que le dice a su *marío* que *t' ha contratao pa limpiá* la casa.

Leroy se ha pasado el último par de noches bebiendo en el maldito Crow, ese bar que está junto a la central eléctrica. Pero no es tonto, sabe que si me pasa algo, sólo con su sueldo no podríamos salir adelante.

Después de su excursión de hoy al piso superior, Miss Celia viene a sentarse a la mesa de la cocina en lugar de volver a la cama. ¡Ojalá se fuera de aquí! Estoy deshuesando un pollo. Tengo el caldo al fuego y ya he cortado los *dumplings*[5]. No quiero que intente ayudarme.

–Trece días más y tendrá que hablarle a Mister Johnny de mí –digo y, tal como esperaba, Miss Celia se levanta y se dirige al dormitorio.

Pero, antes de salir de la cocina, mascula:

–¿Tienes que recordármelo todos los días?

Me pongo tensa. Es la primera vez que Miss Celia se molesta conmigo.

_____

[5] Especie de buñuelos de harina que se utilizan para hacer un famoso plato del sur de Estados Unidos, el pollo con *dumplings*. (*N. del T.*)

–*Pos* sí –digo sin levantar la vista, porque pienso recordárselo hasta que Mister Johnny me dé la mano y me diga: «Encantado de conocerte, Minny».

Pero cuando alzo la cabeza veo que Miss Celia sigue ahí, inmóvil, agarrada al marco de la puerta. Su rostro es de un blanco mate, como la pintura barata de pared.

–¿Ha vuelto a *comé* un trozo de pollo crudo? ¡Mire que se lo tengo dicho!

–No, sólo estoy un poco... cansada.

Pero las marcas de sudor en su maquillaje, que ahora ha adquirido un tono gris, me dicen que no está bien. La ayudo a meterse en la cama y le llevo su jarabe reconstituyente. En la etiqueta de la botellita hay un dibujo de una elegante señora con un turbante en la cabeza, sonriendo como si se encontrara perfectamente. Le doy a Miss Celia la cucharita para que mida la dosis, pero la burra de ella se bebe un trago directamente del frasco.

Después me lavo las manos. Sea lo que fuere, espero que no me contagie lo que tenga.

Al día siguiente de que el rostro de Miss Celia se pusiera blanco, toca cambiar las malditas sábanas. Es la tarea que más odio. La ropa de cama me parece algo muy personal y con lo que no hay que bromear. Está llena de pelos, costrillas de piel, mocos y restos de revolcones. Pero lo peor son las manchas de sangre. Al frotarlas con mis manos desnudas en el fregadero me dan arcadas. Me sucede siempre con la sangre o con todo lo que se le parezca. Una fresa pisada puede hacer que me pase el resto del día con la cabeza dentro del váter.

Miss Celia sabe lo que toca los martes, así que normalmente se instala en el sofá para dejarme hacer mi trabajo. Esta mañana se ha presentado un frente frío, por eso no podrá salir a la piscina. Además, han dicho que el tiempo va a empeorar. Pero dan las nueve, luego las diez, luego las once, y la puerta de su dormitorio permanece cerrada. Por fin, me decido a llamar.

–¿Sí? –contesta, y abro la puerta.

–*Güenos* días, Miss Celia.

–Hola, Minny.

–Es martes.

Miss Celia no sólo sigue en la cama, sino que está hecha un ovillo debajo de las sábanas, en camisón y sin nada de maquillaje.

–Tengo que *lavá* y *planchá* esas sábanas, luego voy a ocuparme de este viejo armario que está más seco que el desierto de Texas, y después *cociná*...

–Hoy no quiero clase de cocina, Minny. –Tampoco sonríe, como suele hacer cuando me ve.

–¿Se encuentra *usté* bien?

–¿Puedes traerme un poco de agua?

–*Pos* claro.

Voy a la cocina y le lleno un vaso de agua del grifo. Debe de estar mal, porque nunca antes me había pedido que le sirviera algo.

Cuando regreso al dormitorio, no encuentro a Miss Celia en la cama y veo que la puerta del cuarto de baño está cerrada. ¿Por qué leches me ha pedido que le traiga agua si es capaz de levantarse e ir al lavabo? Bueno, por lo menos me deja el camino libre. Recojo los calzoncillos de Mister Johnny del suelo y me los echo al hombro. La verdad es que esta mujer no hace demasiado ejercicio, todo el día tirada en casa. Déjalo, Minny, no seas dura. La pobre está enferma, sin más.

–¿Se encuentra mal? –le grito desde la puerta del cuarto de baño.

–Estoy... bien.

–Aprovechando que está ahí dentro, voy a *cambiá* las sábanas.

–No, déjalo, déjalo –me dice desde el otro lado de la puerta–. Hoy puedes irte a casa, Minny.

Me quedo allí, dando patraditas a su alfombra amarilla. No quiero irme a mi casa. Es martes, el día de cambiar las malditas sábanas. Si no lo hago hoy, tendré que hacerlo el miércoles, que se convertirá en el nuevo día de cambiar las malditas sábanas.

–¿Qué va a *pasá* cuando venga Mister Johnny y se encuentre la casa hecha un asco?

173

–Esta tarde estará cazando ciervos. Minny, necesito que me acerques el teléfono. –Su voz se convierte en un gemido tembloroso–. Ponlo aquí, y tráeme también la agenda que tengo en la cocina.

–¿Está enferma, Miss Celia?

No me contesta, así que voy por la agenda, le acerco el teléfono a la puerta del baño. Llamo.

–Déjalo ahí. –Ahora parece que está llorando–. Quiero que te marches ya.

–Pero es que tengo que...

–¡Que te vayas de una vez, Minny!

Me alejo de esa puerta cerrada. Mi cabeza empieza a arder. Estoy muy ofendida. No porque sea la primera vez que me gritan, sino porque Miss Celia no lo había hecho nunca.

Al día siguiente, el hombre del tiempo del Canal Doce, Woody Asap, agita las manos blancas y escamosas frente a un mapa del estado. Jackson, Misisipi, ha amanecido helada como un polo. Primero llovió y luego heló. Esta mañana, cualquier cosa que sobresaliera más de un centímetro se caía al suelo: ramas de árboles, postes de electricidad y toldos de los porches de las casas se derrumbaban como si acabaran de rendirse. Fuera, todo está mojado como si hubieran tirado un cubo de barniz brillante y claro.

Mis hijos pegan sus rostros soñolientos a la radio y cuando el aparato dice que las carreteras están heladas y que han cerrado las escuelas, comienzan a saltar entre gritos y silbidos de alegría y corren para ver el hielo sin más ropa que sus calzones de dormir.

–¡Volved a casa y poneos los zapatos! –les grito desde la puerta.

Ninguno me hace caso. Llamo a Miss Celia para decirle que no puedo llegar a su casa por el hielo y para ver si allá en el campo tienen electricidad. La verdad es que, después del modo en el que me gritó ayer, como si fuera una negra tirada en la carretera, me importa un bledo cómo se encuentre.

174

Responde una voz masculina que dice:

–¿Dígame?

Se me para el corazón.

–¿Quién es? ¿Quién llama?

Con mucho cuidado, cuelgo el auricular. Supongo que Mister Johnny hoy tampoco ha ido a trabajar. Incluso en mi día libre, no puedo olvidarme del pánico que me inspira ese hombre. Menos mal que dentro de once días todo esto habrá terminado.

Casi toda la ciudad ya se ha deshelado al día siguiente. Miss Celia no está en la cama cuando llego a su casa. La encuentro sentada en la mesa de la cocina mirando por la ventana con un gesto de desconsuelo, como si su vida despreocupada fuera un infierno. ¡Pobrecilla! Tiene los ojos fijos en el árbol de mimosa, al que la helada ha hecho mucho daño. La mitad de las ramas se han caído y todas sus delgadas hojas están marrones y marchitas.

–Buenos días, Minny –saluda sin apenas mirarme.

Contesto con un gesto de la cabeza. No tengo nada que decirle, no después de cómo me trató anteayer.

–Ahora ya podemos cortar ese horrible árbol –comenta.

–*Pos mu* bien. Córtelos todos si le *apetese*.

«Y a mí también, córtame la cabeza también si te viene en gana», pienso.

Miss Celia se levanta y se acerca al fregadero, junto a mí. Me agarra del brazo y dice:

–Siento haberte gritado de ese modo el otro día. –Le afloran las lágrimas mientras habla.

–Ya, ya...

–Estaba enferma... Ya sé que no es una excusa, pero me sentía muy mal y... –comienza a sollozar como si gritar a la criada fuera lo peor que ha hecho en su vida.

–Está bien –digo–. Tampoco es *pa* echarse a *llorá*.

Entonces se me lanza al cuello y me abraza hasta que le doy unas palmaditas en la espalda y la separo de mí.

175

–Vamos, siéntese –le digo–. Le voy a *prepará* un café.

Supongo que todos nos irritamos un poco cuando nos encontramos mal.

El siguiente lunes, el árbol de mimosa está negro, como si se hubiera quemado en lugar de helarse. Entro en la cocina dispuesta a decirle a la señorita cuántos días nos quedan y me la encuentro contemplando el árbol con el mismo odio en los ojos con el que mira la cocina. Está pálida y no come nada de lo que le sirvo.

Ese día no se lo pasa tumbada en la cama, sino decorando el árbol navideño de tres metros de alto que han colocado en el recibidor, para convertir mi vida en un infierno, pues constantemente tengo que pasar la aspiradora para limpiar todas esas malditas agujas que caen del abeto. Después, la señorita se va al patio trasero y se pone a recortar los rosales y a cavar los bulbos de los tulipanes. Nunca la había visto moverse tanto. Más tarde, viene a la clase de cocina con las uñas sucias. Todavía no sonríe.

–Quedan seis días *pa* contárselo a Mister Johnny –le recuerdo.

Durante un buen rato, no contesta. Después, dice con voz muy apagada:

–¿Seguro que tengo que hacerlo? Había pensado que igual podíamos esperar un poco más.

Me quedo paralizada, hasta que noto que la mantequilla se me está derritiendo en las manos.

–¿Quiere que se lo repita otra vez?

–Vale, vale –se resigna, y vuelve a salir a ocuparse de lo que parece ser su nuevo pasatiempo: contemplar el árbol de mimosa con un hacha en la mano.

El miércoles por la noche, en lo único en que puedo pensar es en que sólo quedan noventa y seis horas más. Se me revuelve el estómago al imaginar que es posible que pierda mi trabajo después del día de Navidad, pero al menos ya no tendré que preocuparme porque me puedan volar la cabeza de un tiro. Se

176

supone que Miss Celia va a contárselo en Nochebuena, después de que me marche y antes de que vayan a cenar a casa de la madre de Mister Johnny. Pero Miss Celia está actuando de una forma tan rara últimamente que me pregunto si no irá a echarse atrás. «¡No, señora!», me digo todo el día. Pienso darle la barrila hasta que se lo cuente.

Cuando me presento la mañana del jueves, lista para acosarla, resulta que Miss Celia no está en casa. No me puedo creer que haya sido capaz de salir. Me siento a la mesa de la cocina y me sirvo una taza de café. Contemplo el jardín trasero. Está resplandeciente y vivo. Sólo el ennegrecido árbol de mimosa desentona. Me pregunto por qué Mister Johnny no se decide a cortarlo de una vez.

Me inclino un poco sobre la repisa de la ventana. ¡Vaya, mira por dónde! En la parte inferior del árbol, la corteza negra ha comenzado a pelarse en algunas partes, mostrando un tronco marrón y sano por debajo. En las ramas chamuscadas están empezando a florecer nuevos brotes verdes.

«¡Ese viejo árbol estaba haciéndose el muerto!», digo para mis adentros.

Saco del bolso el cuadernito en el que escribo la lista de las cosas que necesito. No las de Miss Celia, sino mis propias compras: regalos de Navidad, cosas para mis críos... Benny está un poco mejor del asma, pero Leroy volvió anoche a casa oliendo otra vez a alcohol barato. Me dio un empujón y me pegué un buen golpe en el muslo contra la mesa de la cocina. Si esta noche aparece otra vez así, se va a comer mis nudillos para cenar.

Suspiro. Otras setenta y dos horas y seré una mujer libre. Puede que sin empleo, puede que muerta cuando Leroy se entere, pero libre.

Intento concentrarme en las tareas de la semana. Mañana es un día duro de cocina y luego tengo que preparar la cena de la vigilia del sábado en la iglesia y la de la misa del domingo. ¿Cuándo voy a poder limpiar mi propia casa y lavar la ropa de mis hijos? La mayor, Sugar, tiene ya dieciséis años y se las apaña bastante bien con las tareas, pero me gustaría ayudarla un poco los fines de semana, algo que mi madre nunca hizo conmigo. Y luego está Aibileen. Anoche volvió a llamarme para preguntar si podía ayudarlas a ella y a Miss Skeeter con sus historias. Adoro a Aibileen, de verdad, pero creo que comete un tremendo error al confiar en una blanca. Se lo he dicho: está poniendo en peligro su trabajo y su seguridad. Por no mencionar que ninguna criada estará dispuesta a colaborar con una amiga de Miss Hilly.

¡Ay, Señor! Mejor sigo con lo mío.

Añado la piña al jamón y lo meto en el horno. Después limpio el polvo de los estantes en la habitación de los trofeos de caza y paso la aspiradora por el oso disecado, que me contempla como si fuera un delicioso aperitivo.

—Hoy estamos tú y yo solos –le digo.

Como de costumbre, el bicho no habla mucho. Agarro el trapo y el jabón y empiezo a subir por las escaleras sacando brillo a cada barrote de la barandilla. Cuando llego al piso de arriba, me dirijo al primer dormitorio.

Me paso una hora limpiando en la planta superior. Hace fresco aquí, no hay nadie para darle a esta zona calor humano. Friego a mano todas las superficies de madera, adelante y atrás, adelante y atrás. Antes de entrar en el tercer dormitorio, voy al piso de abajo para arreglar el de Miss Celia antes de que regrese.

La casa está tan vacía que siento un pinchazo de terror. ¿Adónde habrá ido esta mujer? En los noventa y cinco días que llevo trabajando aquí, sólo la he visto salir en tres ocasiones, y siempre me decía adónde, cuándo y por qué salía, como si a mí me importara. Pero ahora se ha esfumado como el viento. Debería estar feliz y contenta porque esa idiota haya desaparecido de mi vista. Pero al estar sola, me siento como una intrusa. Miro la alfombrilla rosa que cubre la mancha de sangre junto a la puerta del baño. Hoy podría intentar quitarla de nuevo. Una corriente de aire frío recorre la habitación, como si pasara un espíritu. Siento un escalofrío.

Creo que mejor me ocupo de esa mancha otro día.

La cama está deshecha, como de costumbre, con las sábanas revueltas y puestas del revés. Siempre parece que haya habido un combate de boxeo sobre el colchón. Hago un esfuerzo para dejar de pensar en ello. Cuando empiezas a preguntarte por lo que hace la gente en la cama, terminas metiendo las narices donde no te llaman antes de que te des cuenta.

Quito la funda de una de las almohadas. El rímel de Miss Celia ha dejado en ella unas manchas en forma de mariposa. Meto en la funda las ropas que hay tiradas por el suelo para transportarlas más fácilmente. Recojo los calzoncillos doblados de Mister Johnny del puf amarillo.

—¿Cómo voy a saber si están limpios o sucios? —me pregunto.

Decido echarlos al saco. Mi lema en la limpieza del hogar es: si dudas, lávalo.

Llevo la bolsa hasta el escritorio. El moratón del muslo me duele cuando me agacho para recoger un par de medias de seda de Miss Celia.

—¿Quién eres tú?

Se me cae la bolsa.

Lentamente, retrocedo hasta que mi trasero choca con el escritorio. El hombre está plantado en la puerta y me mira con los ojos entrecerrados. Muy despacito, bajo la vista y veo que empuña un hacha.

¡Ay, Dios! No puedo refugiarme en el cuarto de baño porque él está demasiado cerca y me alcanzaría. Tampoco puedo escapar por la puerta a no ser que le dé un empujón, pero lleva un hacha. Siento unas ardientes palpitaciones en la cabeza, fruto del terror. Estoy arrinconada.

Mister Johnny me observa y balancea un poco el hacha. Inclina la cabeza y sonríe.

Hago lo único que se me ocurre: poner cara de mala, enseñar los dientes y gritar:

—¡Más le vale que se aparte y que tire el hacha!

Mister Johnny contempla el hacha, como si se hubiera olvidado de que la lleva en la mano. Luego vuelve a mirarme y nos observamos durante otro segundo. No me muevo ni respiro.

Dirige la mirada a la bolsa que se me ha caído para ver qué le estaba robando. La pernera de sus pantalones asoma por la bolsa.

–Escuche –digo, a punto de saltárseme las lágrimas–, Mister Johnny, le pedí a su *mujé* que le hablara de mí. Se lo he *pedío* un millón de veces...

Pero él se echa a reír y mueve la cabeza divertido. Parece que le resulta gracioso estar a punto de cortarme en pedacitos.

–¡Escúcheme! Le digo que se lo he *pedío*...

El hombre sigue riéndose.

–Tranquila, mujer. No voy a hacerte nada –dice–. Me has asustado, nada más.

Entre jadeos, me voy acercando al cuarto de baño. Todavía lleva el hacha en la mano y la balancea suavemente.

–Por cierto, ¿cómo te llamas?

–Minny –consigo articular.

Estoy a un par de metros de la salvación.

–¿Cuánto tiempo llevas viniendo, Minny?

–No mucho –contesto, y niego con la cabeza.

–¿Cuánto?

–Unas... semanas –digo, mordiéndome el labio. ¡Llevo tres malditos meses con esta mierda!

Niega con la cabeza y dice:

–Sé que llevas viniendo bastante más tiempo.

Miro la puerta del cuarto de baño. ¿De qué me servirá refugiarme dentro si no hay pestillo y el tipo lleva un hacha para derribarla?

–Tranquila, te prometo que no voy a hacer ninguna locura –dice.

–¿Y esa hacha? –digo, apretando los dientes.

Pone los ojos en blanco, posa el arma en la alfombra y la aparta de una patada.

–Ven, vamos a la cocina a charlar un poco.

Da media vuelta y empieza a andar. Miro el hacha, preguntándome si debería hacerme con ella. Sólo de verla me dan escalofríos. La empujo de una patada debajo de la cama y le sigo.

Ya en la cocina, me quedo cerca de la puerta trasera y compruebo el pomo para asegurarme de que no está cerrada con llave.

180

–Minny, te lo digo en serio, no pasa nada porque estés aquí –insiste.

Le miro a los ojos, intentando descubrir si me está mintiendo. Es alto, por lo menos un metro noventa. Un poco rellenito, pero fuerte.

–Supongo que va a despedirme.

–¿Despedirte? –se carcajea–. ¡Pero si eres la mejor cocinera que conozco! Mira lo que has conseguido... –Se frota la pequeña barriga que empieza a asomarle por la camisa–. ¡Demonios! No comía tan bien desde que teníamos a Cora Blue de sirvienta. ¿Sabes que ella me crió?

Respiro aliviada porque el hecho de que conozca a Cora Blue suaviza un poco las cosas.

–Sus hijos van a mi parroquia. Yo la conocía.

–¡Cómo la echo de menos! –se lamenta; se gira, abre el frigorífico, mira su interior y lo vuelve a cerrar–. ¿Sabes cuándo va a regresar Celia?

–No sé. Supongo que habrá ido a la peluquería.

–Al principio, las primeras veces que probé tus platos, creía que por fin mi mujer había aprendido a cocinar. Hasta que un sábado que tú no viniste intentó preparar unas hamburguesas y... –Se inclina sobre el fregadero y suspira–. ¿Por qué no quiere decirme que te ha contratado?

–No lo sé. A mí tampoco me lo dice.

Mister Jonhny menea la cabeza, mira al techo y contempla la mancha oscura de aquel día en que a Miss Celia se le quemó el pavo.

–Minny, a mí me importa un rábano si Celia quiere pasarse el resto de su vida sin mover un dedo. Pero ella está empeñada en hacer las cosas sola. –Enarca un poco las cejas–. A ver, ¿te haces una idea de lo que he estado comiendo hasta que llegaste a esta casa?

–Está aprendiendo. Por lo menos... lo intenta.

Trato de decirlo con aplomo, pero casi me da un ataque de risa al afirmar esto. Hay cosas sobre las que no se puede mentir.

–No me importa que no sepa cocinar. Sólo quiero que esté aquí –se encoge de hombros–, conmigo.

Se frota las cejas con la manga de su camisa blanca y ahora me doy cuenta de por qué siempre sus camisas están tan sucias. Es bastante resultón, para ser un blanco.

–No parece muy feliz –prosigue–. ¿Es por mí? ¿Por la casa? ¿Será que vivimos muy lejos de la ciudad?

–No lo sé, Mister Johnny.

–Entonces, ¿qué le pasa?

El hombre se apoya con fuerza en la encimera y se dirige de nuevo a mí:

–Dime, ¿tiene...? –Traga saliva–. ¿Tiene un lío con otro hombre?

Aunque intento evitarlo, termino compadeciéndome un poco de él, pues está tan confuso como yo con toda esta historia de su mujer.

–Mister Johnny, esas cosas no son de mi *incumbensia*. Pero puedo asegurarle que Miss Celia no tiene ningún lío con nadie.

Relaja la cabeza, aliviado.

–Tienes razón, es una pregunta estúpida.

Contemplo la puerta, preguntándome cuándo aparecerá Miss Celia. No sé qué va a hacer cuando descubra a Mister Johnny en casa.

–Mira –me comenta–, no le digas que te he visto. Prefiero que me lo cuente ella cuando se sienta preparada.

Por fin consigo esbozar mi primera sonrisa.

–Entonces, ¿quiere que siga *hasiendo* como hasta ahora?

–Cuida de ella, no me gusta que pase tanto tiempo sola en esta casa tan grande.

–Sí, *señó*. Lo que *usté* diga.

–Hoy he venido para darle una sorpresa. Iba a cortar ese árbol de mimosa que tanto odia, y luego quería llevarla a la ciudad a cenar y comprarle algunas joyas como regalo de Navidad. –Mister Johnny se dirige a la ventana, mira hacia fuera y suspira–. En fin, supongo que me iré a comer solo a algún sitio del centro.

–Le prepararé algo. ¿Qué le apetece?

Se gira y sonríe como un niño travieso. Me dirijo al frigorífico y empiezo a sacar cosas.

–¿Recuerdas esas costillas de cerdo que comimos una vez? –Empieza a morderse las uñas–. ¿Podrías preparar ese plato para esta semana?

–Las tendrá listas *pa cená* esta noche. Hay costillas en el *congeladó*. Y *pa* mañana le prepararé pollo con *dumplings*.

–¡Oh! Cora Blue nos preparaba siempre ese plato.

–Siéntese, que le hago un buen sándwich de beicon *pa* que se lleve.

–¿Con el pan tostado?

–¡*Pos* claro! Un sándwich de *verdá* no se hace con el pan tierno. Y esta tarde haré una de las famosas tartas de caramelo de Minny. Y *pa* la próxima semana le voy a *prepará* bagres fritos.

Saco el beicon para el bocadillo de Mister Johnny y preparo la sartén. Los ojos del hombre son claros y grandes. Sonríe con franqueza. Le preparo el sándwich y lo envuelvo en papel de cocina. Por fin disfruto de la satisfacción de estar alimentando a alguien.

–Minny, tengo que preguntarte una cosa. Si tú te ocupas de la casa..., ¿qué demonios hace Celia durante todo el día?

Me encojo de hombros.

–Nunca he visto a una blanca tan tirada como su esposa. Siempre están *mu ocupás*, corriendo *d' aquí p' allá* como si estuvieran más *atareás* que yo.

–Necesita amigas. Le pedí a mi amigo Will si podía convencer a su mujer para que le enseñara a jugar al *bridge* y la introdujese en algún grupo. Sé que Hilly es la jefa de la pandilla.

Me lo quedo mirando. Quizá, si no me muevo, no sea cierto lo que acabo de oír. Por último, le pregunto:

–¿Se refiere *usté* a Miss Hilly Holbrook?

–¿La conoces?

–*Pos* sí –asiento, aunque me cuesta tragar saliva como si tuviera una rueda de molino metida en la garganta.

Me da algo sólo de pensar en Miss Hilly pasándose por esta casa y contándole a Miss Celia la verdad sobre la terrible trastada que le hice. De ningún modo esas dos mujeres pueden ser

183

amigas. Pero apuesto lo que sea a que Miss Hilly haría cualquier cosa que le pidiera Mister Johnny.

—Llamaré a Will esta noche y se lo recordaré —dice, y me palmea en el hombro.

Vuelvo a pensar otra vez en esa palabra: «Verdad». En Aibileen contándoselo todo a Miss Skeeter. Si se descubre la verdad, estoy perdida. Me he enemistado con la persona equivocada, así son las cosas.

—Voy a darte mi número de la oficina. Llámame si tienes algún problema, ¿vale?

—Sí, *señó* —digo, invadida de nuevo por un terror que borra cualquier alivio que pudiera haber sentido hoy.

Miss Skeeter

Capítulo 11

Técnicamente continúa siendo invierno en casi todo el país, pero en mi casa ya están todos en tensión, dispuestos a ponerse manos a la obra con las tareas del campo. Parece que la primavera se ha adelantado bastante este año. Padre está sumido en el frenesí de la siembra y ha tenido que contratar a diez jornaleros extra para las faenas de labranza y manejo de tractores, y así conseguir que las semillas se afiancen a tiempo. Aunque el tema de la siembra no le preocupa mucho, Madre ha consultado el *Almanaque del agricultor* y, llevándose la mano a la frente, me comunica las malas noticias:

—Dicen que va a ser el año más húmedo en mucho tiempo —suspira, consciente de que el Shinalator no ha resultado muy efectivo tras aquellas primeras experiencias—. Tendré que ir a Beemon's a comprar unos cuantos botes más de laca fijadora, de la extrafuerte. —Levanta la vista del almanaque y me lanza una mirada suspicaz—. ¿Por qué te has puesto esa ropa?

Llevo mi vestido más oscuro y un par de medias negras. Además, me he cubierto el pelo con un pañuelo también negro. La verdad es que me parezco más a Peter O'Toole en *Lawrence de Arabia* que a Marlene Dietrich. Llevo mi horrible mochila roja colgada al hombro.

—Tengo que hacer algunos recados esta tarde y luego he quedado con... unas chicas. En la parroquia.

—¿Un sábado por la noche?

—Madre, a Dios no le preocupa qué día de la semana es —concluyo, y me dirijo al coche antes de que pueda preguntarme más cosas.

Esta noche voy a ir a casa de Aibileen para hacerle la primera entrevista.

Con el corazón acelerado, conduzco a toda velocidad por las calles de la ciudad en dirección al barrio negro. Pienso que nunca me he sentado a la misma mesa que una persona de color sin que le pagaran por ello. Hace más de un mes que llevamos posponiendo la entrevista. Primero, llegaron las vacaciones y Aibileen se vio obligada a quedarse trabajando hasta tarde casi todas las noches: envolvía regalos, cocinaba para la fiesta de Navidad de Elizabeth y servía aperitivos en las veladas benéficas. En enero, cuando Aibileen tuvo la gripe, empecé a inquietarme. Me preocupaba que, después de tanto tiempo, Miss Stein perdiera el interés o se olvidase de que había accedido a leer mis textos.

Avanzo en el Cadillac a través de una oscura calle llamada Gessum. Preferiría haber venido con la camioneta vieja, pero Madre habría sospechado y, además, Padre la necesita para trabajar en los campos. Me detengo frente a una casa abandonada con aspecto de estar encantada, a tres manzanas de la casa de Aibileen, siguiendo sus indicaciones. El porche de esta mansión del terror está hundido y las ventanas no tienen cristales. Salgo a la oscuridad, cierro la portezuela del coche y camino a toda prisa. Mantengo la vista clavada en el suelo mientras escucho el repiqueteo de mis tacones sobre la acera.

Un perro ladra y se me caen las llaves al suelo. Miro asustada a mi alrededor y las recojo. Dos grupos de negros están sentados en los porches de sus casas, observando la calle mientras se mecen. La acera no está iluminada, así que me resulta difícil decir si me pueden ver. Sigo andando, y siento que llamo la atención, porque, lo mismo que mi coche, soy grande y blanca.

Llego al número veinticinco, la casa de Aibileen. Lanzo una última mirada a mi alrededor, deseando no haber llegado con diez minutos de antelación. El barrio negro parece que queda muy lejos, cuando en realidad está a unos pocos kilómetros de la parte blanca de la ciudad.

Llamo suavemente a la puerta. En el interior se escuchan pasos y un portazo. Por fin, Aibileen me abre.

—Adelante —susurra.

En cuanto entro, cierra la puerta con llave. Nunca había visto a Aibileen sin su uniforme de trabajo. Esta noche lleva un vestido verde con ribetes negros. No puedo evitar darme cuenta de que en su casa camina más erguida.

—Póngase cómoda. Ahora mismo vuelvo.

Aunque la solitaria bombilla de la estancia está encendida, el recibidor es oscuro y se halla sumido en marrones y sombras. Las cortinas, echadas y atadas una con la otra para que no haya espacio entre ellas. No sé si siempre las tendrá así o si se debe a mi visita. Me acomodo en el estrecho sofá. Hay una mesita de madera con una cenefa tallada a mano en los bordes. Los suelos están desnudos. Desearía no haberme presentado con un vestido y unos zapatos tan caros.

Al cabo de unos minutos, aparece Aibileen llevando una bandeja con una tetera, dos tazas que no hacen juego entre sí y servilletas de papel dobladas en triángulo. Puedo oler las pastas de canela que ha preparado. Mientras sirve el té, la tapa de la tetera tiembla.

—Lo siento —se excusa, sujetando la tapa—. Es la primera vez que tengo una invitada blanca.

Sonrío, aunque soy consciente de que no era una broma. Bebo un sorbo de té. Es fuerte y amargo.

—Gracias —le digo—. Está muy rico.

Se sienta, cruza las manos sobre el regazo y me contempla expectante.

—He pensado que podríamos hacer primero un poco de memoria sobre tu vida y luego pasar a las preguntas —le explico.

Saco mi cuaderno y repaso las preguntas que he preparado. De repente me parecen muy obvias, de principiante.

—Está bien —asiente.

Noto que está muy tensa, sentada en el sofá vuelta hacia mí.

187

–Bueno, para empezar, vamos a ver... ¿cuándo y dónde naciste?

Traga saliva y contesta:

–En 1909, en la plantación de Piedmont, allá en el *condao* de Cherokee.

–De pequeña, ¿pensabas que algún día terminarías trabajando de criada?

–*Pos* claro, señorita.

Sonrío, esperando que se explaye un poco, pero no añade nada más.

–Y... ¿por qué lo pensabas?

–*Pos* porque mi madre era criada, y mi *agüela,* esclava.

–Esclava. Interesante –comento, pero ella sólo mueve la cabeza.

Sigue con las manos cruzadas sobre el regazo mientras contempla cómo escribo palabras en el cuaderno.

–¿Alguna vez... has soñado con llevar una vida distinta?

–No –responde–. No, señorita. La *verdá* es que no.

El silencio es tan profundo que puedo escuchar nuestras respiraciones.

–Muy bien. Sigamos... ¿Qué se siente al criar a un niño blanco cuando tus propios hijos están en casa y... –dudo y trago saliva, avergonzada por la pregunta– ...y otra persona tiene que hacerse cargo de ellos?

–*Pos* se siente... –Sigue tan tiesa en su asiento que me parece que tiene que ser una postura dolorosa–. Esto... ¿podríamos *pasá* a la siguiente pregunta?

–¡Oh! Bueno. –Repaso mi lista–. ¿Qué es lo que más y lo que menos te gusta de servir?

Me mira como si le acabara de pedir que definiera una palabrota.

–Su... supongo que lo *mejó* es *cuidá* a los niños –susurra.

–¿Quieres añadir algo?

–No, señorita.

–Aibileen, no tienes que llamarme «señorita» todo el rato. Aquí no hace falta.

188

–Sí, señorita. ¡Oh! Perdón –dice, tapándose la boca con la mano.

En la calle se escuchan voces y nuestros ojos se dirigen a la ventana. Nos quedamos en silencio, paralizadas. ¿Qué pasaría si un blanco descubriera que un sábado por la noche estoy aquí, hablando con Aibileen en su casa? Seguramente llamaría a la policía para denunciar una reunión sospechosa. No me cabe ninguna duda. Nos arrestarían, porque así son las cosas. Nos acusarían de violar las leyes de segregación. Aparece todos los días en los periódicos: dicen que los blancos que se juntan con gente de color son activistas del movimiento por los derechos civiles. Lo que nosotras hacemos no tiene nada que ver con la integración, pero ¿por qué, si no, íbamos a estar Aibileen y yo juntas? No he traído conmigo ninguna carta de Miss Myrna que sirva de coartada. Tampoco podría contarles la verdad, porque se descubriría nuestro secreto y la idea del libro se iría al traste. Además, podríamos ir a la cárcel por intentar escribir un libro así.

Aprecio un miedo franco y sincero en el rostro de Aibileen. Lentamente, el rumor de las voces de afuera se va alejando calle abajo. Respiro aliviada, pero ella sigue tensa, con la mirada clavada en las cortinas.

Repaso mi lista de preguntas, en busca de algo que pueda suavizar los ánimos y evitar que me contagie su nerviosismo. No paro de pensar en que ya hemos perdido demasiado tiempo.

–No me has dicho qué es lo que menos te gusta de tu trabajo.

Ella traga saliva con dificultad y permanece en silencio.

–A ver, ¿quieres hablar del asunto de los retretes, o de Eliz... esto... de Miss Leefolt? ¿Estás contenta con lo que te paga? ¿Te ha gritado alguna vez delante de Mae Mobley?

Toma una servilleta y se la pasa por la frente. Empieza a decir algo, pero se detiene.

–Ya hemos hablado un montón de veces, Aibileen...

Se lleva la mano a la boca.

–Lo siento, yo...

Se levanta y sale corriendo de la pequeña sala. Oigo un portazo que hace temblar la tetera y las tazas en la bandeja.

189

Pasan cinco minutos. Cuando regresa, trae una toalla que sujeta doblada delante de ella, como suele hacer Madre cuando tiene vómitos y no se ve capaz de llegar al lavabo a tiempo.

—Perdone, pensaba que... estaba *prepará pa hablá,* pero... Asiento, sin saber muy bien qué hacer.

—Sé que *usté...* le ha dicho a esa señorita de Nueva *Yó* que iba a *colaborá,* pero... —Cierra los ojos—. Lo siento, creo que no puedo. Necesito tumbarme.

—Mañana por la noche, cuando estés mejor, volveré y lo intentamos otra vez...

Niega con la cabeza y aprieta la toalla.

De vuelta a casa, pienso que tendría que darme de cabezazos contra la pared por haber creído que podía presentarme así, con mi lista de preguntas, y que ella dejaría de sentirse criada sólo por el hecho de que estuviéramos en su casa y no llevar el uniforme puesto.

Miro mi cuaderno, que descansa sobre el asiento de cuero blanco. Además de la información sobre dónde nació, he obtenido un total de una docena de palabras, y cuatro de ellas son «Sí, señorita» y «No, señorita».

Mientras conduzco por la carretera, en la radio suena la voz de Patsy Cline en la cadena WJDX cantando *Walking After Midnight.* Cuando llego a la calle de Hilly, está sonando otra canción de Patsy, *Three Cigarettes in an Ashtray.* Esta mañana se ha estrellado el avión en que viajaba la cantante y todo el país, desde Nueva York a Seattle pasando por Misisipi, está de luto recordando sus melodías. Aparco el Cadillac y contemplo el enorme caserón blanco de mi amiga. Hace ya cuatro días que Aibileen vomitó en plena entrevista y no he vuelto a tener noticias de ella desde entonces.

Entro en la casa. La mesa de *bridge* está dispuesta en el salón, decorado con ese estilo de antes de la guerra que tanto le gusta a Hilly, con el ensordecedor reloj de su abuelo y los cortinones dorados. Todas están ya sentadas a la mesa: Hilly,

Elizabeth y Lou Anne Templeton, que sustituye a Miss Walter. Lou Anne es una de esas mujeres que siempre lucen una sonrisita estúpida que nunca se les borra del rostro. Me dan ganas de meterle una aguja de coser por la boca. Cuando no la miras, te observa con esa perfecta sonrisita de sosa. Además, siempre está de acuerdo con todo lo que dice Hilly.

Hilly tiene en las manos un número de la revista *Life* y señala una fotografía a doble página de un moderno apartamento en California.

–A esto lo llaman «refugio». ¡Como si fueran animales salvajes los que vivieran ahí!

–¡Ay! ¡Qué espantoso! –exclama Lou Anne sin dejar de sonreír.

En la imagen aparece una estancia con el suelo cubierto por una alfombra de pelo largo, sofás bajos de aspecto aerodinámico, sillas en forma de huevo y una televisión que parece un platillo volante. En el salón de Hilly, en cambio, hay un retrato de un general confederado de dos metros y medio de alto que destaca como si se tratara de su abuelo, en lugar de un lejano primo tercero, lo que es en realidad.

–Pues sí. La casa de Trudy se parece a ésa –interviene Elizabeth.

He estado tan absorta por la entrevista con Aibileen que me había olvidado de que la semana pasada Elizabeth estuvo de visita en casa de su hermana mayor. Trudy se casó con un banquero y se mudaron a Hollywood. Elizabeth pasó cuatro días con ellos para ver su nueva casa.

–Bueno, eso es lo que se llama mal gusto, sin más –dice Hilly–. Con todos mis respetos hacia tu familia, Elizabeth.

–Y dinos, ¿qué tal lo pasaste en Hollywood? –pregunta la sonriente Lou Anne.

–¡Ay! ¡Fue como un sueño! La casa de Trudy tiene televisores en todas las habitaciones. Y ese extraño mobiliario futurista en el que a duras penas te puedes sentar... Estuvimos en todos los restaurantes de moda que frecuentan las estrellas de cine y tomamos Martinis y vino de Burdeos. Una noche, el mismísimo Max Factor se acercó a nuestra mesa y habló con Trudy como si fueran viejos amigos. –Elizabeth mueve la cabeza–. ¡Como quien se cruza con la vecina en el supermercado, ni más ni menos!

Los recuerdos la hacen suspirar.

–Bueno, si quieres mi opinión, te diré que sigues siendo la más guapa de la familia –dice Hilly–. Con esto no quiero decir que Trudy no sea atractiva, pero tú eres la que sabe estar y tiene estilo de verdad.

Elizabeth sonríe ante el cumplido, pero luego vuelve a fruncir el ceño.

–Por no mencionar que mi hermana tiene una criada que vive con ellos, a su servicio todos los días y a todas las horas. ¡Casi no tuve que estar pendiente de la pesada de mi hija!

Siento vergüenza ajena ante este comentario, pero ninguna de mis amigas parece darse cuenta. Hilly está vigilando cómo su sirvienta, Yule May, nos llena los vasos de té. La criada es alta, esbelta y atractiva y, por supuesto, tiene mucho mejor tipo que Hilly. Al verla me preocupo por Aibileen. La he llamado a casa un par de veces esta semana, pero no me ha contestado. Estoy segura de que me está evitando. Supongo que tendré que acercarme a casa de Elizabeth para hablar con ella, le guste a mi amiga o no.

–He estado pensando que para el próximo año podríamos representar *Lo que el viento se llevó* en la Gala Benéfica –dice Hilly–. Incluso podríamos alquilar la vieja mansión de Fairview.

–¡Qué gran idea! –exclama Lou Anne.

–Oh, Skeeter –tercia Hilly–, sé cuánto te dolió habértelo perdido este año.

Afirmo con la cabeza, con cara de afligida. Fingí tener la gripe para no tener que ir a la velada sola.

–Una cosa tengo clara –prosigue Hilly–, no volveremos a contratar a ese grupo de *rock and roll* con su música infernal de baile...

Elizabeth me roza en el brazo y alcanza su bolso.

–¡Casi se me olvida! Tengo que darte esto de parte de Aibileen. Supongo que tiene que ver con vuestra historia de Miss

Myrna. Le dije que hoy no podríais dedicaros a vuestras charlas, sobre todo después de todas las horas de trabajo que perdió en enero.

Desdoblo el papel. La frase está escrita en tinta azul con una preciosa caligrafía cursiva: «Ya sé cómo lograr que la tetera deje de temblar».

—¿A quién demonios le puede importar que una tetera tiemble o no? —suelta Elizabeth, que está claro que ha leído la nota.

Descifrar el mensaje me cuesta un par de segundos y un trago de té helado.

—No te imaginas lo difícil que es conseguirlo —le respondo.

Dos días más tarde, sentada en la cocina de casa de mis padres, estoy esperando que anochezca. Me rindo y enciendo otro cigarrillo, aunque ayer el inspector general de Sanidad apareció en televisión y nos apuntó a todos con el dedo intentando convencernos de que fumar puede matarnos. Pero recuerdo que una vez Madre me dijo que los besos con lengua podían dejarte ciega, así que empiezo a pensar que está compinchada con el inspector general de Sanidad para asegurarse de que nadie se divierta en todo el estado.

A las ocho de esa misma noche recorro la calle de Aibileen lo más discretamente que puedo con una máquina de escribir Corona de veinte kilos de peso a cuestas. Doy unos golpecitos suaves en su puerta, muriéndome por encender otro cigarrillo para calmar los nervios. Aibileen abre y me cuelo dentro. Lleva el mismo vestido verde y los zapatos rígidos de color negro de la vez anterior.

Procuro sonreír como si confiara en que esta vez todo va a funcionar, pese a la idea que me explicó por teléfono.

—¿Podríamos... sentarnos en la cocina esta vez? —le pregunto—. Si no te importa.

—Está bien. No hay *na* que ver allá dentro, pero vamos.

La cocina es la mitad de pequeña que el cuarto de estar y resulta más acogedora. Huele a té y a limón. Las planchas de linóleo blancas y negras del suelo están desgastadas de tanto fregarlas. En la encimera hay el espacio justo para el juego de tazas de té de porcelana.

Coloco la máquina de escribir en una mesa roja llena de arañazos que hay debajo de la ventana, mientras Aibileen vierte el agua caliente en la tetera.

—Oh, para mí no hagas té, gracias —digo, y abro la mochila—. He traído unos refrescos de cola, por si te apetecen.

Intento conseguir que la situación le resulte cómoda a Aibileen. Regla número uno: No hacerle creer que tiene que servirme.

—*Pos mu* amable de su parte. De *tos* modos, suelo tomar el té más tarde.

Trae un abridor y un par de vasos. Bebo mi refresco de la botella; al verlo, aparta los vasos y hace lo mismo.

Llamé a Aibileen justo después de que Elizabeth me pasara su nota y la escuché esperanzada mientras me contaba la idea que se le había ocurrido: escribir ella sus propios pensamientos y luego mostrarme lo que salía. Intenté parecer entusiasmada, aunque era consciente de que me tocaría reescribir todo cuanto me pasase, con lo cual perdería aún más tiempo, pero pensé que sería más fácil mostrarle los errores y los cambios una vez pasado a máquina el texto, en lugar de corregir los papeles que me entregue.

Cruzamos una sonrisa, le doy un trago a mi cola y me aliso la blusa.

—¿Y bien? —comienzo.

Ella tiene un cuaderno de anillas en la mano.

—¿Quiere que... empiece a *leé?*

—Por supuesto.

Ambas tomamos aire y comienza la lectura con voz lenta pero tranquila:

—«El primer bebé blanco al que cuidé se llamaba Alton Carrington Speers. Esto era allá por 1924, cuando yo acababa de cumplir quince años. Alton era un bebé largo y huesudo con el pelo muy fino, como las hebras que le salen al maíz...»

Mientras lee, empiezo a teclear. Aibileen mantiene un buen ritmo de lectura y pronuncia con más claridad que con la que suele hablar.

–«Todas las ventanas de aquella asquerosa casa estaban cerradas a cal y canto, aunque se trataba de una mansión con un enorme jardín y un precioso césped. El aire estaba viciado y me mareaba todo el rato en esa casa...»

–Un momento –la interrumpo–. He escrito «enorme *jardím*».

Soplo en el frasquito de líquido corrector, tapo la errata y vuelvo a escribir sobre ella.

–¡Ya está! Adelante.

–«Cuando su mamita murió seis meses después, de un mal del pulmón, me tuvieron cuidando a Alton hasta que se mudaron a Memphis. Me encantaba ese bebé y él me quería mucho. Entonces fue cuando me di cuenta de que se me daba bien hacer que los niños se sintieran orgullosos de sí mismos...»

Cuando Aibileen me contó su idea, intenté disuadirla por teléfono. No me proponía insultarla, pero le dije:

–Escribir no es algo tan sencillo, Aibileen. Además, con un trabajo que te ocupa casi todo el día, no tendrás mucho tiempo libre para dedicarte a ello.

–Bueno, no creo que sea muy diferente de *escribí* mis oraciones, como hago *toas* las noches –me contestó.

Fue la primera cosa interesante que me contó sobre sí misma desde que empezamos con este proyecto, así que la apunté en la lista de la compra que tenemos en la despensa y le dije:

–O sea, que no recitas tus oraciones, sino que las escribes.

–Nunca se lo había dicho a nadie. Ni siquiera a Minny. Es que me resulta más *fásil aclará* mis ideas si las escribo.

–Entonces, ¿te dedicas a eso los fines de semana? –le pregunté–. ¿En tu tiempo libre?

Me agradaba la idea de capturar retazos de su vida fuera del trabajo, lejos del ojo vigilante de Elizabeth Leefolt.

–¡No, qué va! *Tos* los días escribo durante una hora, a veces dos. En esta *ciudá* hay un montón de gente enferma y con achaques.

Debo reconocer que estaba impresionada. Eso es más de lo que yo le dedico a la escritura en varios días. Contesté que probaríamos su idea, a ver si conseguíamos que nuestro proyecto saliera adelante.

Aibileen toma aire, da un trago a su refresco y sigue leyendo.

Regresa a su primer trabajo, a la edad de trece años, cuando limpiaba la cubertería de plata Francisco I en la mansión del gobernador. Me lee cómo en su primera mañana de trabajo cometió un error en la tarjeta en la que tenía que apuntar el número de piezas que había limpiado para que supieran que no había robado ninguna.

—«Esa mañana, después de que me despidieran, regresé a casa y me quedé en la calle, delante de la puerta, mirando mis zapatos nuevos. Unos zapatos que le habían costado a mi mamita lo mismo que la factura de la luz de un mes. Supongo que entonces comprendí lo que significaba la vergüenza y cuál era su color. La vergüenza no es negra como la suciedad, como siempre había creído. La vergüenza es del color de ese nuevo uniforme blanco que, para poder pagarlo, tu madre se ha pasado toda la noche planchando. Blanca sin una sola mota, ni una mancha. Inmaculada.»

Aibileen levanta la vista para ver qué pienso. Dejo de teclear. Había supuesto que sus historias iban a ser inocentes e insulsas. Me doy cuenta de que estoy consiguiendo mucho más de lo que esperaba. Ella sigue leyendo:

—«Así que me puse a ordenar el armario y, antes de que me diera cuenta, el pequeño blanquito metió la mano en el ventilador y se cortó los dedos. ¡Le había pedido más de diez veces a la señora que quitara ese trasto de en medio! Nunca había visto tanto rojo salir de una persona, así que agarré al niño, recogí los cuatro deditos del suelo y salí corriendo al hospital de los negros porque no sabía dónde quedaba el de los blancos. Cuando llegué a la puerta, un hombre de color me detuvo y me preguntó: "¿Ese niño es blanco?".»

Las teclas de la máquina tamborilean como el granizo en un tejado. Aibileen lee cada vez más deprisa y ya no le presto atención a las faltas que cometo. Sólo le pido que se pare para permitirme cambiar de página. Cada ocho segundos, paso el carro a toda velocidad.

—«Yo le contesté: "Sí, *señó*" ; y me preguntó: "¿Eso que llevas ahí son sus deditos blancos?". Yo le dije: "Sí, *señó*", y él

196

me aconsejó: "Más te vale que les digas que es un primo mulatillo que tienes, porque ningún médico de *coló* va a *operá* a un niño blanco en un hospital de negros". Entonces llegó un policía blanco, me agarró y me dijo: "¡Vamos a ver...!".»

Se detiene y me mira. El tamborileo de las teclas se detiene.

−¿Qué? El policía dijo: «¡Vamos a ver!», y ¿qué pasó después?

−No tengo más. Ahí lo dejé porque tenía que *tomá* el autobús *pa* ir a *trabajá*.

Salto de línea y la máquina de escribir tintinea. Aibileen y yo nos miramos a los ojos. Creo que esto va a funcionar.

Capítulo 12

Una noche sí y otra no durante las siguientes dos semanas, le digo a Madre que salgo a colaborar en el comedor para indigentes de la Iglesia Presbiteriana de Canton, donde, por suerte, no conocemos a nadie. Por supuesto, ella preferiría que fuera a la Primera Iglesia Presbiteriana, pero no es de las que discute sobre las obras de caridad cristiana, así que asiente con un gesto de aprobación y, en un aparte, me dice que me lave las manos a conciencia con jabón cuando termine.

Hora tras hora, en la cocina de Aibileen, ella me lee sus textos y yo tecleo. Las historias se van haciendo interesantes y los bebés se convierten en el centro de atención. Al principio me molestaba que Aibileen se encargara de casi toda la escritura, dejándome a mí el trabajo de edición. Pero si a Miss Stein le gusta, yo redactaré las historias de las otras criadas y eso será trabajo más que suficiente. «Si le gusta...», repito una y otra vez para mis adentros, con la esperanza de que así sea.

Aibileen escribe de una forma muy directa y honesta. Se lo digo.

—Bueno, tenga en cuenta *pa* quién he *estao* escribiendo hasta ahora –dice con una risita–. No se *pue engañá* a Dios.

Antes de que yo hubiera nacido, ella ya había pasado un tiempo recogiendo algodón en Longleaf, la plantación de mi familia. En una ocasión, comienza a hablar de Constantine sin que se lo haya pedido.

–¡Cristo! ¡Mira que cantaba bien Constantine! Como un auténtico ángel, ahí *plantá,* enfrente del altar. Con esa voz sedosa que tenía nos ponía a *tos* la carne de gallina. Cuando dejó de *cantá,* después de *tené* que *entregá* su hija a... –Se detiene, me mira y añade–: Bueno, a lo que íbamos.

Me digo que es mejor no presionarla. Me gustaría poder escuchar todo lo que sabe sobre Constantine, pero prefiero esperar a que terminemos las entrevistas. No quiero que nada se interponga entre nosotras dos ahora.

–¿Minny todavía no te ha dicho nada? –pregunto, y añado, casi como recitando un salmo–: A ver si acepta. Me gustaría tener preparadas cuanto antes las preguntas de la siguiente entrevista.

Aibileen mueve la cabeza y dice:

–Se lo he *pedío* tres veces y las tres me ha dicho que no piensa hacerlo. Puede que ya sea hora de que la creamos.

Intento no manifestar mi preocupación.

–¿Podrías pedírselo a otras criadas? Mira a ver si les interesa...

Estoy segura de que Aibileen tendrá más suerte que yo en el intento de convencerlas.

Aibileen asiente.

–Conozco a algunas a las que podría *preguntá.* ¿Cuánto tardará esa *mujé* en decirle si le gusta?

–No lo sé –respondo, encogiéndome de hombros–. Si se lo enviamos la semana que viene, puede que tengamos noticias de ella para mediados de febrero. Pero no te lo puedo asegurar.

Aibileen hace una mueca con los labios y baja la mirada a sus papeles. Entonces me doy cuenta de algo que no había visto antes en ella: ilusión, un ligero destello de emoción. He estado tan concentrada en mis cosas que no se me había ocurrido que Aibileen pudiera estar tan ilusionada como yo ante el hecho de que una editora de Nueva York vaya a leer su historia. Sonrío e inspiro profundamente, sintiendo crecer mis esperanzas.

En nuestra quinta sesión, Aibileen pasa a toda prisa por el día de la muerte de Treelore. Me lee cómo un capataz blanco depositó el cuerpo destrozado de su hijo en la trasera de la camioneta «y después lo dejaron en el hospital de negros. Eso me dijo la enfermera que atendía en la recepción. Los blancos sacaron su cuerpo rodando de la camioneta y se marcharon».

Aibileen no llora, sólo deja que pasen unos momentos mientras yo contemplo la máquina de escribir y ella, las baldosas renegridas.

En la sexta sesión, Aibileen me dice:

—Empecé a *serví* en casa de Miss Leefolt en 1960, cuando Mae Mobley apenas tenía dos semanas.

Siento que acabo de atravesar una tupida barrera de confianza. Me describe cómo construyeron el retrete en el garaje y admite que está contenta de poder hacer sus necesidades allí. Por lo menos es mejor que tener que aguantar las quejas de Hilly por verse obligada a compartir el váter con la criada. Me cuenta que una vez yo comenté que la gente de color iba mucho a misa y que esto se le quedó grabado. Me avergüenzo, preguntándome qué más cosas habré dicho sin sospechar que las sirvientas escuchan y están atentas a lo que decimos.

Una noche, me comenta:

—Estaba pensando... —pero se detiene.

Levanto los ojos de la máquina de escribir y espero. Es evidente que necesita un tiempo para decidirse a hablar.

—He *estao* pensando que tendría que *leé* más. Me ayudaría a *escribí mejó*.

—Puedes ir a la Biblioteca de State Street. Tienen una sala dedicada a escritores sureños: Faulkner, Eudora Welty...

Me interrumpe con una tos seca:

—¿Sabe que a las personas de *coló* no nos dejan *entrá* en la biblioteca?

Me quedo sin habla durante unos segundos, sintiéndome estúpida.

—No sé cómo he podido olvidarlo.

La biblioteca de los negros debe de ser muy mala. Hace unos años hubo una sentada ante la biblioteca blanca que salió en los periódicos. Cuando la gente de color llegó para manifestarse, la policía se limitó a retirarse y soltar a los perros. Contemplo a Aibileen y, de nuevo, soy consciente del riesgo que corre al hablar conmigo.

–Estaré encantada de sacar libros para ti –me ofrezco.

Sale corriendo a su dormitorio y vuelve con una lista.

–Creo que *mejó* le marcaré los que me interesan más. Llevo tres meses en la lista de espera *pa* sacá *Matar a un ruiseñor* en la biblioteca Carver. Vamos a ver...

Contemplo cómo hace unas marcas junto a algunos títulos: *Almas del pueblo negro* de W. E. B. Du Bois, poesías de Emily Dickinson (cualquier volumen), *Las aventuras de Huckleberry Finn*...

–Me leí algunos en la escuela, pero no conseguí terminarlos.

Sigue marcando libros, parándose a pensar cuál es el siguiente que quiere.

–¿Quieres un libro de... Sigmund Freud?

–¡Ay, los locos! –asiente–. Me encanta leer cómo funciona su cabeza. ¿Alguna vez ha *soñao* que se cae en un lago? Dicen que significa que sueñas tu propio nacimiento. Miss Frances, *pa* quien trabajé en 1957, tenía *tos* sus libros.

Cuando llega a la docena de títulos, tengo que preguntarle algo:

–Aibileen, ¿cuánto tiempo llevabas esperando para pedirme que te consiguiera estos libros?

–Bastante –se encoge de hombros–. Supongo que me daba miedo decírselo.

–¿Pensabas... que te iba a decir que no?

–Son leyes de blancos. No sé cuáles sigue *usté* y cuáles no.

Nos miramos a los ojos unos momentos.

–Estoy cansada de reglas –confieso.

Aibileen se ríe y mira por la ventana. Soy consciente de lo vana que debe de resultar para ella esta afirmación.

Me paso cuatro días seguidos delante de la máquina de escribir en mi dormitorio. Veinte páginas, llenas de tachones y círculos rojos con correcciones, se convierten en treinta y una en papel de primera calidad marca Strathmore. Escribo una pequeña biografía de Sarah Ross, el seudónimo elegido por Aibileen en homenaje a su profesora de sexto que murió hace ya años, en la que menciono su edad y a qué se dedicaban sus padres. A continuación, incluyo las historias de Aibileen tal como ella misma las escribió, con su estilo sencillo y directo.

El tercer día, Madre me llama desde las escaleras para preguntar qué demonios estoy haciendo todo el día encerrada en mi cuarto. Sin levantarme, le grito: «¡Escribiendo unas notas para mi estudio de la Biblia! ¡Estoy anotando todas las cosas que me gustan sobre Jesucristo!». Después de la cena, en la cocina, escucho cómo le comenta a Padre que «esta chica anda metida en algo». Deambulo por la casa con mi Biblia baptista de color blanco bajo el brazo, para hacerlo todo más creíble.

Leo y releo, y luego le llevo las páginas a Aibileen por la noche para que haga lo mismo. Sonríe y asiente en las partes agradables en las que a todo el mundo le suceden cosas buenas, pero en las malas se quita las gafas de leer y dice:

—Ya sé que yo lo escribí, pero ¿de *verdá* quiere *poné* esto de...?

—Sí, quiero.

Me sorprende lo profundas que son estas historias de frigoríficos para negros en la casa del gobernador, de mujeres blancas poniéndose como un basilisco porque las servilletas están mal dobladas, de bebés blancos que llaman «mamá» a Aibileen...

A las tres de la madrugada del último jueves de enero, con sólo dos marcas blancas de corrector en lo que ahora son veintisiete páginas, introduzco el manuscrito en un sobre amarillo. Ayer puse una conferencia con la oficina de Miss Stein. Su secretaria, Ruth, me dijo que estaba reunida y tomó nota de mi mensaje: la primera entrevista estaba en el correo. Hoy, Miss Stein no me ha devuelto la llamada.

Sujeto el sobre contra el pecho y casi lloro de agotamiento. Al día siguiente, lo entrego en la oficina postal de Canton, regreso a casa y me tumbo en mi vieja cama de hierro, pensando en qué pasara... si le gustará; si Elizabeth o Hilly descubrirán lo que estamos haciendo; si despedirán a Aibileen o la meterán en la cárcel... Me siento atrapada en una enorme espiral. ¡Dios! ¿Le pegarían, como hicieron con el pobre muchacho que se coló en un servicio para blancos? ¿Qué estoy haciendo? ¿Por qué le hago correr estos riesgos?

Me quedo dormida y tengo pesadillas durante las siguientes quince horas.

Es la una y cuarto, y estoy sentada con Hilly y Elizabeth en el comedor de la casa de esta última, esperando a que aparezca Lou Anne. No he comido nada en todo el día, excepto la infusión contra el lesbianismo que me da Madre, y siento náuseas y nerviosismo. Meneo el pie debajo de la mesa. Llevo así diez días, desde que envié las historias de Aibileen a Elaine Stein. Un día llamé a su oficina y Ruth me dijo que hacía cuatro días que se las había pasado, pero todavía no he recibido noticias de ella.

–¿No os parece la cosa más grosera que puede hacer una persona?

Hilly mira ofuscada su reloj y frunce el ceño. Es la segunda vez que Lou Anne se retrasa. No durará mucho en nuestro grupo con Hilly de por medio.

Aibileen aparece en el comedor y me esfuerzo por no mirarla más de lo debido. Tengo miedo de que Hilly o Elizabeth noten algo en mis ojos.

–¡Deja de menear el pie, Skeeter! –dice Hilly–. Haces que la mesa tiemble.

Aibileen se mueve por la estancia dando tranquilas zancadas con su uniforme blanco, sin que se le escape ni una pizca de la complicidad que existe entre nosotras. Supongo que tiene experiencia en ocultar sus sentimientos.

Hilly baraja y reparte una mano de canasta. Intento concentrarme en el juego, pero hay pequeños detalles que revolotean por mi mente cada vez que miro a Elizabeth: Mae Mobley usando el retrete del garaje, que su frigorífico es tan pequeño que Aibileen no puede guardar en él la comida... Detalles de los que ahora estoy enterada.

Aibileen me ofrece una galleta en una bandeja de plata y me llena el vaso de té helado como si fuera la extraña que se supone que soy para ella. Desde que envié el texto a Nueva York he pasado un par de veces por su casa, en ambas ocasiones para llevarle libros de la biblioteca. Cada vez que la visito se pone el vestido verde con ribetes negros. A veces se quita los zapatos y los coloca debajo de la mesa. En la última ocasión, sacó un paquete de Montclair y se puso a fumar delante de mí. Eso fue un gesto que demostraba mucha naturalidad. Yo también me fumé un pitillo. Sin embargo, ahora está limpiando las migas que dejo con el raspador de plata que regalé a Elizabeth y Raleigh por su boda.

–Bueno, mientras esperamos, tengo una noticia que daros –dice Elizabeth, y al momento reconozco la mirada y el tono de confidencia, mientras se lleva la mano al estómago–. ¡Estoy embarazada!

Sonríe y le tiembla un poco el labio.

–¡Qué bien! –exclamo.

Dejo mis cartas y le acaricio el brazo. Parece que vaya a romper a llorar.

–¿Para cuándo?

–Octubre.

–Perfecto. Ya era el momento –dice Hilly, dándole un abrazo–. Mae Mobley ya empieza a ser mayor.

Elizabeth enciende un cigarrillo, mira sus cartas y concluye:

–Estamos todos muy emocionados.

Mientras jugamos unas cuantas manos de prueba, Hilly y Elizabeth hablan sobre nombres para niños. Intento participar en la conversación.

–Si es un chico, tiene que ser Raleigh –apunto.

Hilly habla sobre la campaña de William. Su marido se presenta a senador del estado en otoño, aunque no tiene experiencia política. Siento un gran alivio cuando Elizabeth le dice a Aibileen que sirva la comida.

Cuando Aibileen regresa con la ensalada de gelatina, Hilly se pone tiesa en la silla y dice:

–Querida Aibileen, tengo un abrigo viejo para ti, y una bolsa con ropa usada de mi madre. –Se limpia la boca con la servilleta–. Así que, después de recoger la mesa, pásate por el coche y llévatelos, ¿entendido?

–Sí, señora.

–No te vayas a olvidar. No pienso traer todo eso otra vez.

–¿Has visto, Aibileen, qué amable es Miss Hilly? –dice Elizabeth–. Anda, sal ahora a recoger esa ropa.

–Sí, señora.

Cuando se dirige a una persona de color, Hilly sube tres octavas el tono de voz. Elizabeth, por su parte, sonríe como si estuviera hablando con un niño, aunque con su propia hija no utiliza ese tono. Empiezo a darme cuenta de muchas cosas que antes no notaba.

Cuando aparece Lou Anne Templeton ya nos hemos terminado nuestro plato de gambas con sémola y estamos con el postre. Hilly se muestra sorprendentemente indulgente. A fin de cuentas, ha llegado tarde porque estaba ocupada con un deber de la Liga de Damas.

Más tarde, felicito de nuevo a Elizabeth y me dirijo a mi coche. Aibileen está fuera recogiendo un abrigo usado de 1942 y otras ropas viejas que, por alguna razón, Hilly no quiere entregar a su propia criada, Yule May. Hilly se acerca a mí y me pasa un sobre.

–Para el boletín de la próxima semana. ¿Me aseguras que lo incluirás por mí?

Afirmo con un gesto y Hilly regresa a su automóvil. Cuando Aibileen abre la puerta para entrar en casa, gira el rostro y me mira. Muevo la cabeza y articulo con mis labios la palabra «nada». Me hace una señal de «comprendido» y se mete dentro.

Esa noche trabajo en el boletín de la Liga, aunque desearía estar ocupada con las historias de Aibileen. Repaso las actas de nuestra última reunión y abro el sobre de Hilly. Encuentro una página escrita con su letra, basta y redondeada:

Hilly Holbrook les presenta la Iniciativa de Higiene Doméstica, una medida de prevención de enfermedades. Es preciso instalar económicos retretes en el garaje o el jardín de las casas que no dispongan de lavabos para el servicio.

Queridas damas, ¿conocían ustedes estos datos?:
- *El 99 por ciento de todas las enfermedades de la gente de color se transmiten por la orina.*
- *Los blancos podemos quedar incapacitados de por vida debido a estas enfermedades, ya que no tenemos el mismo sistema inmunitario que posee la gente de color debido a su pigmentación oscura.*
- *Algunos gérmenes propios de los blancos pueden ser dañinos para los negros.*

Protégete, protege a tus hijos, protege a tu criada.
Los Holbrook les decimos: ¡Gracias!

El teléfono suena en la cocina y casi me caigo por las escaleras mientras bajo como una loca para responder, pero Pascagoula llega antes.

—Residencia de Miss Charlotte.

Observo cómo la flaquita Pascagoula asiente en el aparato y dice:

—Sí, señora, está en casa.

Y me pasa el teléfono con sus manos mojadas.

—Eugenia al aparato —respondo a toda prisa.

Padre está en el campo y Madre tiene una cita con el médico en la ciudad, así que me llevo el teléfono a la mesa de la cocina.

—Le habla Elaine Stein.

Contengo la respiración y digo:

—Hola, ¿qué tal? ¿Recibió mi sobre?

—Lo recibí —contesta, y durante unos segundos sólo escucho su respiración. Después añade—: Esa tal Sarah Ross... Me gustaron sus historias. Le encanta quejarse, pero sin pasarse... parece una *yiddish*.

No tengo ni idea de lo que significa «yiddish», pero supongo que debe de ser algo bueno.

—Sin embargo, todavía soy de la opinión de que un libro de entrevistas no puede funcionar. No es ficción, pero tampoco es no ficción. Quizá se pueda calificar como antropológico, pero éste es un término que detesto.

—Pero a usted... ¿le gustó?

—Eugenia –dice, soltando una larga bocanada de humo de su cigarrillo sobre el auricular–, ¿has visto la portada de la revista *Life* de esta semana?

He estado tan ocupada que hace un mes que no veo la portada de *Life* ni de ninguna otra revista.

—Querida, Martin Luther King acaba de anunciar una gran marcha sobre Washington D.C. y ha invitado a todos los negros de América a unirse, y también a los blancos. Nunca se había visto a tantos blancos y negros haciendo algo juntos desde los tiempos de *Lo que el viento se llevó*.

—Sí, he oído algo acerca de esa... marcha –miento.

Me tapo los ojos, deseando haber leído el periódico esta semana. Parezco una idiota.

—Te aconsejo que escribas el libro, y rápido. La marcha es en agosto, y deberías tenerlo listo para Año Nuevo.

Sofoco un grito. ¡Me está pidiendo que escriba! Me está diciendo...

—¿Esto significa que lo van a publicar? ¿Si lo tengo listo para...?

—Yo no he dicho eso –me corta bruscamente–. Lo leeré. Cada semana me llegan centenares de manuscritos y los rechazo casi todos.

—Lo siento. Yo... lo escribiré –digo–. Para enero estará terminado.

—Cuatro o cinco entrevistas no serán suficientes para llenar un libro. Necesitarás una docena, o puede que más. Supongo que tienes ya todas las entrevistas programadas, ¿verdad?

Me muerdo los labios y digo:

—Sí, casi todas.

—Muy bien. Entonces, sigue adelante, antes de que se pase todo esto de los derechos civiles.

Esa misma tarde me presento en casa de Aibileen y le entrego tres nuevos libros de su lista. La espalda me duele de pasar tanto tiempo inclinada sobre la máquina de escribir. Hoy he anotado el nombre de todas las personas que conozco que tienen criada (que son todas mis amigas) y el nombre de las sirvientas, aunque no me he podido acordar de muchos.

–¡*Grasias!* ¡Ay, *Señó,* fíjate en esto! –me sonríe, pasando las primeras páginas de *Walden,* como si quisiera empezar a leerlo en ese mismo momento.

–He hablado con Miss Stein esta tarde –le cuento.

Las manos de Aibileen se congelan sobre el libro.

–Sabía que algo iba mal, lo he *notao* en su cara.

Tomo aire y anuncio:

–Dice que le han gustado mucho tus historias, pero que... no sabe si se publicará hasta que no le enviemos todo el libro –digo, tratando de que mi voz suene optimista–. Tenemos que terminar para Año Nuevo.

–Bueno, eso son buenas noticias, ¿no?

Afirmo con un gesto de la cabeza, y trato de sonreír.

–*Pa* enero –suspira Aibileen, mientras se levanta y sale de la cocina.

Al poco rato regresa con un calendario de pared de caramelos Tom's, lo extiende sobre la mesa y comienza a estudiar los meses.

–Ahora parece que queda lejos, pero enero está a sólo dos, cuatro, seis... diez páginas. Antes de que nos demos cuenta, lo tenemos encima –protesta.

–También me ha dicho que tenemos que entrevistar por lo menos a una docena de criadas para que lo tenga en cuenta –le explico.

La angustia empieza a hacerse manifiesta en mi voz.

–Pero... si no tiene a ninguna otra criada *pa entrevistá,* Miss Skeeter.

Aprieto los puños y cierro los ojos.

–No sé a quién pedírselo, Aibileen –digo, alzando la voz. Llevo las cuatro últimas horas dándole vueltas a este asunto–. A ver, ¿a quién conozco yo? ¿A Pascagoula? Si se lo pido, Madre lo descubrirá. ¡Yo no soy la que más criadas conoce aquí!

Aibileen baja la mirada y siento deseos de echarme a llorar. ¡Joder, Skeeter! En cuestión de segundos, acabo de volver a

208

levantar entre nosotras todas las barreras que había conseguido derribar en los pasados meses.

–Lo siento –me apresuro a decir–. Siento haberte levantado la voz.

–No, no pasa *na*. Se supone que yo me tenía que *encargá* de *convencé* a las otras.

–¿Qué hay de la criada de Lou Anne? –digo más tranquila, consultando mi lista–. ¿Cómo se llama? ¿Louvenia? ¿La conoces?

Aibileen asiente.

–Ya se lo pedí –Sigue sin levantar la vista–. Louvenia es la que tiene un nieto que se quedó ciego. Dice que lo siente mucho, pero que está *mu ocupá* cuidándolo.

–¿Y la criada de Hilly, Yule May? ¿Se lo has preguntado?

–También dice que está *mu ocupá* intentando *ahorrá pa* que sus hijos vayan a la *universidá* el año que viene.

–¿Conoces a alguna otra criada en tu parroquia a la que se lo puedas pedir?

Aibileen asiente.

–*Toas* ponen excusas, aunque en *realidá* lo que pasa es que tienen miedo.

–Pero ¿cuántas? ¿A cuántas se lo has preguntado?

Aibileen saca su cuaderno, ojea unas páginas y mueve los labios contando en silencio.

–Treinta y una.

Suelto un suspiro, aunque no sé de dónde me sale el aire. Sólo acierto a decir:

–Son... muchas.

Aibileen me mira a los ojos.

–No me atrevía a decírselo –confiesa, arrugando la frente–. Hasta que no tuviéramos noticias de la señora...

Se quita las gafas y puedo ver un gesto de preocupación en su rostro. Intenta ocultarlo con una sonrisa temblorosa.

–Voy a pedírselo otra vez –me dice, inclinándose hacia delante.

–Vale –musito.

Traga saliva con dificultad y asiente con la cabeza para que yo sea consciente de la sinceridad de sus palabras:

—Por *favó*, no me abandone. Permítame *seguí* en el proyecto con *usté*.

Cierro los ojos. Necesito dejar de ver su rostro de preocupación durante un segundo. ¿Cómo he podido levantarle la voz?

—Aibileen, por eso no te preocupes. Estamos juntas en esto.

Al cabo de unos días, estoy al calor de la cocina, aburrida, fumándome un cigarrillo, algo que últimamente no puedo parar de hacer. Creo que me estoy convirtiendo en una «adicta», por usar la palabra que tanto le gusta a Mister Golden. «Esos imbéciles son todos unos adictos.» De vez en cuando me pide que vaya a su despacho, ojea los artículos del mes, y marca y tacha todo con un lápiz rojo mientras gruñe maldiciones.

—No está mal —termina diciendo—. Y tú, ¿cómo va todo?

—Bien.

—Entonces, todo bien.

Antes de marcharme, la gorda recepcionista me entrega mi cheque de diez dólares. En eso consiste mi trabajo de Miss Myrna.

En la cocina hace mucho calor, pero tenía que salir de mi habitación porque lo único que hago allí es darle vueltas al hecho de que todavía ninguna criada ha aceptado colaborar con nosotras. Además, tengo que fumar aquí porque es la única habitación de la casa sin ventilador en el techo que esparza la ceniza por todos los lados y lo deje todo perdido. Cuando yo tenía diez años, Padre intentó instalar uno en la cocina sin consultárselo a Constantine. Cuando ella lo descubrió, se sorprendió como si hubiera visto el coche de su jefe aparcado en el techo.

—Es para ti, Constantine, para que no pases tanto calor todo el rato en la cocina.

—No pienso *trabajá* en una cocina con *ventiladó*, Mister Carlton.

—Sí que lo harás. Ahora mismo voy a conectarlo a la corriente.

Padre trepó por la escalera mientras Constantine llenaba un cubo de agua.

–*Tá* bien. *Usté* mismo –suspiró–. Póngalo en marcha.

Padre encendió el interruptor y en el segundo que tardó el aparato en ponerse en marcha, la harina del pastel salió volando del bol y se esparció por la estancia. Los papelitos donde Constantine apuntaba sus recetas volaron de la encimera y se prendieron en el fuego de la cocina. La criada agarró los papeles en llamas y los hundió en el cubo de agua. Todavía hay un agujero en el techo en el lugar donde el ventilador aguantó diez minutos colgado.

En el periódico veo una foto del senador Whitworth delante de un terreno en el que planean construir un nuevo polideportivo. Paso de página. Me entran arcadas cada vez que recuerdo mi cita con su hijo, Stuart Whitworth.

Pascagoula entra en la cocina. La observo mientras corta galletas con un vaso de chupito que nunca ha servido más que para recortar masa. Detrás de mí, las hojas de la ventana están sujetas con catálogos de Sears & Roebuck. Fotos de batidoras de dos dólares y juguetes de venta por correo revolotean con la brisa, arrugados e hinchados por una década de lluvias.

«Igual debería preguntarle a Pascagoula, puede que Madre no se entere», pienso. A quién intento engañar. Madre observa todos sus movimientos, y además Pascagoula parece que me tiene miedo, como si fuera a chivarme si hace algo malo. Me costaría años hacerle superar esos temores. El sentido común me dice que es mejor dejarla fuera de esto.

El teléfono suena como una alarma antiincendios. Pascagoula deja caer su cucharón en la cazuela, pero esta vez yo alcanzo antes el auricular.

–Minny va a ayudarnos –susurra Aibileen al otro lado de la línea.

Me cuelo en la despensa y me siento sobre la lata de harina. Durante casi cinco segundos no soy capaz de pronunciar palabra.

–¿Cuándo? ¿Cuándo puede empezar?

–El próximo jueves. Pero pone algunas... condiciones.

–¿Cuáles?

Aibileen calla por un momento, y luego añade:

–Dice que no quiere *ve* su Cadillac a este *lao* del puente Woodrow Wilson.

–De acuerdo –digo–. Supongo que podré ir en la camioneta.

–Y dice... dice que no quiere sentarse en el mismo *lao* de la habitación que *usté, pa podé* tenerla a la vista *tol* tiempo.

–Vale. Me sentaré donde ella quiera.

La voz de Aibileen se relaja.

–No se lo tome a mal. Es que Minny no la conoce. Además, no tiene muy buenas experiencias con las blancas.

–No me importa lo que pida, lo haré.

Salgo de la despensa sonriente y cuelgo el teléfono en la pared. Pascagoula me observa con el vaso de chupito en una mano y una galleta fresca en la otra. Al momento, baja los ojos y vuelve a su trabajo.

Dos días más tarde, le digo a Madre que voy a salir a comprar una nueva Biblia porque la mía ya está muy desgastada de tanto usarla. También le digo que me siento culpable por ir en un Cadillac mientras en África hay tantos niños que mueren de hambre, así que voy a usar la vieja camioneta. Desde su mecedora del porche, frunce el ceño y me pregunta:

–¿Dónde vas a comprar esa nueva Biblia?

Pestañeo sorprendida.

–Voy..., voy a recogerla a la parroquia de Canton, la encargué la semana pasada.

Asiente y no aparta los ojos de mí mientras arranco la vieja camioneta.

Cruzo la ciudad en dirección a Farrish Street en una furgoneta con el suelo oxidado y con una máquina cortacésped en la trasera. Bajo mis pies, a través de los agujeros, puedo ver pasar el asfalto. Por lo menos, esta vez no arrastro un tractor.

Aibileen me abre la puerta y entro. En una esquina de la sala, Minny permanece de pie con los brazos cruzados sobre su enorme busto. La había visto en las contadas ocasiones en que Hilly nos dejaba ir a jugar al *bridge* a casa de su madre. Minny y Aibileen todavía llevan sus uniformes blancos.

–Hola –la saludo desde mi lado de la habitación–, me alegro de volver a verte.

–Miss Skeeter... –contesta Minny, saludándome con un gesto.

Se sienta en una silla de madera que le trae Aibileen de la cocina y que cruje bajo su peso. Me acomodo en el lado más alejado del sofá. Aibileen se sitúa entre nosotras, en la otra punta del sofá.

Carraspeo y le dirijo una sonrisa nerviosa. Minny no me devuelve el gesto. Es bajita, gorda y fuerte. Su piel es mucho más oscura que la de Aibileen, brillante y tersa como unos zapatos de charol nuevos.

–Ya le he *contao* a Minny cómo funciona esto de las historias –me comenta Aibileen–: que *usté* me ayudó a *escribí* las mías. Ella le contará las suyas y *usté* las pasará a máquina.

–Minny, recuerda que todo lo que digas aquí tiene que ser en confianza –digo–. Después podrás leer todo lo que...

–¿Qué le hace *pensá* que la gente de *coló* necesitamos su ayuda? –Minny se levanta y arrastra la silla–. ¿Qué vela se le ha *perdío* en este entierro, blanquita?

Miro a Aibileen. Nunca antes una persona de color me había hablado así.

–Minny, aquí *toas* buscamos lo mismo –interviene Aibileen–: *hablá* un poco de nuestras cosas, *na* más.

–¿Y qué anda buscando esta blanca? –pregunta Minny–. Igual sólo quiere que le cuente mis historias *pa* meterme en líos. –Señala la ventana y añade–: Anoche quemaron el garaje de Medgar Evers, un miembro de la NAACP[6] que vive a cinco minutos *d'aquí*. Sólo por «*hablá*».

Siento que mi cara enrojece. Hablo lentamente:

---

[6] Siglas en inglés de la Asociación Nacional para el Progreso de las Personas de Color, pionera de las asociaciones de defensa de los derechos civiles en Estados Unidos. *(N. del T.)*

–Quiero mostrar vuestro punto de vista... para que la gente pueda comprender cómo son las cosas desde vuestro lado. Es... Esperamos poder cambiar un poco las cosas.

–¿Qué se piensa que va a *cambiá* con esto? ¿Quiere *poné* una ley que obligue a *tratá* bien a las criadas o qué?

–Vamos a ver, no estoy intentando cambiar las leyes, me refiero a las actitudes y...

–¿Sabe lo que *pué pasá* si la gente nos descubre? Lo de aquella vez que me equivoqué de *probadó* en los almacenes McRae se quedará en *na comparao* con esto. Le pegarán fuego a mi casa, sí *señó*.

Transcurre un tenso momento en el que sólo se oye el sonido del segundero del reloj Timex del estante.

–No *tiés* que hacerlo si no quieres, Minny –interviene Aibileen–. Si has *cambiao* de idea, no pasa *na*.

Lentamente, con recelo, Minny se vuelve a sentar en la silla.

–Voy a hacerlo. Sólo quiero estar segura de que esta *mujé* entiende que esto no es un juego.

Miro a Aibileen, que me hace un gesto de aprobación. Tomo aire. Me tiemblan las manos.

Empiezo con las preguntas sobre su pasado y, no sé cómo, terminamos hablando sobre su trabajo. Minny sólo mira a Aibileen mientras habla, como si intentara olvidarse de mi presencia en la habitación. Anoto todo lo que dice, apuntando lo más rápido que puedo sus palabras con mi lápiz. Habíamos pensado que de este modo sería más informal que con la máquina de escribir.

–Luego está ese trabajo en el que tenía que quedarme *toas* las noches hasta tarde. ¿Sabes lo que pasó?

–¿Qué... pasó? –pregunto, aunque ella se dirige siempre a Aibileen.

–«Ay, Minny –imita a su jefa–, eres la mejor criada que hemos tenido. Minny, queremos que te quedes con nosotros para siempre.» *Pos* un día va y me dice que me da una semana de vacaciones *pagás*. Nunca en mi vida había *tenío* vacaciones, *pagás* o sin pagar. Cuando volví una semana después,

214

resulta que *s'habían mudao* a Mobile. La *mujé* le explicó a sus amigas que no me lo había *contao pa* que yo no tuviera tiempo de *encontrá* otro trabajo antes de que se marchasen. La muy vaga no podía *aguantá* ni un solo día sin una criada sirviéndola.

De repente se levanta y se cuelga el bolso del brazo.

–Tengo que irme. Me están entrando *palpitasiones* de tanto *hablá*.

Y se marcha con un portazo.

Levanto la mirada y me seco el sudor de las sienes.

–Y eso que hoy estaba de buen *humó* –murmura Aibileen.

Capítulo 13

Durante las dos semanas siguientes, las tres ocupamos los mismos lugares de la primera vez en la pequeña y calurosa sala de estar de la casa de Aibileen. Minny aparece cada día despotricando, después se tranquiliza un poco mientras le cuenta sus historias a Aibileen y al final se marcha furiosa, tan rápido como llegó. Intento anotar todo lo que puedo.

Cuando a Minny se le escapan historias sobre Miss Celia («Se cuela en las habitaciones del segundo piso cuando piensa que no la veo. Estoy segura de que esa loca se trae algo entre manos allá arriba...»), siempre se calla de repente, igual que hace Aibileen cuando habla de Constantine. «Bueno, pero eso no es lo que quería *contá*. Dejemos a Miss Celia fuera de esto», dice, y me observa hasta que dejo de escribir.

Además de sobre su rabia contra los blancos, a Minny le gusta hablar de comida.

—Vamos a *ve*, primero pongo las judías verdes, luego miro cómo van las costillas de cerdo... mmm-mmm... me encantan las costillas *resién salías* de la sartén...

Un día, mientras está diciendo: «*Pos* estaba yo con un bebé blanco en un brazo, las judías en la cazuela y...», se detiene de repente, me apunta con la barbilla y empieza a dar patraditas nerviosas en el suelo.

216

–La *mitá* de las cosas que le cuento no tienen *na* que *ve* con los derechos de la gente de *coló*. No son más que historias del día a día. –Me observa de arriba abajo–. Tengo la impresión de que *usté* sólo está escribiendo sobre nuestra vida.

Dejo de escribir. Tiene razón. Me doy cuenta de que eso es exactamente lo que quería hacer.

–Eso es lo que ando buscando –le digo.

Minny se levanta y me espeta que tiene cosas más importantes por las que preocuparse que lo que yo ande buscando.

Al día siguiente, por la tarde, estoy trabajando en mi habitación, aporreando el teclado de mi Corona, cuando oigo que Madre sube las escaleras a todo correr. En dos segundos está ante mi puerta y me llama con sigilo:

–¡Eugenia!

Me levanto de golpe y la silla se tambalea mientras intento ocultar el contenido de lo que estaba escribiendo.

–¿Sí, Madre?

–No te asustes, pero hay un hombre, un hombre muy alto, esperándote abajo.

–¿Quién?

–Dice que se llama Stuart Whitworth.

–¿Qué?

–Dice que salisteis juntos una noche hace ya tiempo. ¿Cómo es posible? Yo no sabía nada...

–¡Cristo!

–No tomes el nombre de Dios en vano, Eugenia Phelan. ¡Rápido! Píntate un poco los labios...

–Puedes creerme, Madre –digo mientras le hago caso y me embadurno de pintalabios–, a Jesús no le caería bien este hombre.

Me cepillo el pelo porque sé que lo tengo horrible. Incluso me lavo las manchas de tinta y líquido corrector de las manos y los codos. Pero no me cambio de ropa, no para ese personaje.

Madre me observa de arriba abajo, y mira con aire de reproche el peto y la vieja camisa blanca de Padre que llevo puestos.

–Este chico, ¿es de los Whitworth de Greenwood o de los de Natchez?

–Es el hijo del senador.

Madre abre tanto la boca que su mandíbula casi choca con el collar de perlas que le rodea el cuello. Bajo las escaleras pasando junto al conjunto de retratos de infancia: a lo largo de la pared hay dispuestas imágenes de Carlton desde que era pequeño hasta casi anteayer; las mías se detienen cuando tenía doce años.

–Madre, déjanos un poco de intimidad.

Observo cómo se retira lentamente hacia su habitación, mirándonos de reojo antes de desaparecer.

Salgo al porche y ahí está él. Tres meses después de nuestra cita, tengo al mismísimo Stuart Whitworth plantado en mi puerta, con sus pantalones deportivos de color caqui, una chaqueta azul y corbata roja, listo para una comida de domingo.

¡Será imbécil!

–¿Qué te trae por aquí? –le pregunto sin sonreír, porque no pienso poner buena cara ante semejante tipejo.

–Pues... se me ocurrió pasarme a saludar.

–Muy bien. ¿Quieres tomar una copa? –pregunto–. ¿O mejor te traigo una botella entera de Old Kentucky?

Frunce el ceño. Tiene la nariz y la frente coloradas, como si hubiera estado trabajando al sol.

–Mira, sé que ha pasado tiempo desde aquel día, pero he venido para pedirte perdón.

–¿Quién te envía? ¿Hilly o William?

En el porche tenemos ocho mecedoras vacías, pero no pienso invitarle a tomar asiento.

Dirige su mirada al horizonte, donde por el oeste el sol se hunde entre los campos de algodón. Esconde las manos en los bolsillos del pantalón como un niño.

–Sé que fui un poco... grosero aquella noche. Le he estado dando vueltas a lo que pasó y...

Me da la risa. Me molesta tanto que haya venido hasta aquí para hacerme revivir lo que sucedió.

–Es que... mira –añade–: le repetí cien veces a Hilly que no estaba listo para ninguna cita. Pero no hubo manera.

Aprieto los dientes. No me puedo creer que aunque la cita fue hace ya meses todavía sienta el calor de las lágrimas asomando a los ojos. Entonces recuerdo cómo me sentí aquella noche: como un trapo usado, algo ridículamente amañado para ese hombre.

–Entonces, ¿por qué acudiste?

–No lo sé. –Mueve la cabeza–. Ya sabes lo pesada que puede llegar a ser Hilly.

Me quedo esperando a ver qué más le ha traído hasta aquí. Se pasa una mano por el pelo castaño claro. Lo tiene tan espeso que parece enmarañado. Tiene aspecto de cansado.

Aparto la vista de él porque, en cierto modo, es un adulto con cara de adolescente resultón, pero esto no es algo en lo que me apetezca pensar en este momento. Sólo quiero que se marche y dejar de sentir esta horrible sensación. Sin embargo, termino diciendo:

–¿Qué quieres decir con eso de que no estabas listo?

–Que no estaba preparado para una cita. No después de lo que me había pasado.

Le miro a los ojos.

–¿Tengo que adivinarlo o vas a contármelo?

–Lo que pasó entre Patricia van Devender y yo. Había pedido su mano hacía un año y luego... Pensaba que lo sabías.

Se deja caer en una mecedora. No me siento a su lado, ni pienso sentir compasión por él.

–¿Qué pasó? ¿Te dejó por otro?

–¡Demonios! –Hunde la cabeza en las manos y masculla–: Eso habría sido una maldita fiesta de carnaval comparado con lo que sucedió.

Me corto para no decirle lo que me gustaría: que fuera lo que fuese lo que esa mujer le hizo, seguro que se lo merecía. Pero da tanta pena que prefiero callar. Ahora que su pose de tipo duro y su parloteo de alcohólico se han evaporado, me pregunto si será siempre igual de patético.

–Llevábamos saliendo desde los quince años. Ya sabes cómo se siente uno cuando lleva tanto tiempo unido a una persona.

–La verdad es que no lo sé. –Desconozco por qué admito esto, quizá porque no tengo nada que perder–. Nunca he salido con nadie.

Levanta la vista y me mira, esbozando una sonrisa.

–¡Eso es lo que me gustó de ti!

Me armo de coraje, recordando el olor a fertilizante y el tractor:

–¿El qué?

–Nunca había conocido a nadie que dijera lo que piensa de una forma tan directa como tú. Y mucho menos, a una mujer.

–Pues puedes creerme, tengo muchas cosas más que decir.

Suspira y añade:

–Aquel día, cuando estábamos en la camioneta... Quiero que sepas que yo no soy así, no soy tan cabrón.

Aparto la vista, cohibida. Sus palabras están empezando a afectarme. Me hace sentir que soy diferente al resto de la gente, pero no porque sea rara o larguirucha, sino de un modo positivo.

–He venido para ver si te gustaría cenar conmigo en el centro. Podríamos hablar –dice, levantándose–. No sé, esta vez incluso podríamos escucharnos un poco.

Me quedo de pie, sorprendida. Sus ojos azules y claros están fijos en mí, como si mi respuesta realmente significara algo para él. Tomo aire, a punto de decirle que sí (a ver, ¿por qué lo iba a rechazar?), mientras él se muerde el labio superior esperando.

Pero de repente recuerdo cómo me trató aquella noche: como si yo no valiera nada. Cómo se emborrachó como una cuba y el asco que le daba tener que cargar conmigo. Pienso en cuando me dijo que olía a abono. Me costó tres meses dejar de darle vueltas a ese comentario.

–No –le espeto–. Gracias, pero no podría imaginarme un plan peor.

Mueve la cabeza, baja los ojos y empieza a descender por las escaleras del porche.

–Lo siento –dice mientras abre la portezuela del coche–. Es lo que quería decirte, y ya lo he dicho.

Me quedo en el porche, escuchando los sonidos apagados del atardecer: la gravilla bajo los pies de Stuart, los perros moviéndose en las primeras sombras de la noche... Durante un segundo, me acuerdo de Charles Gray, el único beso de mi vida, y de cómo me aparté de él, segura de que ese beso no iba dirigido a mí.

Se monta en el coche y cierra la puerta. Apoya el brazo en la ventanilla, asomando el codo por fuera. Sigue con la mirada clavada en el suelo.

–¡Espera un segundo! –le grito–. Voy a ponerme un jersey.

A las chicas que nunca tenemos citas, nadie nos dice que a veces los recuerdos pueden ser incluso mejores que lo que sucedió en realidad. Madre sube a mi habitación y me contempla en la cama, pero yo me hago la dormida. Prefiero seguir acordándome durante un rato de lo que pasó ayer.

Anoche fuimos al Robert E. Lee a cenar. Me puse a toda prisa un jersey azul y una falda ajustada blanca. Incluso le dejé a Madre que me peinara, intentando no escuchar sus nerviosas y complicadas instrucciones:

–Sobre todo, no dejes de sonreír. A los hombres no les gustan las chicas que están todo el día con cara de mala uva. Y no te sientes como una india, cruza siempre...

–Espera, a ver si me la sé: ¿las piernas o los tobillos?

–¡Los tobillos! ¿Ya te has olvidado de las clases de protocolo de Miss Rheimer? Tienes que mentirle y decirle que vas a misa todos los domingos. Y, hagas lo que hagas, no mastiques el hielo de tu bebida en la mesa, da mala impresión. ¡Ah! Y si la conversación empieza a decaer, háblale de nuestro primo segundo, el que es concejal en Kosciusko...

Mientras peinaba y alisaba, peinaba y alisaba, Madre no paraba de preguntarme cómo lo había conocido y qué había pasado en nuestra última cita, pero me las arreglé para escabullirme y salir pitando escaleras abajo, agitada por mi propio

221

nerviosismo y excitación. Cuando llegamos al hotel, nos sentamos y nos pusimos las servilletas, el camarero nos dijo que estaban a punto de cerrar y que sólo podían servirnos un postre.

Stuart se quedó callado y, al cabo de un rato, me preguntó:

−¿Qué... qué te gustaría hacer, Skeeter?

Me alarmé, esperando que no estuviera tentado de emborracharse otra vez.

−Tomar una coca-cola, con mucho hielo.

−No −sonrió−, me refiero a... en la vida. ¿Qué te gustaría hacer en la vida?

Aspiro profundamente, consciente de lo que Madre me aconsejaría contestar: tener unos hijos sanos y fuertes, un marido del que ocuparme, modernos electrodomésticos para cocinar sabrosos y saludables platos...

−Quiero ser escritora. Periodista, o puede que novelista. O tal vez las dos cosas.

Alzó la barbilla y me miró directamente a los ojos.

−Me gusta −dijo sin apartar la vista de mí−. He estado pensando mucho en ti. Eres inteligente, guapa y... −tras una sonrisa, añadió−: alta.

¿Guapa?

Tomamos unos suflés de fresa y una copa de Chablis cada uno. Me habló sobre cómo reconocer si hay petróleo bajo un campo de algodón y yo le conté que la recepcionista y yo éramos las únicas mujeres que trabajábamos en el periódico.

−Espero que escribas pronto algo bueno, algo en lo que creas de verdad.

−Gracias... Yo también lo deseo.

No le cuento nada sobre Aibileen o Miss Stein.

Nunca había tenido la oportunidad de contemplar el rostro de un hombre tan de cerca. Noté que su piel era más gruesa y un poco más tostada que la mía. Los duros pelos de su mejilla y su barbilla parecían estar creciendo ante mis ojos. Olía a almidón, a pino. Su nariz tampoco era tan afilada como me pareció en la primera cita.

El camarero bostezaba en un rincón, pero le ignoramos y nos quedamos un rato más charlando. De repente, mientras deseaba haberme lavado el pelo esa mañana en lugar de haberme dado sólo un baño y mientras daba gracias por haberme lavado por lo menos los dientes, de golpe y sin avisar me besó. En medio del restaurante del hotel Robert E. Lee me besó lentamente, con la boca abierta, y todas las partes de mi cuerpo, la piel, la clavícula, la parte de atrás de las rodillas... todo en mi interior se llenó de luz.

Una tarde de lunes, unas semanas después de mi cita con Stuart, me paso por la biblioteca antes de acudir a la reunión de la Liga de Damas. El lugar huele a colegio: rutina, pegamento, vómitos limpiados con lejía... He venido a sacar más libros para Aibileen y a comprobar si hay algo escrito sobre el servicio doméstico.

—¡Anda! ¡Mira a quién tenemos aquí! ¡Skeeter!

¡Jesús! Es Susie Pernell, esa a la que votaron como la más parlanchina del instituto.

—Hola, Susie. ¿Qué te trae por aquí?

—Trabajo aquí para el comité de la Liga de Damas, ¿te acuerdas? Deberías acompañarme, Skeeter. ¡Es superdivertido! Puedes leerte las últimas revistas, archivar cosas e incluso decorar las tarjetas de la biblioteca.

Susie posa junto a una enorme máquina marrón como si fuera una azafata de *El precio justo*.

—¡Vaya! ¡Qué interesante!

—Bueno, ¿qué quieres que te ayude a encontrar, amiga? Tenemos novelas de asesinatos, de misterio, de amor... libros sobre maquillaje, sobre peinados. —Hace una pequeña pausa, me dedica una sonrisa estúpida y añade—: Sobre jardines, decoración...

—Sólo estoy echando un vistazo, gracias.

Me escabullo. Prefiero arreglármelas yo sola entre las estanterías. De ningún modo pienso decirle lo que estoy buscando. Me puedo imaginar lo poco que tardaría en ponerse a chismorrear

223

sobre mí en las reuniones de la Liga: «Ya sabía yo que había algo extraño en esa Skeeter Phelan. Fíjate, la pillé sacando material de lectura para negros...».

Busco en los catálogos y repaso las estanterías, pero no encuentro nada sobre trabajadoras domésticas. En la sección de no ficción, doy con el único ejemplar que tienen de *Frederick Douglass, un esclavo americano*. Lo tomo, contenta de poder llevárselo a Aibileen, pero cuando lo abro veo que hay páginas arrancadas y que alguien ha escrito «LIBRO DE NEGROS» con un rotulador morado. Más que las palabras, me sorprende la caligrafía, que parece de un niño de colegio. Miro a mi alrededor y deslizo el libro dentro de mi mochila. Considero que ahí está mejor que en la estantería.

En el piso de abajo, en la sala de Historia de Misisipi, busco algo que se asemeje, aunque sea remotamente, a las relaciones raciales. Sólo encuentro libros sobre la Guerra de Secesión, mapas y antiguas guías telefónicas. Me pongo de puntillas para ver lo que hay en las estanterías superiores y entonces descubro un librito apartado, justo encima del *Recuento de crecidas en el valle del río Misisipi*. Una persona de estatura normal nunca lo habría encontrado. Lo bajo para observar la cubierta. Es un librito muy delgado, impreso en papel cebolla, arrugado y sujeto con grapas. En la portada se puede leer: *Compilación de leyes Jim Crow[7] para los estados del Sur*. Paso la primera página, que cruje.

El librito es una lista de leyes que establecen lo que las personas de color pueden y no pueden hacer en varios estados del Sur. Leo la primera página, sorprendida de encontrarme con algo como esto aquí. Las leyes no son amenazantes ni amistosas, simplemente describen la realidad:

---

[7] Conjunto de leyes estatales y locales que establecían las normas de segregación para los negros y otras minorías raciales. Estuvieron vigentes desde 1876 hasta 1965 en algunos estados del Sur. *(N. del T.)*

Nadie puede pedir a una mujer blanca que amamante a su hijo en salas o habitaciones en las que se encuentre un negro.

Una persona blanca sólo puede contraer matrimonio con alguien de su misma raza. Cualquier unión conyugal que viole esta prerrogativa será considerada nula.

Ningún peluquero de color puede cortar el pelo a mujeres o niñas blancas.

El oficial al cargo no puede dar sepultura a una persona de color en terrenos que han servido de enterramiento a personas blancas.

Las escuelas para negros y para blancos no pueden intercambiar libros. La raza que primero usó unos libros, deberá seguir usándolos.

Me leo cuatro de las veinticinco páginas, anonadada al descubrir cuántas leyes existen para separarnos. Los blancos y los negros no podemos compartir agua de las fuentes, ni cines, lavabos públicos, campos de béisbol, cabinas telefónicas ni espectáculos circenses. Las personas de color no pueden acudir a la misma farmacia ni comprar sellos en la misma ventanilla que yo. Pienso en Constantine, en aquella vez en que mi familia la llevó a Memphis y la autopista se inundó por la lluvia, pero tuvimos que seguir porque sabíamos que no la aceptarían en ningún hotel. Recuerdo que en el coche nadie comentó nada. Todos conocemos estas normas; vivimos aquí, pero nunca hablamos de ellas. Ésta es la primera vez que las veo por escrito.

Comedores, ferias públicas, mesas de billar, hospitales... Al llegar a la número cuarenta y siete, tengo que leerla dos veces porque me parece increíble:

Los ayuntamientos deben tener un espacio separado para atender a las personas ciegas de raza negra.

Tras varios minutos, pienso que es mejor que deje de leer. Me dispongo a devolver el librito a la estantería, diciéndome

225

que es una pérdida de tiempo porque no estoy escribiendo sobre legislación sureña. Pero entonces me doy cuenta, como si se hubiera encendido una bombilla en mi cabeza, de que no hay ninguna diferencia entre estas leyes y la iniciativa de Hilly de construir un retrete para Aibileen en el garaje, excepto el protocolo y las firmas de los políticos en la capital del estado que conllevan las primeras.

En la contraportada veo un sello que dice: «Propiedad de la Biblioteca del Juzgado de Misisipi». Este librito ha llegado al edificio equivocado. Anoto mi revelación en un trozo de papel y lo meto dentro del libro: «Las leyes Jim Crow y la iniciativa de los retretes de Hilly; ¿cuál es la diferencia?». Después, lo deslizo dentro de mi mochila mientras, en el otro lado de la estancia, Susie ronca en el mostrador.

Me dirijo a la puerta. Tengo una reunión de la Liga de Damas en treinta minutos. Le dirijo a Susie una nueva sonrisa mientras ella cuchichea al teléfono. Los libros que me llevo en la mochila parece que queman.

–Skeeter –me interpela Susie desde el mostrador, con los ojos abiertos como platos–, ¿es cierto eso que he oído de que has estado saliendo con Stuart Whitworth?

Pone demasiado énfasis en la palabra «saliendo» como para que le siga sonriendo. Hago como que no la he oído y salgo al calor de la calle. Es la primera vez que robo algo en mi vida, pero me alegro de que haya sido con Susie vigilando.

Mis amigas y yo nos sentimos a gusto en lugares completamente diferentes: Elizabeth, encorvada sobre su máquina de coser intentando que su vida parezca perfecta, de catálogo; yo, en mi máquina de escribir redactando las cosas que nunca me atrevo a defender en voz alta; Hilly, por su parte, subida en un estrado diciéndole a sesenta y cinco mujeres que tres latas por cabeza no son suficientes para alimentar a todos esos PNHA, o sea, Pobres Niños Hambrientos de África. Por el contrario, Mary Joline Walker considera que con tres por cabeza basta.

–Además, ¿no resulta un poco caro mandar todas esas latas hasta Etiopía, en la otra punta del mundo? –pregunta Mary Joline–. ¿No sería más práctico enviarles un cheque?

La reunión todavía no ha comenzado oficialmente, pero Hilly ya está subida en el estrado. Se puede adivinar el frenesí en sus ojos. Ésta no es una sesión normal, sino una especial convocada por Hilly, ya que en junio no habrá reuniones porque muchas mujeres estarán fuera disfrutando de sus vacaciones. Además, en julio Hilly se va tres semanas a la playa, como todos los años, y no confía en que el resto de la ciudad pueda funcionar en su ausencia.

Hilly, con gesto de incredulidad, dice:

–No se puede dar dinero a la gente de esas tribus, Mary Joline. No tienen un supermercado Jitney en el desierto de Ogaden. Además, ¿cómo íbamos a saber que lo utilizan para alimentar a sus hijos? Seguramente, se gastarían nuestro dinero en ir a la choza del brujo del pueblo y hacerse tatuajes satánicos.

–De acuerdo –admite Mary Joline temblorosa, con el rostro impasible y cara de haber recibido un lavado de cerebro–. Supongo que tú entiendes más de esto.

Éste es el efecto de desánimo que Hilly ejerce sobre la gente, el que la ha convertido en una triunfal presidenta de la Liga de Damas.

Atravieso la atestada sala de reuniones sintiendo el calor de las miradas dirigidas a mí, como si tuviera un foco iluminándome la cabeza. La estancia está llena de mujeres de mi edad devorando tartas, bebiendo refrescos bajos en calorías y fumando pitillos. Algunas cuchichean con sus compañeras al verme pasar.

–Skeeter –dice Liza Presley antes de que consiga llegar a los termos de café–, he oído que estuviste en el Robert E. Lee hace unas semanas.

–¿Es cierto lo que dicen? ¿Estás saliendo con Stuart Whitworth? –me pregunta Frances Greenbow.

La mayoría de las preguntas son amables, no como las de Susie en la biblioteca. Sin embargo, me encojo de hombros intentando no darme cuenta de que cuando se pregunta a una chica normal, es información, pero cuando se pregunta a Skeeter Phelan, son noticias.

Pero es verdad. Estoy saliendo con Stuart Whitworth desde hace ya tres semanas. Hemos ido un par de veces al Robert E. Lee, incluyendo la cita desastre, y en otras tres ocasiones hemos estado bebiendo en mi porche antes de que él se marchara a Vicksburg. Incluso un día Padre retrasó su hora de acostarse a las ocho de la tarde para hablar con él. «Buenas noches, hijo. Dile al senador que apreciaríamos que sacara adelante ese proyecto de ley para reducir los impuestos a los productores agrícolas.»

Madre ha estado temblando, atrapada entre el terror a que lo estropee todo y el regocijo de descubrir, por fin, que me gustan los hombres.

El foco de atención me sigue mientras me acerco a Hilly. Las mujeres sonríen y me hacen gestos al cruzarse conmigo.

—¿Cuándo vas a volver a verlo? —Esta vez es Elizabeth, enroscando una servilleta y con los ojos como platos, como si estuviera contemplando un accidente de circulación—. ¿Te lo ha dicho?

—Mañana por la noche, en cuanto baje a la ciudad.

—¡Qué bien! —Hilly, con el botón de su gabán rojo sobresaliendo, sonríe como un niño regordete ante la vitrina de una heladería—. Haremos una cita doble, entonces.

No contesto. Preferiría que Hilly y William no vinieran con nosotros. Lo único que me apetece es estar con Stuart, que me mire a mí y sólo a mí. Un par de veces, estando a solas, me ha recogido el pelo que me caía sobre los ojos. Si hay gente con nosotros, no creo que se atreva a hacerlo.

—William llamará a Stuart esta noche. ¡Podemos ir al cine!

—De acuerdo —suspiro.

—Me muero de ganas por ver *El mundo está loco, loco, loco*. ¿No te parece divertido? —exclama Hilly—. Tú y yo, y William y Stuart.

Me resulta sospechosa la forma en que ha emparejado los nombres. Como si lo importante fuera que William y Stuart estuvieran juntos, en lugar de Stuart y yo. Sé que estoy siendo paranoica, pero últimamente no me fío de nadie. Hace un par de noches, nada más cruzar el puente que lleva al barrio de color, un policía me hizo parar. Inspeccionó la camioneta con su linterna, enfocando la luz sobre mi mochila. Me pidió el permiso de conducir y me preguntó adónde me dirigía.

–Le llevo un cheque a mi criada... Constantine. Me olvidé de pagarle.

Otro policía apareció y se acercó a la ventanilla.

–¿Por qué me han parado? –pregunté, alzando demasiado la voz–. ¿Ha pasado algo?

El corazón se me salía del pecho. ¿Qué sucedería si se les ocurriera comprobar el contenido de la mochila?

–Unos mierdas del Norte han estado causando problemas en el estado. Pero no se preocupe, señorita, los atraparemos –dice, acariciando su porra–. Termine sus recados y regrese pronto.

Cuando llegué a la calle de Aibileen, aparqué mucho más lejos de lo habitual. Incluso di la vuelta a la casa y entré por la puerta trasera, en lugar de por el porche de entrada. Durante la primera hora todavía estaba temblando, así que me costó bastante leer las preguntas que había escrito para Minny.

Hilly da el aviso de que faltan cinco minutos para abrir la sesión, dando unos golpes con su maza. Me dirijo a mi silla y coloco la mochila en mi regazo. Busco mi cuaderno en su interior y me topo con el librito de las leyes Jim Crow. De hecho, en la mochila está todo mi trabajo: las entrevistas a Aibileen y Minny, el bosquejo del libro, una lista de posibles criadas, un comentario sarcástico a la iniciativa de los retretes de Hilly que no me he atrevido a publicar... Todo aquello que no puedo dejar en casa por temor a que Madre fisgue en mis cosas y dé con ello. Lo guardo todo en un bolsillo lateral de la mochila, oculto por una solapa. Apenas se nota.

–Skeeter, esos pantalones de popelina te quedan genial; ¿cómo no te los había visto antes? –me dice Carroll Ringer desde unas cuantas sillas atrás.

La miro y sonrío, pensando «porque no se me ocurriría repetir la ropa que me pongo para una reunión, y a ti tampoco». Las preguntas sobre cómo visto me irritan mucho, después de tantos años con Madre acosándome todo el rato.

Siento que me tocan el hombro, me giro y veo que Hilly está metiendo la mano en mi mochila, justo en el lugar donde tengo el librito.

—¿Has traído los apuntes para el próximo boletín? ¿Es esto?

Ni tan siquiera la he notado acercarse.

—¡No! ¡Espera! —digo, arrebatándole la mochila y ocultando el librito entre mis papeles—. Tengo que... corregir un par de cosas. Te lo entrego ahora mismo.

Contengo la respiración.

Ya en el estrado, Hilly consulta su reloj mientras juguetea con la maza, deseosa de utilizarla. Deslizo la mochila debajo de la silla. Por fin se abre la sesión.

Anoto las noticias de la campaña PNHA: quién está en la lista negra, quién no ha traído todavía sus latas de comida... La agenda de eventos está llena de reuniones de comités y fiestas de presentación en sociedad de bebés. Me remuevo nerviosa en la silla, esperando que la reunión termine pronto. Tengo que devolver el coche a Madre antes de las tres.

Una hora y media más tarde, a las tres menos cuarto, salgo corriendo de la acalorada sala hacia el Cadillac. Seguro que me echarán en cara haberme marchado pronto, pero, Jesús, ¿qué es peor, la cólera de Madre o la de Hilly?

Llego a casa cinco minutos antes de las tres, tarareando *Love Me Do* y pensando que debería comprarme una minifalda como la que llevaba hoy Jenny Foushee. Dice que la ha conseguido en Nueva York, en los almacenes Bergdorf Goodman. A Madre le daría un patatús si me presento con una falda por encima de la rodilla cuando Stuart pase a recogerme el sábado.

—Madre, ya estoy en casa —grito desde el recibidor.

230

Saco un refresco del frigorífico y suspiro sonriente. Me siento sana, fuerte. Me dirijo a la puerta principal para recoger mi mochila y empezar a pasar a limpio las historias de Minny. Puedo notar que se muere de ganas por hablar de Celia Foote, pero en cuanto empieza a comentar algo sobre su jefa, se detiene y cambia de tema. El teléfono suena y contesto, pero es para Pascagoula. Anoto en una hoja el mensaje. Es Yule May, la criada de Hilly.

–Hola, Yule May –contesto, pensando en lo pequeña que es esta ciudad–. En cuanto vuelva, le pasaré tu mensaje.

Me apoyo en la encimera, deseando que Constantine estuviera en esta cocina como antes. Me encantaba compartir cada momento del día con ella.

Suspiro y me termino el refresco. Después salgo al porche para recoger mi mochila, pero no la encuentro. Me dirijo al coche a buscarla, pero tampoco está allí. «¡Vaya!», pienso, y subo las escaleras sintiendo que mi color se va tornando amarillo pálido. ¿He estado en mi cuarto antes? Reviso mi habitación, pero no encuentro nada. Me quedo pensando en medio del dormitorio, sintiendo que un hormigueo de terror trepa lentamente por mi espina dorsal. ¡Todo está dentro de la mochila!

«¡Madre!», pienso de repente, y bajo las escaleras a toda prisa. La busco en la sala de estar, pero entonces me doy cuenta de que ella no tiene la mochila. En ese momento me llega la respuesta, y se me paraliza todo el cuerpo. ¡Con las prisas que tenía por devolver a tiempo el coche a Madre, me la he dejado en la sede de la Liga de Damas! Entonces suena el teléfono y sé que va a ser Hilly la que llama.

Agarro el teléfono mientras Madre se despide desde la puerta principal.

–¿Diga?

–¿Cómo has podido olvidarte un trasto tan pesado? –me pregunta Hilly.

Mi amiga es de las que no tiene reparos en fisgonear las cosas de los demás. De hecho, le encanta hacerlo.

–¡Madre! ¡Espera un segundo! –le grito desde la cocina.

–¡Por Dios, Skeeter! ¿Qué llevas dentro de esta mochila? –dice Hilly.

Tengo que alcanzar a Madre, pero la voz de Hilly suena lejana, como si se estuviera agachando para abrir la bolsa.

–¡Nada! Sólo... todas esas cartas de Miss Myrna, ya sabes.

–Bueno. Me la he traído a casa, así que pásate a recogerla cuando puedas.

Madre está arrancando el coche.

–¡Vale! Ahora mismo me paso, lo que tarde en llegar.

Salgo fuera a todo correr, pero Madre ya está en la carretera. Miro a mi alrededor y tampoco veo la vieja camioneta; la estarán utilizando para repartir semillas de algodón por los campos. El nudo que siento en el estómago se aprieta, me duele y me quema como un ladrillo puesto al sol.

En la carretera veo que el Cadillac reduce la velocidad y se detiene bruscamente. Arranca, pero se para de nuevo. Después da la vuelta y regresa zigzagueando hacia casa. Gracias a un Dios, en el que nunca he confiado ni creído mucho, Madre vuelve.

–Fíjate que me he olvidado la cazuela de Sue Anne... ¿Dónde tendré la cabeza?

Me cuelo en el asiento del copiloto y espero a que regrese al coche. Cuando se sienta al volante, le digo:

–¿Me llevas a casa de Hilly? Tengo que recoger algo que me he dejado. –Me paso la mano por la frente para secarme el sudor–. Vamos, Madre, antes de que se nos haga tarde.

Pero Madre no se mueve.

–Skeeter, tengo un millón de cosas que hacer esta tarde...

El pánico asciende por mi garganta.

–Madre, por favor, llévame...

Pero el coche sigue inmóvil sobre la gravilla, con el motor al ralentí temblando como una bomba de relojería.

–Vamos a ver –dice Madre–, tengo que hacer una serie de recados personales y no creo que sea el momento adecuado para que me acompañes.

–No serán más que cinco minutos. ¡Venga, mamá!

Madre sigue con las manos enfundadas en sus guantes blancos sobre el volante y aprieta los labios.

–Resulta que tengo algo importante y confidencial que hacer esta tarde.

Dudo mucho que lo que tenga que hacer ella sea más importante que esa cosa que me asfixia en la garganta.

–¿Qué pasa? ¿Una mexicana ha pedido que la admitáis en la Asociación de Hijas de la Revolución Americana? ¿Habéis pillado a alguien leyendo el *Nuevo diccionario americano?*

–Está bien –acepta Madre tras soltar un suspiro, y empieza a mover la palanca de cambios–. Vamos.

Salimos hacia la carretera a medio kilómetro por hora, con cuidado de que la gravilla no salte sobre la chapa. Al terminar la pista, Madre pone el intermitente con extremada precaución y el Cadillac trepa lentamente a la carretera. Apretando los puños, piso un acelerador imaginario. Cada vez que Madre se sienta al volante parece que sea la primera vez que conduce.

Ya en la carretera, se pone a veinte por hora y aferra el volante como si fuéramos a ciento cincuenta.

–Mamá, déjame conducir a mí.

Suspira y me sorprendo al ver que me hace caso y se detiene en la hierba de la cuneta.

Salgo y doy un rodeo a toda prisa mientras ella cambia de asiento desde el interior. Arranco el coche y lo pongo a cien rezando: «Por favor, Hilly, resiste la tentación de husmear en mis papeles...».

–¿Y qué es esa cosa tan secreta que tienes que hacer esta tarde? –pregunto.

–Voy... voy a ver al doctor Neal para hacerme unas pruebas. Unos análisis rutinarios, pero no quiero que tu padre se entere. Ya sabes cómo se pone cada vez que alguien tiene que ir al médico.

–¿Qué tipo de análisis?

–¡Nada! Una prueba de yodo para mis úlceras, la misma que me hago todos los años. Puedes dejarme en el Hospital Baptista y luego irte a casa de Hilly. Así por lo menos no tendré que preocuparme por aparcar.

La observo para ver si esconde algo más, pero está sentada con la espalda recta y bien tiesa, con su vestido azul claro y las piernas cruzadas a la altura de los tobillos. No recuerdo que el año pasado se hiciera esos análisis de los que habla. Aunque fuera mientras yo estaba en la universidad, Constantine me habría escrito para contármelo. Madre debe de haberlos estado manteniendo en secreto.

Cinco minutos más tarde, en el Hospital Baptista, salgo del coche para ayudarla a bajarse del asiento.

–Eugenia, por favor. Sólo porque estemos en un hospital no significa que esté inválida.

Le abro la puerta de cristal y ella entra con la cabeza muy erguida.

–Madre, ¿quieres que... te acompañe? –le pregunto, consciente de que no puedo.

Tengo que arreglar el asunto de Hilly, pero de repente me da pena dejarla así en un lugar como éste.

–Es algo rutinario. Ve a casa de Hilly y vuelve a buscarme dentro de una hora.

Observo cómo se va empequeñeciendo su figura al avanzar por el pasillo del hospital, con el bolso agarrado bajo el brazo. Soy consciente de que debo marcharme a toda prisa, pero antes de hacerlo pienso en lo frágil y endeble que se ha vuelto Madre. Solía llenar una habitación con su respiración, y ahora parece tan poca cosa... Dobla una esquina y desaparece tras la pared amarillo claro. Permanezco un segundo más observando, antes de salir corriendo hacia el coche.

Un minuto y medio más tarde estoy llamando a la puerta de Hilly. En circunstancias normales, le hablaría de Madre, pero no puedo distraerla. La primera impresión me lo dirá todo. Hilly es una gran mentirosa, aunque justo antes de que comience a hablar se puede notar si va a decir la verdad.

Hilly abre la puerta. Tiene la boca tensa y roja. Observo sus manos: están entrelazadas, como atadas con nudos. Me doy cuenta de que he llegado demasiado tarde.

–¡Vaya, sí que te has dado prisa! –dice, mientras la sigo al interior.

El corazón se me va a salir del pecho. Me parece que he dejado de respirar.

–Ahí tienes tu trasto. Espero que no te importe, he repasado alguna de las actas de la reunión.

Me quedo mirando a mi mejor amiga, intentando adivinar qué habrá leído de mis cosas. Pero ya esboza una sonrisa amplia y muy profesional. El momento revelador ha pasado.

–¿Quieres que te traiga algo de beber?

–No, gracias –respondo–. ¿Te apetece ir a jugar un poco al tenis? Hace un día magnífico.

–William tiene una reunión de campaña y luego vamos a ir a ver *El mundo está loco, loco, loco*.

Analizo su rostro. ¿No me acaba de pedir hace un par de horas que fuéramos con nuestras parejas a ver esa película mañana por la noche? Lentamente, me retiro hacia el final de la mesa del comedor, temiendo que vaya a saltar sobre mí si me muevo demasiado rápido. Hilly saca un tenedor de plata del armario y pasa el dedo índice por los dientes.

–Sí... he oído que Spencer Tracy está genial –digo.

Fingiendo indiferencia, rebusco entre los papeles de mi mochila. Las notas de Aibileen y Minny están bien metidas en el bolsillo lateral, con la solapa cerrada y el botón abrochado. Pero la iniciativa del retrete de Hilly está arriba, con la frase que escribí: «Las leyes Jim Crow y la iniciativa de los retretes de Hilly, ¿cuál es la diferencia?». También están las notas para el boletín que Hilly ya ha ojeado. Pero el librito con las leyes no está. Escarbo en el interior de la mochila, pero sigue sin aparecer.

Hilly inclina la cabeza y me mira con ojos de enfado.

–¿Sabes? Me he estado acordando de cómo el padre de Stuart apoyó al gobernador Ross Barnett cuando se enfrentaron a ese chico de color que quería entrar en la Universidad de Misisipi. Se llevan muy bien, el senador Whitworth y el gobernador Barnett.

Abro la boca para decir algo, cualquier cosa, pero de repente el pequeño William Jr. aparece en la sala.

–¡Vaya, aquí estás! –Hilly lo sube en brazos y le besa en el cuello–. ¡Mi corazoncito! ¡Qué guapo eres!

William me mira y grita.

–Bueno, que disfrutéis de la película –le digo, dirigiéndome a la puerta.

–Gracias –responde ella.

Bajo las escaleras. Desde la entrada, Hilly me saluda y agita la mano del pequeño William en un gesto de despedida. Antes de que me dé tiempo a llegar al coche, cierra de un portazo.

Aibileen

Capítulo 14

Me he visto en bastantes situaciones tensas en mi vida, pero ninguna como la de tener a Minny en una punta de la sala de estar de mi casa y a Miss Skeeter en la otra, discutiendo sobre qué se siente al ser negra y tener que servir a las blancas. ¡Ay, Señor! Es un milagro que no hayan acabado a tortas.

Algunos días, nos hemos quedado muy cerquita de terminar mal. Por ejemplo, la pasada semana, cuando Miss Skeeter me enseñó el papel en el que Miss Hilly exponía las razones por las que considera que la gente de color debe tener su propio retrete separado de los blancos.

–*Parese* un panfleto del Ku Klux Klan –le dije a Miss Skeeter.

Estábamos en la salita de mi casa. Las noches ya habían empezado a ser calurosas. Minny había ido a la cocina para quedarse un rato delante de la nevera abierta. La pobre no para de sudar ni en enero.

–Hilly quiere que lo incluya en el boletín de la Liga de Damas –me contó Miss Skeeter, moviendo la cabeza disgustada–. Lo siento, quizá no debería habértelo enseñado, pero es que no sé a quién más contárselo.

Un minuto después, Minny regresó. Hice un gesto a Miss Skeeter para que ocultara el papel en su cuaderno. Minny no

237

parecía haberse refrescado mucho. De hecho, parecía más acalorada que nunca.

–Minny, ¿alguna vez hablas con tu marido sobre los derechos civiles? –le preguntó Miss Skeeter–. Cuando regresa del trabajo, por ejemplo...

Minny tenía un gran moratón en el brazo porque Leroy, cuando vuelve del trabajo, a lo que se dedica es a zurrarla.

–*Pos* no –es todo lo que contestó Minny.

A mi amiga no le gusta que nadie meta las narices en su vida privada.

–¿En serio? ¿Nunca te habla de lo que opina sobre la segregación y las protestas? Seguro que sus jefes en el traba...

–Oiga, señorita, deje a Leroy tranquilo –cortó Minny, y cruzó los brazos para que no se le viera el morado.

Le di una patadita a Skeeter, pero la mujer tenía esa mirada que se le pone cuando tiene algo metido entre ceja y ceja.

–Aibileen, ¿no te parece que sería interesante mostrar la perspectiva de los maridos? Quizá Minny podría...

Minny se levantó tan bruscamente que la bombilla de la habitación se balanceó.

–*S'acabao*, lo dejo. Estáis entrando en mi vida *privá*. Además, ¡me importa un carajo que los blancos sepan cómo me siento!

–Está bien, Minny, perdona –dijo Miss Skeeter–. No hablaremos más de tu familia.

–¡He dicho que no! He *cambiao* de idea. Buscaos a otra que os cuente sus películas.

Esto ya nos había pasado antes, pero esta vez Minny agarró su cuaderno y su abanico de la funeraria y dijo:

–Lo siento, Aib, pero no puedo *seguí* con esto.

En ese momento tuve una sensación de pánico. Se iba a marchar de verdad. ¡No podía ser! Minny era la única sirvienta, quitándome a mí, que había aceptado colaborar con nosotras.

Entonces me levanté, saqué el papel de Hilly del cuaderno de Skeeter y se lo puse delante de las narices a Minny, que lo miró y preguntó:

–¿Qué demonios es esto?

Puse cara de tonta y me encogí de hombros. Era mejor no presionarla para que lo leyera, porque entonces no lo haría.

Minny agarró el papel y empezó a ojearlo. Al instante, pude ver sus dientes asomando entre los labios, pero no precisamente porque estuviera sonriendo. Después, dirigió una mirada larga y asesina a Miss Skeeter, como si se la fuera a comer, y dijo:

–Bueno, igual me quedo, pero dejemos en paz mis asuntos personales, ¿*entendío*, blanquita?

Miss Skeeter asintió en silencio. Ya ha aprendido cómo funcionan las cosas con Minny.

Unos días más tarde, estoy preparando una ensalada de huevo para el almuerzo de Chiquitina y Miss Leefolt. Decoro el plato con pepinillos en vinagre. Miss Leefolt está sentada a la mesa de la cocina con Mae Mobley, contándole que para octubre el nuevo bebé estará aquí, que espera no perderse el partido inaugural de la liga de la Universidad de Misisipi por estar en el hospital, que va a tener una hermanita o un hermanito y que tienen que elegir un nombre para ponerle. Es agradable verlas hablando juntas. Miss Leefolt se ha pasado media mañana al teléfono, cuchicheando con Miss Hilly sobre algo serio y sin prestarle atención a Chiquitina. Además, cuando tenga el nuevo bebé, Mae Mobley no va a recibir demasiado cariño de su madre.

Después de comer, saco a Chiquitina al jardín y lleno de agua su piscina de plástico verde. Hace un calor espantoso, estamos a treinta y cinco grados en la calle. Misisipi tiene el clima más inestable del país. En febrero podemos estar a diez bajo cero, deseando que llegue la primavera cuanto antes, y de un día para otro la temperatura cambia y ya no baja de los treinta grados durante los siguientes nueve meses.

El sol calienta hoy de lo lindo. Mae Mobley se sienta en medio de la piscina con sólo la braguita del bañador, porque lo primero que hace en cuanto se lo pongo es quitarse la parte de arriba. Miss Leefolt sale al jardín y dice:

239

–¡Vaya, cómo os estáis divirtiendo! Estoy pensando en llamar a Hilly para que traiga a Heather y al pequeño Will.

Antes de que me dé cuenta, los tres niños están jugando en la piscina; chapotean y se lo pasan en grande.

Heather, la hija de Miss Hilly, es muy mona. Es seis meses mayor que Mae Mobley. Chiquitina la adora. Heather tiene unos rizos oscuros y brillantes, es pecosa y muy habladora. Parece una copia en pequeño de Miss Hilly, aunque en el cuerpo de una niña queda mejor. William Junior tiene dos años. Es rubito y no abre la boca, sólo camina balanceándose como un patito mientras persigue a las niñas entre los altos juncos que bordean el jardín, alrededor del columpio, que falla de un lado y me da unos sustos de muerte si lo empujas muy fuerte, y también por la piscinita.

Una cosa buena que tengo que decir sobre Miss Hilly es que adora a sus hijos. Cada cinco minutos le da un beso al pequeño Will en la cabecita y le pregunta a Heather si se lo está pasando bien, o le pide que venga a darle un abrazo a su mamita. Constantemente le dice que es la niña más guapa del mundo. Y se nota que Heather también quiere a su madre. La mira como si se tratara de la *Estatua de la Libertad*. Cuando veo este tipo de amor de hijo, siempre siento deseos de llorar, incluso cuando está dirigido a Miss Hilly, porque me recuerda lo mucho que me quería mi Treelore. Disfruto al ver que un niño adora a su mamá.

Los mayores nos sentamos a la sombra del magnolio mientras los críos juegan. Como mandan los cánones, aparto mi silla a una prudente distancia de las damas. Ellas han extendido unas toallas en las tumbonas de hierro negras, que siempre se calientan demasiado. Yo prefiero sentarme en la silla plegable de plástico, pues así tengo las piernas más fresquitas.

Vigilo a Mae Mobley, que ha desnudado a su muñeca Barbie y le está dando un baño, lanzándola desde el borde de la piscina. Pero, al mismo tiempo, no les quito ojo a las señoras. Me he dado cuenta de que Miss Hilly habla con mucha dulzura con Heather y William, pero cuando se vuelve hacia Miss Leefolt pone cara de perro.

–Aibileen, ¿podrías traerme un poco más de té helado? –me pide Miss Hilly.

Voy al frigorífico a por la jarra. Cuando regreso, puedo oír que Miss Hilly dice mientras me acerco:

–¿Ves? ¡Es que no puedo entenderlo! Nadie querría sentarse en un retrete compartido con esa gente.

–Es lógico –contesta Miss Leefolt, pero se calla cuando me pongo a llenar sus vasos.

–Muchas gracias –dice Miss Hilly, y luego me observa perpleja e inquiere–: Te gusta tener tu propio lavabo, ¿verdad, Aibileen?

–Sí, señora.

Sigue con ese tema dale que dale, aunque el retrete lleva ahí más de seis meses.

–Iguales pero separados –le dice Miss Hilly a Miss Leefolt–. Eso es lo que defiende el gobernador Ross Barnett. ¡Y al gobierno no se le discute!

Miss Leefolt se da una palmada en el muslo como si acabara de tener la mejor ocurrencia para cambiar de tema. Estoy de acuerdo con ella, mejor que hablen de otros asuntos.

–¿Te he contado lo que dijo Raleigh el otro día?

Pero Miss Hilly sacude la cabeza y me pregunta:

–Aibileen, ¿verdad que no te gustaría ir a una escuela llena de blancos?

–No, señorita –respondo entre dientes.

Me levanto y le quito a Chiquitina la goma de la coleta. Las bolitas de plástico que tiene de decoración se le enredan en el cabello cuando lo tiene mojado. Aunque en realidad lo que quiero es tapar sus orejas con mis manos, para que no pueda escuchar esta conversación ni, lo que es peor, oír cómo asiento a lo que dice Miss Hilly.

Pero entonces, pienso: «¿Por qué? ¿Por qué tengo que asentir a lo que diga esta mujer? Si Mae Mobley va a escuchar algo, que por lo menos sea algo con sentido». Contengo la respiración y noto que se me acelera el corazón. Lo más correctamente que puedo, digo:

–A una escuela llena de blancos, no. Pero a una donde hubiera blancos y gente de *coló* juntos, no me importaría.

Miss Hilly y Miss Leefolt se quedan mirándome desconcertadas. Me giro para observar a los niños.

–Pero, Aibileen –insiste Miss Hilly con una sonrisa helada y la nariz arrugada–, los blancos y los negros somos tan... tan distintos...

Aprieto los labios. ¡Por supuesto que somos distintos! Todo el mundo sabe que los negros y los blancos no somos iguales. Pero seguimos siendo personas. ¡Leches! Pero si hasta dicen que Jesucristo tenía la piel oscura de tanto vivir en el desierto. Tengo que morderme la lengua para no hablar.

De todos modos, poco importa lo que yo piense. Miss Hilly ya ha cambiado de tema, pues mi opinión no cuenta para ella. Regresa a su charla en voz baja con Miss Leefolt. De repente, una enorme nube oculta el sol. Parece que vamos a tener tormenta.

–... el gobierno sabe lo que nos conviene, y si Skeeter piensa que va a salirse con la suya con esto de los negros...

–¡Mamá! ¡Mamá! ¡Mírame! –grita Heather desde la piscina–. ¡Mira mis coletas!

–¡Ya te veo, ya! Además, William va a presentarse a las próximas...

–¡Mami! ¡Dame tu peine! ¡Quiero jugar a peluqueros!

–... no puedo tener a defensoras de negros en mi círculo de amistades...

–¡Mamiii! ¡Dame tu peine! ¡Tráemelo!

–Lo he leído. Lo encontré en su mochila y estoy decidida a hacer algo al respecto.

Después de decir esto, Miss Hilly se tranquiliza y busca el peine en el interior de su bolso. Un trueno retumba sobre Jackson y a lo lejos escuchamos la sirena que avisa de los tornados. Intento buscarle un sentido a lo que acaba de decir Miss Hilly: «Miss Skeeter. Su mochila. Lo he leído».

Saco a los niños de la piscina y los cubro con toallas. Los truenos se acercan resonando en el cielo.

Un minuto después del atardecer, me siento en la mesa de mi cocina dándole vueltas al lápiz en la mano. Tengo ante mí la copia de *Huckleberry Finn* de la biblioteca para blancos, pero no soy capaz de leer. Siento un sabor amargo y desagradable en la boca, como el de los posos del último sorbo de una taza de café. Necesito hablar con Miss Skeeter.

Sólo me he atrevido a llamar a su casa en dos ocasiones y porque no tenía más remedio: una para decirle que aceptaba participar en lo de las historias, y otra cuando Minny decidió unirse a nosotras. Sé que es arriesgado, pero me levanto y descuelgo el teléfono de pared. ¿Qué haré si responde su madre o su padre? Seguro que la criada hace ya horas que se marchó. ¿Cómo va a explicar Miss Skeeter que la telefonee una mujer de color?

Me siento otra vez. Miss Skeeter estuvo aquí hace tres días para escuchar a Minny. Parecía que todo iba bien, no como hace unas semanas, cuando la paró la policía. No mencionó a Miss Hilly en ningún momento.

Me quedo en la silla, enfurruñada, deseando que suene el teléfono. Me levanto para perseguir por el suelo a una cucaracha con mi zueco del trabajo en la mano. El insecto gana la carrera y se cuela debajo de la bolsa de ropa vieja que me dio Miss Hilly y que lleva en el mismo rincón desde hace meses.

Contemplo la bolsa y vuelvo a darle vueltas al lápiz. Tengo que hacer algo con ella. Estoy acostumbrada a que las señoras blancas me den ropa, y así llevo treinta años sin comprarme cosas nuevas. Siempre tardo un poco en acostumbrarme a ellas y sentir que son mías. Cuando Treelore era chiquitín y yo me ponía uno de esos viejos abrigos que me regalaban las mujeres para las que servía, mi hijo me miraba divertido, se apartaba de mí y decía que olía a blanca.

Pero esta bolsa es distinta. Aunque haya cosas que me valgan, no pienso ponérmelas ni regalárselas a mis amigas. Toda la ropa que hay en su interior, la falda-pantalón, la camisa con cuello de Peter Pan, la chaqueta rosa con una mancha de grasa y hasta los calcetines, todo, tiene bordadas las iniciales H.W.H. con hilo rojo y una preciosa letra cursiva. Sé que Yule

May tenía que coser esas letras a todas sus prendas. Si las vistiera, sentiría que soy propiedad de Hilly W. Holbrook.

Me levanto y le doy una patada a la bolsa, pero la cucaracha no aparece. Vuelvo a mi cuaderno e intento escribir mis oraciones, pero estoy demasiado preocupada por Miss Hilly, preguntándome qué habrá querido decir con eso de «Lo he leído».

Al cabo de un rato, la imaginación me lleva a un terreno al que no quería llegar. Sé muy bien lo que sucederá si las blancas descubren que he estado escribiendo sobre ellas, contando la verdad sobre sus vidas. Las mujeres no son como los hombres. Una señorita no te va a dar una tunda con un bate de béisbol. Miss Hilly no me apuntará con una pistola, ni Miss Leefolt vendrá a quemarme la casa.

No. A las mujeres blancas no les gusta ensuciarse las manos. Por el contrario, tienen una cajita de utensilios afilados como las uñas de una bruja, bien ordenados y dispuestos con precisión, como los tornos en la bandeja de un dentista, y no dudan en emplearlos.

Lo primero que hará una mujer blanca es despedirte. Aunque te afecte perder tu empleo, te imaginas que podrás encontrar otro trabajo cuando las cosas se calmen y la gente se olvide de lo que pasó. Lo más normal es que tengas ahorros para pagar el alquiler de un mes, y tus amigas te ayudarán trayéndote potajes de calabaza.

Pero luego, una semana después de que te hayas quedado sin empleo, encontrarás un sobrecito amarillo pegado a la puerta de tu casa. Dentro habrá un papel donde leerás: «Aviso de desahucio». Todos los caseros de Jackson son blancos, y todos ellos tienen una esposa blanca que es amiga de alguien. Entonces empezarás a asustarte. Todavía no habrás encontrado un nuevo trabajo, porque cada vez que lo intentas, te dan con la puerta en las narices. Ahora, además, no tienes un lugar donde vivir.

A partir de ahí, las cosas se acelerarán:

Si todavía estás pagando tu coche, te lo quitarán.

Si tienes alguna multa de aparcamiento, irás a la cárcel.

Si tienes una hija, puedes irte a vivir con ella. Seguramente, tu hija sirva en casa de una familia blanca. Al cabo de unos días, volverá a casa y te dirá: «¡Mamá! ¡Me han echado!». Se sentirá herida, asustada, no comprenderá la causa. Tendrás que decirle que es por tu culpa.

Por lo menos, su marido todavía trabaja. Por lo menos, pueden dar de comer al bebé.

Luego despedirán al marido. Otra herramienta afilada, brillante y precisa, de las mujeres blancas.

Los dos te apuntarán con el dedo, gritando, preguntándote por qué lo hiciste. Tú ni tan siquiera te acordarás del motivo por el que empezó todo. Las semanas pasarán, sin trabajo, sin dinero, sin casa, sin nada. Esperarás que termine este infierno. Ya te han hecho suficiente daño, ya está cerca el momento de que se olviden de ti.

Entonces llamarán a la puerta de madrugada. No será la mujer blanca, ella no hace ese tipo de cosas. Pero mientras la pesadilla se hace realidad, en medio del fuego, los palos y los navajazos, te darás cuenta de algo que siempre supiste: una mujer blanca nunca olvida.

Y no parará hasta que mueras.

A la mañana siguiente, Miss Skeeter aparca su Cadillac frente a la casa de Miss Leefolt. Tengo las manos sucias de andar despiezando el pollo, los fuegos de la cocina están encendidos y Mae Mobley no para de lloriquear porque se muere de hambre, pero no puedo esperar. Entro en el comedor con las manos pringosas en alto.

Miss Skeeter le está preguntando a Miss Leefolt por una lista de señoritas que van a participar en un comité, y ésta le responde:

—La jefa del comité de bizcochos es Eileen.

—¡Pero si la presidenta del comité es Roxanne! —protesta Miss Skeeter.

—No. Roxanne es la vicepresidenta del comité de bizcochos. La jefa es Eileen —aclara Miss Leefolt.

Me están poniendo de los nervios con esa discusión sobre bizcochos. Me entran ganas de pellizcar a Miss Skeeter con mis dedos sucios de pollo, pero sé que lo mejor es no interrumpirlas. No mencionan el asunto de la mochila en ningún momento.

Antes de que me dé cuenta, Miss Skeeter se ha marchado y no he tenido oportunidad de hablar con ella.

¡Demonios!

Esa noche, después de la cena, la cucaracha y yo nos observamos desde un rincón al otro de la cocina. Es grande, medirá tres o cuatro centímetros, y muy negra, más que yo. Hace un sonido agudo con las alas. Tengo el zueco preparado en la mano.

El teléfono suena y las dos damos un respingo.

–Hola Aibileen –dice Miss Skeeter, y escucho una puerta cerrarse al otro lado de la línea–. Perdona por llamarte tan tarde.

–Menos mal que ha *llamao* –respiro aliviada.

–Sólo llamaba para ver si has conseguido... algo con las otras criadas.

Miss Skeeter está rara, su voz suena tensa. Estos últimos días, se la notaba feliz como una mariposa de lo enamorada que está. Se me acelera el corazón, pero no empiezo a preguntarle las cosas que quiero saber, no sé muy bien por qué.

–Se lo pedí a Corrine, la que trabaja *pa* la familia Cooley, pero me dijo que no. También a Rhonda y a su hermana, que sirve en casa de los Miller... pero las dos lo rechazaron.

–¿Y Yule May? ¿Has hablado con ella últimamente?

Me pregunto si ésta será la causa por la que Miss Skeeter habla de un modo tan extraño. Bueno, es cierto que he mentido. Hace un mes le dije que había pedido a Yule May que colaborara con nosotras cuando en realidad no lo hice. No es porque no la conozca bien. Es que Yule May es la criada de Miss Hilly Holbrook, y todo lo que tenga relación con esa mujer me da pánico.

–*Pos* no, hace tiempo que no hablo con ella. Puedo *volvé* a intentarlo –le miento, muy a mi pesar.

Empiezo a dar vueltas al lápiz entre los dedos, dispuesta a contarle lo que escuché decir a Miss Hilly.

–Aibileen –la voz de Miss Skeeter suena ahora temblorosa–, tengo que decirte una cosa.

Miss Skeeter permanece en silencio, como en esos terribles instantes antes de que se desate un tornado.

–¿Qué pasa, Miss Skeeter?

–Me... me dejé la mochila en la sede de la Liga de Damas y Hilly la recogió.

Parpadeo, como si no hubiera oído bien.

–¿La mochila roja?

No contesta.

–Ay... ¡Dios! –exclamo.

Ahora todo empieza a tener sentido.

–Vuestras historias estaban en un bolsillo lateral cubierto por una solapa. Creo que lo único que Hilly ha visto es el librito con las leyes Jim Crow que saqué de la biblioteca... pero no lo puedo asegurar.

–¡Ay, Miss Skeeter! –digo, cerrando los ojos.

Señor, ayúdame, ayuda a Minny.

–Lo sé, lo sé –dice Miss Skeeter, y solloza al aparato.

–Está bien, no pasa *na*...

Intento tragarme mi enfado, diciéndome que fue un accidente. Echarle la culpa no servirá de nada ahora.

Pero aun así...

–Aibileen, lo siento muchísimo.

Por unos segundos, no escucho más que los latidos de mi corazón. Muy despacito, asustado, mi cerebro empieza a analizar los pocos datos que me ha dado, comparándolos con lo que yo ya sabía.

–¿Cuánto hace que sucedió esto? –le pregunto.

–Tres días. Quería saber qué ha descubierto antes de decírtelo.

–¿Ha *hablao* con Miss Hilly?

–Sólo un momento, cuando pasé a recoger la mochila. Pero he hablado con Elizabeth y con Lou Anne, y con otras cuatro buenas amigas de Hilly. Ninguna ha aludido al tema. Por eso... por eso te preguntaba si habías hablado con Yule May. Igual ella ha oído algo en el trabajo.

Tomo aire, deseando no tener que decirle esto:

–Yo misma he oído algo. Ayer, Miss Hilly se lo estaba contando a Miss Leefolt.

Miss Skeeter se queda callada. Tengo la impresión de que de un momento a otro una piedra va a atravesar la ventana de mi casa.

–Le contó que su *marío* iba a presentarse a las elecciones, que *usté* simpatizaba con la gente de *coló* y dijo... que había *leío* una cosa.

Al pronunciar estas palabras, todo mi cuerpo se estremece. Sigo meneando el lápiz entre los dedos.

–¿Mencionó algo sobre las criadas? –pregunta Miss Skeeter–. Es decir, ¿estaba enfadada sólo conmigo o mencionó también a Minny?

–No, sólo habló de *usté*.

–Vale.

Miss Skeeter suspira al teléfono. Parece molesta, pero no tiene ni idea de lo que nos puede pasar a Minny y a mí. No conoce los afilados utensilios que emplean las mujeres blancas. No sabe nada de las llamadas a la puerta de madrugada ni de esos blancos que andan esperando, con los bates y las cerillas listos, a que alguien de color se meta con uno de los suyos. Cualquier excusa es suficiente para que se pongan manos a la obra.

–No puedo asegurártelo, claro, pero... si Hilly supiera algo sobre nuestro libro, sobre ti o, en especial, sobre Minny, ya se habría enterado toda la ciudad –dice Miss Skeeter.

Reflexiono sobre esto, deseando que tenga razón.

–Es *verdá*, Minny Jackson no le cae *na* bien.

–Aibileen –prosigue Miss Skeeter, y puedo advertir por el tono roto de su voz que se está volviendo a derrumbar–, podemos dejarlo. Si quieres que abandonemos esto del libro lo entenderé perfectamente.

Si le digo que no quiero seguir, todo cuanto he estado escribiendo y lo que todavía me falta por escribir nunca será dicho. ¡No! No quiero dejarlo. Me sorprende la firmeza de mi resolución.

–Si Miss Hilly se ha *enterao* ya, no hay *na* que podamos *hacé* –digo–. Dejarlo ahora no nos va a salvar.

No veo, escucho ni huelo a Miss Hilly durante los siguientes dos días. Incluso cuando no tengo un lápiz entre las manos, mis dedos siguen meneándolo, en el bolsillo, en la encimera de la cocina, o tamborileando sobre la mesa. Tengo que descubrir qué tiene Miss Hilly en la cabeza.

Miss Leefolt ha dejado tres mensajes a Yule May para Miss Hilly, que se pasa todo el día en el despacho de Mister Holbrook, el cuartel general de la campaña, como lo llama Hilly. Miss Leefolt suspira y cuelga el teléfono. Parece que no supiera cómo hacer funcionar su cerebro sin que Miss Hilly pulse los botones de pensar. Chiquitina me ha preguntado ya diez veces cuándo va a venir Heather otra vez para jugar con ella en la piscina. Supongo que cuando crezcan se harán buenas amigas y Miss Hilly les enseñará cómo son las cosas. Esa tarde, estamos todas en casa, mano sobre mano, preguntándonos cuándo se pasará por aquí Miss Hilly.

Al cabo de un rato, Miss Leefolt sale para ir a la mercería. Dice que quiere hacer una cubierta para algo, pero no sabe el qué. Mae Mobley me mira y sé que ambas pensamos lo mismo: «Esta mujer nos haría una funda para taparnos a nosotras si la dejaran».

Ese día me tengo que quedar en el trabajo hasta muy tarde. Le doy la cena a Chiquitina y la acuesto, porque Mister y Miss Leefolt han salido al Lamar a ver una película. Mister Leefolt había prometido a su mujer que la llevaría al cine, y ella le tomó la palabra, aunque sólo podían llegar a la última sesión. Cuando regresan a casa, bostezan mientras se escucha el canto de los grillos. Si estuviéramos en otra casa, me quedaría a dormir en el cuarto del servicio, pero en ésta no tienen. Me hago un poco la remolona mientras recojo mis cosas, para ver si Mister Leefolt se ofrece a llevarme a casa, pero el hombre se marcha directamente a la cama.

Ya en la oscuridad de la calle, voy andando hasta Riverside, que queda a unos diez minutos. Desde allí sale un autobús nocturno para los obreros de la potabilizadora. Corre suficiente aire para mantener a raya a los mosquitos. Me siento sobre la hierba del parque, bajo una farola. Al cabo de un rato, llega el autobús. Sólo hay cuatro pasajeros, dos de color y dos blancos, todos hombres. No conozco a ninguno. Me siento junto a la ventanilla detrás de un señor negro y delgado de mi edad, que lleva traje y sombrero marrones.

Cruzamos el puente y pasamos junto al hospital para gente de color, donde el autobús da la vuelta. Saco mi cuaderno de oraciones para poder escribir algo en el trayecto. Me concentro en Mae Mobley, intentando apartar a Miss Hilly de mi mente. «Señor, muéstrame cómo enseñar a Chiquitina a ser amable, a amar a los demás y a sí misma, mientras esté a tiempo...»

Levanto la mirada. El autobús se ha detenido de repente en medio de la carretera. Me asomo al pasillo y veo, a unas manzanas de distancia, luces azules que brillan en la oscuridad y gente juntándose. La calle está cortada.

El conductor blanco mira al frente, para el motor del vehículo y mi asiento dejan de temblar. Tengo una sensación extraña. El hombre se ajusta su gorra de conductor y baja de un salto de su asiento.

—Quédense aquí, voy a ver qué pasa.

Permanecemos en silencio, esperando. Oigo los ladridos de un perro, no uno doméstico, sino uno de esos que ladran a la gente. Pasados cinco minutos, el conductor regresa al autobús y pone en marcha el motor. Toca el claxon, hace un gesto por la ventanilla y empieza a retroceder muy despacio.

—¿Qué pasa ahí? —pregunta el hombre de color que está delante de mí.

El conductor no contesta y sigue reculando. Las luces se van reduciendo de tamaño y los ladridos, apagándose en la distancia. El conductor gira en Farish Street y se detiene en la siguiente esquina.

—Última parada para la gente de color. Todos abajo —grita, mirando por el retrovisor—. Los blancos, díganme adónde van y les acercaré todo lo que pueda.

El hombre de color me mira. Supongo que a los dos no nos sienta muy bien esto, pero se incorpora, y yo hago lo mismo.

Lo sigo por el pasillo hasta la puerta del autobús. Hay un silencio aterrador, sólo se oye el ruido de nuestros pasos.

Un blanco se inclina hacia el conductor y le pregunta:

–¿Qué ha pasado?

Bajo las escaleras del autobús detrás del hombre de color. A mi espalda, oigo que el conductor responde:

–No sé, parece que se han cargado a un negro. ¿Adónde se dirige?

La puerta se cierra con un silbido. Ay, Dios, que no sea alguien conocido.

En Farish Street no se oye ni una mosca. No hay nadie, sólo nosotros dos. El hombre me mira y me pregunta:

–¿Se encuentra bien, mamita? ¿Su casa está cerca?

–Estoy bien, *grasias*. Vivo aquí al *lao*.

Mi casa queda a siete manzanas.

–¿Quiere que la acompañe?

Me encantaría, pero niego con la cabeza y le digo:

–No, *grasias,* no hace falta.

Una furgoneta pasa zumbando por la calle en dirección al cruce donde el autobús tuvo que dar la vuelta. En un lateral tiene escrito WLBT-TV en grandes letras y lleva una antena en el techo.

–¡Jesús! Espero que no haya *pasao na* grave... –comento.

Pero el hombre ya no está. No hay un alma en la calle, sólo yo. Tengo esa sensación de la que habla la gente justo antes de que les asalten. En un par de segundos estoy caminando tan deprisa que el sonido de mis medias, al rozar una con la otra, parece el de una cremallera abrochándose. Más adelante, veo a tres personas andando a paso ligero como yo. Todos se meten en sus casas y cierran las puertas.

La verdad es que no me apetece pasar un momento más sola. Atajo por detrás de la casa de Mule Cato y atravieso el taller mecánico. Después, cruzo el jardín de Oney Black y tropiezo con una manguera en la oscuridad. Me siento como una fugitiva. Puedo ver luces encendidas en las casas y cabezas agachadas en el interior. A esta hora de la noche, la gente debería estar durmiendo. Sea lo que fuere lo que está sucediendo, todo el mundo habla de ello o escucha impaciente.

Por fin, un poco más adelante, veo la luz encendida en la cocina de Minny. Tiene cerrada a cal y canto la puerta de la calle, pero la de atrás está abierta y chirría cuando la empujo. Minny está sentada a la mesa con sus cinco hijos: Leroy Junior, Sugar, Felicia, Kindra y Benny. Todos contemplan la enorme radio que hay en medio de la mesa. Cuando entro, sólo se escuchan interferencias.

–¿Qué ha *pasao?* –pregunto.

Minny frunce el ceño mientras manipula el dial. Le echo un vistazo a la habitación: una loncha de jamón arrugada en la sartén, una lata abierta en la encimera, platos sucios en el fregadero... No parece la cocina de Minny.

–¿Qué ha *pasao?* –pregunto otra vez.

La voz del locutor regresa a la radio:

–*... casi diez años como secretario de la NAACP. Todavía no tenemos noticias del hospital, pero las heridas son de...*

–¡¿Quién?! –grito.

Minny me observa como si tuviera monos en la cara.

–¡Medgar Evers! ¿Dónde *t' has metío?*

–¿Medgar Evers? ¿Qué le ha *pasao?*

Conocí a su mujer, Myrlie Evers, el pasado otoño cuando visitó nuestra parroquia con la familia de Mary Bone. Llevaba un elegante pañuelo rojo y negro al cuello. Recuerdo que me miró a los ojos y me sonrió como si estuviera encantada de conocerme. Medgar Evers es una especie de celebridad por aquí debido al cargo que ocupa en la NAACP.

–Siéntate –dice Minny.

Me siento en una silla. Todos contemplan con cara de aturdidos la radio. Es un armatoste de madera, casi tan grande como el motor de un coche, y tiene cuatro botones. Hasta Kindra está tranquila en brazos de Sugar.

–Le han *tiroteao* los del Ku Klux Klan, hace una hora, delante de su casa.

Noto que un escalofrío me recorre la espalda.

–¿Dónde vive?

252

–En Guynes –contesta Minny–. Los médicos lo han *llevao* a nuestro hospital.

–Vaya –comento, pensando en el autobús y en que Guynes queda a menos de cinco minutos de aquí en coche.

–... testigos presenciales afirman que el asaltante era un hombre blanco que se ocultaba detrás de unos arbustos. Se rumorea que el Ku Klux Klan está involucrado en...

De pronto se oyen voces en la radio, como si hubiera gente gritando y corriendo en todas direcciones. Me pongo nerviosa, pues siento que alguien nos observa desde el exterior. Alguien blanco. Hace cinco minutos, los del Klan han estado aquí, cazando a un negro. Preferiría que esa maldita puerta estuviera cerrada.

–Acaban de informarnos –dice el locutor, jadeando– *de que Medgar Evers ha fallecido. Repito, acaban de comunicarme que...* –su voz suena como si le estuvieran empujando, se escuchan gritos a su alrededor– *...que Medgar Evers ha muerto.*

¡Ay, Dios!

Minny se dirige a Leroy Junior y le dice con voz baja y seria:

–Lleva a tus hermanos al dormitorio. Meteos en la cama y no se os ocurra *salí.*

Cuando una mujer acostumbrada a soltar gritos habla bajito, impone más todavía.

Aunque estoy segura de que a Leroy Junior le gustaría quedarse, todos se retiran deprisa y en silencio. El locutor de la radio también se calla. Por un instante, el aparato no es más que una caja de madera oscura llena de cables.

–Medgar Evers –dice de nuevo la radio, como si estuvieran rebobinando–, *secretario de la NAACP, ha muerto. Repetimos: Medgar Evers ha muerto.*

Trago saliva y contemplo el papel de la pared de Minny, que está amarillento, con manchas de grasa de beicon, huellas de manos de niños y quemaduras de los cigarrillos Pall Mall de Leroy. No hay fotos ni calendarios colgados de la pared. Intento no pensar. No quiero pensar en que un hombre de color acaba de morir, porque me recuerda a Treelore.

Minny tiene los puños cerrados y aprieta los dientes.

—Le han *matao* delante de sus hijos, Aibileen.

—Vamos a *rezá* por los Evers, vamos a *rezá* por la pobre Myrlie... —comienzo, pero suena tan vacío que me callo.

—En la radio han dicho que su familia salió de casa cuando escucharon los disparos. Dicen que lo encontraron tambaleándose *malherío*. Que sus hijos lo recogieron lleno de sangre...

Descarga un puñetazo en la mesa que hace temblar la radio.

Contengo el aliento. Me siento mareada. Tengo que ser fuerte, tengo que evitar que mi amiga pierda los estribos.

—Las cosas no van a *cambiá* nunca en esta *ciudá*, Aibileen. Estamos *atrapaos* en un infierno. Nuestros hijos están *atrapaos*.

El volumen de la radio sube de repente y se oye:

—... *hay mucha policía acordonando la zona. El alcalde Thompson va a ofrecer una rueda de prensa en breves momentos...*

Me entran arcadas y las lágrimas me resbalan por las mejillas. Toda esta gente blanca que vive alrededor del barrio de color me asusta. Blancos con armas que apuntan a los negros. ¿Quién va a protegernos? No hay policías de color.

Minny contempla la puerta por la que acaban de salir sus hijos. El sudor le chorrea por el rostro.

—¿Qué van a hacernos si nos pillan, Aibileen?

Tomo aire. Está claro que se refiere a las historias de Miss Skeeter.

—Las dos lo sabemos. *Na* bueno.

—Pero ¿qué nos harán? ¿Atarnos a una camioneta y arrastrarnos por el asfalto? ¿Pegarme un tiro enfrente de casa, delante de mis hijos? ¿O, simplemente, *dejá* que nos muramos de hambre?

El alcalde Thompson habla en la radio; dice que está muy compungido por la familia Evers. Contemplo la puerta abierta y vuelvo a sentirme observada, como si hubiera un blanco espiándonos ahí fuera.

—Nosotras... no estamos haciendo activismo. Sólo contamos las cosas que nos pasan.

Apago el receptor y agarro la mano de Minny. Nos quedamos así, mi amiga contemplando una polilla posada en la pared y yo mirando ese trozo de jamón rojo que se seca en la sartén.

Minny tiene una mirada solitaria como nunca antes había visto en sus ojos.

—¡Ojalá Leroy estuviera en casa! —susurra.

Creo que es la primera vez que se pronuncian esas palabras en esta casa.

Durante varios días, Jackson, Misisipi, es como una olla a punto de estallar. En la tele de Miss Leefolt puedo ver una muchedumbre de gente de color manifestándose por High Street el día después del funeral de Medgard Evers. Hay trescientos detenidos. En los periódicos negros dijeron que miles de personas acudieron al sepelio, pero que se podía contar a los blancos con los dedos de una mano. La policía sabe quién ha sido, pero no dicen el nombre.

Me entero de que la familia Evers ha decidido no enterrar a Medgar en Misisipi. Su cuerpo irá a descansar a Washington, al cementerio de Arlington. Estoy segura de que Myrlie estará orgullosa. Tiene motivos. Pero me gustaría que estuviera aquí, cerca de nosotros. En los periódicos leo que hasta el presidente de Estados Unidos le ha pedido al alcalde Thompson que se tome las cosas en serio. Que forme una comisión con blancos y negros que empiece a arreglar las cosas por aquí. Pero el alcalde Thompson le respondió al mismísimo presidente Kennedy: «No pienso formar un comité birracial. No nos engañemos. Yo creo en la separación de razas, y así serán las cosas».

A los pocos días, el alcalde habló de nuevo en la radio y afirmó: «Jackson, Misisipi, es el lugar más parecido al Paraíso, y lo seguirá siendo durante el resto de nuestra vida».

Por segunda vez, en dos meses, Jackson aparece en la revista *Life,* aunque en esta ocasión somos portada.

Capítulo 15

Pn casa de Miss Leefolt no se habla de Medgar Evers. Cuando la señorita regresa después de comer fuera, cambio el dial de la radio. Todos hacemos como si se tratara de una agradable tarde de verano como otra cualquiera. Miss Hilly sigue sin dar señales de vida y me pongo enferma de darle vueltas todo el rato al tema.

El día siguiente al funeral de Evers, la madre de Miss Leefolt viene de visita. Vive en Greenwood, Misisipi, y está de camino a Nueva Orleans. Sin llamar a la puerta, se cuela en el salón mientras yo plancho y me ofrece una sonrisa agria. Dejo mi tarea y voy a avisar a Miss Leefolt de que ha venido.

–¡Mamá! ¡Qué pronto has llegado! Seguro que te has levantado de madrugada. Espero que no estés muy agotada –dice Miss Leefolt mientras entra precipitadamente en el salón y recoge juguetes del suelo a toda prisa.

Me clava una mirada que quiere decir: «¡Vamos, muévete!». Dejo las camisas arrugadas de Mister Leefolt en la cesta y agarro una toalla para limpiar la mermelada de la cara de Chiquitina.

–¡Qué aspecto tan joven y elegante tienes hoy, mamá! –Miss Leefolt fuerza una sonrisa tan grande que se le salen los ojos de las órbitas–. ¿Estás ilusionada con tu excursión de compras?

Viendo el Buick que conduce y sus elegantes zapatos de hebilla, deduzco que Miss Fredericks tiene bastante más dinero que Mister y Miss Leefolt.

–Prefiero conducir temprano. Además, esperaba que me llevaras a comer al Robert E. Lee –responde Miss Fredericks.

No sé cómo esta mujer puede tener tanto morro. He oído muchas veces a Mister y Miss Leefolt discutir porque, cada vez que viene a visitarles, le pide a su hija que la lleve a los mejores restaurantes de la ciudad y le obliga siempre a pagar la cuenta.

–¿Por qué no dejamos que Aibileen nos prepare el almuerzo y comemos en casa? Tenemos un jamón excelente y unos...

–Si he parado en Jackson es para comer fuera, no en tu casa...

–Vale, vale, mamá. Espera, voy por mi bolso.

Miss Fredericks contempla a Mae Mobley, que juega con su muñeca Claudia en el suelo. La mujer se agacha, le da un abrazo y le dice:

–Mae Mobley, ¿te gustó el vestidito que te mandé la semana pasada?

–Sííí –responde Chiquitina a su abuela.

Tuve que decirle a Miss Leefolt que el vestido le quedaba muy estrecho en la cintura. Chiquitina se está poniendo rellenita.

Miss Fredericks mira enojada a Mae Mobley y la regaña:

–Jovencita, se dice: «Sí, muchas gracias, abuelita». ¿Entendido?

Mae Mobley pone cara de pena y dice: «Sí, muchas gracias, abuelita», aunque sé lo que está pasando por su cabecita en este momento. Estará pensando: «Genial, justo lo que me faltaba, otra mujer en esta casa que no me quiere».

Cuando se disponen a marcharse, Miss Fredericks pellizca en el brazo a Miss Leefolt y le dice:

–Elizabeth, debes tener más cuidado al elegir a tus criadas. Una de sus obligaciones es enseñarle buenos modales a Mae Mobley.

–Está bien, mamá, lo solucionaremos.

–No puedes contratar a la primera que aparece y luego esperar que te salga buena.

Pasado un rato, le preparo a Chiquitina un bocadillo con el jamón que Miss Fredericks no ha querido comer por considerar que se merece algo mejor. Pero Mae Mobley sólo le da un mordisco y lo deja.

—Tengo pupa, Aibi. Pupa en la *jarjanta*.

Sé lo que es una «jarjanta» y sé cómo curar la pupa. Chiquitina tiene un resfriado de verano. Le caliento un vaso de agua con miel y un poco de limón, aunque en realidad lo que esta niña necesita es un cuento para poder irse a dormir. La subo en brazos. ¡Canastos, qué grande está! Dentro de unos meses cumplirá tres años y está regordeta como una calabaza.

Todas las tardes, Chiquitina y yo nos sentamos en la mecedora antes de que se eche su siesta, y todas las tardes le digo: «Eres buena, eres lista, eres importante». Pero está creciendo y sé que dentro de poco estas palabras no serán suficientes.

—Aibi, ¿me lees un cuento?

Busco entre los libros a ver qué puedo leerle. *Jorge el curioso* otra vez no, porque ya no le gusta. Tampoco *El pollito*, ni *Madeline*.

Así que nos quedamos meciéndonos un rato. Mae Mobley recuesta la cabeza en mi uniforme. Contemplamos cómo la lluvia gotea sobre el agua de la piscina de plástico. Rezo una oración por Myrlie Evers, lamentándome por no haber podido tomarme el día libre para ir al funeral. Alguien me contó que su hijo de diez años se pasó toda la ceremonia llorando en silencio. Me balanceo y rezo; siento una gran tristeza. De repente, sin saber muy bien de dónde, me salen las palabras:

—Érase una vez dos niñas pequeñitas; una tenía la piel negra y la otra, blanca.

May Mobley me mira, escuchándome con atención.

—Un día, la niñita de *coló* le dijo a la blanca: «¿Por qué tu piel es tan pálida?», y la niñita blanca respondió: «No lo sé. Y la tuya, ¿por qué es tan oscura? ¿Qué crees que querrá decir esto?». Pero ninguna de las dos sabía la causa. Así que la niñita blanca dijo: «Bueno, vamos a *ve*. Tú tienes pelo, y yo también». —Revuelvo el pelo de Mae Mobley—. La niñita de *coló* dijo: «Yo tengo una nariz, y tú también». —Le pellizco en la

258

naricilla. Ella intenta levantarse y hacerme lo mismo–. La niñita blanca dijo: «Yo tengo deditos en los pies, y tú también». –Jugueteo con los deditos de sus pies. Ella no puede hacer lo mismo porque llevo los zuecos puestos–. La niñita negra dijo: «Entonces somos iguales, sólo que de distinto *coló*». La niñita blanca estuvo de acuerdo y se hicieron amigas. Colorín, *colorao*, este cuento se ha *acabao*.

Chiquitina me mira. ¡Señor, es el cuento más penoso que he contado en mi vida! Ni tan siquiera tiene argumento. Pero Mae Mobley me sonríe y me dice:

–Cuéntamelo otra vez.

Y lo hago. Tras repetírselo en cuatro ocasiones, se duerme.

–La próxima vez te contaré uno *mejó*, Chiquitina –le susurro al oído.

–¿No tenemos más toallas, Aibileen? Ésta no está mal, pero esa otra no la podemos llevar, parece un harapo. Me moriría de vergüenza. Entonces llevaremos sólo ésta.

Miss Leefolt está excitadísima. Ni ella ni su marido pertenecen a ningún club deportivo, ni tan siquiera a la barata piscina de Broadmoore. Miss Hilly ha llamado esta mañana para ver si querían ir ella y Chiquitina a nadar al Club de Campo de Jackson, una invitación que Miss Leefolt sólo recibe muy de vez en cuando. Seguramente, yo he estado en ese club más veces que ella.

Allí no se usa dinero. Tienes que ser miembro y cargarlo todo a tu cuenta. Una cosa que sé de Miss Hilly es que no le gusta anotarse los gastos de nadie. Por eso siempre va al Club de Campo con otras damas que sean socias como ella.

No hemos vuelto a oír nada más sobre la mochila. Llevo cinco días sin ver a Miss Hilly, y Miss Skeeter tampoco la ve, lo cual no es buena señal. Se supone que son buenas amigas. Miss Skeeter me trajo anoche el primer capítulo de las historias de Minny. Miss Walter no sale muy bien parada y si Miss Hilly lo leyera, no sé qué nos podría pasar. Espero que Miss Skeeter no me esté ocultando algo por miedo.

Le pongo a Chiquitina su biquini amarillo.

–No te quites la parte de arriba. En el Club de Campo no dejan *nadá* a las niñas desnudas.

Tampoco a los negros, ni a los judíos. Lo sé porque trabajé para la familia Goldman. Los judíos de Jackson van a nadar al Club Colonial, y los negros, al lago.

Le doy un sándwich de mantequilla de cacahuete a Chiquitina y, entonces, suena el teléfono.

–Residencia de Miss Leefolt.

–Hola, Aibileen. Soy Skeeter, ¿está Elizabeth?

–Hola, Miss Skeeter... –contesto, y me dispongo a pasarle el auricular a Miss Leefolt, pero veo que me hace gestos con los brazos y la cabeza.

–¡No! Dile que no estoy –me ordena en voz baja.

–Esto... La señora ha *salío,* Miss Skeeter –digo, mirando a los ojos a Miss Leefolt mientras miento.

No lo entiendo. Miss Skeeter es socia del club, no pasa nada porque la inviten a ir con ellas.

A mediodía, las tres montamos en el Ford Fairlane azul de Miss Leefolt. En el asiento trasero, a mi lado, llevo una cesta con un termo lleno de zumo de manzana, galletitas saladas, cacahuetes y dos botellas de coca-cola, que se pondrán tan calientes en el camino que cuando las tomemos será como beber café. Está claro que Miss Leefolt sabe que Miss Hilly no nos va a dejar ir a pedir cosas a la cafetería. Dios sabe por qué nos habrá invitado.

Chiquitina está sentada sobre mis rodillas. Abro la ventanilla para que nos dé la cálida brisa. Miss Leefolt no para de atusarse el pelo. Es de esas personas que conducen a empellones y me empiezo a marear. Por lo menos podría mantener las dos manos sobre el volante.

Pasamos junto al supermercado de Ben Franklin y la heladería Seale-Lilly, esa que tiene una ventanilla en la parte de atrás para que los negros también podamos comprar cucuruchos. Me sudan las piernas con Chiquitina sentada encima. Al cabo de un rato, estamos en una larga carretera llena de baches, con pastos y vacas espantándose las moscas con el rabo a uno y otro lado. Contamos veintiséis vacas, pero May Mobley, después de llegar a nueve, repite todo el rato «¡Diez!», porque no conoce más números.

Un cuarto de hora más tarde, entramos en una pista asfaltada. El club es un edificio blanco rodeado de arbustos espinosos. No es tan bonito como la gente dice. Hay un montón de plazas libres junto a la entrada, pero Miss Leefolt se lo piensa un poco y aparca lejos del edificio.

Sujeto a Chiquitina de la mano y bajamos al asfalto, sintiendo el calor bajo nuestros pies. Llevo la cesta en una mano y a Mae Mobley en la otra. Recorro con dificultad el tórrido aparcamiento. Las líneas blancas le dan el aspecto de una parrilla gigante en la que nos asamos como mazorcas de maíz. Arrugo el rostro, quemado por el sol. Chiquitina se arrastra detrás de mí, alelada como si le acabaran de dar una bofetada. Miss Leefolt jadea y mira la entrada, todavía a veinte metros de distancia, seguro que preguntándose por qué habrá aparcado tan lejos. Me arde la raya del pelo y me pica, pero no puedo rascármela porque tengo las dos manos ocupadas. Por fin entramos en el paraíso oscuro y fresco del vestíbulo del club y se extingue la llama que nos asaba. Nos quedamos un rato parpadeando.

Miss Leefolt mira a su alrededor, cegada y tímida. Le señalo la puerta de la piscina y le digo:

–La piscina es por ahí, señora.

Me mira aliviada porque conozco el camino. Así no se ve obligada a preguntar como una recién llegada de clase baja.

Abrimos la puerta y el sol vuelve a cegarnos, pero esta vez resulta más agradable, más fresco. La piscina brilla con su color azul. Las sombrillas a rayas blancas y negras están limpias. Huele a jabón de lavandería. Se oyen risas y chapoteos de niños, y hay mujeres en bañador y con gafas de sol tumbadas alrededor del agua leyendo revistas.

Miss Leefolt hace visera con la mano y busca a Miss Hilly. Lleva una pamela blanca, un vestido blanco de lunares negros y unas anticuadas sandalias de hebilla un número grandes. Está molesta porque se siente fuera de lugar, pero sonríe para que nadie se dé cuenta.

–¡Ahí está!

Seguimos a Miss Leefolt alrededor de la piscina hasta donde se encuentra Miss Hilly, que lleva un bañador rojo. Está en una tumbona, observando cómo se bañan sus hijos. Veo a un par de criadas que no conozco con otras familias, pero no a Yule May.

–¡Vaya, por fin llegáis! –dice Miss Hilly–. ¡Leches, Mae Mobley, pareces una foquita con ese biquini! Aibileen, los críos están allí, en la piscina para niños. Puedes sentarte a la sombra ahí detrás y vigilarlos. No dejes que William salpique a las niñas.

Miss Leefolt se acomoda en una tumbona junto a Miss Hilly, y yo me siento en una mesa con una sombrilla unos pasos detrás de las señoras. Me bajo las medias para que se me seque el sudor de las piernas. Estoy en una posición perfecta para escuchar su conversación.

–Yule May –dice Miss Hilly meneando la cabeza ante Miss Leefolt– se ha tomado otro día libre. Esa chica se la está jugando conmigo.

Bueno, ya hemos resuelto un interrogante: Miss Hilly ha invitado a Miss Leefolt a la piscina porque sabía que yo vendría con ella.

Miss Hilly se unta crema de cacao en sus rechonchas y tostadas piernas y se la extiende bien. Su cuerpo está tan aceitoso que brilla.

–¡Tengo tantas ganas de irme a la playa! –dice Miss Hilly–. ¡Tres semanas de vacaciones!

–Cómo me gustaría que la familia de Raleigh tuviera un chalé en la costa –se lamenta Miss Leefolt, recogiéndose un poco el vestido para que le dé el sol en sus blancas rodillas. Como está embarazada, no se atreve a ponerse en bañador.

–¿Te puedes creer que cuando estamos en la playa le tenemos que pagar el billete de autobús a Yule May para que vuelva a casa los fines de semana? ¡Ocho dólares! Debería descontárselo del sueldo.

Los niños gritan que quieren meterse en la piscina grande. Busco el flotador de Mae Mobley y se lo sujeto a la cintura.

Miss Hilly me da otros dos flotadores y se los pongo a William y a Heather. Se meten en la piscina de adultos y empiezan a flotar como un puñado de corchos en el agua. Miss Hilly me mira y dice:

—¿No son encantadores?

Asiento, pues la verdad es que lo son. Hasta Miss Leefolt está de acuerdo.

Las dos mujeres hablan y yo escucho, pero no mencionan a Miss Skeeter ni la mochila. Al cabo de un rato, Miss Hilly me envía a la cafetería a traer unos refrescos de cereza para todos, yo incluida. Cuando regreso, me siento de nuevo bajo la sombrilla. Los saltamontes comienzan a zumbar en los árboles, las sombras se vuelven más frescas y siento que mis ojos, fijos en la piscina y en los niños, empiezan a cerrarse.

—¡Aibi, mírame! ¡Miraaa!

Fijo la mirada y sonrío mientras Mae Mobley hace tonterías en el agua.

Entonces es cuando veo a Miss Skeeter, detrás de la valla de la piscina. Lleva puesta una falda de tenis y sostiene una raqueta en la mano. Está mirando a Miss Hilly y Miss Leefolt y ladea la cabeza como si intentara entender algo. Sus amigas siguen ocupadas hablando de la playa de Biloxi y no la ven. Observo cómo Miss Skeeter entra en el recinto y rodea la piscina. No tarda en plantarse delante de ellas, que todavía no se han dado cuenta de su presencia.

—Hola, chicas —dice Miss Skeeter.

El sudor le corre por los brazos. Tiene la cara rosada e hinchada por el sol.

Miss Hilly alza los ojos, pero sigue tumbada en su hamaca con una revista en la mano. Miss Leefolt, sin embargo, se levanta de un salto y exclama, con una sonrisa que muestra sus dientes temblorosos:

—¡Anda, Skeeter! Esto... No sabía... Intentamos llamarte...

—Hola, Elizabeth.

—Así que... ¿jugando al tenis? —pregunta Miss Leefolt, moviendo la cabeza como los muñecos que pone la gente en el salpicadero del coche—. ¿Con quién estás?

–Pues estaba dando pelotazos al frontón yo sola –responde Miss Skeeter, soplándose un mechón que le cae por la frente, aunque está pegado por el sudor. Sin refugiarse en la sombra, pregunta–: Hilly, ¿te dijo Yule May que te he llamado?

–Hoy tiene el día libre –responde Hilly con una sonrisa forzada.

–También te llamé ayer.

–Mira, Skeeter, he estado muy ocupada. Llevo desde el miércoles en la sede de la campaña enviando sobres a casi todas las familias blancas de Jackson.

–Me parece muy bien –afirma Miss Skeeter y añade, entrecerrando los ojos–: Hilly, a ver, ¿estás... estás enfadada conmigo por algo?

Siento que mis dedos empiezan a dar vueltas de nuevo a ese lápiz invisible.

Miss Hilly cierra la revista y la deja sobre el cemento para que no se pringue con el aceite que tiene por todo el cuerpo.

–No es el momento de hablar de eso, Skeeter.

Miss Leefolt se sienta rápidamente, se hace con la revista que acaba de dejar Miss Hilly, *La buena ama de casa,* y se pone a leerla como si nunca hubiera visto algo tan interesante.

–Está bien –acepta Miss Skeeter encogiéndose de hombros–. Pensaba que podríamos hablar sobre lo que sucede antes de que te fueras de vacaciones.

Miss Hilly se dispone a protestar, pero se contiene y suelta un largo suspiro.

–¿Por qué no me dices la verdad, Skeeter?

–¿La verdad sobre qué?

–Mira, encontré esa *propaganda* tuya.

Trago saliva. Miss Hilly hace esfuerzos por no levantar la voz, pero no lo consigue.

Miss Skeeter tiene los ojos fijos en Hilly y está muy tranquila. No me mira ni un instante.

–¿A qué te refieres con eso de propaganda?

–¡A lo que encontré en tu mochila cuando buscaba las actas! Mira, Skeeter... –Dirige la vista al cielo y luego la baja otra vez–. No sé, la verdad es que ya no sé qué pensar.

–Hilly, ¿de qué estás hablando? ¿Qué encontraste en mi mochila?

Miro a los niños. ¡Canastos! Me había olvidado de ellos. Estoy a punto de desmayarme con esta conversación.

–¿Por qué tenías ese libro de leyes? Ése sobre lo que los... –Miss Hilly se gira y me mira. Sigo con los ojos fijos en la piscina–, lo que esa gente puede y no puede hacer. Sinceramente, creo que eres demasiado cabezota. ¿Piensas que sabes más que el gobierno sobre lo que nos conviene? ¿Más que Ross Barnett?

–Pero ¿acaso he dicho algo sobre Ross Barnett? –protesta Miss Skeeter.

Miss Hilly apunta con el dedo a Miss Skeeter. Miss Leefolt sigue con la vista clavada en la misma página, la misma línea, la misma palabra. Yo observo la escena con el rabillo del ojo.

–No eres una política, Skeeter Phelan.

–Tú tampoco, Hilly.

Miss Hilly se pone en pie y apunta al suelo con el dedo.

–Voy a convertirme en la esposa de un político, a no ser que te metas de por medio. ¿Cómo va a salir William elegido para Washington si se descubre que hay integracionistas en nuestro círculo de amistades?

–¿Washington? –Miss Skeeter parpadea burlona–. Hilly, que yo sepa, William se presenta para el Senado de Misisipi, y no es seguro que vaya a ganar.

¡Ay, Dios mío! Por primera vez contemplo a Miss Skeeter. ¿Por qué está haciendo esto? ¿Por qué la está provocando de esa manera?

Miss Hilly enloquece. Mueve la cabeza enfurecida y grita:

–¡Sabes tan bien como yo que en esta ciudad hay ciudadanos blancos honrados que pagan sus impuestos y que se opondrán a tus ideas hasta la muerte! ¿Quieres permitir que se bañen en nuestras piscinas? ¿Que puedan manosear los productos de nuestros supermercados?

Miss Skeeter sigue con los ojos clavados en Miss Hilly. Luego, por una fracción de segundo, me mira y ve mis ojos suplicantes. Se relaja un poco.

–Vamos, Hilly, no es más que un librito que encontré en la maldita biblioteca. No pienso cambiar ninguna ley, sólo lo saqué para leerlo.

Miss Hilly reflexiona un momento sobre esto.

–Si estás leyendo esas leyes –decide Miss Hilly mientras se ajusta la braga de su bañador, que se le ha bajado por detrás–, ¿quién sabe en qué otros asuntos andarás metida?

Miss Skeeter aparta la vista y se humedece los labios.

–Hilly, eres la persona que mejor me conoce en este mundo. Si estuviera metida en algo, lo descubrirías con sólo mirarme.

Su interlocutora la observa. De repente, Miss Skeeter agarra la mano de Miss Hilly y la aprieta.

–Estoy preocupada por ti. Llevas una semana entera desaparecida. Te estás matando a trabajar con esto de la campaña. Fíjate –Miss Skeeter gira la palma de la mano de su amiga–, ¡si hasta te ha salido una ampolla de cerrar tantos sobres!

Muy despacio, observo cómo el cuerpo de Miss Hilly se desploma, cediendo poco a poco. Echa un vistazo para asegurarse de que Miss Leefolt no la escucha.

–Tengo tanto miedo... –susurra entre dientes. No puedo oír bien el resto de lo que dice– ...puesto tanto dinero en esta campaña que si William no gana... trabajando día y...

Miss Skeeter posa una mano en el hombro de Miss Hilly y le dice algo al oído. Ésta asiente con la cabeza y le dirige una sonrisa cansada.

Pasado un rato, Miss Skeeter dice que se tiene que marchar. Atraviesa el césped lleno de bañistas, sorteando sillas y toallas. Miss Leefolt la ve alejarse con los ojos abiertos como platos, sin atreverse a preguntar nada.

Me recuesto en la silla y le hago un gesto a Mae Mobley, que hace piruetas en el agua. Me froto las sienes para aplacar el dolor de cabeza. A lo lejos, Miss Skeeter se vuelve y me mira. A nuestro alrededor, todo el mundo toma el sol y ríe sin imaginarse que esta mujer de color y la blanca de la raqueta de tenis se preguntan lo mismo, como dos tontas: «¿Deberíamos sentir cierto alivio?».

266

Capítulo 16

Más o menos un año después de la muerte de Treelore comencé a acudir a las reuniones que organizan en la parroquia para tratar problemas de la comunidad. Supongo que empecé a ir por pasar el rato y para que mis tardes no fueran tan solitarias. Shirley Boon, la encargada de organizar los encuentros, me pone de los nervios con su sonrisa de señorita sabelotodo. A Minny tampoco le gusta esta mujer, pero suele acercarse a las reuniones para salir un poco de casa. Esta noche Benny ha tenido un ataque de asma, así que Minny no va a poder asistir.

Últimamente, en las reuniones se habla más de derechos civiles que sobre las patrullas para limpiar las calles o sobre quién se va a encargar de atender nuestro puesto en el próximo mercadillo de ropas. No son charlas encendidas, por lo general la gente sólo comenta lo que pasa y rezamos para que todo mejore. Pero desde que hace una semana asesinaron a Medgar Evers, en esta ciudad la gente de color está muy frustrada. Sobre todo, los jóvenes, cuyas heridas todavía no se han cerrado. Desde el tiroteo se reúnen todos los días en las calles. He oído que andan muy cabreados, que gritan y lloran por el barrio. Ésta es la primera reunión a la que acudo desde el asesinato.

Bajo por las escaleras al sótano de la iglesia. Normalmente se está fresquito aquí abajo, pero esta noche hace calor. Los hay que se ponen cubitos de hielo en el café. Echo una mirada para ver quién ha venido, pensando que debería pedirle a algunas criadas que nos ayuden, ahora que parece que nos hemos librado de Miss Hilly. Treinta y cinco ya me han dicho que no. Me siento como una de esas vendedoras que llaman a la puerta de las casas y que nadie quiere comprar ese producto enorme y apestoso que ofrezco, como el abrillantador con olor a limón de Kiki Brown. Pero tengo algo en común con Kiki: las dos estamos orgullosas de lo que vendemos. No puedo evitarlo, estoy convencida de que las historias que escribimos deben ser contadas.

Me gustaría que Minny me ayudara a reclutar criadas. Ella sabe cómo convencer a la gente. Pero desde el principio acordamos que nadie debía enterarse de que Minny estaba metida en esto. Es muy arriesgado para su familia. Sin embargo, sí que le decimos a la gente que Miss Skeeter es la que se encarga de redactar las historias. Nadie aceptaría colaborar sin saber qué blanca está de por medio, porque temen conocerla o haber trabajado para ella. Miss Skeeter tampoco tiene muchas dotes para atraer gente, la espanta antes de abrir la boca. Por eso me encargo yo de esta tarea. Después de que se lo pidiera a cinco o seis criadas, todas saben lo que voy a preguntarles antes de que me dirija a ellas. Siempre me dicen que no merece la pena y me preguntan por qué corro un riesgo tan grande cuando no voy a conseguir nada a cambio. Estoy segura de que piensan que la vieja Aibileen está empezando a chochear.

No queda una silla libre esta noche; habrá más de cincuenta personas en el sótano, casi todas mujeres.

–Siéntate con nosotras, Aibileen –me ofrece Bertrina Bessemer–. ¡Goldella! ¡Deja tu silla a los mayores!

Goldella se levanta y me hace un gesto para que ocupe su silla. Por lo menos, Bertrina no me trata como a una vieja loca.

Me acomodo. Hoy Shirley Boon está sentada en la mesa y el pastor, de pie. El hombre nos dice que lo mejor que podemos hacer es tener una tranquila reunión de oración, pues necesitamos que cicatricen nuestras heridas. Me alegro. Cerramos los ojos y el pastor dirige nuestras plegarias por la familia Evers, por Myrlie y por sus hijos. Algunas personas susurran sus oraciones a Dios en voz baja. Una energía relajante llena la estancia, como el zumbido de las abejas en un panal. Rezo en silencio. Cuando termino, aspiro profundamente y espero a que los demás acaben. Cuando llegue a casa, escribiré también mis oraciones, aunque me cueste el doble.

Yule May, la criada de Miss Hilly, está sentada delante de mí. Es fácil de reconocer por detrás, ya que tiene un pelo muy bonito, suave y sin remolinos. Dicen que es muy culta, que casi se graduó en la universidad. Tenemos a un montón de gente lista en nuestra parroquia, muchos universitarios: médicos, abogados, el señor Cross, dueño del semanal para gente de color *The Southern Times*... Pero Yule May seguramente sea la criada con más estudios de la congregación. Cuando la veo, pienso en todas las cosas que deberíamos cambiar.

El pastor abre los ojos y nos contempla en silencio.

—Las oraciones que rezamos...

—¡Padre Thoroughgood! —retumba una voz ronca en el silencio de la estancia.

Me vuelvo, igual que todo el mundo, y vemos a Jessup, el nieto de Plantain Fidelia, de pie en la puerta. Tendrá veintidós o veintitrés años. Aprieta los puños intentando contener su rabia.

—Quiero *sabé* una cosa —dice con lentitud, enojado—. ¿Qué piensan *hacé* con lo que ha *pasao?*

El pastor lo mira con severidad, como si ya hubiera hablado antes con Jessup.

—Hoy vamos a ofrecer nuestras oraciones a Dios. El próximo martes nos manifestaremos pacíficamente por las calles de Jackson, y en agosto quiero que todos participemos en la marcha sobre Washington junto al señor Luther King.

—¡Con eso no basta! —grita Jessup, golpeando un puño contra la palma de la otra mano—. Le dispararon *po* la espalda, padre, lo mataron como a un perro.

269

El pastor levanta la mano.

–Jessup, hoy estamos aquí para rezar por su familia, por que se haga justicia... Hijo, comprendo tu rabia, pero...

–¿*Rezá?* O sea, que nos vamos a *quedá sentaos* rezando. ¿Eso es lo que piensan *hacé?* –Nos contempla a todos en nuestros asientos–. ¿Pensáis que con vuestras *orasiones* los blancos van a *dejá* de matarnos?

Nadie contesta, ni siquiera el pastor. Jessup se da la vuelta y se marcha. Escuchamos sus pasos por las escaleras y después por encima de nuestras cabezas, cuando sale de la iglesia.

La sala se queda en silencio. El padre Thoroughgood tiene los ojos fijos en un punto por encima de nosotros. Es extraño. No es de esas personas que no miran a los ojos de la gente. Todos le observamos, preguntándonos en qué estará pensando para no atreverse a mirarnos a la cara. Entonces veo que Yule May menea la cabeza, un gesto muy leve pero lleno de significado. Me doy cuenta de que el pastor y Yule May están pensando lo mismo. Le dan vueltas a la pregunta de Jessup, y Yule May acaba de dar con la respuesta.

La reunión termina a eso de las ocho. Las que tienen hijos se marchan. Otras nos servimos café en la mesa que está al fondo de la estancia. Nadie habla demasiado, más bien permanecemos en silencio. Respiro hondo y me acerco a Yule May, que está junto al termo de café. Necesito liberarme de la mentira que le conté a Miss Skeeter, que tengo clavada como un cardo. No voy a pedírselo a nadie más en esta reunión, nadie parece dispuesto a comprar mi apestosa mercancía esta noche.

Yule May me saluda con una sonrisa cordial y un gesto de la cabeza. Tiene unos cuarenta años, y es alta y delgada. Se conserva muy bien. Todavía lleva puesto el uniforme blanco, que le queda de maravilla y le marca la cintura. Siempre lleva unos aretes de oro en las orejas.

–He oído que los gemelos van a *entrá* en la *Universidá* de Tougaloo el próximo curso. ¡Enhorabuena!

–Eso espero. Todavía tenemos que *ahorrá* un poquito más. ¡Dos hijos de golpe es demasiado!

–Tú también estudiaste en la *universidá*, *¿verdá?*

–Sí, en la Facultad de Jackson.

–A mí me encantaba ir a la escuela. *Leé, escribí* y todo eso. Pero las *aritmáticas* no las llevaba *mu* bien.

–Las clases de lengua también eran mis preferidas –dice Yule May con una sonrisa–, sobre todo me gustaba escribir.

–Yo... a veces escribo cosas.

Yule May me mira a los ojos y me doy cuenta de que sabe lo que le voy a contar. Por un momento puedo sentir la humillación y el miedo que tiene que tragarse todos los días esta mujer trabajando para quien trabaja. Me da reparo pedírselo.

Pero Yule May se me adelanta.

–Sé que estás escribiendo unas historias con esa amiga de Miss Hilly.

–*Pos* sí. Igual podrías ayudarnos, Yule May.

–El problema es que... es un riesgo que no me puedo permitir ahora. Estamos a punto de reunir el dinero suficiente.

–Lo comprendo –acepto, y sonrío, dejando claro que no voy a insistir más, pero Yule May no se mueve de su sitio.

–He oído... que cambiáis los nombres. ¿Es verdad?

Es la misma pregunta que hace todo el mundo, por curiosidad.

–*Pos* sí, y también el de la *ciudá*.

Baja la mirada y añade:

–Entonces, si le cuento mis historias de criada, ¿esa mujer las escribirá? ¿Las editará o algo así?

–Queremos todo tipo de historias. Las cosas buenas y las malas. Ahora mismo está trabajando con... otra criada.

Yule May se humedece los labios, como si se estuviera imaginando lo que sería contar la verdad sobre su trabajo en casa de Miss Hilly.

–¿Podríamos... hablar de esto en otra ocasión? ¿Cuando tenga más tiempo?

–*Pos* claro –respondo, y veo en sus ojos que no lo dice por cortesía.

–Lo siento, pero Henry y los chicos me esperan. ¿Puedo llamarte y hablamos con más calma un día?

–Cuando quieras. *Pues* llamarme cuando te apetezca.

Me aprieta el brazo con cariño, mirándome directamente a los ojos. No me lo puedo creer. Es como si hubiera estado esperando que se lo pidiera todo este tiempo.

Cuando se marcha, me quedo un minuto de pie en la esquina, bebiendo un café demasiado caliente para la temperatura a la que estamos. Sonrío y hablo sola, porque me da igual que todo el mundo piense que he perdido la chaveta.

Minny

Capítulo 17

—¡Venga! Salga de aquí *pa* que pueda *limpiá* la habitación.

Miss Celia se sube las sábanas hasta el pecho y las agarra con fuerza, como si temiera que fuera a sacarla a patadas de la cama. Llevo seis meses trabajando aquí y todavía no sé qué le pasa a esta mujer, si de verdad está enferma o es que se le han derretido los sesos de tanto decolorarse el pelo. Tiene mejor aspecto que cuando llegué a esta casa, eso hay que reconocerlo. Ahora le asoma un poco de barriguita y no se le marcan los pómulos como en la época en la que Mister Johnny y ella se morían de hambre.

Hace unas semanas, Miss Celia se pasaba todo el tiempo cuidando del jardín, pero ahora esta loca ha regresado a su costumbre de zanganear en la cama todo el santo día. Antes me gustaba que se quedara encerrada en su cuarto, pero ahora que he conocido a Mister Johnny tengo más ganas de trabajar y, ¡qué leches!, de poner firme a Miss Celia.

—Señora, me pongo enferma de verla *tirá* en casa *veintisinco* horas al día. ¡Venga! Salga a *cortá* esa mimosa que tanto odia.

Miss Celia no se mueve, así que es el momento de sacar la artillería:

—¿Cuándo va a hablarle a su *marío* de mí?

273

Cada vez que le hago esta pregunta es como si le clavara un alfiler, siempre se pone en movimiento. A veces, se lo pregunto sólo por diversión.

No me puedo creer que esta farsa esté durando tanto. Ahora que Mister Johnny sabe de mi existencia, Miss Celia sigue, la muy palurda, actuando como si su engaño funcionara. No me sorprendió cuando, en Navidad, se cumplió la fecha límite que le había puesto para contárselo a su marido y me rogó que le diera más tiempo. Le eché la bronca, pero la muy tonta empezó a sollozar, así que le dejé morder el anzuelo y, para que se callara, le dije que le concedía unos meses más como regalo de Navidad, aunque en realidad se merecería un saco lleno de carbón por todas las mentiras que anda contando.

Gracias a Dios, Miss Hilly no se ha presentado por aquí para jugar al *bridge*, aunque Mister Johnny intentó convencerla hace un par de semanas. Sé, porque Aibileen me lo dijo, que Miss Hilly y su amiguita Miss Leefolt se estuvieron partiendo de risa ante la idea. Sin embargo, Miss Celia se lo tomó muy en serio y me preguntaba todo el rato qué podíamos cocinar si venían. Encargó por correo un libro para aprender a jugar a las cartas, *Bridge para principiantes,* aunque debería titularse *Bridge para subnormales*. Lo recibió esta mañana y, dos segundos después de ponerse a leerlo, me preguntó:

–¿Me enseñas a jugar, Minny? ¡Este libro no hay quien lo entienda!

–No sé *jugá* al *bridge* –contesté.

–Sí sabes.

–¿Cómo sabe *usté* si sé *jugá* o no?

Empecé a ordenar los cacharros de la cocina, irritada sólo de ver ese maldito tapete de jugar a las cartas sobre la mesa. Cuando por fin me he quitado de encima el problema de Mister Johnny, ahora resulta que tengo que preocuparme por si Miss Hilly viene a esta casa y me delata. Le contaría a Miss Celia todo lo que pasó. ¡Mierda! Me despedirán por lo que hice.

–Lo sé porque Miss Walter me dijo que practicabas con ella los sábados por la mañana.

274

Comencé a fregar la olla grande. Mis nudillos chocaban contra sus paredes haciendo un ruido metálico.

–Las cartas son un juego del demonio. Además, tengo muchas cosas que *hacé*.

–Pero me voy a aturullar con todas esas mujeres intentando que aprenda. ¿Por qué no me enseñas sólo un poquito?

–¡Que no!

Miss Celia soltó un pequeño suspiro.

–Es porque se me da muy mal la cocina, ¿verdad? Crees que no soy capaz de aprender nada.

–¿Qué piensa *hacé* si Miss Hilly y sus amigas le cuentan a su *marío* que tiene una criada? ¿No se da cuenta de que pueden *descubrí* su secreto?

–Ya lo he pensado. Le diré a Johnny que voy a contratar una criada para el día de la partida, para dar buena imagen delante de las otras mujeres y todo eso.

–Ajá.

–Después le diré que me has caído muy bien y que quiero contratarte a tiempo completo. A ver, se lo diré... dentro de unos meses.

En ese momento empecé a sudar.

–¿Cuándo se supone que van a *vení* esas mujeres *pa* la *partía* de *bridge?*

–Estoy esperando a que Hilly me llame. Johnny le dijo a su marido que yo iba a telefonear. Le he dejado un par de mensajes, así que seguro que me contesta dentro de poco.

Me quedo pensando en una forma de evitar que eso suceda. Miro al teléfono, rezando para que nunca suene.

A la mañana siguiente, cuando entro a trabajar, Miss Celia sale de su dormitorio. Supongo que va a meterse en las habitaciones de arriba, algo que últimamente ha vuelto a hacer, pero entonces oigo que descuelga el teléfono, marca un número y pregunta por Miss Hilly. Me pongo mala, muy mala.

–Sólo llamaba para ver cuándo podíamos organizar una partida de *bridge* –dice muy alegre.

No me muevo hasta que no estoy segura de que está hablando con la criada, Yule May, en lugar de con Miss Hilly. Miss Celia da su número como si tarareara la melodía de un anuncio de fregonas:

—¡Emerson, dos, sesenta y seis, cero, nueve!

Medio minuto después, marca otro número de los que tiene apuntados en ese estúpido periodicucho. Le ha dado por llamar a las mujeres un día sí y otro no. Sé lo que es ese diario, es el boletín de noticias de la Liga de Damas, y por el aspecto que tiene parece que lo encontró tirado en una papelera del aparcamiento del club donde se reúnen las señoritas. Está tieso como una lija y amarillento, como si se hubiese caído del bolso de alguien y le hubiera pasado una tormenta por encima.

Hasta ahora ninguna de las mujeres la ha llamado, aunque cada vez que suena el teléfono salta hacia él como un perro de la policía sobre un negro; pero siempre es Mister Johnny.

—Bueno... pues... dígale que he llamado otra vez —dice Miss Celia al teléfono.

Escucho cómo cuelga muy despacito. Si me importara, que no es el caso, le diría que esas mujeres no merecen la pena.

—Esas mujeres no merecen la pena, Miss Celia —termino diciendo, para mi propia sorpresa.

Pero ella hace como que no me ha oído y se encierra en su dormitorio. Pienso en llamar a la puerta para ver si necesita algo, pero tengo cosas más importantes por las que preocuparme que por saber si a Miss Celia le van a dar el premio a la más popular del pueblo. Por ejemplo, que le hayan pegado un tiro a Medgar Evers en la puerta de su casa, o que Felicia ande pidiendo que le dejemos sacarse el carné de conducir ahora que va a cumplir quince años. Es una buena chica, pero yo me quedé preñada de Leroy Junior a los quince y parte de la culpa la tuvo el asiento trasero de un Buick. Aunque, lo más importante de todo: bastante tengo con esa Miss Skeeter y sus historias.

A finales de junio llega una ola de calor que pone los termómetros a cuarenta grados y no parece dispuesta a dejarnos por una buena temporada. Es como si hubieran colocado una botella de agua caliente sobre el barrio negro para que haya diez grados más que en el resto de Jackson. Hace tanto calor que, un día, el gallo del señor Dunn se coló en mi casa y plantó su culo colorado delante del ventilador de mi cocina. Cuando lo descubrí, me miró con unos ojos que decían: «Señora, no me pienso mover de aquí». Parecía preferir que le pegara con la escoba antes que salir al sindiós de ahí fuera.

En el campo, el calor convierte oficialmente a Miss Celia en la persona más vaga de los Estados Unidos de América. Ya ni siquiera sale a recoger el correo del buzón, tengo que hacerlo yo por ella. Hace demasiado calor hasta para que salga a tumbarse a la piscina, lo cual supone un problema para mí.

Entendámonos. Si Dios hubiera querido que una blanca y una negra pasaran tanto tiempo juntas, no habría inventado las razas. Miss Celia sigue con sus sonrisitas, sus «¡Buenos días!» y sus «¡Cómo me alegro de verte!», mientras yo me pregunto cómo ha podido llegar tan lejos en la vida sin saber que hay unas barreras que no se deben saltar. A ver, que intente ser aceptada en el círculo de damas de esta ciudad cuando todas la consideran una furcia, ya es suficiente. Pero es que, además, desde que empecé a trabajar aquí, se empeña en que comamos juntas todos los días. Y no en la misma habitación, no. ¡Compartiendo mesa! Esa mesita que tienen junto a la ventana de la cocina. Todas las blancas para las que he servido comían lo más lejos que podían de la criada, en sus comedores. Y me parecía bien.

—Pero ¿por qué? No quiero comer ahí fuera yo sola, cuando puedo hacerlo aquí contigo —me dijo Miss Celia.

Ni siquiera intenté explicárselo. Hay demasiadas cosas que esta mujer ignora por completo.

Además, todas las blancas para las que he trabajado sabían que hay unos días al mes en los que no conviene hablar con Minny. Incluso la vieja Miss Walter aprendió a leer el «Minnyómetro» y a darse cuenta de cuándo estaba alto. En esos días, la mujer sólo se acercaba a la cocina para oler la tarta de caramelo y luego se mantenía lejos de mi vista. Incluso no dejaba que Miss Hilly se pasara por su casa.

La semana pasada, el olor a azúcar y mantequilla daba un ambiente navideño a la casa de Miss Celia, a pesar de que estábamos a mediados de junio. Como de costumbre, yo andaba con los nervios de hacer el caramelo. Le pedí tres veces, muy amablemente, que me dejara sola en la cocina, pero ella se empeñó en acompañarme. Decía que se sentía muy sola, todo el día tirada en su dormitorio.

Intenté ignorarla, pero el problema es que cuando hago una tarta de caramelo tengo que hablar en voz alta, porque de lo contrario me pongo muy nerviosa.

—El día más caluroso que hemos visto en junio. Ahí fuera *hase* cuarenta y dos grados —comenté.

—¿Tienes aire acondicionado en casa? —me preguntó—. Gracias a Dios, aquí tenemos uno. Yo crecí sin él y también sé lo que es pasar calor.

—No me *pueo permití* un aire *acondisionao*. Esos trastos chupan corriente igual que una plaga de gorgojos comiéndose el algodón.

Me puse a darle vueltas con fuerza al azúcar porque estaba empezando a formarse la capa marrón en la superficie, el momento en el que más atenta hay que estar para que no se queme.

—Además, este mes nos hemos *retrasao* en el pago de la factura —dije, porque estaba aturullada y no era capaz de pensar con claridad.

¿Y te puedes creer qué respondió esta mujer?

—¡Ay, Minny! Me encantaría prestarte dinero para que pagues tu factura, pero Johnny me ha estado haciendo muchas preguntas últimamente.

Me volví para informarle de que cuando una negra se queja porque la vida está cara no significa que esté pidiendo dinero, pero antes de que pudiera abrir la boca, ya se me había quemado el puñetero caramelo.

El domingo, en misa, Shirley Boon se planta delante de la congregación. Con los labios aleteando como una bandera, nos recuerda que el miércoles tenemos una reunión para tratar problemas de la comunidad, en la que se va a discutir si hacemos una sentada ante la cafetería para blancos Woolworth, en Amite Street. La charlatana de Shirley nos señala a todos con el dedo y dice:

—La reunión será a las siete, así que no faltéis. ¡No quiero excusas!

La tal Shirley me recuerda a una profesora blanca, muy gorda y fea, que tuve en la escuela. Es de ese tipo de mujeres con las que nadie se quiere casar.

—¿Irás el miércoles? —me pregunta Aibileen mientras volvemos a casa bajo el calor de las tres de la tarde.

Llevo el abanico en la mano, y lo muevo tan rápido que parece que tenga motor.

—No tengo tiempo —respondo.

—¿Me vas a *dejá* sola otra vez? ¡Venga! Llevaré unas galletas de jengibre y...

—Te he dicho que no *pueo* ir, ¡leches!

—Está bien, está bien —acepta Aibileen, moviendo la cabeza.

Seguimos caminando en silencio. Al poco rato, le pido perdón y digo:

—Mira, a Benny... le podría *volvé* a dar el asma. No me gusta dejarlo solo.

—Ajá... Ya me dirás cuál es el verdadero motivo, eso sí, cuando te apetezca.

Giramos en Gessum Avenue y pasamos junto a un coche que ha muerto de insolación en medio de la carretera.

—¡Ah! Antes de que se me olvide, Miss Skeeter quiere pasarse el martes por la noche —comenta Aibileen—. A eso de las siete. ¿Te va bien?

—¡Ay, *Señó*! —digo, volviendo a ponerme de los nervios—. ¿Qué demonios estoy haciendo? Tengo que *está* loca *pa* contarle los secretos más ocultos de la raza negra a esa blanca.

—Miss Skeeter no es como las otras, y lo sabes.

–Siento que estoy chismorreando sobre mí misma –digo.

Ya he quedado con Miss Skeeter cinco veces, y las cosas no mejoran.

–¿Quieres *dejá* de *vení*? –me pregunta Aibileen–. No me gustaría que te sintieras *obligá* a ello.

No contesto.

–¿Estás conmigo, Minny?

–Sólo... quiero que las cosas sean mejores *pa* los críos –digo–, pero es lamentable que tenga que *se* una blanca quien se encargue de esto.

–Ven a la reunión de la parroquia conmigo el miércoles y seguimos hablando del tema –dice Aibileen, sonriente.

Sabía que Aibileen no iba a dejarlo pasar. Suspiro y pregunto:

–Te ha dicho algo, ¿verdad?

–¿Quién?

–Shirley Boon –respondo–. En la última reunión estaban *tos cogíos* de la mano rezando *pa* que dejen a los negros *usá* los lavabos de los blancos. Luego se pusieron a *hablá* sobre *hacé* una sentada pacífica en el Woolworth, esa cafetería *pa* blancos. *Tol* mundo estaba feliz y sonriente pensando que iban a *conseguí hacé* de este mundo un sitio mejor y yo... reventé. Le dije a Shirley Boon que seguro que en esa cafetería no tenían una silla lo bastante grande *pa meté* su culo gordo.

–¿Y qué contestó Shirley?

Pongo voz de maestro de escuela e imito a Shirley:

–«Si no eres capaz de decir nada agradable, lo mejor es que te calles.»

Cuando llegamos a su casa, miro a Aibileen. Se le ha puesto la cara morada de aguantarse la risa.

–No fue *divertío* –digo.

–¡No sabes lo contenta que estoy de ser tu amiga, Minny Jackson! –exclama, y me abraza hasta que cierro los ojos y le digo que me tengo que marchar.

Sigo andando y doy la vuelta a la esquina. No quería que Aibileen lo supiera. No quiero que nadie sepa lo mucho que necesito las historias de Miss Skeeter. Ahora que ya no puedo volver a las reuniones de Shirley Boon, es lo único que tengo. No es que las citas con Miss Skeeter sean divertidas. Cada vez que nos vemos, termino quejándome y protestando. Siempre me pongo de los nervios y acabo por largarme con un buen cabreo. Pero, a pesar de todo, tienen su punto. Me gusta contar mis historias. Siento que lo que hago merece la pena. Cuando terminamos nuestras entrevistas, el cemento que ahoga mi pecho se ha disuelto un poco y durante unos días puedo volver a respirar.

Sé que hay otras «acciones de color» que podría hacer además de contar mis historias y asistir a las reuniones de Shirley Boon: las asambleas en la ciudad, las manifestaciones de Birmingham, los mítines que hacen al norte del estado... Pero lo cierto es que no me preocupa mucho la cuestión del derecho al voto, ni el hecho de no poder comer en el mismo restaurante que los blancos. Lo que de verdad me importa es que, algún día, dentro de diez años, una blanca llame sucias a mis hijas y las acuse de robarle la cubertería de plata.

Esa noche, en casa, las alubias se están terminando de cocer y tengo el jamón ya frito en la sartén.

–Kindra, diles a *tos* que vengan –le ordeno a mi hija de seis años–. La *comía* está lista.

–¡A cenaaar! –grita Kindra sin moverse de su sitio.

–¡Niña! ¡Ve a *avisá* a tu padre como te he *enseñao!* –le grito–. ¿Qué te he dicho sobre eso de *gritá* en casa?

Kindra me mira como si le acabara de pedir la cosa más tonta del mundo. Se dirige a la sala dando pisotones en el suelo mientras chilla:

–¡A cenaaar!

–¡¡Kindra!!

La cocina es la única habitación de la casa en la que cabemos todos. El resto son dormitorios: al fondo está en el que dormimos Leroy y yo; al lado, un cuarto pequeñito para Leroy Junior y Benny; y el salón lo hemos convertido en el dormitorio de Felicia, Sugar y Kindra. Lo único que nos queda libre es la cocina. A no ser que haga mucho frío, siempre tenemos la puerta de atrás abierta, con la mosquitera bajada para que no entren insectos, y por eso se oye el barullo de niños, coches, vecinos y perros en la calle.

Leroy viene y se sienta junto a Benny, que ya tiene siete añitos. Felicia llena los vasos con leche o agua. Kindra sirve un plato de alubias y jamón a su padre y vuelve a la olla por más. Le paso otro plato.

–Éste *pa* Benny –digo.

–Benny, levántate y ayuda a tu madre –ordena Leroy.

–Benny tiene asma, es *mejó* que no se canse –protesto, pero mi pequeño se levanta y le quita el plato a Kindra. Mis chicos saben ayudar.

Todos se sientan a la mesa menos yo. Hoy sólo hay tres niños en casa. Leroy Junior, que está a punto de terminar el bachillerato en el Instituto Lenier, tiene trabajo. Hace de chico de los recados en el Jitney 14, el supermercado para blancos del barrio de Miss Hilly. Sugar, la mayor, que ya ha llegado al último curso de secundaria, tampoco está. Hoy le toca hacer de canguro para nuestra vecina Tallulah, que trabaja hasta tarde. Cuando termina, regresa a casa, lleva a su padre en coche al turno de noche de la fábrica de tuberías y luego recoge a Leroy Junior del supermercado. A las cuatro de la madrugada, cuando salen del trabajo, el marido de Tallulah acerca a Leroy a casa. Todo funciona con precisión.

Leroy come, pero tiene los ojos fijos en el *Jackson Journal* abierto junto a su plato. Cuando se despierta, mi marido no es que esté especialmente de buen humor. Lo observo desde mi sitio junto a la cocina y veo las fotos de la sentada delante de la cafetería Brown en la portada. No es el grupo de Shirley Boon, es gente de Greenwood. Detrás de los cinco activistas, que están sentados en torno a una mesa del local, se ve a una panda de adolescentes blancos burlándose de ellos. Les hacen gestos obscenos y les tiran *ketchup*, mostaza y sal.

–¿Cómo pueden *hacé* eso? –dice Felicia, señalando la foto–. ¿Quedarse ahí *sentaos* sin *respondé* a esos provocadores?

–Se supone que es lo que tienen que *hacé,* por eso se llama sentada pacífica –responde Leroy.

–Me entran ganas de *escupí* sólo de ver esa foto –mascullo.

–Ya hablaremos de esto más tarde –dice Leroy, mientras dobla el periódico y se lo guarda bajo el trasero.

Felicia le dice a Benny en voz no tan baja como debiera:

–Menos mal que mamá no estaba en esa *sentá,* porque si no a esos blanquitos ya no les quedarían dientes.

–Y mamá entonces estaría en la cárcel de Parchman –contesta Benny en voz alta para que lo oigamos todos.

Kindra se cruza de brazos y protesta:

–¡Nooo! Nadie va a *meté* a mi mamita en la cárcel. Les pegaré a esos blancos con un palo hasta que les salga sangre.

Leroy apunta a todos los niños con el dedo y grita:

–¡No quiero que repitáis nada de lo que estáis diciendo fuera de esta casa! Es muy peligroso. ¿Me oyes, Benny? ¿Felicia? –Dirige el dedo hacia Kindra–. Y tú, ¿me has oído?

Benny y Felicia afirman con la cabeza y bajan la mirada a sus platos. Siento haber empezado todo esto. Miro a Kindra para que se calle, pero la pequeña tira su tenedor sobre la mesa y se baja de la silla:

–¡Odio a los blancos! Se lo voy a *decí* a *tol* mundo si me da la gana.

La persigo por el salón. Cuando la alcanzo, la arrastro de nuevo a la mesa.

–Lo siento, papi –dice Felicia, porque es de las que siempre asumen la culpa por los demás–. Yo me encargo de Kindra, no sabe lo que dice.

Leroy arroja con furia su tenedor.

–¡No quiero que nadie en esta casa se meta en líos! ¿Entendido? –vocifera, mirando a nuestros hijos.

Me doy la vuelta y miro al horno para que no pueda verme la cara. Que el Señor me pille confesada si mi marido se entera de lo que estoy haciendo con Miss Skeeter.

Durante toda la semana siguiente escucho cómo Miss Celia, desde el teléfono de su dormitorio, deja mensajes para Miss

Hilly, para Elizabeth Leefolt, para Miss Parker, para las hermanas Caldwell y para otras diez damas de la Liga. Incluso para Miss Skeeter, lo cual no me gusta un pelo. Ya se lo he advertido a Miss Skeeter: «No se le ocurra *respondé* a esta mujer. No líe la madeja más de lo que ya está».

Una cosa que me irrita un montón es que cuando Miss Celia termina sus estúpidas llamadas y cuelga el teléfono, vuelve a levantar el auricular para ver si hay línea, no vaya a ser que esté mal colgado.

—El teléfono funciona perfectamente —le digo.

Ella me sonríe como lleva haciéndolo todo este mes, que parece como si le hubiera tocado la lotería.

—¿Por qué está de tan buen *humó?* —le pregunto un día—. ¿Mister Johnny la trata bien últimamente o qué?

Preparo mi próximo «¿Cuándo va a decírselo?», pero se me adelanta.

—Pues sí, está bastante cariñoso últimamente —me confiesa—. Dentro de poco le hablaré de ti.

—¡Bien! —digo de todo corazón.

Ya estoy harta de todas estas mentiras. Me imagino la sonrisa que pone esta mujer cuando le sirve a Mister Johnny mis chuletas de cerdo, y cómo ese buen hombre tendrá que fingir que está orgulloso de su esposa sabiendo que soy yo la que cocina. Está quedando como una idiota, pone en un compromiso a su amable marido y me convierte en una mentirosa.

—Minny, ¿podrías salir a recoger el correo, por favor? —me pide, aunque está vestida y sentada sin hacer nada, y yo tengo las manos pringosas de mantequilla, una lavadora que recoger y la licuadora en marcha.

Parece que tenga contados los pasos que da al cabo de la jornada. Es más vaga que un filisteo en domingo; sólo que, para ella, todos los días son domingo.

Me limpio las manos y salgo al buzón, sudando a mares. No es para menos, estamos a treinta y ocho grados en la calle. Hay un paquete de medio metro de alto sobre la hierba, junto al buzón. Ya he visto antes estas grandes cajas marrones, supongo que será otra crema cosmética que habrá encargado esta mujer. Pero cuando lo levanto, noto que es muy pesada y que algo tintinea en su interior, como si fueran botellas de coca-cola.

—Hay algo *pa usté*, Miss Celia —anuncio, dejando caer el paquete en el suelo de la cocina.

Nunca la había visto saltar de la silla con tanta prisa. De hecho, la única cosa que hace rápido esta mujer es vestirse.

—Es mi... —comienza, y murmura una palabra incomprensible.

Carga la caja hasta su dormitorio y cierra la puerta.

Una hora más tarde, entro en su cuarto para pasar el aspirador a las alfombras. Miss Celia no está tumbada en la cama ni en el baño. No la he visto en la cocina, en el salón ni en la piscina, y acabo de limpiar el polvo de las dos salas de estar y del cuarto del oso. Esto significa que sólo puede estar arriba, en las habitaciones del terror.

Antes de que me despidieran por acusar de llevar peluca al encargado blanquito, limpiaba las salas de fiestas del hotel Robert E. Lee. Esas enormes habitaciones vacías, sin un alma, con servilletas llenas de carmín y restos de olor a perfume, me daban escalofríos, igual que la planta de arriba de la casa de Miss Celia. Incluso hay una vieja cuna con el gorrito de bebé de Mister Johnny y un sonajero de plata que, puedo jurarlo, a veces oigo que se menea solo. Al pensar en ese sonido, me pregunto si esos paquetes que recibe no tendrán algo que ver con que se meta en los cuartos del piso superior casi todos los días.

Decido que ya ha llegado la hora de subir ahí arriba y echar un vistazo a ver qué está pasando.

Al día siguiente vigilo a Miss Celia, esperando el momento en el que se escabulla a los cuartos de arriba para ver qué demonios hace. A eso de las dos, asoma la cabeza por la puerta de la cocina y me dirige una sonrisa traviesa. Un minuto más tarde, oigo crujidos de pasos sobre mi cabeza.

Me dirijo a las escaleras sin hacer ruido. Aunque voy de puntillas, los platos del aparador tintinean y las tablas del suelo crujen. Subo los peldaños muy despacito; escucho mi propia respiración. Una vez arriba, atravieso el largo pasillo y dejo atrás las puertas abiertas de los dormitorios: una, dos, tres... La cuarta puerta, al final del corredor, está abierta sólo unos centímetros. Me acerco un poco y observo por la rendija.

La veo sentada en la cama amarilla junto a la ventana, con la cara muy seria. En el suelo está abierto el paquete que recogí ayer del buzón y sobre el colchón hay una docena de botellas llenas de un líquido marrón. Una llama me sube lentamente por el pecho y la garganta hasta quemarme la boca. Reconozco esas delgadas botellas, estuve cuidando durante doce años a un bebedor sin remedio... Cuando, por fin, el zángano destrozavidas de mi padre murió, juré por Dios, con lágrimas en los ojos, que nunca volvería a cargar con un alcohólico... ¡Y poco después me casé con uno!

Y ahora, aquí estoy, sirviendo a otra maldita borracha. Ni tan siquiera son botellas de licorería, las que bebe tienen un tapón rojo como el que ponía mi tío Toad al aguardiente que destilaba en casa. Mamá siempre me dijo que los auténticos alcohólicos, como mi padre, prefieren los licores caseros porque son más fuertes que los que se venden en las tiendas. Ahora ya sé que esta mujer es tan idiota como mi padre o como Leroy cuando se pasa la tarde en el Old Crow, sólo que ésta por lo menos no me persigue luego con la sartén en la mano.

Miss Celia toma una botella y la mira como si fuera Cristo Redentor, muriéndose de ganas por que la salve. La abre, echa un sorbito y suspira. Luego, da tres grandes tragos y se tumba entre las almohadas.

Empiezo a temblar contemplando la cara de satisfacción que se le dibuja en el rostro. Estaba tan ansiosa por tomarse su bebida que se olvidó de cerrar bien la puerta. Tengo que morderme la lengua para no gritarle. Por fin, bajo las escaleras muy cabreada.

Miss Celia regresa a la cocina diez minutos más tarde, se sienta en la mesa y me pregunta si no quiero comer.

–Tiene chuletas de cerdo en el frigorífico. Hoy no voy a *comé* –le digo, y salgo de allí.

286

Esa tarde, Miss Celia está en el cuarto de baño, sentada en el retrete. Tiene el secador sobre la cisterna y el pelo recién decolorado cubierto con una capucha. Con ese trasto en la cabeza no oiría ni la explosión de una bomba atómica.

Subo las escaleras secándome la mano con un trapo, entro en el cuarto y abro el armario. Encuentro dos docenas de botellas de whisky escondidas detrás de unas sábanas harapientas que Miss Celia debe de haberse traído desde su pueblo. Las botellas no tienen etiqueta, sólo el sello «OLD KENTUCKY» en el cristal. Doce de ellas están llenas, esperando que se las beba. La otra docena está tan vacía como estos malditos dormitorios del piso de arriba. No me extraña que la muy tonta no tenga hijos.

El primer jueves de julio, a las doce del mediodía, Miss Celia se levanta de la cama para su lección de cocina. Lleva una blusa blanca tan ajustada que, a su lado, una furcia parecería una santa. ¡La ropa cada vez le queda más ajustada!

Nos ponemos en nuestros puestos, yo junto a los fuegos de la cocina y ella en un taburete. Desde que hace una semana encontré esas botellas, casi no he cruzado una palabra con ella. No estoy loca, sólo furiosa. Durante los últimos seis días, he jurado que seguiría la Regla Número Uno de mi madre. Hablar con ella significaría que me importa esta mujer, y no es así. No es de mi incumbencia si es una estúpida alcohólica y quisquillosa.

Ponemos el pollo rebozado en la sartén. Después, por millonésima vez, tengo que recordarle a esta lerda que se lave las manos si no quiere matarnos a todos con sus microbios.

Observo cómo el pollo chisporrotea en el aceite e intento olvidarme de su presencia. Freír pollo siempre me ha ayudado a sentirme un poco mejor. Casi me olvido de que trabajo para una borracha. Cuando terminamos de freír, guardo la mayor parte en el frigorífico para la cena. El resto lo sirvo en un plato. Miss Celia se sienta frente a mí, como de costumbre.

–Toma la pechuga –dice, mirándome con sus ojos azules–. Vamos...

287

–Prefiero muslo –digo, sirviéndome.

Ojeo el *Jackson Journal,* desde la primera página hasta la agenda local. Abro el periódico delante de mi cara para no tener que mirarla.

–Pero mujer, si el muslo casi no tiene carne.

–Está rico, es más jugoso que la pechuga –respondo, y sigo leyendo, intentando ignorarla.

–Como quieras –dice, y se sirve la pechuga–. Supongo que esto nos hace perfectas compañeras de pollo.

Pasado un minuto, añade:

–¿Sabes? Tengo suerte de que seas mi amiga, Minny.

Siento un malestar espeso y ardiente que me sube por el pecho. Bajo el periódico y la contemplo.

–No se confunda, señorita. *Usté* y yo no somos amigas.

–¡Cómo...! Sí lo somos –sonríe, como si me estuviera haciendo un gran favor.

–No, Miss Celia, no lo somos.

Parpadea con sus pestañas postizas. «Para ya, Minny», me dice una voz en mi interior, pero soy consciente de que ya no hay modo de detenerme. Por la forma en que se cierran mis puños, sé que no puedo aguantar esto ni un minuto más.

–¿Es... –musita, y baja los ojos a su pollo– porque eres de color? ¿O es porque... no quieres ser mi amiga?

–Hay muchos motivos. Que *usté* sea blanca y yo negra sólo es uno más.

–Pero ¿por qué? –inquiere, ya sin su típica sonrisa en la cara.

–Porque cuando le digo que me he *retrasao* en el pago de la factura de la *electricidá* no significa que le esté pidiendo dinero –digo.

–Oh, Minny...

–Porque no tiene la delicadeza de decirle a su *marío* que trabajo aquí. Porque me pone enferma verla las veinticuatro horas del día *encerrá* en esta casa.

–No lo entiendes. No puedo... No puedo salir.

–Pero *tos* esos motivos no son *na comparao* con lo que ahora sé.

288

Su cara palidece debajo de todo su maquillaje.

–*To* este tiempo me pensaba que *usté* se estaba muriendo de cáncer o que tenía alguna *enfermedá* mental... ¡Pobrecita Miss Celia, *tol* día en casa!

–Sé que ha sido difícil...

–Pero ahora sé que *usté* no está enferma. ¡No, *señó*! He visto las botellas que esconde ahí arriba. Ya no me engañará más.

–¿Botellas? Ay, Dios mío, Minny. Yo...

–Me entran ganas de vaciarlas en el fregadero y contárselo a Mister Johnny ahora mismo.

Se pone de pie, tirando su silla al suelo.

–No te atreverás a...

–Finge que quiere *tené* hijos, pero bebe como *pa tumbá* a un elefante.

–¡Minny! ¡Si se lo cuentas, te despido! –grita, con los ojos llenos de lágrimas–. Y si se te ocurre tocar esas botellas, te echo ahora mismo.

La sangre corre demasiado rápido en mi cabeza para detenerme.

–¿Despedirme? ¿Quién va a *queré vení* hasta aquí a *trabajá* en secreto mientras *usté* se pasa *tol* día borracha por la casa?

–¿Crees que no soy capaz de despedirte? ¡Se acabó tu trabajo por hoy, Minny! –solloza y me apunta con el dedo–. ¡Termínate el pollo y vete a tu casa!

Toma su plato lleno de pechuga y sale dando un empellón a la puerta. Oigo ruidos en la enorme mesa del comedor, las patas de las sillas arañando el suelo. Me hundo en la silla porque me tiemblan las rodillas, y me quedo mirando mi pollo.

Acabo de perder otro maldito trabajo.

El sábado me despierto a las siete de la mañana con un horrible dolor de cabeza y la lengua en carne viva. Seguro que me he pasado toda la noche mordiéndomela.

Leroy abre un ojo y me mira, consciente de que algo pasa. Lo adivinó anoche durante la cena y se lo olió cuando llegó a casa a las cinco de la madrugada.

–¿A qué le andas dando vueltas, *mujé?* Espero que no sean problemas en el trabajo –me pregunta por tercera vez.

–El único problema que tengo son mis cinco hijos y mi *marío.* Me sacáis de mis casillas entre *tos.*

Lo único que me faltaba es que se enterara de que he puesto a parir a otra blanca y que he perdido mi empleo. Me pongo el camisón morado de andar por casa, voy a la cocina y la limpio como nunca antes había hecho. Luego, me arreglo para salir.

–Mamá, ¿*ánde* vas? –grita Kindra–. ¡Tengo hambre!

–Me voy a casa de Aibileen. Mamá necesita *está* con alguien que no la agobie *tol* rato.

En las escaleras del porche me encuentro a Sugar sentada.

–Sugar, prepárale algo de *desayuná* a Kindra.

–¡Pero si no hace ni media hora que ha *comío!*

–Bueno, pues tiene hambre otra vez.

Camino las dos manzanas que me separan de casa de Aibileen, atravieso Tick Road y entro en Farish Street. Aunque cae un sol de justicia y el asfalto reverbera, hay niños en la calle que juegan a la pelota, dan patadas a las latas y saltan a la comba.

–¡*Güenas,* Minny! –me saluda alguien cada cinco pasos.

Les devuelvo el saludo con un gesto, pero no tengo ganas de charlar. Hoy no.

Atajo por el jardín de Ida Peek. La puerta trasera de Aibileen está abierta. Encuentro a mi amiga sentada en la cocina leyendo uno de esos libros que le saca Miss Skeeter de la biblioteca para blancos. Levanta la vista de su lectura cuando escucha el golpe que le pego a la mosquitera. Supongo que se habrá dado cuenta de que estoy cabreada.

–¡El *Señó* nos pille *confesaos!* ¿Quién te ha puesto así?

–Celia Rae Foote, esa blanca ha *sío* –le digo, y me siento frente a ella.

Aibileen se levanta y me sirve un café.

–¿Qué te ha hecho?

Le cuento lo de las botellas. No sé por qué no se lo dije hace una semana y media, cuando las encontré. Quizá no quería que se enterara de algo tan vergonzoso sobre Miss Celia. Igual me sentía mal porque Aibileen fue quien me consiguió el trabajo. Pero ahora estoy tan cabreada que lo suelto todo.

–... y después me despidió.

–¡Ay, Dios, Minny!

–Dice que encontrará a otra criada, pero ¿quién va a *trabajá pa* esa loca? Alguna negra de pueblo que viva en el campo y que no tenga ni idea de *serví* en casas de gente fina.

–¿Has *pensaó* en pedirle disculpas? Igual puedes ir el lunes y *hablá* con...

–¡No pienso pedirle disculpas a una borracha! Nunca se las pedí a mi padre, y mucho menos voy a hacerlo con esa *mujé*.

Nos quedamos en silencio. Me tomo el café de un trago y observo un tábano que zumba tras la mosquitera, golpeándola con su asquerosa cabezota, toc, toc, toc, hasta que se cae al suelo y empieza a girar sobre sí mismo enloquecido.

–No puedo *dormí*. Ni *comé*.

–La *verdá* es que esa Miss Celia parece la *peó* de *toas* las mujeres *pa* las que has *servío*.

–*Toas* son malas, pero ésta es la *peó*.

–Es *verdá*. ¿*T'* acuerdas de aquella vez que Miss Walter te hizo *pagá* por esa figurita de vidrio que se te rompió? ¡Te descontó diez dólares del sueldo! Y luego descubriste que en Carter las vendían a tres dólares.

–*Pos* sí.

–¡Ah! ¿Y *t'acuerdas* del loco de Mister Charlie, ese que te llamaba negra a la cara y se pensaba que era *divertío*? ¿Y su *mujé,* esa que te obligaba a *comé* en el porche incluso en pleno enero? ¡Hasta aquella vez que nevó!

–Me entra frío sólo de acordarme.

–¿Y qué... –Aibileen se carcajea, intentando hablar al mismo tiempo–, qué me dices de Miss Roberta? ¿Recuerdas aquella vez que te sentó a la mesa de la cocina y probó en ti su nuevo tinte *pal* pelo? –Aibileen se seca las lágrimas de los ojos–. ¡Señor! Nunca he vuelto a ver una negra con el pelo azul. Leroy dijo que parecías un extraterrestre.

–Eso no fue *divertío*. Me costó tres semanas y *veintisinco* dólares *recuperá* el *coló* natural de mi pelo.

Aibileen mueve la cabeza, suelta un «ajá» lleno de sentido y da un sorbo a su café.

–Sin embargo, esta Miss Celia –prosigue–, ¿has visto cómo te trata? ¿Cuánto te paga *pa* que tengas que *aguantá* lo de Mister Johnny y las clases de cocina? ¡Seguro que ni la mitad que las otras!

–Sabes que me paga el doble.

–Ah, es *verdá*. Se me había *olvidao*. Bueno, pero con *toas* esas amigas que la visitan *tol* rato, tendrás que pasarte *tol* día limpiando detrás de ellas.

Me quedo en silencio, mirándola.

–Y luego esos diez hijos que tiene. –Aibileen se lleva la servilleta a los labios, ocultando su sonrisa–. Deben de volverte loca, *tol* día gritando y poniendo patas arriba ese enorme caserón.

–Aibileen, ya he *pillao* lo que quieres decirme.

Aibileen sonríe y me da unas palmaditas en el hombro.

–Lo siento, cariño, pero eres mi *mejó* amiga y creo que *ties* algo *mu* bueno allá en el campo. ¿Qué más da si esa *mujé* se echa unos traguitos *pa pasá* el día? El lunes, ve a *hablá* con ella.

Siento que se me arruga la cara.

–¿Piensas que me volverá a *cogé*? ¿Después de *to* lo que le dije?

–No va a *encontrá* a otra criada dispuesta a *serví* en esa casa, y lo sabe.

–*Pos* sí –suspiro–. Es tonta, pero no *pa* tanto.

Regreso a casa. No le cuento a Leroy lo que me preocupa, pero sigo todo el día y el resto del fin de semana dándole vueltas al tema. Me han despedido más veces que dedos tengo en las manos. Rezo para que pueda recuperar mi trabajo el lunes.

Capítulo 18

El lunes por la mañana, mientras conduzco hacia la casa de Miss Celia, ensayo las frases que tengo que decir: «Sé que me fui de la lengua...», en cuanto entre en la cocina; «Sé que lo que dije estaba fuera de lugar...», mientras dejo el bolso en la silla; «Y... y...», ésta es la parte más difícil, «Y lo siento».

Ya en la casa, me preparo mientras oigo a Miss Celia que arrastra los pies. No sé lo que va a ocurrir, si estará muy cabreada, si me tratará con indiferencia, o si simplemente volverá a decirme que estoy despedida. Lo único que sé es que tengo que hablar yo primero.

—Buenos días –me saluda.

Miss Celia todavía está en camisón. No se ha peinado, y tampoco se ha puesto el pringue con el que se maquilla todas las mañanas.

—Miss Celia, tengo que decirle algo...

Suelta un gemido y se lleva la mano al estómago.

—¿Se... encuentra bien?

—No es nada.

Pone una tostada y algo de jamón en un plato, pero luego lo aparta todo.

—Miss Celia, quería decirle que...

Sale y me deja con la palabra en la boca. Parece que estoy metida en un buen lío.

Me pongo a hacer mi trabajo. Puede que esté loca por actuar como si no me hubieran despedido y seguramente no me paguen por lo que haga hoy, pero me encargo de las labores de la casa como si nada hubiera pasado. Después del almuerzo, enciendo la tele y miro el culebrón de Miss Christine, *As the World Turns,* mientras plancho. Por lo general, Miss Celia se sienta a verlo conmigo, pero hoy no lo hace. Cuando termina el programa, la espero un rato en la cocina, pero tampoco se presenta para su lección. La puerta de su dormitorio sigue cerrada y a eso de las dos no me queda otra cosa por hacer que limpiar su cuarto. El miedo se me agarra al estómago. Ojalá le hubiera dicho lo que tenía que decirle esta mañana, cuando tuve la oportunidad.

Me dirijo a la parte trasera de la casa y observo la puerta cerrada de su dormitorio. Llamo pero no me contesta. Finalmente, me arriesgo y abro.

La cama está vacía. Ahora tengo que lidiar con otra puerta cerrada, la del cuarto de baño.

—¡Voy a *hacé* el dormitorio! —grito.

No hay respuesta, aunque sé que está dentro. La noto detrás de esa puerta. Estoy sudando, quiero hablar con ella y terminar de una vez con esta maldita historia.

Recorro la habitación con la bolsa de la colada y meto la ropa sucia de todo el fin de semana. La puerta del cuarto de baño sigue cerrada y no se oye nada detrás. Supongo que el lavabo estará hecho un asco. Escucho a ver si hay algo de vida mientras estiro las sábanas sobre la cama. La almohada es la cosa más sucia que he visto nunca y está aplastada en las puntas como un enorme perrito caliente amarillento. La sacudo sobre el colchón y coloco la colcha.

Limpio el polvo de la mesita de noche de la señorita y de la pila de números de la revista *Look* que amontona en el suelo, junto al libro de *bridge* que encargó. Ordeno los libros de la mesita de Mister Johnny. Este hombre lee un montón. Veo que tiene *Matar a un ruiseñor* y me fijo en la portada.

—¡Vaya! Mira lo que tenemos aquí —murmuro en voz baja.

294

Un libro que habla de negros. Me pregunto si algún día veré el libro de Miss Skeeter en alguna mesita de noche. Por supuesto, sin que aparezca mi verdadero nombre.

De repente, oigo un ruido. Algo ha chocado contra la puerta del baño.

–¡Miss Celia! –grito de nuevo–. Estoy aquí. Sólo *pa* que lo sepa.

Pero no recibo respuesta.

«No es de mi incumbencia lo que suceda ahí dentro», pienso para mis adentros. Luego, vuelvo a gritar ante la puerta:

–Voy a *terminá* mi trabajo y me marcho antes de que llegue Mister Johnny con la pistola.

Espero que esto la saque de su encierro, pero no.

–Miss Celia, queda algo de reconstituyente debajo del lavabo. Tómeselo y salga *pa* que pueda *limpiá* ahí dentro.

Finalmente, me callo y me quedo mirando la puerta. ¿Estoy despedida o no? En caso de que no lo esté, ¿será que esta mujer está tan bebida que no me oye? Mister Johnny me pidió que la cuidara. No creo que dejarla inconsciente en la bañera sea precisamente a lo que se refería.

–Miss Celia, diga algo *pa sabé* por lo menos que sigue viva.

–Estoy bien.

Su voz no suena nada bien.

–Son casi las tres –digo mientras espero de pie en medio del dormitorio–. Mister Johnny no tardará en *llegá*.

Tengo que saber qué está pasando. Quiero ver si está borracha y tirada ahí dentro. Y, si no estoy despedida, tengo que limpiar ese cuarto de baño para que Mister Johnny no piense que la criada que tiene en secreto es una vaga y me despidan por segunda vez en una semana.

–Vamos, Miss Celia. ¿Qué le pasa? ¿Se ha hecho otra vez un estropicio con el tinte del pelo? La última vez le ayudé a arreglarlo, *¿s' acuerda?* No se preocupe, volverá a quedarle bonito.

De repente, el pomo se gira y la puerta se abre lentamente. Miss Celia está sentada en el suelo, a la derecha de la puerta. Tiene las rodillas dobladas bajo el camisón.

Me acerco un poco. De perfil, veo que tiene la cara del color del suavizante: azul lechoso.

También veo que hay sangre en el retrete. Mucha sangre.

–¿Está con el periodo, Miss Celia? –susurro.

Se me abren las fosas nasales.

Miss Celia no se da la vuelta para mirarme. Hay una línea de sangre en el dobladillo de su blanco camisón, como si hubiera estado metido en el retrete.

–¿Quiere que llame a Mister Johnny? –le pregunto.

Aunque intento evitarlo, no puedo dejar de mirar esa taza llena de sangre. Hay algo que flota. Algo que parece... sólido.

–¡No! –niega Miss Celia, con la vista clavada en la pared–. Acércame... mi agenda de teléfonos.

Corro a la cocina, busco el cuadernito y regreso a toda prisa. Cuando intento dárselo, Miss Celia lo rechaza con un gesto de la mano.

–Por favor, llama tú –dice–. Busca en la T: doctor Tate. Yo no puedo.

Paso las delgadas páginas. Conozco a ese doctor Tate, es el médico de casi todas las blancas para las que he servido. También sé que cada martes, mientras su esposa está en la peluquería, le da un «tratamiento especial» a Elaine Fairley. «Taft... Taggert... Tann.» ¡Por fin, alabado sea el Señor!

Me tiemblan las manos mientras marco los números. Una mujer blanca contesta. «Celia Foote, en la carretera veintidós, en el *condao* de Madison», digo lo mejor que puedo sin vomitar en el suelo. «Sí, señora. Sangra mucho, mucho. ¿Sabe cómo *llegá* hasta aquí?» Me responde que, por supuesto, conoce el camino, y cuelga.

–¿Va a venir? –pregunta Celia.

–Sí, va a *vení* –respondo.

Me entran náuseas otra vez. No creo que pueda volver a limpiar ese retrete sin que me den arcadas.

–¿Quiere una coca-cola? Le traeré una coca-cola.

En la cocina, saco una botella del frigorífico. Regreso al baño, la dejo en el suelo y me aparto lo más posible de esa taza llena de rojo, pero sin dejar sola a Miss Celia.

–Igual debería meterse en la cama, Miss Celia. ¿Cree que *pue* levantarse?

Miss Celia se inclina hacia delante e intenta incorporarse. Me acerco para ayudarla y veo que tiene toda la parte de atrás del camisón empapada y que el suelo está manchado con algo que parece un moco rojo, que se ha incrustado en las rendijas que hay entre las baldosas. No será fácil limpiarlo.

Cuando consigo que se ponga en pie, Miss Celia resbala en un charquito de sangre y se agarra al borde del inodoro para no caerse.

–Déjame quedarme... Quiero quedarme aquí.

–Como *usté* quiera –digo, y salgo al dormitorio–. El *doctó* Tate no tardará en *llegá*. Le han *llamao* a su casa.

–Quédate conmigo, Minny, por favor.

De ese retrete sale un olor pestilente, a algo fresco y horrible. Tras pensármelo un poco, me siento en el suelo, con la mitad de mi trasero en el cuarto de baño y la otra mitad fuera. Ahora que lo tengo a la altura de los ojos, puedo olerlo mejor. Huele a carne, como las hamburguesas descongelándose en la encimera. Me entra un escalofrío ante esta idea.

–Vamos fuera *mejó,* Miss Celia. Necesita que le dé el aire...

–No puedo manchar la alfombra... Johnny se enteraría.

Las venas de sus brazos parecen muy negras bajo su piel paliducha. Su rostro está cada vez más blanco.

–Se le está poniendo mala cara. Beba un poco de coca-cola.

Da un sorbo a la botella y dice:

–¡Ay, Minny!

–¿Cuánto tiempo lleva así?

–Desde esta mañana –contesta, y rompe a llorar apoyando la cara en el brazo.

–No pasa *na,* se pondrá bien.

Mi voz suena tranquilizadora, confiada, pero por dentro mi corazón late acelerado. El doctor Tate viene para curar a Miss Celia, pero ¿qué vamos a hacer con lo del retrete? ¿Qué se supone que tengo que hacer, tirar de la cadena? ¿Y si se atasca

297

en las cañerías? Lo mejor será sacarlo de ahí. ¡Ay, Dios! ¿Cómo voy a hacer eso?

–Hay mucha sangre –se queja, apoyándose en mí–. ¿Por qué he sangrado tanto esta vez?

Levanto la barbilla y lanzo una mirada al retrete. Aparto la vista pasado un segundo.

–No dejes que Johnny lo vea. ¡Ay, Dios...! ¿Qué hora es?

–Las tres menos cinco. Todavía tenemos algo de tiempo.

–¿Qué deberíamos hacer? –me pregunta.

¿Deberíamos? Santo Dios, preferiría que no utilizara el «nosotros» al hablar de este asunto.

–Supongo que una de nosotras tendrá que sacarlo de ahí –digo, apartando la vista.

Miss Celia me mira con sus ojos enrojecidos.

–¿Y dónde lo vamos a tirar?

No me atrevo a mirarla a la cara.

–*Pos* supongo que... en el cubo de la basura.

–Por favor, hazlo ya –ruega, y mete la cabeza entre las rodillas como si estuviera avergonzada.

Ahora ya ni tan siquiera utiliza el «nosotros». Ahora es un simple «Hazlo ya». Tú vas a sacar a mi bebé muerto de ese retrete.

Pero ¿acaso tengo otra opción?

Oigo que se me escapa un gemido. Las baldosas del suelo se me clavan en las nalgas. Cambio de posición, gruño e intento pensar un poco. A ver, cosas peores habré hecho en mi vida, ¿verdad? Ahora mismo no se me ocurre ninguna, pero seguro que algo tiene que haber.

–Por favor –me ruega Miss Celia–, no puedo seguir viéndolo.

–Está bien –asiento, como si supiera lo que estoy haciendo–. Voy a ocuparme de eso.

Me pongo en pie e intento ser práctica. Sé dónde tirarlo: en la papelera blanca que está junto al retrete, y luego lo llevaré a la calle. Pero ¿cómo voy a sacarlo de la taza? ¿Con la mano?

Me muerdo el labio e intento calmarme. Quizá sería mejor esperar... A lo mejor el médico quiere llevárselo cuando venga, para examinarlo. Si consigo sacar a Miss Celia de aquí unos minutos, igual no tengo que pasar por este mal trago.

–Ahora mismo me encargo –digo, con voz tranquilizadora–. ¿De cuántos meses cree que estaba?

Me arrimo al retrete sin atreverme a mirar.

–No sé; ¿cinco meses? –Miss Celia se tapa la cara con una toallita–. Me estaba duchando y empecé a notar que empujaba, que me dolía. Me senté en el váter y salió, como si quisiera escapar de mi interior.

Empieza a sollozar de nuevo, con los hombros caídos.

Con mucho cuidado, bajo la tapa del retrete y me vuelvo a sentar en el suelo.

–Como si prefiriera morir antes que estar un segundo más dentro de mí.

–Mire, si ha *pasao* así es porque Dios lo ha *querío*. Algo no iba bien dentro de *usté* y la naturaleza ha *tenío* que *actuá*. La próxima vez *to* saldrá bien, ya lo verá.

Entonces me acuerdo de las botellas que descubrí y la rabia se apodera de mí.

–Es... la segunda vez que me pasa.

–¡Santo Dios!

–Nos casamos porque me quedé embarazada –dice Miss Celia–, pero... también lo perdí.

No puedo resistir más sin decírselo:

–Entonces, ¿por qué demonios bebe? ¿No sabe que estando *preñá* una no puede ponerse tibia a whisky?

–¿Whisky?

¡Por favor! No puedo aguantar esa mirada de «¿de qué estás hablando?». Por lo menos, con la tapa bajada el olor no es tan intenso. ¿Cuándo va a llegar ese maldito médico?

–¿Pensabas que yo...? –Niega con la cabeza y dice con los ojos cerrados–: ¡Pero si es un tónico reconstituyente! Me lo prepara una indígena choctaw de la parroquia de Feliciana...

–¿Una choctaw? –repito, y parpadeo incrédula. Esta mujer es más tonta de lo que imaginaba–. ¡No se puede *confiá* en los indios! ¿No sabe que les envenenamos su maíz? Podría estar intentando envenenarla a *usté pa vengá* a su tribu.

—El doctor Tate me dijo que no era más que agua con melaza —solloza en su toallita—. Tenía que intentarlo. Tenía que hacerlo.

Noto cómo se me relaja todo el cuerpo del alivio que siento al escuchar eso.

—Estas cosas necesitan un poco de tiempo, Miss Celia. Lo que le ha *pasao* es algo normal, a *usté* no le sucede *na* malo. Confíe en mí, que he *parío* cinco hijos.

—Pero es que Johnny quiere tener hijos ya. ¡Ay, Minny! —Mueve la cabeza—. ¿Qué va a hacer si se entera?

—*Pos* superarlo, eso es lo que va a *hacé*. Se olvidará enseguida porque eso a los hombres se les da *mu* bien. Pronto estará pensando en el siguiente.

—No sabía nada sobre éste. Ni tampoco sobre el anterior.

—¡Pero si *m' ha* dicho que se casó con *usté* por eso!

—Lo del primero sí lo sabía. —Suelta un largo suspiro—. La verdad es que éste es mi... cuarto aborto.

Miss Celia deja de llorar. Ya no me quedan buenas palabras que decirle. Por unos minutos, no somos más que dos personas preguntándose por qué las cosas tienen que ser así.

—Pensaba —suspira—, que si reposaba, si traía a alguien para encargarse de la casa y de hacer la comida, este bebé podría salir adelante. —Oculta la cabeza en la toalla y solloza—: ¡Quería que se pareciera a Johnny!

—Mister Johnny es un hombre atractivo, tiene el pelo *mu* bonito...

Miss Celia se quita la toalla de la cara y me mira.

Levanto los brazos, porque me doy cuenta de lo que acabo de decir.

—Tengo que *salí* a *respirá* un poco. Hace mucho *caló* aquí dentro.

—¿Cómo sabes...?

Miro a mi alrededor, intentando pensar en una mentira, pero al fin suspiro y digo:

—Miss Celia, su *marío* lo sabe *to*. Un día vino a casa y me encontró.

—¿Qué?

300

–Sí, señora. Me pidió que no se lo dijera *pa* que siguiera creyendo que está orgulloso de *usté*. Ese hombre la quiere mucho, Miss Celia, lo he visto en su cara.

–Pero... ¿desde cuándo lo sabe?

–Desde hace... unos meses.

–¿Meses? ¿Se... se enfadó conmigo por haberle mentido?

–*¡Pos* claro que no! Incluso me llamó unas semanas después *pa* asegurarse de que no dejaba el trabajo. Dice que tiene miedo de morirse de hambre si me voy.

–¡Ay, Minny! –exclama entre lágrimas–. Lo siento. De verdad que siento todo por lo que te he hecho pasar.

–Bueno, en peores líos me he visto.

Pienso en mi pelo teñido de azul, o en cuando tenía que comer en el porche con un frío de mil demonios, y lo comparo con este momento. Alguien tiene que encargarse de lo que hay en el retrete.

–No sé qué más hacer, Minny.

–El *doctó* Tate le dirá que vuelva a intentarlo, y supongo que seguirá su consejo.

–Ese hombre siempre me grita. Dice que estoy malgastando mi vida todo el día tirada en la cama –se desahoga, moviendo la cabeza–. Es una persona mala y desagradable.

Se aprieta la toalla contra los ojos y, pasado un rato, añade:

–No puedo seguir así.

Cuanto más llora, más blanca se pone.

Intento que tome unos sorbos más de coca-cola, pero no quiere. Casi no es capaz de levantar la mano para rechazarlos.

–Me estoy poniendo... mala. Voy a...

Agarro la papelera y la sujeto mientras Miss Celia vomita en su interior. Entonces noto algo húmedo. Bajo la vista y veo que está perdiendo sangre tan deprisa que ha llegado hasta donde estoy sentada. Cada vez que se mueve, pierde más. No creo que nadie pueda soportar una hemorragia como ésa.

–¡Póngase recta, Miss Celia! Respire profundo, venga –le digo, pero se desploma en mis brazos.

–No, no, no. No se va a *dormí* ahora. ¡Vamos, vamos!

Trato de levantarla, pero no es capaz de sostenerse en pie. Noto lágrimas en mis ojos. Ese maldito médico ya debería estar aquí con una ambulancia. En los veinticinco años que llevo limpiando casas, nadie me ha dicho lo que hay que hacer cuando tu señorita blanca se te muere entre los brazos.

–¡Vamos, Miss Celia! –le grito, pero no es más que un saco blanco e inmóvil. Lo único que puedo hacer es sentarme, temblar y esperar.

Los minutos se hacen eternos hasta que suena el timbre de la puerta trasera. Apoyo la cabeza de Miss Celia en una toalla, me quito los zapatos para no dejar huellas de sangre por toda la casa y corro hacia la puerta.

–¡Ha *perdío* el conocimiento! –le digo al médico.

La enfermera me aparta de un empujón, entra corriendo y se dirige al dormitorio, como si supiera el camino. Saca un frasquito de sales y lo coloca debajo de la nariz de Miss Celia, que mueve la cabeza, suelta un gritito y abre los ojos.

La enfermera me ayuda a quitarle el camisón a Miss Celia. Tiene los ojos abiertos, pero apenas es capaz de tenerse en pie. Extiendo unas toallas en la cama y la tumbamos. Voy a la cocina, donde el doctor Tate se está lavando las manos.

–Está en el dormitorio –le digo.

«No en la cocina, matasanos.» El doctor Tate tendrá unos cincuenta años y me saca un par de cabezas. Es muy blanco y tiene la cara alargada y estrecha, totalmente inexpresiva. Por fin veo que se dirige al dormitorio.

Antes de que abra la puerta, le toco en el hombro y le digo:

–La señora no quiere que su *marío* lo sepa. No se va a *enterá, ¿verdá?*

Me lanza una mirada de desprecio, como si fuera una negra tonta, y dice:

–¿No le parece que lo que está pasando no es de su incumbencia?

Entra en el dormitorio y cierra la puerta delante de mis narices.

Voy a la cocina y me pongo a pasear de un lado a otro. Pasa media hora, luego una hora... Tengo un montón de preocupaciones en la cabeza: que llegue Mister Johnny y lo descubra, que el doctor Tate lo llame y se lo cuente, que dejen lo que hay en la taza para que yo me encargue... Siento palpitaciones en las sienes. Por fin, oigo que el médico abre la puerta.

–¿Está bien?

–Está histérica. Le he dado una pastilla para calmarla.

La enfermera pasa a nuestro lado y sale de la casa con una lata blanca en las manos. Por primera vez en horas, respiro aliviada.

–Vigílela mañana –dice el médico, y me da una bolsita blanca–. Si se pone muy nerviosa, dele otra pastilla. Seguramente seguirá sangrando. No me llamen a no ser que la hemorragia sea muy fuerte.

–No se lo va a *contá* a Mister Johnny, ¿*verdá,* doctor Tate?

Suelta un suspiro cansado y me dice:

–Asegúrese de que acude a la cita que tiene conmigo el viernes. No pienso venir hasta aquí otra vez sólo porque esta mujer no quiera moverse.

Sale a toda prisa y cierra con un portazo.

El reloj de la cocina marca las cinco. Mister Johnny llegará a casa en media hora. Agarro la lejía, los trapos y un cubo.

Miss Skeeter

Capítulo 19

Estamos en 1963. La «Era Espacial» le llaman a estos tiempos: un hombre acaba de dar la vuelta a la Tierra en un cohete; han inventado una píldora para que las mujeres casadas no se queden embarazadas; se puede abrir una lata de cerveza con un dedo en lugar de con un abridor... Sin embargo, en la casa de mis padres hace el mismo calor que en 1899, el año en que fue construida por mi bisabuelo.

—Madre, por favor —le ruego—, ¿cuándo vais a instalar el aire acondicionado?

—Si hemos sido capaces de sobrevivir hasta ahora sin frío artificial, no veo por qué tenemos que poner uno de esos artilugios que afean la ventana.

Así que, a medida que avanza julio, me veo obligada a abandonar mi dormitorio del ático y dormir en un catre en el porche trasero, protegido por mosquiteras. Cuando éramos niños, Constantine, Carlton y yo dormíamos ahí fuera en verano cuando mis padres se iban de boda a la ciudad. Aunque hacía un calor infernal, Constantine se ponía un antiguo camisón que la tapaba desde la barbilla hasta los dedos de los pies. Nos cantaba canciones para dormirnos. Tenía una voz tan hermosa que no me podía creer que nunca hubiera asistido a clases de canto. Madre siempre me decía que no se puede aprender nada sin unas buenas clases. Todavía se me hace extraño pensar

304

que no hace tanto Constantine estaba aquí, en este mismo porche, y ahora no está y nadie me dice nada sobre ella. Me pregunto si volveré a verla algún día.

Junto al catre tengo la máquina de escribir sobre una mesita metálica oxidada. Debajo está mi mochila roja. Me seco la frente con el pañuelo de Padre y me pongo hielos en las muñecas. Aunque estoy en el porche, el termómetro, regalo de Maderas Avery, ha saltado de treinta a treinta y cinco, para quedarse luego en unos redondos cuarenta grados. Por suerte, Stuart nunca viene de día.

Contemplo la máquina de escribir sin saber qué hacer. No tengo nada que redactar, y es una sensación desagradable. Hace un par de semanas, Aibileen me dijo que era posible que Yule May, la criada de Hilly, nos ayudase. Que cada vez que hablaba con ella mostraba más interés. Pero, después del asesinato de Medgar Evers, con la policía arrestando y zurrando a la gente de color a diestro y siniestro, supongo que estará asustada.

Quizá debería pasarme por casa de Hilly y hablar yo misma con Yule May. Pero no, Aibileen tiene razón, probablemente la asuste más de lo que ya está y eche a perder cualquier oportunidad que tuviéramos de convencerla.

A la sombra de la casa, los perros bostezan y aúllan. Uno de ellos suelta un apagado ladrido al ver aparecer una camioneta con una cuadrilla de jornaleros que trabajan para Padre. Cinco negros saltan de la caja del vehículo y levantan nubes de polvo cuando sus pies tocan el suelo. Por un momento se quedan aturdidos y con cara de agotamiento. El capataz se pasa un pañuelo rojo por la oscura frente, los labios y el cuello. Hace un calor tan inhumano que no sé cómo aguantan ahí quietos, cociéndose al sol.

Una solitaria brisa agita las páginas de la revista *Life* que tengo a mi lado, en cuya portada aparece una sonriente Audrey Hepburn sin una pizca de sudor en los labios. Empiezo a pasar sus arrugadas páginas, buscando la historia de la astronauta soviética. Ya sé lo que me voy a encontrar en la página siguiente. Detrás de la foto de la mujer hay una imagen de Carl

Roberts, un profesor de escuela negro de Pelahatchie, una localidad a unos cincuenta kilómetros de aquí. «En abril, Carl Roberts les contó a unos reporteros de Washington cómo es la vida de un negro en Misisipi, y definió al gobernador como un "tipo patético, con menos ética que una mujer de la calle". El cuerpo de Roberts apareció colgado de un nogal y marcado con hierro al rojo vivo, como el ganado.»

Lo mataron por hablar, por contar la verdad. Recuerdo que, hace tres meses, pensaba que me resultaría muy fácil conseguir que una docena de criadas aceptaran colaborar conmigo. Me imaginaba que todas estarían deseosas de contarle sus historias a una blanca. ¡Qué estúpida he sido!

Cuando ya no puedo soportar más el calor, me siento en el único sitio fresquito de todo Longleaf: el coche de Madre. Pongo el motor en marcha y cierro las ventanillas. Me levanto el vestido hasta que casi se me ven las bragas y pongo el aire acondicionado a toda potencia. Reposo la cabeza en el asiento y noto que el mundo se desvanece, atrapada por el olor a refrigerante y a cuero de la tapicería del Cadillac. Oigo el ruido de un vehículo que aparca delante de casa, pero no abro los ojos. Un segundo más tarde, se abre la puerta del copiloto.

—¡Ostras, qué bien se está aquí dentro!

—¿Qué haces tú aquí? —grito, bajándome el vestido.

Stuart cierra la puerta y me besa en los labios.

—Sólo me he pasado a saludar. Salgo ahora mismo hacia la costa para una reunión.

—¿Cuándo volverás?

—Dentro de tres días. Tengo que ver a unos tipos de la Comisión de Gas y Petróleo de Misisipi. Ojalá lo hubiera sabido antes.

Me agarra la mano y sonrío. Llevamos ya dos meses saliendo un par de veces por semana, contando la fatídica primera cita. Supongo que para otras chicas será muy poco tiempo, pero para mí supone la relación más larga que he tenido nunca, y la mejor.

—¿Quieres venir? —me pregunta.

–¿A Biloxi? ¿Ahora?

–¡Ahora! –dice, posando su mano en mi pierna.

Como siempre que hace esto, doy un respingo. Miro su mano y luego me aseguro de que Madre no nos está espiando.

–¡Vamos! Aquí hace mucho calor. Además, me alojo en el hotel Edgewater, justo delante de la playa.

Me río, y eso me hace bien, después de lo preocupada que he estado estas últimas semanas.

–En el Edgewater..., ¿eh? ¿Juntos tú y yo? ¿En la misma habitación?

Asiente con la cabeza y me pregunta:

–¿Piensas que podrás escaparte?

A Elizabeth le daría algo sólo de pensar en compartir habitación con un hombre sin estar casados, y Hilly me diría que soy idiota sólo por considerarlo. Ambas conservaron su virginidad con la misma furia con la que un niño se niega a compartir sus juguetes. Sin embargo, me lo pienso.

Stuart se me acerca. Huele a pino, a tabaco y a jabón del caro, del que en mi familia nunca usamos.

–A mi madre le daría un síncope, Stuart. Además, tengo muchas cosas que hacer...

¡Ay, Dios, qué bien huele este hombre! Me mira como si quisiera comerme, y me entran escalofríos con el aire del Cadillac.

–¿Estás segura? –susurra, y me besa en la boca, pero sin tanta educación como antes.

Todavía tiene la mano posada en la parte superior de mi muslo. Me pregunto si se portaría así con su ex novia, Patricia. No sé si se acostaban juntos, pero sólo la idea de que la tocara me pone enferma y le aparto de mí.

–Yo... No puedo –digo–. Sabes que no puedo engañar a mi madre.

Suelta un largo suspiro decepcionado y me mira con una cara de desengaño que me encanta. Ahora comprendo por qué se resisten las chicas. Esa dulce mirada apesadumbrada merece la pena.

–Mejor que no mientas –dice al fin–. Ya sabes que odio las mentiras.

–¿Me llamarás desde el hotel? –le pregunto.

–Pues claro. Siento tener que marcharme tan rápido. ¡Ah! Casi se me olvida. Mis padres quieren que vengáis a cenar a casa el sábado de la semana que viene.

Enderezo la espalda en el asiento. Todavía no conozco a sus padres.

–¿A qué te refieres... con eso de «vengáis»?

–Pues a ti y a tus padres. Que vengáis a la ciudad y conozcáis a mi familia.

–Pero... ¿por qué con mis padres?

–Mamá y papá quieren conocerlos –contesta, encogiéndose de hombros–. Y yo quiero que te conozcan.

–Pero...

–Lo siento, muñeca –dice, recogiéndome el pelo detrás de la oreja–. Tengo que irme. Te llamo mañana por la noche, ¿vale?

Le respondo asintiendo con un gesto. Sale al calor, sube a su coche y saluda a Padre, que se acerca caminando por la pista.

Me quedo sola en el Cadillac, preocupada. El sábado de la semana que viene, cena en casa del señor senador, con Madre haciendo un millón de preguntas y comportándose como si estuviera desesperada por conseguirme un marido. Seguro que saca el tema de la cuenta que tengo en el banco.

Tres noches terriblemente calurosas más tarde, sin haber recibido noticias de Yule May ni de ninguna otra criada, Stuart pasa por casa en su viaje de regreso de la costa. Estoy harta de pasarme el día entero delante de la máquina escribiendo las noticias del boletín de la Liga de Damas y los consejos de Miss Myrna. Bajo las escaleras corriendo y Stuart me abraza como si hubiera pasado semanas sin verme.

Se ha puesto bastante moreno. Tiene la espalda de la camisa arrugada de conducir y las mangas subidas. Me dedica su sonrisa perpetua de diablillo. Nos sentamos en la sala de estar en sillones separados, esperando a que Madre se vaya a dormir. Padre lleva en la cama desde que se puso el sol.

Stuart tiene los ojos clavados en los míos mientras Madre parlotea sin descanso sobre el calor y sobre cómo parece que Carlton por fin ha encontrado a «la definitiva».

—Estamos encantados ante la idea de cenar con tus padres, Stuart. Por favor, coméntaselo a tu madre.

—Descuide, señora. Lo haré.

Me sonríe otra vez. Hay tantas cosas que me gustan en él: el modo en el que me mira a los ojos cuando hablamos; sus manos duras al tacto pero con las uñas limpias y bien cortadas; el roce de sus dedos en mi cuello... Mentiría si dijera que no me agrada tener a alguien con quien acudir a bodas y fiestas. Ya no tengo que soportar la mirada de Raleigh Leefolt al ver que otra vez tienen que cargar conmigo, ni ese gesto hosco que pone cuando tiene que guardar mi abrigo junto al de su esposa o traerme una bebida.

Además, ahora Stuart me sirve como escudo en casa. En cuanto pone el pie en nuestro hogar, me siento protegida, a salvo. Madre no se atreve a criticarme delante de él, por miedo a que se dé cuenta de mis defectos, y tampoco me lleva la contraria porque sabe que reaccionaría mal y le respondería, reduciendo con eso mis posibilidades de matrimonio. Para Madre es muy importante mostrar sólo una de mis caras y conseguir que mi verdadero yo no aparezca antes de que ya no haya «vuelta atrás».

Por fin, a las nueve y media, Madre se alisa la falda, dobla su mantita con precisión milimétrica, como si se tratara de una carta con gran valor sentimental, y dice:

—Bueno, creo que ha llegado la hora de irse a la cama. —Me mira y añade—: ¿No te parece que ya es un poco tarde?

Sonrío con dulzura. Tengo veintitrés años, ¡por Dios!

—Pues claro que no, mamá.

Se marcha, y Stuart y yo nos miramos sonriendo.

Esperamos.

Se oyen los pasos de Madre por la cocina, una ventana que se cierra, un grifo que se abre... Pasados unos segundos, escuchamos el ruido de la puerta de su dormitorio al cerrarse. Entonces, Stuart se levanta y dice:

—Ven aquí.

De una zancada se coloca a mi lado, me agarra las manos, las lleva a sus caderas y me besa en la boca como si fuera una bebida que lleva todo el día deseando tomarse. He oído hablar a las otras chicas de que cuando te besan parece que te derrites, pero yo siento que crezco, que me hago más alta y veo cosas que estaban ocultas detrás de una tapia, colores que nunca antes había percibido.

Tengo que hacer un esfuerzo para apartarle de mi lado. Tengo cosas que decirle.

—Ven aquí. Siéntate.

Nos sentamos en el sofá. Intenta besarme otra vez, pero aparto la cara. Procuro no mirarlo a los ojos, que parecen más azules en contraste con el moreno de su piel, ni fijarme en el vello de sus brazos, que está dorado por el sol, como si se lo hubiera decolorado.

Trago saliva, preparándome para hacerle la temible pregunta:

—Stuart, cuando estabas prometido, ¿tus padres se enfadaron después de lo que pasó con Patricia?

Al momento, se le borra la sonrisa y sus labios se tensan.

—Mi madre se enfadó mucho —dice, mirándome a los ojos—. Se llevaba muy bien con ella.

Empiezo a lamentar haber sacado el tema, pero tenía que saberlo.

—¿Cómo de bien?

Mira a su alrededor, buscando algo en el salón.

—¿Tenéis algo para beber? ¿*Bourbon*?

Me dirijo a la cocina y le sirvo una copa de la botella que utiliza Pascagoula para cocinar, rebajándola con agua. Aquella primera vez que se presentó en el porche de casa, Stuart ya dejó claro que el tema de su ex novia era tabú. Pero necesito saber qué pasó. No sólo por curiosidad. Tengo que aprender

310

qué reglas se puede una saltar sin que te abandonen, y cuáles son las más importantes.

—Entonces, ¿eran buenas amigas? —insisto.

Dentro de nueve días voy a conocer a su familia. Madre ya ha organizado una visita para mañana a los almacenes Kennington, para preparar el vestuario.

Stuart da un largo trago a su bebida, frunce el ceño y dice:

—Se pasaban el día encerradas en su cuarto conversando sobre ramos de flores y sobre quién se había casado con quién. —El más mínimo rastro de su pícara sonrisa ha desaparecido—. A mi madre le afectó mucho cuando... lo nuestro se acabó.

—Entonces..., ¿me comparará con Patricia?

Stuart pestañea un segundo y luego contesta:

—Probablemente.

—¡Genial! Me muero de ganas por que llegue el momento —ironizo.

—Mi madre es sólo un poco... protectora. Le preocupa que vuelvan a hacerme daño —dice, apartando la vista.

—¿Dónde está ahora Patricia? ¿Todavía vive por aquí o...?

—No, se marchó. Está en California. ¿Podemos cambiar de tema?

Suspiro y me reclino en el respaldo del sofá.

—Bueno... Tus padres, por lo menos, ¿saben lo que pasó? Es decir, ¿se supone que yo puedo saberlo?

Empiezo a sentirme furiosa porque no me quiere contar algo tan importante como esto.

—Skeeter, ya te lo he dicho, odio hablar de... —Se interrumpe, rechina los dientes y añade, bajando la voz—: Mi padre sólo sabe una parte de la historia, pero mi madre conoce la verdad, igual que los padres de Patricia... y ella, por supuesto. —Se termina el resto de su copa de un trago y añade—: Porque ella sabe muy bien lo que hizo, mierda.

—Stuart, sólo quiero saber qué pasó para no cometer yo el mismo error.

Me mira e intenta reír, pero le sale algo más parecido a un gruñido.

311

–Tú nunca serías capaz de hacer algo similar ni en un millón de años.

–Pero ¿qué? ¿Qué hizo?

–Skeeter –suspira y posa su vaso–, estoy muy cansado. Creo que es mejor que me marche.

A la mañana siguiente, entro en la calurosa cocina asustada sólo de pensar en el día que tengo por delante. Madre está en su cuarto preparando nuestra salida de tiendas para comprar el vestuario para la cena con los Whitworth. Llevo puestos unos vaqueros azules y una blusa ancha.

–Buenos días, Pascagoula.

–*Güenos* días, señorita. ¿Le sirvo su desayuno?

–Sí, por favor.

Pascagoula es pequeñita y lista. Aprende rápido. El pasado mes de junio le dije que me gustaban el café solo y la tostada con poca mantequilla, y desde entonces no he tenido que recordárselo. En eso se parece a Constantine, que nunca se olvidaba de nuestros gustos. A veces me pregunto cuántos desayunos de mujeres blancas tendrán grabados estas criadas en su cerebro. ¿Qué se siente al pasarte media vida recordando las preferencias de otras personas respecto a la cantidad de mantequilla en la tostada, de azúcar en el café o cada cuánto hay que cambiarles las sábanas?

Pascagoula prepara el café y lo deja en la mesa delante de mí, pero no me lo acerca. Aibileen me dijo que hay que hacerlo así para evitar que las manos de las criadas rocen las de las señoras. No recuerdo cómo lo hacía Constantine.

–Gracias –le digo–. Muchas gracias.

Parpadea sorprendida y me ofrece una ligera sonrisa.

–De... nada.

Me doy cuenta de que es la primera vez que le doy las gracias de todo corazón. Parece incómoda.

–Skeeter, ¿estás lista? –grita Madre desde su cuarto.

Le contesto que sí. Me como la tostada deseando que esta historia de las compras termine rápido. Ya soy un poco mayorcita para que mi madre tenga que elegirme la ropa. Levanto la mirada y veo que Pascagoula me observa desde el fregadero. Se gira con presteza cuando la miro.

Ojeo el *Jackson Journal* que hay en la mesa. Mi próxima columna de Miss Myrna, en la que desvelo los misterios de las manchas de agua dura, no sale hasta el lunes. En la sección de noticias nacionales hay un artículo sobre una nueva pastilla, Valium dicen que se llama, que «ayuda a las mujeres a superar las dificultades del día a día». Ay, Dios, me tomaría diez de esas pastillas ahora mismo.

Alzo los ojos y me sorprendo al comprobar que Pascagoula está a mi lado.

—Esto... ¿quieres algo, Pascagoula? –le pregunto.

—Tengo que decirle algo, Miss Skeeter. Algo sobre...

—¡Eugenia! ¡No puedes ir a Kennington en vaqueros! –me recrimina Madre desde el marco de la puerta.

Antes de que me dé cuenta, Pascagoula ha desaparecido de mi lado, se ha desvanecido como el humo. En menos de un segundo está de nuevo en el fregadero, ajustando la manguera de goma negra del lavavajillas al grifo.

—Sube a tu cuarto y ponte algo decente, anda.

—Madre, voy a salir con lo que llevo puesto. ¿De qué sirve ir arreglada a comprarse ropa nueva?

—Eugenia, por favor, no me lo pongas más difícil de lo que ya es.

Madre regresa a su cuarto, pero sé que las cosas no han terminado aquí. El sonido del lavavajillas llena la estancia. El suelo vibra bajo mis pies descalzos, y el ruido es suficiente para cubrir nuestra conversación. Contemplo a Pascagoula en el fregadero.

—¿Querías decirme algo, Pascagoula? –le pregunto.

Pascagoula mira al suelo. Es muy bajita, casi la mitad de alta que yo. Es tan tímida que tengo que apartar la mirada cuando le hablo. Se acerca un poquito.

—Yule May es prima mía –me informa Pascagoula entre el ruido de la máquina.

Aunque habla entre susurros, no hay nada de timidez en el tono de su voz.

—No... lo sabía.

—Nos llevamos *mu* bien. El otro día vino a mi casa a ver qué tal estaba y me contó lo que está *usté* haciendo.

Entrecierra los ojos y supongo que va a decirme que deje a su prima en paz.

—Esto... cambiamos los nombres. ¿Te lo dijo? No quiero meter a nadie en problemas.

—El sábado me dijo que iba a *participá*. Ha *intentao llamá* a Aibileen pero no ha *podío* encontrarla. Tenía que habérselo dicho antes, pero... —añade, y vuelve a mirar hacia la puerta.

Estoy estupefacta.

—¿En serio? ¿Va a colaborar?

Me pongo en pie. Sin pensar mucho en lo que digo, le pregunto:

—Pascagoula... ¿Te gustaría ayudarnos con tus historias?

Me mira fijamente y dice:

—¿Quiere que le cuente cómo es *trabajá pa... pa* su mamita de *usté?*

Nos miramos, seguramente pensando en lo mismo: lo incómodo que resultaría para ella contarlo y para mí escucharla.

—No tienen por qué ser historias de mi madre —respondo con rapidez—. Podrías hablarme de otros trabajos que hayas tenido antes.

—Éste es mi *primé* empleo en el servicio doméstico. Antes trabajaba en el *comedó* de la Residencia de Ancianos, hasta que la trasladaron a Flowood.

—¿Quieres decir que a mi madre no le importó que éste fuera tu primer trabajo en una casa?

Pascagoula mira al suelo de linóleo rojo, tímida otra vez.

—Nadie más quería *trabajá pa* su mamita —dice—. No después de lo que pasó con Constantine.

Poso las manos en la mesa muy despacio.

—¿Y a ti qué te parece... lo que pasó?

El rostro de Pascagoula palidece. Parpadea unas cuantas veces y se me hace evidente que va a mentirme.

314

—Yo no sé *na* de lo que pasó, señorita. Sólo quería contarle lo que me dijo Yule May.

Se dirige al frigorífico, lo abre y rebusca algo en su interior.

Suelto un largo y profundo suspiro. Cada cosa a su tiempo.

En esta ocasión ir de compras con Madre no resulta tan insoportable como de costumbre, seguramente porque estoy de muy buen humor después de enterarme de la decisión de Yule May. Madre se sienta en una silla frente al cambiador, mientras me decido por el primer traje que me pruebo, uno de popelina azul claro con chaqueta a juego de cuello redondo. Lo dejamos en la tienda para que le saquen el dobladillo. Me extraña que Madre no se pruebe nada. Al cabo de sólo media hora, me dice que está cansada, así que volvemos a Longleaf y, al llegar, sube directamente a su dormitorio a echarse una siesta.

Pienso en Aibileen y llamo a casa de Elizabeth con el corazón en un puño, pero es Elizabeth la que responde. No tengo las agallas de preguntar por Aibileen. Después del susto que nos dimos con el tema de la mochila, me prometí ser más prudente.

Así que espero a la noche, con la esperanza de que Aibileen esté en casa. Me siento sobre la lata de harina, con los dedos metidos en una bolsa de arroz seco. Al primer tono de llamada, contesta.

—¡Aibileen, Yule May va a colaborar! Ha dicho que sí.

—¿Qué? ¿Cuándo se ha *enterao*?

—Esta tarde. Pascagoula me lo dijo. Yule May no pudo localizarte.

—¡Leches! Me cortaron el teléfono porque iba mal de dinero y no pagué la factura. ¿Ha *hablao* con Yule May?

—No. Pensé que sería mejor que lo hicieras tú primero.

—Mire, llamé a casa de Miss Hilly esta tarde desde donde Miss Leefolt, pero me dijeron que Yule May ya no trabajaba allí y me colgaron. He *preguntao* a la gente, pero nadie sabe *na*.

—¿Hilly la ha despedido?

—No lo sé. Espero que haya *sío* ella la que dejó el trabajo.

—Llamaré a Hilly para enterarme. Ay, Señor, espero que esté bien.

—Ahora que me han devuelto la línea, voy a *seguí* intentando *llamá* a Yule May.

Llamo cuatro veces a casa de Hilly, pero nadie contesta. Por último, telefoneo a Elizabeth y me dice que Hilly se ha ido a Port Gibson porque el padre de William está enfermo.

—¿Sabes si le ha pasado algo... con su criada? —dejo caer del modo más natural posible.

—Pues mira, ahora que lo dices, mencionó algo sobre Yule May, pero tenía mucha prisa y me colgó porque iba a hacer las maletas.

Me paso el resto de la noche en el porche trasero, practicando las preguntas, ansiosa por saber qué historias va a contarme Yule May sobre Hilly. A pesar de nuestras diferencias, Hilly sigue siendo una de mis mejores amigas. Pero el libro, ahora que parece que está en marcha, es más importante que nada.

A medianoche, me tumbo en el catre. Los grillos cantan detrás de la mosquitera. Dejo que mi cuerpo se hunda contra los muelles del fino colchón. Los pies me sobresalen de la cama. Los muevo nerviosa, disfrutando de una sensación de alivio por primera vez en meses. Todavía no he llegado a la docena, claro, pero ya he conseguido una criada más.

Al día siguiente, estoy frente al televisor viendo las noticias de las doce. El reportero de guerra Charles Warring cuenta que sesenta soldados americanos han fallecido en Vietnam. Me parece tan triste que sesenta hombres tengan que morir en un lugar tan alejado de sus seres más queridos... Supongo que me preocupo tanto a causa de Stuart, pero Charles Warring parece exultante mientras da la noticia.

Saco un cigarrillo y luego lo devuelvo al paquete. Estoy intentando dejar de fumar, pero la cena de esta noche me tiene de los nervios. Madre me ha estado regañando por fumar y sé que debería dejarlo, pero tampoco creo que me vaya a morir por el tabaco. Me gustaría poder pedirle a Pascagoula que me contara más cosas sobre lo que le dijo Yule May, pero nuestra criada llamó esta mañana para decir que tenía un problema y que no podría venir hasta la tarde.

Oigo a Madre en el porche trasero, ayudando a Jameso a hacer helado. Incluso desde la otra punta de la casa se oye el estruendo del hielo machacado y el crujido de la sal. El sonido es delicioso y me entran ganas de tomarme un helado fresquito, pero tardará horas en estar listo. Por supuesto, en un día caluroso nadie prepara helado a mediodía, es una tarea nocturna, pero a Madre se le ha metido en la cabeza que tiene que hacer helado de melocotón, así que al diablo con el calor.

Salgo al porche trasero a echar un vistazo. La enorme máquina plateada de triturar hielo está fría y suda. El suelo del porche tiembla. Jameso está sentado sobre un cubo dado la vuelta, con las rodillas a ambos lados del aparato, girando la manivela de madera con las manos cubiertas por guantes. Sale vapor del montón de hielo que se derrite.

–¿Todavía no ha venido Pascagoula? –pregunta Madre, echando más crema a la máquina.

–No –contesto.

Madre está sudando. Se recoge un mechón de pelo detrás de la oreja.

–Ya añado yo la crema, mamá. Pareces acalorada.

–No lo harás bien. Déjame hacerlo a mí –contesta, y me manda meterme en casa.

En las noticias ahora tenemos a Roger Sticker retransmitiendo desde la oficina postal de Jackson con la misma sonrisa estúpida que el reportero de guerra.

–... este moderno sistema de direcciones de correo se llama «Código postal». Sí, han oído bien: «Código postal». A partir de ahora tendrán que escribir cinco números en la parte inferior del sobre...

Muestra un sobre a los telespectadores y nos enseña exactamente dónde tenemos que escribir los números. Un hombre vestido con un mono de obrero y sin dientes comenta a la cámara:

—Nadie va a usar esos números. ¡Si todavía no sabemos utilizar bien el *telífono!*

Oigo que se cierra la puerta principal. Pasado un minuto, Pascagoula aparece en la sala de estar.

—Madre está fuera, en el porche de atrás –le digo, pero Pascagoula no sonríe ni me mira.

Me entrega un pequeño sobre y dice:

—Se lo iba a *enviá* por correo, pero le dije que *mejó* se lo traía yo.

En el sobre está escrita mi dirección y no tiene remitente. Por supuesto, tampoco aparece el código postal. Pascagoula sale hacia el porche.

Abro la carta. Está escrita a mano con bolígrafo negro, sobre las líneas azules de una página de cuaderno escolar.

Querida Miss Skeeter:

Quería decirle que siento mucho no poder ayudarle con sus historias. Ahora me resulta imposible y me gustaría poder contárselo en persona. Como usted sabe, yo trabajaba para una de sus amigas. No estaba contenta en esa casa y muchas veces pensé en dejar el trabajo, pero me daba miedo hacerlo. Me daba miedo no volver a encontrar otro empleo si ella hablaba mal de mí.

Probablemente no sepa que, al terminar el instituto, entré en la universidad. Habría terminado la carrera de no ser porque me casé. Es una de las pocas cosas que lamento en mi vida, no haber terminado los estudios. Sin embargo, tuve unos gemelos que me ayudaron a llevarlo mejor. Mi marido y yo llevamos diez años ahorrando para poder enviarlos a la Universidad de Tougaloo, pero por mucho que trabajamos, todavía no hemos reunido dinero suficiente para los dos. Mis chicos son los dos muy listos y se merecen una buena educación, pero sólo tenemos dinero para uno. ¿Usted se imagina lo que supone tener que decidir cuál de tus hijos irá a la universidad y cuál tendrá

318

que dedicarse a asfaltar carreteras? ¿Cómo se puede decir a un hijo que le quieres lo mismo que a su hermano, pero que no tendrá la oportunidad de salir adelante en la vida? No se puede. Se busca un modo de solucionarlo, el que sea.

Supongo que esta carta se puede considerar una confesión. Le robé a esa mujer un horrible anillo con un rubí, con la esperanza de poder pagar el resto de la educación de mis hijos. Un anillo que nunca se puso y que sentía que me lo merecía por todo lo que he tenido que aguantar trabajando para ella. Ahora, por supuesto, ninguno de mis hijos irá a la universidad. La fianza que piden por mi libertad es casi todo el dinero que hemos ahorrado.

Atentamente,
Yule May Crookle
Pabellón de Mujeres número 9
Penitenciaría del estado de Misisipi

¡La penitenciaría! Siento un escalofrío. Miro a mi alrededor buscando a Pascagoula, pero ha salido de la habitación. Quiero preguntarle cuándo ha sucedido, cómo demonios ha podido pasar todo tan rápido, qué podemos hacer. Pero Pascagoula está fuera ayudando a Madre; imposible hablar con ella ahora. Siento náuseas y apago la televisión.

Pienso en Yule May, sentada en una celda escribiendo esta carta. Apuesto a que sé de qué anillo habla, uno que le regaló su madre cuando cumplió dieciocho años. Hilly lo llevó a tasar hace tiempo y descubrió que ni tan siquiera era un rubí, sino un granate sin apenas valor. Nunca volvió a ponérselo. Aprieto los puños.

El sonido de la trituradora de hielo en el porche me suena como si estuvieran machacando huesos. Me dirijo a la cocina y espero a Pascagoula. Quiero respuestas. Se lo diré a Padre a ver si puede hacer algo, si conoce a algún abogado que acepte ayudarla.

Esa misma tarde, a las ocho, subo las escaleras del porche de Aibileen. Se supone que hoy teníamos nuestra primera entrevista con Yule May y, aunque sé que no va a tener lugar, he decidido pasarme de todos modos. Llueve y sopla un viento enfurecido. Tengo que ajustarme bien el chubasquero y tapar con él la mochila. Sigo pensando que debería haber llamado a Aibileen para hablar de lo que ha pasado, pero no he sido capaz de hacerlo. En su lugar, me he llevado a Pascagoula al piso de arriba para que Madre no pudiera oírnos y le he preguntado por todo.

–Yule May consiguió un buen *abogao* –me contó Pascagoula–, pero dicen que la *mujé* del juez es una buena amiga de Miss Holbrook. Lo normal habría sido una condena de seis meses por robo *menó,* pero Miss Holbrook consiguió que se la subieran a cuatro años. La sentencia estaba escrita antes de *empezá* el juicio.

–Puedo pedirle ayuda a mi padre. Podría intentar conseguirle un abogado... blanco.

Pascagoula me ha contestado, moviendo la cabeza:

–El *abogao* que tenía era blanco.

Llamo a la puerta de Aibileen sintiendo mucha vergüenza. No debería estar pensando en mis problemas cuando Yule May está en prisión, pero soy consciente de lo que esto va a suponer para el libro. Si a las criadas ya les daba miedo ayudarnos, ahora tendrán pánico.

La puerta se abre y aparece un hombre negro con alzacuellos que se queda observándome extrañado. Desde el interior, Aibileen dice:

–No pasa *na,* reverendo, déjela *entrá.*

El hombre duda un poco, pero al fin se aparta y me deja pasar.

Entro y me encuentro a unas veinte personas apretujadas entre la pequeña sala de estar y el pasillo. No cabe un alfiler en la casa. Aibileen ha sacado todas las sillas de la cocina, pero la mayoría de la gente está de pie. Diviso a Minny en un rincón, todavía con el uniforme. También reconozco a Louvenia, la criada de Lou Anne Templeton, a su lado. Pero a las demás no las conozco.

Aibileen se acerca a mí. También lleva el uniforme blanco y los zapatos ortopédicos del trabajo.

–*Güenas*, Miss Skeeter –me susurra.

–Igual... –digo en voz baja, señalando hacia la puerta–. ¿Me paso un poco más tarde?

Aibileen mueve la cabeza y me dice:

– A Yule May le ha *sucedío* algo horrible.

–Lo sé.

La habitación se queda en completo silencio, sólo roto por algunas toses y el crujido de una silla. En la mesita de madera se apilan libros de salmos.

–Me acabo de *enterá* –dice Aibileen–. La arrestaron el martes y el miércoles ya estaba en la cárcel. Dicen que el juicio apenas duró quince minutos.

–Me ha enviado una carta –le comento–. Me habla de sus hijos. Pascagoula me la entregó.

–¿Le contó que sólo le faltaban setenta y cinco dólares *pa podé pagá* los estudios de sus hijos? Le pidió un adelanto a Miss Hilly, ¿sabe? Le aseguró que se lo devolvería en unas semanas, pero la *mujé* no aceptó y le dijo que un buen cristiano no da limosna a alguien sano y capaz, que es *mejó enseñá* a *pescá* a un pobre que darle un pescado.

Dios, me puedo imaginar a Hilly soltando ese maldito discurso. Casi no me atrevo a mirar a Aibileen a los ojos.

–*Toas* las parroquias nos hemos *unío*. Vamos a *juntá* dinero *pa enviá* a los dos muchachos a la *universidá*.

La estancia permanece en silencio. Sólo se oye el cuchicheo entre Aibileen y yo.

–¿Piensas que puedo hacer algo? ¿Alguna forma de ayudaros? ¿Dinero, o...?

–No. La parroquia ya ha *preparao* un plan *pa pagá* al *abogao*. Queremos contratarle *pa* cuando le revisen la condicional. –Aibileen agacha la cabeza. Seguro que está muy dolida por Yule May, pero sospecho que también es consciente de que la historia del libro se acabó–. *Pa* cuando salga de la cárcel, los chicos estarán terminando la carrera. Le han *metío* cuatro años y una multa de quinientos dólares.

–No sabes cuánto lo siento, Aibileen.

Miro a mi alrededor, a los que están en la habitación. Todos agachan la cabeza, como si mis ojos les quemaran. Bajo la mirada al suelo.

–¡Esa *mujé* es el diablo! –aúlla Minny desde la otra punta del sofá. Me estremezco, esperando que no se refiera a mí–. ¡El demonio ha *enviao* a Hilly Holbrook a esta *ciudá pa destruí toas* las vidas que pueda! –grita de nuevo Minny, y se limpia la nariz con la manga de su uniforme.

–¡Minny, ya está bien! –dice el reverendo–. Encontraremos una forma de ayudarla.

Contemplo sus rostros descompuestos, y me pregunto qué se puede hacer.

En la habitación reina de nuevo un insoportable silencio. Hace mucho calor y huele a café quemado. De repente, soy una extraña aquí, aunque ya casi había conseguido acostumbrarme al lugar. Pero ahora siento que el desprecio y la culpa me queman.

El calvo reverendo se seca los ojos con un pañuelo.

–Gracias, Aibileen, por habernos permitido reunirnos en tu casa para rezar.

Empiezan a levantarse de sus asientos y a despedirse con solemnes gestos de cabeza, buscan sus bolsos y se calan sus sombreros. El reverendo abre la puerta, y entra el aire húmedo del exterior. Una mujer con pelo rizado gris y un abrigo negro pasa a mi lado. De pronto, se detiene delante de donde yo estoy con mi mochila.

Lleva el abrigo un poco abierto y puedo ver que debajo hay un uniforme blanco.

–Miss Skeeter –me dice, muy seria–, quiero *colaborá* en lo de sus historias.

Me vuelvo y miro a Aibileen, que enarca las cejas, boquiabierta. Busco a la mujer, pero ya está saliendo por la puerta.

–Yo también quiero *ayudá,* Miss Skeeter –dice otra mujer, alta y delgaducha, con la misma cara de seriedad que la primera.

–Esto... Yo... Gracias –es lo único que acierto a decir.

–Y yo, Miss Skeeter. Me gustaría *colaborá* con *usté* –comenta una mujer con un abrigo rojo que pasa apurada a mi lado sin apenas mirarme a los ojos.

A partir de la siguiente, empiezo a contar: cinco, seis, siete... Respondo con un gesto afirmativo y no se me ocurre nada más que decir gracias. Gracias, gracias a todas. Siento un alivio amargo, porque han tenido que detener a Yule May para conseguir esto.

Ocho, nueve, diez, once... Ninguna sonríe cuando me dice que quiere colaborar. La estancia se va vaciando. Al final, sólo queda Minny, que permanece en pie en la otra esquina con los brazos cruzados sobre el pecho. Cuando todas se han marchado, me mira; por un segundo, sus ojos se cruzan con los míos y los dirige rápidamente hacia las cortinas marrones que cierran la ventana a cal y canto. Por el ligero temblor de sus labios, puedo adivinar cierta satisfacción oculta tras su cara de mala leche. Estoy segura de que Minny está detrás de esto.

Con todo el mundo de vacaciones fuera de la ciudad, nuestro grupo de *bridge* no se ha reunido a jugar una partida desde hace más de un mes. El miércoles, quedamos en casa de Lou Anne Templeton, que nos recibe con efusivos abrazos y «qué-bueno-verte».

–Ay, Lou Anne, pobrecita. ¿Estás otra vez con tus eccemas? –le pregunta Elizabeth, porque Lou Anne lleva un vestido de lana gris en pleno verano–. ¡Mira que tener que llevar manga larga con el calor que hace!

Lou Anne baja la vista, visiblemente avergonzada.

–Pues sí, cada vez lo tengo peor.

No puedo soportar el contacto con Hilly cuando se me acerca. Cuando me aparto de su abrazo, actúa como si no se hubiera dado cuenta. Pero después se pasa toda la partida mirándome con los ojos entornados.

–¿Qué vas a hacer? –le pregunta Elizabeth a Hilly–. Ya sabes que puedes dejarme los niños cuando quieras, pero... bueno...

Antes de la partida, Hilly dejó a Heather y a William en casa de Elizabeth para que Aibileen los cuide mientras jugamos al *bridge*. Pero puedo leer el mensaje implícito en la agria sonrisa de Elizabeth: aunque adora a Hilly, no está dispuesta a compartir su criada con nadie.

—¡Lo sabía! Sabía que esa mujer era una ladrona desde el primer día.

Mientras Hilly nos cuenta la historia de Yule May, dibuja un gran círculo en el aire con el dedo para que nos hagamos una idea del enorme tamaño de la piedra, ese «rubí» de incalculable valor.

—Una vez la pillé llevándose de casa la leche caducada. Así empiezan todas. Primero te quitan un poco de jabón de lavadora, luego desaparecen toallas y ropas y, antes de que te des cuenta, te están robando las joyas para empeñarlas y gastarse el dinero en alcohol. Sólo Dios sabe qué más se habrá llevado.

Tengo que aguantarme las ganas de partirle esos dedos que no para de mover, pero me contengo. Dejemos que piense que todo va bien. Es más seguro para todos.

Cuando termina la partida, salgo corriendo para preparar la cita de esta noche en casa de Aibileen. Me alivia descubrir que no hay nadie en casa. Ojeo la lista de mensajes que me ha dejado Pascagoula: han llamado Patsy, mi compañera de tenis, y Celia Foote, a quien apenas conozco. ¿Qué querrá de mí la esposa de Johnny Foote? Minny me hizo prometer que no la llamaría nunca y no tengo tiempo para andar preocupándome por ella. Tengo muchas entrevistas que preparar.

Esa tarde, a las seis, estoy sentada a la mesa de la cocina de Aibileen. Hemos decidido que me pase por su casa casi todas las noches hasta terminar el libro. Cada dos días, una mujer diferente llama a la puerta del patio trasero de Aibileen, se sienta conmigo y me cuenta sus historias. Once criadas han aceptado colaborar con nosotras. Contando a Aibileen y a Minny, esto hace un total de trece mujeres. Miss Stein me pidió doce, así que estamos teniendo suerte. Aibileen se queda en la cocina, cerca de nosotras, escuchando. La primera sirvienta se llama Alice. Nunca pregunto el apellido.

Le explico a Alice que nuestro proyecto consiste en recopilar historias reales sobre las criadas y sus experiencias al servicio de familias blancas. Le entrego un sobre con cuarenta dólares que he conseguido ahorrar entre mi sueldo por la columna de Miss Myrna, la asignación semanal que me pasa Padre y el dinero que me da Madre para que me lo gaste en el salón de belleza al que nunca voy.

—Es probable que nunca se llegue a publicar —les digo a todas—, y en caso de que se publique, no sacaremos mucho dinero con ello.

La primera vez que dije esto bajé la vista avergonzada, no sé muy bien por qué. Siento que, por ser blanca, estoy obligada a ayudarlas económicamente.

—Aibileen ya me dejó claro ese punto —me contestan muchas—. No hago esto por dinero.

Les repito las normas que hemos decidido seguir para proteger su identidad: que es fundamental que no le cuenten esto a ninguna persona que no esté en el proyecto, y que en el libro se cambiarán sus nombres, así como el de la ciudad y el de las familias para las que trabajan. Me gustaría poder colarles, como última pregunta: «Ah, y por cierto, ¿conocías a Constantine Bates?», pero estoy segura de que Aibileen me diría que no es una buena idea. Bastante miedo tienen ya.

—Ahora viene Eula. Va a ser como *intentá abrí* una almeja muerta. No se agobie si ve que no habla mucho.

Aibileen me prepara antes de cada entrevista. Le preocupa tanto como a mí que las asuste antes de que empiecen.

Eula, la almeja muerta, empieza a hablar antes incluso de sentarse, sin que le diga nada, y no para hasta las diez de la noche.

—... si les pedía un aumento, me lo daban. Cuando necesité un sitio *pa viví,* me ayudaron con el alquier. Una vez, el *doctó* Tucker vino en persona a mi casa *pa sacá* una bala del brazo de mi *marío,* porque decía que mi Henry se podría *cogé cualquié*

325

cosa en el hospital *pa* la gente de *coló*. Llevo cuarenta y cuatro años trabajando *pal doctó* Tucker y Miss Sissy, y siempre se han *portao mu* bien conmigo. *Tos* los viernes le lavo el pelo a la señora. Creo que esa *mujé* no sabría lavarse el pelo sola. –Por primera vez en toda la noche, se calla por un momento y pone cara de tristeza y preocupación–. Si me muero antes que ella, no sé quién le va a *lavá* el pelo a Miss Sissy.

Intento no sonreír demasiado cuando las escucho. No quiero que sospechen de mí. Alice, Fanny Amos y Winnie son tímidas, hay que tirarles de la lengua mientras siguen con los ojos clavados en el suelo. A Flora Lou y a Cleontine parece que les hayan dado cuerda y parlotean sin descanso mientras tecleo tan rápido como puedo. Cada cinco minutos tengo que pedirles que, por favor, hablen más despacio. La mayoría de las historias son tristes y amargas. Me lo esperaba. Pero también hay un buen número de anécdotas divertidas. Siempre llega un momento en que todas miran a Aibileen, como preguntándole: «¿Estás segura de que puedo contarle esto a una blanca?».

–Aibileen, ¿qué pasará si... si esto se publica y descubren quiénes somos? –pregunta la tímida Winnie–. ¿Qué crees que nos harían?

Nuestros ojos forman un triángulo en la cocina y nos quedamos un rato mirándonos. Inspiro hondo, dispuesta a convencerla de que estamos siendo muy cuidadosas al respecto.

–A un primo de mi *marío*... le cortaron la lengua. Fue *hase* ya tiempo. Habló con unos tipos de Washington sobre el Klan. ¿Cree que nos van a *cortá* la lengua a nosotras también por *hablá* con *usté*?

No sé qué responder. Lenguas cortadas... Dios mío, nunca se me había pasado esto por la imaginación. Sólo la cárcel, falsas acusaciones, multas...

–Esto... estamos teniendo mucho cuidado –contesto, pero sé que suena a excusa débil y poco convincente.

Miro a Aibileen, que también parece preocupada.

–No lo sabremos hasta que no suceda, si sucede, Winnie –comenta Aibileen con tono tranquilizador–. Pero supongo

326

que será diferente a lo que se ve en televisión. Las mujeres blancas no actúan igual que sus *maríos*.

Miro a Aibileen, sorprendida. Nunca ha compartido conmigo los detalles de lo que piensa que nos sucederá. Me gustaría cambiar de tema, no creo que nos haga ningún bien seguir hablando de esto.

–*Ties* razón –dice Winnie, moviendo la cabeza–, las mujeres blancas no son como los hombres. Seguramente nos harán cosas peores.

–¿Adónde vas? –grita Madre desde la sala de estar.

Llevo la mochila a la espalda y las llaves de la camioneta en el bolsillo.

–Al cine –respondo sin detenerme.

–Ya fuiste ayer al cine. Ven aquí, Eugenia.

Retrocedo unos pasos y me quedo en el marco de la puerta. Las úlceras de Madre se han reactivado y la pobre sólo ha cenado un poco de caldo de pollo. Padre hace ya una hora que se fue a dormir y me apena dejarla sola, pero no puedo quedarme.

–Lo siento, mamá, llego tarde. ¿Quieres que te traiga algo cuando venga?

–¿Qué película vas a ver y con quién? Esta semana has salido casi todas las noches.

–Con... unas chicas. Estaré de vuelta a las diez. ¿Te encuentras bien?

–Sí, estoy bien –suspira–. Bueno, hasta luego.

Me dirijo al coche, sintiéndome culpable por dejar a Madre cuando es evidente que está mal. Gracias a Dios, Stuart está en Texas, porque a él no le podría engañar con tanta facilidad. Hace tres noches se pasó por aquí y nos quedamos sentados en la mecedora del porche escuchando el canto de los grillos. Estaba tan cansada de haberme pasado la noche anterior trabajando hasta tarde que me costaba mantener los ojos abiertos, pero no quería que se marchase. Recosté mi cabeza en su regazo y estiré el brazo para acariciarle la incipiente barba.

–¿Cuándo vas a dejarme leer algo de lo que escribes? –me preguntó.

–Puedes leer la columna de Miss Myrna. La semana pasada hice un gran ensayo sobre el moho.

Stuart sonrió y meneó la cabeza.

–No; quiero leer lo que piensas de verdad. Estoy seguro de que no tiene nada que ver con limpieza doméstica.

En ese momento me pregunté si sospecha que le oculto algo. Me asustó la idea de que pudiera descubrir lo de las historias, pero me emocionó que estuviera interesado en mis textos.

–Ya me lo enseñarás cuando estés preparada, no quiero forzarte.

–Puede que te deje leerlo algún día –contesté, sintiendo que se me cerraban los ojos.

–Duerme, pequeña –me susurró acariciándome el pelo–. Déjame que me quede un poco más contigo.

Con Stuart fuera de la ciudad durante los siguientes seis días, puedo dedicarme plenamente a las entrevistas. Cada noche, me dirijo a casa de Aibileen tan nerviosa como la primera vez. Las mujeres son altas y bajas, negras como el asfalto o marrones como el caramelo. Si tienes la piel muy clara, me dijeron, no te contratan. Cuanto más negra, mejor. A veces la conversación se torna banal y se dedican a quejarse por los bajos salarios, las muchas horas de trabajo, los insoportables críos... Pero en ocasiones surgen historias como la del bebé que murió en los brazos de la criada, mirándola con sus ojos azules, vacíos y estáticos mientras se iban apagando.

–Olivia se llamaba. Era un bebé *mu* chiquitín. Me agarraba el *deo* con su manita y le costaba mucho *respirá* –me cuenta Fanny Amos, nuestra cuarta entrevistada–. Su mamá no estaba en casa, había *salío* a la tienda *pa comprá* pomada *mentolá*. Sólo estábamos su padre y yo. El hombre no me dejó que la tumbara en la cuna, me ordenó que la tuviera en brazos hasta que llegara el *doctó*. El bebé se quedó frío en mi regazo.

En sus relatos se puede sentir un odio palpable hacia las mujeres blancas, pero también un cariño inexplicable. Faye

Belle, ya con parálisis y la piel gris, no es capaz de recordar su edad. Sin embargo, sus historias se desenrollan como una madeja. Se acuerda de cómo se escondió con una niñita blanca en un arcón cuando los soldados del Norte pasaron por su casa. Ochenta años más tarde, cuando aquella niña blanca estaba en su lecho de muerte, la abrazó, le dijo que la quería y que había sido su mejor amiga. Ambas juraron que la muerte no cambiaría esto y que el color de la piel no significaba nada. Los nietos de aquella mujer todavía le pagan el alquiler. A veces, cuando se siente con fuerzas, Faye Belle va a su casa y les limpia la cocina.

Louvenia es la quinta entrevistada. Es la criada de la insulsa Lou Anne Templeton, y la he visto alguna vez cuando acudo a su casa a jugar al *bridge*. Louvenia me cuenta que a su nieto, Robert, lo dejaron ciego a principios de este año por colarse en un servicio para blancos. Recuerdo haberlo leído en el periódico mientras Louvenia espera a que termine de teclear. Sin embargo, no hay rastro de rencor en su voz. Descubro que Lou Anne, una mujer que siempre me había parecido una sosa alelada y a quien nunca he prestado mucha atención, le dio dos semanas libres y pagadas a Louvenia para que pudiera ocuparse de su nieto, y que durante esos días le llevó comida a su casa siete veces. También me entero de que, cuando llamaron a Louvenia para contarle lo que había pasado, Lou Anne la llevó en coche al hospital para gente de color y se quedó seis horas esperando con ella hasta que terminaron de operar al chico. Lou Anne nunca nos ha contado esto, y puedo comprender perfectamente por qué.

También hay historias desagradables de hombres blancos que han intentado abusar de las criadas. Winnie contó que el señor de su casa la obligaba a acostarse con él una y otra vez. Con Cleontine también lo intentaron, pero ella se resistió, hasta que una vez lo hirió en la cara y nunca más volvió a intentarlo. Pero lo que me sorprende constantemente es esa dicotomía entre el amor y el desprecio. Muchas fueron invitadas a asistir a bodas de niños a los que habían criado, pero sólo si acudían con el uniforme blanco. Son cosas que ya conocía, pero al oírlas de boca de una persona de color, es como si las escuchara por primera vez.

Después de que se marchara Gretchen, transcurrieron varios minutos antes de que nos atreviéramos a hablar.

–Lo *mejó* es que sigamos adelante –dice por fin Aibileen– y que no... tengamos en cuenta a ésta.

Gretchen es prima de Yule May. Estaba en la reunión para rezar por ella organizada por Aibileen hace unas semanas, pero pertenece a otra parroquia.

–No entiendo por qué aceptó participar, si...

Quiero irme a mi casa. Tengo los músculos del cuello en tensión y me tiemblan los dedos de teclear y por el efecto de las palabras de Gretchen.

–Lo siento. No sabía que iba a *hacé* eso.

–Tú no tienes la culpa, Aibileen –digo.

Me gustaría preguntarle cuánto hay de verdad en las palabras de Gretchen, pero no puedo. No me atrevo a mirar a Aibileen a la cara.

Le expliqué las «reglas» a Gretchen, igual que había hecho antes con las demás. Gretchen se reclinó sobre el respaldo de la silla. Creí que estaba pensando en una historia que contarme, pero de repente dijo:

–Debería darte vergüenza. No eres más que una blanquita intentando ganar unos dólares a costa de la gente de color.

Miré en dirección a Aibileen sin saber muy bien qué responder a esto. ¿Acaso no había quedado claro el tema del dinero? Aibileen inclinó la cabeza, como si no estuviera segura de haber oído bien.

–¿Te crees que alguien va a leer esto? –se burló Gretchen.

El uniforme de trabajo le marcaba un cuerpo bonito. Llevaba los labios pintados del mismo rosa que usamos mis amigas y yo. Es joven y hablaba sin levantar la voz en un correcto inglés, como si fuera una blanca. No sé por qué, eso empeoraba las cosas.

–Todas las mujeres de color a las que has entrevistado han sido muy amables contigo, ¿verdad?

–Sí –contesté–, muy amables.

Gretchen me miraba fijamente a los ojos.

–Pues que sepas que te odian, ¿vale? Te odian a muerte. Pero eres tan idiota que piensas que les estás haciendo un favor.

–No tienes por qué participar. Tú te ofreciste a...

–¿Sabes la única cosa amable que una mujer blanca ha hecho por mí en la vida? Darme el currusco de su pan. Las mujeres de color que vienen aquí sólo están jugando contigo, blanquita. Nunca te contarán lo que de verdad piensan de ti.

–¡No tienes ni idea de lo que me han contado las demás! –protesté.

Estaba sorprendida por el enorme enfado que de repente sentía y la facilidad con la que había surgido.

–Dilo, blanquita, di la palabra que te viene a la cabeza cada vez que una de nosotras entra por la puerta: «Negra».

Aibileen se levantó de su taburete y le gritó:

–¡Ya basta, Gretchen! Vete a tu casa.

–¿Sabes una cosa, Aibileen? Eres tan idiota como esta mujer –replicó Gretchen.

Me sorprendió ver cómo Aibileen señalaba la puerta y le decía entre dientes:

–¡Sal de mi casa!

Gretchen se marchó, pero a través del cristal de la puerta me lanzó tal mirada que me dio un escalofrío.

Dos noches después estoy sentada frente a Callie. Tiene el pelo rizado y gris en su mayor parte. A sus sesenta y siete años, todavía viste uniforme. Es una mujer gruesa y voluminosa. Partes de su cuerpo cuelgan a ambos lados de la silla. Todavía estoy nerviosa por la entrevista con Gretchen.

Espero a que Callie termine de remover el té. En una esquina de la cocina de Aibileen hay una bolsa llena de ropa con un par de pantalones blancos que asoman. La casa de Aibileen siempre está muy limpia y ordenada, por eso me extraña que no se ocupe de esa bolsa.

Callie empieza a hablar lentamente y yo tecleo, agradecida por el ritmo pausado de su relato. Tiene la vista perdida detrás de mí, como si hubiera una pantalla de cine a mi espalda y pudiera ver las escenas que está describiendo.

–Trabajé treinta y ocho años *pa* Miss Margaret. La *mujé* tenía una nenita que no paraba de *llorá* y lo único que la calmaba era que la llevaran en brazos, así que yo la envolvía en un fular, me la ataba a la cintura y durante *to* un año la llevé encima. Ese bebé estuvo a punto de romperme la espalda. Me tenía que *poné* bolsas de hielo *toas* las noches, y todavía sigo haciéndolo. Pero la adoraba, y también quiero mucho a Miss Margaret. –Bebe un trago de té mientras tecleo las últimas palabras. Levanto los ojos y ella continúa–: Miss Margaret siempre *m'obligaba* a taparme el pelo con un pañuelo porque decía que la gente de *coló* no nos lavamos nunca la cabeza. Cada vez que le sacaba brillo a la cubertería de plata, contaba a ver si faltaba alguna pieza. Cuando, treinta años más tarde, Miss Margaret se murió de problemas de *mujé*, fui a su funeral. Su *marío* me abrazó y lloró en mi hombro. Al *terminá* el entierro, el hombre me dio un sobre. Dentro había una carta de Miss Margaret en la que me decía: «Gracias por conseguir que mi hija dejara de llorar. Nunca lo he olvidado».

Callie se quita las gafas de pasta negra y se seca los ojos.

–Si alguna *mujé* blanca lee algún día mi historia, sólo quiero que recuerde esto: que dar las *grasias* de corazón cuando piensas en *to* lo que alguien ha hecho por ti –mueve la cabeza y mira la mesa llena de arañazos–, es algo *mu* bonito.

Callie me observa, pero no soy capaz de mirarle a los ojos.

–Disculpadme un minuto –me excuso.

Me sujeto la frente entre las manos. No puedo evitar pensar en Constantine. Nunca le di las gracias, no como se lo merecía. Nunca se me ocurrió siquiera que no tendría oportunidad de hacerlo.

–¿Se encuentra bien, Miss Skeeter? –pregunta Aibileen.

–Estoy... Estoy bien. Sigamos adelante.

Callie pasa a su siguiente historia. La caja de zapatos Dr. Scholl amarilla que reposa en la encimera detrás de ella sigue llena de sobres. A excepción de Gretchen, las otras diez criadas depositaron en ella el dinero que les entregué, para pagar los estudios de los hijos de Yule May.

Capítulo 20

Aquí estamos la familia Phelan esperando nerviosos en las hermosas escaleras de ladrillo de la casa del senador Whitworth. El edificio se encuentra en el centro de la ciudad, en North Street. Es alto, y el porche tiene columnas blancas cubiertas de hermosas azaleas. Una placa dorada recuerda al visitante que se encuentra ante un monumento histórico. A cada lado del portal, unos faroles de gas parpadean pese a que todavía brilla el cálido sol de las seis de la tarde.

–Madre –le susurro, porque no puedo parar de repetírselo–, por favor, no te olvides de lo que hemos hablado, ¿de acuerdo?

–Ya te he dicho que no sacaré el tema, cariño –contesta, mientras se retoca las horquillas del pelo–. A no ser que venga a cuento.

Llevo mi nuevo conjunto de falda y chaqueta azul claro. Padre viste su traje negro de los funerales y se ha apretado tanto el cinturón que no resulta cómodo ni, mucho menos, elegante. Madre va de blanco para la ocasión. Parece una novia de pueblo con el vestido de boda heredado de la familia. De repente, experimento un ataque de pánico, pues tengo la impresión de que los tres nos hemos pasado un poco en la elegancia de la vestimenta. Madre sacará el horrible tema de la cuenta corriente de su hija, y pareceremos una maldita familia de paletos de visita en la ciudad.

–Papá, aflójate el cinturón, que tienes los pantalones muy subidos.

Me mira, frunce el ceño y baja la vista a sus pantalones. Es la primera vez en mi vida que le doy una orden a Padre. Se abre la puerta.

–Buenas tardes –una mujer de color con uniforme blanco nos recibe–. Los señores les están esperando.

Pasamos al recibidor y lo primero en lo que me fijo es en una brillante araña que inunda con sus destellos la estancia. Levanto los ojos hacia la bóveda curva de la gran escalera que lleva a los pisos superiores y me da la impresión de estar en el interior de una gigantesca caracola marina.

–¡Muy buenas tardes!

Bajo de las nubes y veo a Miss Whitworth aparecer en el recibidor con los brazos abiertos. Lleva un conjunto como el mío, pero, gracias a Dios, de color carmesí. Cuando mueve la cabeza, su cabello rubio canoso permanece estático.

–Mucho gusto, Miss Whitworth –se presenta Madre–. Soy Charlotte Boudreau Cantrelle Phelan. No sabe lo agradecidos que estamos por su invitación.

–El gusto es mío –dice la mujer, estrechando la mano de mis padres–. Soy Francine Whitworth. Bienvenidos a nuestro hogar. –Se vuelve hacia mí y dice–: Y tú debes de ser Eugenia. Bueno, me alegro de conocerte.

Miss Whitworth me agarra del brazo y me mira a los ojos. Los suyos son azules, hermosos, como el agua fría. Su rostro se empequeñece alrededor de su brillo. Con los zapatos de tacón que lleva, es casi de mi estatura.

–Encantada de conocerla –digo–. Stuart me ha hablado tanto de usted y del senador Whitworth...

Sonríe y baja la mano por mi brazo. Contengo un grito porque el filo de su anillo me araña la piel.

–¡Vaya, ya están aquí!

Detrás de Miss Whitworth aparece un hombre alto y de ancho pecho. Se acerca a mí, me abraza con fuerza y luego, con la misma rapidez, me suelta:

335

–¡Diablos! Hace ya más de un mes que le dije al pequeño Stuart que trajera a su chica a casa. Pero, entre nosotros –baja la voz–, después de lo que le pasó con la otra novia, está un poco acobardado.

Parpadeo sorprendida y digo:

–Encantada de conocerle, señor.

–No te preocupes, te estaba tomando el pelo –dice, soltando una carcajada, y me da otro abrazo de oso mientras me palmea la espalda.

Sonrío mientras trato de recuperar el aliento y pienso que este hombre sólo tiene hijos varones.

Se dirige hacia Madre, hace una reverencia solemne y alarga la mano.

–Encantada, senador Whitworth –saluda Madre–. Soy Charlotte.

–Es un verdadero placer, Charlotte. Llámeme Stooley, por favor, es como me conocen los amigos.

–Senador –dice Padre, estrechándole con fuerza la mano–, quería darle las gracias por todo lo que hizo con el tema de los impuestos agrícolas. Significa mucho para nosotros.

–¡Carajo! Ese Billups intentó colárnosla, pero, ¡qué demonios!, le dije: «Mira, *chico*,[8] Misisipi no existiría sin el algodón».

Palmea a Padre en el hombro y me doy cuenta de lo pequeñito que parece mi progenitor a su lado.

–Pero pasad al salón, pasad –dice el senador–. No me gusta hablar de política sin una copa en la mano.

El senador sale del recibidor. Padre le sigue y me muero de vergüenza al ver las manchas de barro en el tacón de sus zapatos. Si se los hubiera limpiado un poco antes de salir no las tendría, pero Padre no está acostumbrado a calzarse mocasines en sábado.

Madre le sigue y dirijo un último vistazo a la reluciente araña. Cuando me doy la vuelta, me doy cuenta de que la criada

---

[8] En español en el original. *(N. del T.)*

me mira desde la puerta. Sonrío, me saluda con la cabeza y baja la mirada.

¡Ay, Dios mío! Mi nerviosismo aumenta y se me forma un nudo en la garganta, consciente de que la criada está al corriente de lo del libro. Me quedo helada, pensando en lo ambigua que se ha convertido mi vida. Cualquier día esta mujer se podría presentar en casa de Aibileen y ponerse a contarme los secretos del senador y su esposa.

—Stuart está en camino, viene de Shreveport —exclama el senador—. Parece que se trae un buen negocio entre manos por allí, según cuenta.

Intento no pensar en la criada y respiro profundamente. Sonrío como si no pasara nada, como si todo marchase bien, como si esto de conocer a los padres de mi novio fuera algo que hago a menudo.

Pasamos a una sala de estar muy elegante, con frisos decorativos y sillones de terciopelo verde. La estancia está tan recargada que apenas se ve el suelo.

—¿Qué puedo ofreceros para beber? —pregunta Mister Whitworth, sonriendo como quien ofrece un caramelo a un niño.

El senador tiene la frente muy amplia y los hombros de un defensa de fútbol americano entrado en años. Sus cejas son espesas e hirsutas y se mueven cuando habla.

Padre pide un café, y Madre y yo, un té helado. La sonrisa del senador se borra y llama a la criada para que nos prepare ella esas bebidas tan insulsas. En una esquina de la estancia, sirve en un par de copas un líquido marrón para él y para su esposa. El sofá de terciopelo cruje cuando se sienta.

—¡Tienen una casa preciosa! He oído decir que es uno de los principales atractivos turísticos de la ciudad —comenta Madre.

Desde que supo que estaba invitada a cenar en casa del senador, se moría por hacer este comentario. Madre es socia de la patética Asociación de Mansiones Históricas del Condado de Ridgeland, pero siempre dice que las mansiones de Jackson son «algodón fino» comparadas con las suyas.

337

–Y... ¿se visten ustedes de época o hacen alguna representación teatral durante las visitas de la Asociación de Mansiones Históricas?

El senador y Miss Whitworth se miran el uno al otro. Miss Whitworth sonríe y dice:

–Este año retiramos la casa de la asociación. Era... demasiado.

–¿Que la retiraron? ¡Pero si es una de las casas más importantes de Jackson! Incluso se dice que el general Sherman, durante la Guerra de Secesión, dijo que era una mansión demasiado bonita para quemarla.

Miss Whitworth no contesta, sólo mueve la cabeza y se sorbe la nariz. Será diez años más joven que Madre, pero parece mayor, sobre todo ahora, cuando pone cara larga y remilgada.

–Seguro que deben de sentir cierta obligación, por el bien de la Historia... –continúa Madre.

Le clavo una mirada de reproche para que deje ya el tema.

Nos quedamos todos en silencio. Pasado un segundo, el senador suelta una sonora carcajada y exclama:

–Hay un pequeño malentendido. Miren, la madre de Patricia van Devender es la presidenta de la Asociación de Mansiones Históricas de Jackson. Por eso, después del pequeño rifirrafe entre los chicos, decidimos que lo mejor era retirar la casa de la asociación.

Miro la puerta, y rezo para que Stuart no tarde en llegar. Ya es la segunda vez que se menciona el nombre de Patricia. Miss Whitworth lanza a su marido una mirada amonestadora.

–¡A ver, Francine! ¿Qué quieres que haga? ¿Que no vuelva a pronunciar su nombre en la vida? ¡Pero si hasta teníamos preparado en el jardín un tenderete con el altar para la boda!

Miss Whitworth aspira profundamente y me acuerdo de lo que me contó Stuart, aquello de que el senador sólo sabe parte de lo que pasó, pero que su madre está al corriente de todo. Parece evidente que lo que sucedió fue algo mucho más fuerte que un «rifirrafe».

–Eugenia –dice Miss Whitworth, sonriéndome–, tengo entendido que te gustaría ser escritora. ¿Qué tipo de textos escribes?

De nuevo me calzo una sonrisa de circunstancias. Pasamos de un buen tema a otro mejor.

–Escribo la columna de Miss Myrna en el *Jackson Journal*. Sale todos los lunes.

–¡Anda! Creo que Bessie la lee, ¿no es verdad, Stooley? Le preguntaré cuando vaya a la cocina.

–Y si no la lee, te aseguro que lo hará a partir de hoy –bromea el senador.

–Stuart me ha dicho que estás intentando escribir sobre temas más serios. ¿Puedes decirnos alguno en particular?

Ahora todo el mundo me observa, incluida la criada que me sirve el vaso de té, una distinta a la que nos recibió en la puerta. No me atrevo a mirarla a la cara, asustada ante lo que me pueda encontrar en ella.

–Estoy trabajando en... unas...

–Eugenia está escribiendo sobre la vida de Jesucristo –interviene Madre.

Me acuerdo entonces de la mentira que le conté para justificar mis salidas nocturnas: que estaba investigando acerca de Nuestro Señor Jesucristo.

–¡Qué interesante! –exclama Miss Whitworth, visiblemente impresionada–. Es un tema digno de alabanza.

Intento sonreír, molesta por mis propias palabras:

–Y muy... importante.

Observo a Madre, que está radiante.

La puerta de la casa se cierra de golpe, y hace vibrar con fuerza las llamas que relumbran en los faroles de cristal de la estancia.

–Siento llegar tarde.

Stuart entra dando zancadas, con la ropa arrugada de conducir, mientras se pone su chaqueta azul marino. Todos nos levantamos. Su madre avanza hacia él con los brazos abiertos, pero Stuart se dirige primero a mí, posa las manos en mis hombros y me da un beso en la mejilla.

–Lo siento –me susurra al oído.

Por fin respiro aliviada. Me vuelvo y veo que su madre sonríe como si acabara de quitarle su mejor pañuelo y hubiera restregado en él mis sucias manos.

–Sírvete algo de beber y siéntate, hijo –dice el senador.

Cuando Stuart tiene ya su bebida, se sienta a mi lado en el sofá, me agarra de la mano y no me deja que la aparte.

Miss Whitworth mira de reojo nuestras manos entrelazadas y dice:

–Charlotte, ¿qué te parece si os enseño la casa a Eugenia y a ti?

Durante los siguientes quince minutos, paso con Madre y Miss Whitworth de una ostentosa habitación a otra. Madre se estremece al contemplar un genuino agujero de bala norteña en el salón principal, con el plomo todavía alojado en la madera. Hay cartas de soldados confederados expuestas en un escritorio junto a antiguos pañuelos y binoculares estratégicamente ubicados. Esta mansión parece un museo de la Guerra de Secesión. Me pregunto qué sentiría Stuart al pasar su niñez en una casa en la que no se puede tocar nada.

En el tercer piso, Madre babea ante una cama con baldaquino en la que durmió el general Robert E. Lee. Finalmente, bajamos por una escalera «secreta» y aprovecho para contemplar los retratos de familia del vestíbulo. Veo a un pequeño Stuart con sus dos hermanos; a Stuart con una pelota roja; a Stuart el día de su bautizo en brazos de una mujer de color vestida con uniforme blanco...

Madre y Miss Whitworth pasan al salón, pero yo me quedo mirando las fotos, porque hay algo adorable en el rostro infantil de Stuart. Tenía los mofletes regordetes y los ojos, del mismo azul que los de su madre, brillaban igual que lo hacen hoy. Su cabello era rubio blanquecino, del color del diente de león. Con nueve o diez años, aparece posando con un rifle de caza y un pato muerto. Con quince, junto a un ciervo recién cazado. Ya era atractivo y de facciones duras. Rezo porque nunca vea mis fotos de adolescente.

Avanzo unos pasos y veo a un Stuart orgulloso con su uniforme durante la fiesta de graduación del instituto. Después, hay un rectángulo vacío en la pared, un espacio en que el papel es un poco más claro que en el resto. Han quitado una foto.

–Padre, ya es suficiente... –escucho decir a Stuart en la sala de estar, con voz tensa, a lo que sigue un silencio.

–La cena está servida –oigo anunciar a la criada que nos sirvió las bebidas.

Me dirijo hacia el salón. Todos entramos en el comedor y nos colocamos alrededor de una mesa larga y de color oscuro. Los Phelan nos sentamos a un lado, y los Whitworth al otro. Stuart está en la esquina opuesta a la que yo ocupo. Parece que han querido situarle lo más lejos posible de mí. Los paneles que revisten las paredes de la estancia tienen pinturas con escenas anteriores a la Guerra de Secesión: cuadrillas de felices negros que recolectan algodón, caballos tirando de carretas, políticos de barbas blancas en las escaleras de nuestro Capitolio... Esperamos mientras el senador se entretiene en la sala de estar.

–Ahora mismo voy. Podéis empezar sin mí.

Escucho el ruido de los hielos que chocan contra el vaso y el sonido de la botella inclinándose tres veces antes de que el senador aparezca y se siente, presidiendo la mesa.

Nos sirven las ensaladas Waldorf. Cada pocos minutos, Stuart me mira y me dirige una sonrisa. El senador Whitworth se inclina hacia Padre y dice:

–Yo he llegado hasta aquí de la nada, ¿sabe? Nací en el condado de Jefferson, en Misisipi. Mi padre se dedicaba a secar cacahuetes y los vendía a veinticuatro centavos el kilo.

Padre asiente con la cabeza.

–Hay pocos sitios tan pobres como Jefferson.

Observo cómo Madre corta la manzana en trocitos minúsculos y duda unos instantes antes de masticarlos durante largo rato y hacer un gesto de dolor al tragarlos. No me ha permitido comentar a los padres de Stuart sus problemas digestivos. Sin embargo, a pesar de lo mal que le está sentando, Madre agasaja a Miss Whitworth con un montón de cumplidos de *gourmet*.

Para Madre esta cena supone un movimiento importantísimo en la partida de ese juego llamado «¿Puede cazar mi hija a su hijo?».

—Los jovencitos disfrutan mucho juntos —dice Madre sonriente—. Fíjate que Stuart se pasa a vernos casi un par de veces a la semana.

—¿Es eso cierto? —pregunta Miss Whitworth.

—Nos encantaría que el senador y usted vinieran a cenar algún día a nuestra hacienda y enseñarles nuestro jardín.

Miro a Madre. «Hacienda» es un término muy anticuado que le gusta usar para referirse a nuestra plantación, y con «jardín» alude a un manzano seco y a un peral lleno de gusanos.

Pero Miss Whitworth sigue con gesto tenso.

—¿Un par de veces a la semana? Stuart, no tenía ni idea de que venías con tanta frecuencia a la ciudad.

El tenedor de Stuart se detiene a medio camino de la boca. El joven dirige una mirada avergonzada a su madre.

—Sois muy jóvenes todavía —añade Miss Whitworth con una sonrisa forzada en el rostro—. Disfrutad de la vida, no tenéis que apresuraros.

El senador apoya los codos en la mesa y dice:

—¡Ésta sí que es buena! Que tú digas eso, cuando casi pediste la mano de la anterior.

—¡Papá! —exclama Stuart apretando los dientes y dejando el tenedor en el plato.

Se hace el silencio en la mesa. Sólo se escucha el concienzudo y metódico masticar de Madre en su intento de convertir la comida sólida en una pasta para poder tragarla. Me paso los dedos por el arañazo del anillo de Miss Whitworth, todavía colorado, a lo largo de mi brazo.

La criada nos sirve el pollo y lo cubre con una generosa cucharada de salsa mayonesa. Todos sonreímos aliviados por esta interrupción. Mientras comemos, Padre y el senador hablan sobre los precios del algodón y las plagas de gorgojo. Puedo notar que Stuart todavía está enfadado con su padre por haber mencionado por tercera vez el nombre de Patricia. Cada pocos segundos lo miro de reojo y veo que su enfado no parece disminuir.

El senador se reclina en su silla y dice:

–¿Has leído ese artículo que publicó la revista *Life?* Un poco antes de lo de Medgar Evers. Hablaban de un tipo... ¿cómo se llamaba? Carl... ¿Roberts, puede ser?

Levanto los ojos, sorprendida, y advierto que el senador me está dirigiendo a mí la pregunta. Parpadeo extrañada, esperando que sea debido a que trabajo en el periódico local.

–Sí. Un hombre que fue... linchado por decir que el gobernador era... –comienzo, y me callo, no porque haya olvidado las palabras, sino más bien al contrario, porque las recuerdo perfectamente.

–... un tipo patético –completa la frase el senador, dirigiéndose ahora hacia mi padre–, con menos ética que una mujer de la calle.

Respiro aliviada porque la atención haya dejado de centrarse en mí. Miro a Stuart para evaluar su reacción. Nunca le he preguntado qué opina sobre la gente de color. Pero me parece que no está escuchando la conversación. El cabreo se le nota en los labios, que están pálidos y sin brillo.

Padre carraspea y dice muy despacito:

–Para ser sincero, salvajadas como ésa me ponen enfermo. –Padre posa su tenedor sin hacer ningún ruido y mira a los ojos al senador Whitworth–. Tengo a veinticinco negros trabajando en mi plantación y si alguna vez alguien se atreve a ponerle una mano encima a uno de ellos o a sus familias... –Padre sigue mirando al senador. Finalmente, baja la mirada y añade–: Senador, a veces me da vergüenza lo que está pasando en Misisipi.

Madre mira a Padre con los ojos abiertos como platos. A mí también me ha sorprendido mucho oír su opinión, y más todavía que la haya expresado en esta mesa delante de un político. En nuestra casa, los periódicos siempre están doblados con las fotos boca abajo, y cuando aparece el tema racial en la televisión, se cambia de canal. De repente, me siento muy orgullosa de Padre por varios motivos, y puedo jurar que por un instante veo en los ojos de Madre que ella también lo está, aunque le preocupa que Padre pueda haber echado por tierra mi futuro matrimonio. Miro a Stuart y veo cierta inquietud en su rostro, pero no sé de qué tipo.

El senador mira a Padre con los ojos entrecerrados.

—Le diré algo, Carlton —dice el senador, removiendo los hielos de su vaso—. Bessie, sírveme otra copa, por favor.

Le entrega el vaso a la criada, que rápidamente se lo devuelve lleno.

—Lo que ese hombre dijo sobre nuestro gobernador no fue muy acertado —prosigue el senador.

—Estoy totalmente de acuerdo —contesta Padre.

—Pero, la cuestión es que últimamente me pregunto: ¿y si ese negro tuviera razón?

—¡Stooley! —le regaña Miss Whitworth, pero rápidamente sonríe, se pone tiesa y añade como si estuviera hablando con un niño—: Venga, cariño, no aburras a nuestros invitados con tus charlas de política...

—Francine, déjame ser sincero. ¡Bien sabe Dios que de nueve a cinco no puedo serlo, así que permíteme que me explaye un poco en mi propia casa!

La sonrisa de Miss Whitworth no flaquea, pero aparece un ligerísimo rubor en sus mejillas. Aparta la vista de su marido y la dirige a las rosas blancas que decoran la mesa. Stuart contempla su plato con la misma frialdad y enfado de antes. No me ha mirado desde que se sirvió el pollo. Todos permanecemos en silencio hasta que alguien saca a colación el tema del tiempo.

Cuando por fin termina la cena, se nos invita a salir al porche trasero para tomar el café y las copas. Stuart y yo nos entretenemos en el pasillo. Lo tomo del brazo, pero se aparta de mí.

—¡Sabía que se emborracharía y sacaría el tema!

—Stuart, no pasa nada —digo, suponiendo que se refiere a las opiniones políticas de su padre—. Lo estamos pasando bien, de verdad.

344

Pero está sudando y tiene una mirada febril en los ojos.

–Patricia por aquí, Patricia por allá... ¡Toda la cena igual! –dice furioso–. ¿Cuántas veces la ha mencionado?

–Olvídalo, Stuart. No pasa nada.

Se alisa el pelo con la mano y mira en todas direcciones menos hacia mí. Empiezo a sentir que, para él, no estoy aquí. Entonces me doy cuenta de algo que llevo toda la noche sospechando: Stuart me mira a mí, pero está pensando en ella. Patricia está siempre presente: en los ojos enfadados de Stuart, en boca del senador y de Miss Whitworth, en el hueco de la pared donde debería estar su foto...

Le digo que tengo que ir al baño.

Me acompaña por el pasillo y me dice muy serio al llegar a la puerta:

–Te espero en el porche.

En el lavabo, me contemplo en el espejo y me digo que sólo es hoy, que cuando nos marchemos de esta casa todo volverá a ser como antes.

Al salir, paso ante la puerta del salón donde el senador se está sirviendo otra copa. Con una sonrisa, se frota la camisa y mira a su alrededor para ver si alguien se ha dado cuenta de que se acaba de tirar la bebida encima. Intento atravesar con sigilo el pasillo para que no me vea.

–¡Hombre, si estás aquí! –grita a mis espaldas mientras me escabullo.

Retrocedo un poco y veo que se le ilumina el rostro.

–¿Qué pasa? ¿Te has perdido?

Sale conmigo al pasillo.

–No, señor. Sólo... iba a salir con los demás.

–Ven aquí un momento, jovencita.

Me pasa el brazo por el hombro y el olor a *bourbon* que desprende su aliento me quema los ojos. Veo que tiene la camisa completamente mojada.

–¿Te lo estás pasando bien?

–Sí, señor. Gracias por su hospitalidad.

–No dejes que la madre de Stuart te asuste. Sólo es un poco protectora, nada más.

–¡Oh, no! Si es una mujer muy... amable. No pasa nada –digo mirando al final del pasillo, donde se oye su voz.

El senador suspira y contempla la pared.

–Hemos pasado un año muy malo con Stuart. Supongo que te ha contado lo que pasó.

Asiento con la cabeza, mientras noto que se me eriza la piel.

–¡Buf! Lo pasamos mal, muy mal –insiste, pero de repente sonríe y añade–: ¡Hombre! ¡Mira quién está aquí! ¿Has visto quién viene a saludarte?

Se agacha para levantar a un caniche blanco y se lo coloca en el brazo como si fuera una toalla de tenis.

–*Dixie*, di hola –le canturrea al animal con dulzura–. Dile hola a Miss Eugenia.

El perro se remueve e intenta alejar la cabeza del tufo a alcohol que desprende la camisa.

El senador vuelve a contemplarme con la mirada vacía. Creo que se ha olvidado de qué estoy haciendo aquí.

–Yo... voy a salir al porche –le digo.

–Espera, espera. Ven aquí un momento...

Me toma del codo y me conduce hacia una puerta con paneles. La atravesamos y entramos en un pequeño despacho con un enorme escritorio y una lámpara amarillenta que emite su débil luz sobre las paredes verde oscuro. El senador cierra la puerta y siento que el aire aquí dentro es distinto, el ambiente es cerrado y claustrofóbico.

–Mira, todos dicen que hablo demasiado cuando me he tomado unas copas, pero... –El senador me mira con los ojos entrecerrados, como si fuéramos un par de conspiradores–. Bueno, quiero decirte algo.

El perro ha renunciado a luchar, sedado por el olor de la camisa. Siento que necesito salir a hablar con Stuart desesperadamente, que cada segundo que paso lejos de él le estoy perdiendo. Retrocedo un par de pasos.

–Creo... que debería ir a buscar a...

Poso la mano sobre el pomo de la puerta, consciente de que estoy siendo descortés, pero no soy capaz de soportar el cargado ambiente de este cuarto, el olor a sudor y a puro.

El senador suspira y asiente mientras giro el pomo.

–¡Vaya! Así que tú también...

Se apoya en el escritorio, derrotado.

Abro la puerta, y entonces veo en el rostro del senador la misma cara que puso Stuart cuando se presentó por primera vez en mi casa. Me siento obligada a preguntar:

–Yo también..., ¿qué?

El senador contempla el retrato de su mujer, enorme y frío, que preside amenazante su despacho.

–Puedo sentirlo... Tus ojos lo dicen todo. –Sonríe con amargura–. Esperaba que a ti por lo menos te cayera medio bien tu suegro... Quiero decir, si algún día llegas a formar parte de esta familia.

Le contemplo y siento un escalofrío ante esas palabras: formar parte de esta familia.

–Señor, usted... No me cae mal –murmuro, acercándome unos pasos a él.

–A ver, no quiero aburrirte con nuestros problemas. Las cosas están un poco difíciles en esta casa, Eugenia. Estuvimos muy preocupados con todo lo que sucedió el año pasado. Después de lo de la otra. –Mueve la cabeza y baja la vista a su copa–. Stuart dejó su apartamento en la ciudad y se instaló en la casa de campo que tenemos en Vicksburg.

–Sé que... le afectó mucho –digo, cuando, en realidad, casi no sé nada de lo que pasó.

–¡Parecía un muerto! ¡Demonios! Siempre que me pasaba a visitarle lo encontraba sentado frente a la ventana cascando nueces. Pero ni siquiera se las comía. Les quitaba la cáscara y las tiraba a la basura. No hablaba. No nos dirigió la palabra a su madre ni a mí... durante meses.

El cuerpo de este hombre del tamaño de un toro se arruga. Tengo unas ganas horribles de escapar de esta habitación, pero al mismo tiempo me gustaría consolarle, pues da bastante pena. De repente, me mira con los ojos enrojecidos.

–Parece que fue ayer cuando le enseñé a cargar su primer rifle, a matar su primer pichón. Pero desde que pasó lo de esa

347

chica está... distinto. Ya no me cuenta nada y yo sólo quiero saber si mi hijo está bien.

–Creo... creo que lo está. Pero, sinceramente, no puedo afirmarlo con seguridad.

Aparto la mirada. En mi interior, empiezo a darme cuenta de que no conozco a Stuart. Si, sea lo que sea lo que le pasó, le hizo tanto daño y no es capaz de hablar conmigo de ello, ¿qué significo entonces para él? ¿Un pasatiempo? ¿Algo con lo que entretenerse y no pensar demasiado en eso que le devora por dentro?

Miro al senador, trato de pensar en palabras de consuelo, en lo que mi madre diría en una situación como ésta. Pero no se me ocurre nada.

–Francine me arrancaría la piel a tiras si se entera de que te he contado todo esto...

–No pasa nada, señor. No tiene por qué preocuparse.

Parece agotado, pero intenta sonreír.

–Gracias, guapa. Anda, ve a ver a mi hijo. Ahora mismo salgo yo.

Me escapo corriendo al porche trasero y me siento junto a Stuart. Un relámpago brilla en el cielo e ilumina por un instante el fantasmagórico jardín, que después vuelve a ser engullido por la oscuridad. El tenderete nupcial se erige amenazante al fondo del jardín, como el esqueleto de una criatura prehistórica. Estoy un poco mareada por el vaso de jerez que me tomé después de la cena.

El senador se une a nosotros y, sorprendentemente, parece más sobrio que antes. Se ha puesto una nueva camisa de cuadros bien planchada, exactamente igual que la que llevaba antes. Madre y Miss Whitworth recorren el patio, señalando alguna extraña rosa cuyo tallo trepa hasta al porche. Stuart posa la mano en mi hombro. Parece algo recuperado, pero ahora soy yo la que no se siente cómoda.

– ¿Podemos...? –indico, y le señalo la puerta de la casa; Stuart me sigue al interior.

Me detengo en el pasillo, junto a la escalera secreta.

–Hay muchas cosas que no conozco de ti, Stuart.

Señala la pared llena de fotos detrás de mí, incluido el espacio vacío, y comenta:

–Bueno, pues ahí lo tienes todo.

–Stuart, tu padre me ha dicho... –comienzo, mientras intento encontrar la forma de expresarlo.

–¿Qué te ha dicho? –me pregunta con una mirada airada.

–Lo duro que fue. Lo mal que lo pasaste... con lo de Patricia.

–Él no sabe nada. No sabe quién era ni qué pasó, ni...

Apoya la espalda en la pared y se cruza de brazos. De nuevo, veo en su rostro ese enraizado odio, profundo y candente, que lo envuelve.

–Stuart, no tienes que contármelo ahora si no quieres, pero algún día tendremos que hablar largo y tendido sobre ello.

Me sorprende la seguridad de mis palabras cuando en realidad no me siento tan confiada.

Stuart me mira a los ojos, se encoge de hombros y dice:

–Se acostó con otro. En la universidad.

–¿Alguien... a quien tú conocías?

–Nadie lo conocía. Era una de esas sabandijas que van a la universidad a hacer el vago y a intentar convencer a los profesores para que firmen manifiestos contra la segregación. Parece que la encandiló con su charlatanería.

–¿Quieres decir... que era un activista por los derechos civiles?

–Eso mismo. Has dado en el clavo.

–¿Era... negro? –pregunto, y trago saliva sólo de pensar en las consecuencias, porque, incluso para mí, eso sería algo horrible, desastroso.

–No, no era negro. Era un maldito *hippie*. Un imbécil del Norte, de Nueva York, de esos que salen en la tele con el pelo largo y símbolos de la paz.

Intento pensar en algo que preguntar, pero no se me ocurre nada.

–Pero ¿sabes lo más gracioso de todo, Skeeter? Yo podría haberlo superado, podría haberla perdonado. Ella me lo pidió, me dijo que se arrepentía de lo que hizo. Pero yo sabía que si alguna vez se descubría el pastel y la gente se enteraba de que la nuera del senador Whitworth se acostó con un maldito activista norteño, se arruinaría su carrera. Así de fácil –remata, y chasca los dedos.

–Pero tu padre, durante la cena, acaba de decir que Ross Barnett está equivocado.

–Sabes que las cosas no funcionan así. No importa lo que él piense, sino lo que Misisipi piense. Se presenta para senador del estado el próximo otoño y, por desgracia, soy consciente de lo que eso supone.

–Así que, ¿rompiste con Patricia por tu padre?

–¡No! Rompí con Patricia porque me engañó. –Baja la mirada y puedo ver que la vergüenza le corroe las entrañas–. Pero... no volví con ella por... mi padre.

–Stuart, ¿todavía la quieres? –digo, intentando sonreír como si no fuera más que una pregunta cualquiera, aunque noto que la sangre se me acelera en las venas; siento que voy a desmayarme por haberle preguntado eso.

Su cuerpo se hunde contra el papel de pared con estampados dorados. Baja la voz y dice:

–Tú nunca lo harías. Engañarme así. No me harías eso, ni a mí ni a nadie.

No tiene ni remota idea de a cuánta gente estoy engañando. Pero ése es otro tema.

–Contéstame, Stuart. ¿Todavía la quieres?

Se frota las sienes, tapándose los ojos con la mano. Ocultándomelos.

–Creo que deberíamos dejarlo por una temporada –susurra.

Instintivamente, me acerco a él, pero se aparta.

–Necesito algo de tiempo, Skeeter. Algo de espacio. Necesito concentrarme en el trabajo, sacar petróleo y... despejarme un poco la cabeza.

Me quedo boquiabierta. Fuera, en el porche, oigo las llamadas de nuestros padres. Ha llegado la hora de marcharse.

Sigo a Stuart hasta la puerta de la calle. Los Whitworth se detienen en el recibidor abovedado mientras los tres miembros

350

de la familia Phelan nos dirigimos a la salida. En un estado de coma borroso escucho cómo todo el mundo se compromete a quedar en nuestra casa la próxima vez. Digo adiós y doy las gracias a los Whitworth, pero mi voz me resulta extraña. Stuart sale a despedirse a las escaleras y me sonríe para que nuestros padres no puedan sospechar que todo ha cambiado.

Capítulo 21

Madre, Padre y yo estamos en la sala de estar mirando fijamente el aparato de color plateado que descansa junto a la ventana. Tiene el tamaño del motor de un camión y por delante asoma un botón que parece una nariz. Su superficie cromada brilla trayéndonos esperanzas de una nueva época. Tiene escrito el nombre: Fedders.

—¿Y quiénes son esos Fedders? —pregunta Madre—. ¿De dónde viene su familia?

—Charlotte, ve a ponerlo en marcha, anda.

—¡Oh, ni pensarlo! Ese botón está pringoso de aceite.

—Por Dios, mamá, el doctor Neal dijo que te vendría bien. Aparta, anda.

Mis padres me miran, recriminándome el tono de mis palabras. No saben que Stuart me dejó el día de la cena en casa de los Whitworth. Tampoco son conscientes de cuánto deseo que este trasto me alivie un poco del calor que siento a todas horas. Estoy dolida, quemada, y a veces creo que voy a arder.

Giro el botón hasta la posición 1. En el techo, las bombillas de la lámpara se apagan por un instante. El sonido del motor asciende lentamente, como si estuviera subiendo una cuesta. Veo que unos mechones del pelo de Madre se levantan en el aire.

—¡Ay, mi...! —exclama Madre cerrando los ojos.

Últimamente está muy cansada, y sus úlceras empeoran. El doctor Neal le dijo que si mantenía fresca la temperatura de la casa lo llevaría mejor.

–Pues todavía no está a plena potencia –comento, moviendo la rueda hasta el 2.

El aire sopla con más fuerza, el frío aumenta y los tres sonreímos mientras el sudor se evapora de nuestras frentes.

–¡Qué demonios! Vamos hasta el final –dice Padre, acercándose para girar el botón hasta el 3, la posición más alta, fría y maravillosa de todas.

A Madre le entra la risa floja. Nos quedamos boquiabiertos, como si pudiéramos tragar el aire. Las bombillas de la lámpara vuelven a parpadear mientras el ruido del motor va creciendo, igual que nuestras sonrisas. De repente, todo se detiene y sólo hay oscuridad.

–¿Qué ha pasado? –pregunta Madre.

Padre mira hacia el techo y sale al recibidor.

–Por culpa de este maldito trasto se ha ido la luz.

–Por Dios, Carlton, arréglalo –dice Madre abanicándose con el pañuelo.

Durante una hora oigo cómo Padre y Jameso abren interruptores, manipulan herramientas y se pasean por el porche. Cuando por fin lo arreglan, y después de recibir una charla de Padre sobre «nunca ponerlo a 3, o la casa saltará por los aires», Madre y yo contemplamos cómo los cristales de la ventana se empañan. Madre se queda dormida en su sillón azul estilo Reina Ana con su mantita verde sobre el pecho. Espero a que entre en un sueño profundo. Cuando empieza a roncar suavemente y se le destensa la frente, apago sigilosamente todas las luces, la televisión y todos los aparatos eléctricos de la planta baja, excepto el frigorífico. Me siento frente al aparato y me desabrocho la blusa. Con mucho cuidado, giro el botón hasta el 3. Quiero dejar de sentir este calor, estar helada por dentro, que el chorro de aire frío me dé directamente en el corazón.

Pasados menos de tres segundos, los fusibles saltan de nuevo.

Durante las siguientes dos semanas me concentro en las entrevistas. Dejo la máquina de escribir en el porche trasero y trabajo durante el día y hasta bien entrada la noche. Las mosquiteras difuminan la vista del verde jardín. A veces me quedo mirando los campos, pero mi mente no está aquí. Se encuentra en las cocinas del viejo Jackson con las criadas, acaloradas y sudorosas en sus uniformes blancos. Siento los cuerpos de bebés blancos respirando sobre mi piel. Siento lo que debió de sentir Constantine cuando Madre me trajo a casa del hospital y me puso en sus brazos. Dejo que los recuerdos de las mujeres de color me saquen un poco de mi miserable existencia.

–Skeeter, hace semanas que Stuart no da señales de vida –me comenta Madre por décima vez–. No estará enfadado contigo, ¿verdad?

En ese momento estoy redactando la columna de Miss Myrna. Durante tres meses siempre he entregado los textos a tiempo, pero ahora estoy empezando a apurar al límite las fechas de entrega.

–No le pasa nada, Madre. ¡No tiene que llamar a todas horas!

Pero entonces bajo la voz, que cada día me sale más débil. Al ver cómo se le marcan a Madre los huesos de la cadera, contengo mi enfado ante su comentario y añado:

–Sólo está de viaje, mamá, nada más.

Esto parece aplacar temporalmente su curiosidad. Le explico la misma historia, aunque con algunos detalles más, a Elizabeth y a Hilly, mordiéndome la lengua para soportar su insípida sonrisa. Pero no sé qué contarme a mí misma. Stuart necesita «espacio» y «tiempo», como si esto fuera un problema de física en vez de una relación sentimental.

Así que, para evitar pasarme el día compadeciéndome de mi suerte, me sumerjo en el trabajo. Tecleo y sudo sin parar. No me imaginaba que un desengaño diese tanto calor. Cuando Madre se va a la cama, coloco la silla enfrente del aire acondicionado y me quedo ahí. En julio, este aparato se convierte en un preciado tesoro. Un día pillé a Pascagoula haciendo como que le quitaba el polvo con una mano mientras que con la otra ponía sus trenzas a refrescar ante el chorro de aire. El aire acondicionado no es un invento nuevo, pero todas las tiendas de la ciudad que lo tienen lo indican con un cartel en el escaparate o lo anuncian en sus folletos de propaganda, porque en verano se convierte en un accesorio de primera necesidad. Incluso un día se me ocurrió hacer un cartel de cartón y colocarlo en la puerta de entrada de nuestra casa: «FAMILIA PHELAN. AIRE ACONDICIONADO EN EL INTERIOR». Madre sonrió, pero fingió que no le hacía gracia.

En una de las raras tardes que paso en casa, estoy con Madre y Padre en el comedor, cenando. Madre se toma a sorbos su caldo. Se ha pasado toda la tarde intentando evitar que descubriéramos que ha estado vomitando. Se pellizca entre los dedos la parte superior del tabique nasal para calmar un poco su dolor de cabeza y dice:

—He estado pensando en el 25. ¿Crees que es demasiado pronto para invitarles?

Todavía no soy capaz de contarle que Stuart y yo hemos roto. Por la cara que tiene, puedo notar que Madre se encuentra peor que nunca esta noche. Está pálida y hace esfuerzos por aguantar y no irse a la cama, aunque lo está deseando.

—Déjame preguntárselo, mamá —contesto, tomándola de la mano—. Pero a mí el 25 me parece bien.

Madre sonríe por primera vez en todo el día.

Aibileen está feliz contemplando el montón de folios en la mesa de su cocina. El taco de papeles tendrá un par de centímetros de grueso. Las hojas están escritas a doble espacio y empiezan a parecerse a algo que algún día se pondrá en una estantería. Aibileen está tan agotada como yo, o puede que más, porque se pasa todo el día trabajando y luego, por la noche, asiste a las entrevistas.

—¡Míralo! —exclama—. ¡Ya casi parece un libro!

Asiento e intento sonreír, pero aún queda mucho trabajo por hacer. Estamos casi en agosto, y aunque no tenemos que entregarlo hasta enero, todavía hay cinco entrevistas más que realizar. Con ayuda de Aibileen, he dado forma, cortado y revisado siete capítulos, pero es necesario trabajarlos más. Por suerte, el apartado de Aibileen ya está terminado. Veintiuna páginas, con un estilo sencillo pero hermoso.

Hay un montón de nombres inventados, tanto para las mujeres de color como para las blancas. A veces me lío bastante con ellos. De momento, sé que Aibileen es Sarah Ross. Minny escogió Gertrude Black, desconozco el motivo. Yo me quedaré con Anónima, aunque todavía no se lo he comunicado a Elaine Stein. El nombre de nuestra ciudad es Niceville, Misisipi. Lo elegimos porque es un lugar que no existe y si hubiéramos puesto el nombre de una ciudad de verdad podría haber causado problemas. Sin embargo, decidimos mantener Misisipi, pues parece evidente que es lo peor que hay en este país.

Entra brisa por la ventana y algunos folios revolotean por la habitación. Ambas posamos nuestras palmas sobre el montón para que no vuelen más.

–¿Piensa... que esa *mujé* lo va a *publicá* cuando esté *acabao?* –me pregunta Aibileen.

Intento sonreír y ofrecer una sensación falsa de confianza.

–Eso espero –digo lo más animada que puedo–. Parecía muy interesada en la idea y... bueno, la marcha de Martin Luther King está cerca...

Noto cómo mi voz se va desinflando. La verdad es que no estoy segura de si Miss Stein lo publicará. Lo único que sé es que la responsabilidad de este proyecto recae sobre mí. También puedo ver en los rostros arrugados y sufridos de las criadas que les encantaría que se publicase. Tienen miedo y cada diez minutos miran la puerta temerosas de que las descubran hablando conmigo, de que las apaleen o las dejen ciegas como al nieto de Louvenia, o, santo Dios, de que las agujereen a balazos en la puerta de su casa como a Medgar Evers. El riesgo que corren es una prueba de que desean que se publique con toda su alma.

Ya no me siento segura, sobre todo por el hecho de ser blanca. Cada vez que conduzco la camioneta hacia casa de Aibileen

356

miro bastante a menudo por el espejo retrovisor. Aquella vez que me paró la policía, hace unos meses, fue un primer aviso. Soy una amenaza para las familias blancas de esta ciudad. Aunque muchas de las historias son neutrales y describen el vínculo de afecto entre la criada y la familia, también hay historias crudas, y ésas serán las que atraigan la atención de los blancos. Les hervirá la sangre de cólera. Tenemos que mantener esto en secreto como sea.

El lunes llego adrede cinco minutos tarde a la reunión de la Liga de Damas, la primera que celebramos desde hace un mes. Mientras Hilly estuvo de vacaciones en la costa, nadie se atrevió a organizar un encuentro sin ella. Se ha puesto morena y está lista para tomar las riendas de la reunión. Sostiene su maza de mando como si fuera un arma. A mi alrededor, las mujeres están sentadas fumando cigarrillos, y tiran la ceniza en ceniceros de cristal repartidos por el suelo. Me muerdo las uñas para no encender un pitillo. Llevo ya seis días sin fumar.

Además de porque echo en falta un cigarrillo en la mano, estoy nerviosa por las caras que me rodean. En la sala distingo, por lo menos, a siete mujeres que tienen relación con alguien del libro, cuando no son protagonistas directas de algún episodio. Quiero salir de aquí y regresar al trabajo, pero pasan dos largas y calurosas horas antes de que Hilly dé por finalizada la sesión con un golpe de su maza. Para entonces, hasta ella misma parece cansada de oírse hablar.

Las mujeres se levantan y se desperezan. Algunas se marchan, impacientes por atender a sus maridos. Otras se entretienen un poco, las que tienen un montón de críos en casa. Recojo mis cosas rápidamente, con la esperanza de no tener que hablar con nadie, sobre todo con Hilly.

Pero antes de que pueda escabullirme, Elizabeth me mira desde su sitio y me hace un gesto. Hace semanas que no la veo, así que no puedo evitar hablar con ella. Me siento culpable por no haberme pasado a visitarla. Se agarra al respaldo de la silla y se incorpora con dificultad. Está de seis meses y alelada por los tranquilizantes del embarazo.

–¿Qué tal te encuentras? –pregunto. Todo su cuerpo está como siempre, excepto la enorme e hinchada barriga–. ¿Lo llevas mejor esta vez?

–¡Ay, Dios, qué va! Es horrible, y todavía me quedan tres meses para salir de cuentas.

Nos quedamos las dos en silencio. Elizabeth contiene un pequeño eructo y mira su reloj. Al fin, agarra su bolso y se dispone a marcharse, pero antes me coge de la mano y me susurra:

–He oído lo que pasó entre Stuart y tú. Lo siento mucho.

Bajo la mirada. No me sorprende que se haya enterado, más bien me extraña que la gente haya tardado tanto en descubrirlo. No se lo he contado a nadie, pero supongo que Stuart sí. Esta misma mañana tuve que mentir a Madre y decirle que los Whitworth van a estar de viaje el 25, la fecha prevista por ella para invitarlos a cenar.

–Perdona que no te lo haya contado. No me gusta hablar de ello.

–Lo comprendo, querida. Ay, tengo que irme. A Raleigh le estará dando algo, él solo con la cría.

Lanza una última mirada a Hilly, que sonríe y le indica con un gesto de la cabeza que puede retirarse.

Termino de recoger mis notas y me dirijo hacia la puerta, pero antes de que consiga salir escucho la voz de mi amiga:

–¿Puedes esperar un segundo, Skeeter?

Suspiro y me doy la vuelta para ver qué quiere Hilly. Lleva un vestido marinero azul oscuro, de esos que una se pone a los cinco años. En la cadera se le hacen unos pliegues como los del fuelle de un acordeón. Ahora la sala está vacía, sólo quedamos nosotras dos.

–¿Podemos hablar sobre esto, por favor? –pregunta, mostrándome el último número del boletín.

Ya sé lo que me espera.

–No tengo tiempo, Hilly, mi madre está enferma...

–Te pedí hace ya cinco meses que publicaras mi iniciativa y ha pasado otra semana más y todavía no has seguido mis instrucciones.

La miro a los ojos y de repente siento una rabia furiosa. Todo lo que he estado guardando en mi interior durante meses surge de repente y estalla como un volcán.

–No pienso publicar esa iniciativa.

Hilly me contempla desafiante sin mover un pelo.

–Quiero que mi iniciativa aparezca en el boletín antes de las elecciones –dice, y apunta al techo–, de lo contrario, tendré que hacer una llamada a los de arriba, bonita.

–Si intentas echarme de la Liga, llamaré personalmente a Nueva York y hablaré con Genevieve von Hapsburg –digo entre dientes.

Resulta que conozco a Genevieve, el ídolo de Hilly. Es la presidenta nacional de la Liga de Damas más joven de la historia y, probablemente, la única persona del mundo a la que Hilly teme. Pero esta vez mi amiga no se amilana.

–¿Y qué le vas a contar, Skeeter? ¿Que no cumples con tus obligaciones? ¿Que andas por ahí con material de activismo negro?

Estoy demasiado enfadada para ofenderme por sus palabras.

–Quiero que me devuelvas el librito de leyes, Hilly. Me lo quitaste y no te pertenece.

–Pues claro que te lo quité. No puedes andar por ahí con algo así en la mochila. ¿Y si alguien lo descubre?

–¿Quién te crees que eres para decidir lo que puedo y lo que no puedo...?

–¡Es mi trabajo, Skeeter! Sabes tan bien como yo que nadie compraría un trozo de tarta de una organización en la que hay activistas a favor de la integración.

–Hilly –digo, pues necesito escuchar su respuesta–, ese dinero que conseguimos vendiendo tartas, ¿a quién se envía?

Entorna los ojos y dice:

–A los Pobres Niños Hambrientos de África.

359

Me dispongo a comentarle la ironía de enviar dinero a gente de color de otro continente, y no a los que viven en el barrio de al lado, pero se me ocurre una idea mejor.

—Voy a llamar a Genevieve ahora mismo y contarle lo hipócrita que eres.

Hilly se pone a la defensiva. Pienso que mis últimas palabras han hecho mella en ella. Pero, pasado un segundo, se humedece los labios, aspira profundamente y dice:

—¿Sabes? No me extraña que Stuart Whitworth te haya dejado.

Aprieto la mandíbula para que no pueda ver el efecto que tienen en mí esas palabras. Pero en mi interior, es como si me estuviera cayendo lentamente por un tobogán. Todo se derrumba a mi alrededor.

—Quiero que me devuelvas el librito de leyes —digo con voz temblorosa.

—Publica primero la iniciativa.

Me doy la vuelta y me marcho. Dejo la pesada mochila en el Cadillac y enciendo un cigarrillo.

Madre tiene la luz apagada cuando llego a casa, y lo agradezco. Paso de puntillas por el recibidor, me dirijo al porche de atrás y cierro lentamente su chirriante puerta. Me siento ante la máquina de escribir.

No soy capaz de teclear nada. Contemplo los pequeños cuadraditos de la mosquitera del porche. Los observo con tanta atención que puedo atravesarlos. Siento que algo revienta en mi interior, que me evaporo, que me vuelvo loca. No escucho ese estúpido teléfono sonando. No escucho las arcadas de Madre por la casa. No escucho su voz dentro: «Estoy bien, Carlton, ya se pasó». Aunque lo oigo todo, no escucho nada. Sólo un zumbido permanente en mis oídos.

Busco en la mochila y saco el papel con la iniciativa de los retretes de Hilly. Es una hoja mustia y húmeda. Una polilla se posa en la esquina y luego sale volando, tras dejar una mancha marrón del polvo de sus alas.

Con golpes lentos y pausados, presiono las teclas y empiezo a redactar el boletín: «Sarah Shelby contraerá matrimonio con Robert Pryor»; «Asistan por favor a la venta de ropa infantil organizada por Mary Katherine Simpson»; «Celebración de un té en honor a nuestros fieles colaboradores»... Luego escribo la iniciativa de Hilly. La pongo en la segunda página, junto a las fotos de sociedad. Seguro que todo el mundo la ve, después de buscarse en las imágenes del campamento de verano. Mientras tecleo, no puedo dejar de pensar en qué diría Constantine de mí.

Aibileen

Capítulo 22

–¿Cuántos añitos cumple hoy esta niña tan *mayó?*

Mae Mobley, todavía en la cama, me enseña dos deditos remolones y dice:

–Mae-Mo, dos.

–¡No, no, no! ¡Hoy ya *ties* tres!

Le levanto un dedo más y le canto la canción que mi padre me cantaba en mis cumpleaños:

–*Tres soldaditos salen por la puerta, dos dicen: ¡Alto!, uno dice: ¡Adelante!*

Chiquitina ya duerme en una cama de mayores porque la cuna la están preparando para el nuevo bebé.

–El año que viene cantaremos *Cuatro soldaditos salen a comé,* ¿vale?

Chiquitina arruga la nariz porque ahora tiene que acordarse de decir «Mae-Mo, tres», cuando desde que es capaz de recordar, siempre le ha dicho a la gente «Mae-Mo, dos». Cuando eres pequeño sólo te preguntan dos cosas: cómo te llamas y cuántos años tienes, así que mejor saberse la respuesta.

–Soy Mae Mobley, tres –dice.

Salta de la cama con el pelo revuelto. La calva que tenía de bebé en la nuca le está volviendo a aparecer. Si la peino, consigo tapársela durante un rato, pero por lo general no aguanta mucho. Tiene el pelo muy fino y está perdiendo los rizos. Al final del día se le queda muy enmarañado. A mí me trae sin cuidado que no sea especialmente guapa, pero intento dejarla lo más bonita posible para que su mamá no se lo eche en cara.

–Ven a la cocina –le digo–, te voy a *prepará* un desayuno especial de cumpleaños.

Miss Leefolt ha ido a la peluquería. Parece que no le importa mucho no estar en casa cuando su única hija se despierte la mañana del primer cumpleaños del que tendrá conciencia. Por lo menos, Miss Leefolt le ha comprado lo que quería. Cuando llegué esta mañana, la mujer me condujo a su dormitorio y me enseñó una gran caja posada en el suelo.

–¿Verdad que le gustará? –me preguntó–. ¡Habla, anda y hasta llora!

En el interior de esa enorme caja rosa con lunares envuelta con celofán, había una muñeca tan grande como Mae Mobley. Se llama Allison, es rubia, tiene el pelo rizado y los ojos azules y lleva un vestido rosa de volantes. Cada vez que la anunciaban en la tele, Mae Mobley daba un bote, abrazaba el aparato y pegaba la cara a la pantalla, contemplándola muy seria. Miss Leefolt parecía que se iba a echar a llorar mirando la muñeca. Supongo que la tacaña de su madre nunca le regaló lo que quería cuando era pequeña.

En la cocina, preparo una papilla de maicena y le echo unas golosinas por encima. La meto al horno para que quede un poco crujiente y la adorno con trocitos de fresa. Para esto sirve la maicena, no es más que un pretexto para comer cualquier otra cosa.

En el bolsillo tengo las tres velitas rosas que me he traído de casa. Las saco, les quito el papel en el que las envolví para que no se doblaran, las enciendo y llevo la papilla a la trona que está junto a la mesa de linóleo blanco en medio de la estancia.

–¡Feliz cumpleaños, Mae Mobley dos! –digo.

–¡Soy Mae Mobley, tres! –protesta sonriendo.

–¡*Pos* claro que sí! Venga, sopla las velas, Chiquitina, antes de que la cera caiga en la papilla.

Contempla las llamitas y se ríe.

–¡Sopla, pequeña!

Las apaga de un soplido, relame los restos de papilla que han quedado pegados en las velas y empieza a comer. Pasado un rato, me sonríe y me pregunta:

–Aibi, ¿cuántos años tienes?

–Aibileen *tie* cincuenta y tres.

Abre los ojos como platos. Para ella, debe de ser como si tuviera mil.

–¿Y haces... cumpleaños?

–*Pos* claro –me río–. Por desgracia, cada año soy más vieja. Fíjate, la próxima semana será mi cumpleaños.

No me puedo creer que vaya a cumplir cincuenta y cuatro años. ¿Cómo ha podido pasar tan rápido el tiempo?

–¿Tienes bebés? –pregunta.

–¡Tengo diecisiete! –digo entre risas. Todavía no sabe contar hasta diecisiete, pero es consciente de que es un número grande–. Si los ponemos a *tos* juntos, no cabrían en esta cocina.

Abre aún más sus enormes ojos marrones.

–¿Dónde están los bebés?

–Por *toa* la *ciudá*. Son los bebés a los que he *cuidao*.

–¿Y por qué no vienen a jugar conmigo?

–Porque casi *tos* son ya mayores. Muchos hasta tienen sus propios bebés.

Madre mía, qué lío tiene en la cabeza. Se pone a pensar, como si estuviera echando cuentas.

–Tú también eres uno de mis bebés. *Tos* los niños a los que cuido los considero míos –añado.

Mueve contenta la cabecita y se estira en la trona.

Me pongo a fregar los platos. Esta noche celebrarán la fiesta de cumpleaños y vendrá la familia. Tengo que preparar las tartas. Primero, haré una con glaseado de fresa. Si por ella fuera, Mae Mobley se pasaría todo el día comiendo fresas. Después prepararé la otra.

–¿Por qué no hacemos una tarta de chocolate? –me dijo ayer Miss Leefolt.

364

La mujer está de siete meses y no puede parar de comer chocolate, pero yo ya había preparado todos los ingredientes para la tarta de fresa desde hace más de una semana. No puede ser que un día antes del cumpleaños me venga con ésas.

–Esto... ¿Y por qué no *mejó* una tarta de fresa? Ya sabe que es la *prefería* de Mae Mobley –le contesté.

–¡Ay, qué va! Si a ella le encanta el chocolate. Voy a ir al supermercado y te traeré todo lo que necesitas.

¡Qué chocolate ni qué ocho cuartos! Así que tendré que preparar dos tartas. Por lo menos, Chiquitina podrá soplar dos tandas de velas.

Friego el bol de la papilla y le doy a la niña un vaso de zumo de uva. Está con su vieja muñeca, esa a la que llama Claudia, que tiene el pelo pintado, se le cierran los ojos y cuando se cae al suelo suelta un gritito lastimero.

–¿Éste es tu bebé? –le pregunto mientras palmea la espalda de la muñeca como queriendo hacerla eructar.

La pequeña asiente y dice:

–Aibi, tú eres mi mamá de verdad.

Ni tan siquiera me ha mirado mientras decía estas palabras, las ha soltado como quien habla del tiempo.

Me arrodillo a su lado mientras ella juega.

–Tu mamá está en la peluquería. Chiquitina, sabes *mu* bien quién es tu mamá.

Niega con la cabeza y abraza su muñeca.

–¡No! Yo soy tu bebé –dice.

–Mae Mobley, sabes que eso de que tengo diecisiete bebés es broma. No es *verdá,* yo sólo he *tenío* un hijo.

–Ya lo sé –dice–. Yo soy tu hija. Los otros bebés que has dicho eran mentira.

Ya me había pasado antes que los bebés a los que cuido me confundan con su madre. La primera palabra que dijo John Green Dudley fue «mamá», y cuando la pronunció me estaba mirando a mí. Pero pronto empezó a llamar a todo el mundo «mamá», hasta a su padre o a él mismo. Lo hizo durante mucho tiempo y nadie le dio importancia. Sin embargo, cuando empezó a jugar a vestiditos, a ponerse las faldas de su hermana y a echarse Chanel Número 5, todos nos preocupamos un poco.

Estuve mucho tiempo sirviendo en casa de los Dudley, casi seis años. Cada tarde, su padre bajaba al niño al garaje y le zurraba con la manguera, intentando expulsar la chica que tenía dentro. Yo no podía soportarlo. Al regresar a casa, abrazaba a mi Treelore con tanta fuerza que casi lo asfixiaba. Cuando empezamos a trabajar en las historias, Miss Skeeter me preguntó cuál fue el peor momento que he vivido como sirvienta. Le contesté que fue cuando el hijo de una de mis jefas nació muerto, pero no era verdad. Fueron todos y cada uno de los días, desde 1941 hasta 1947, que me pasé esperando tras la puerta del garaje a que terminaran las palizas. Me gustaría haberle dicho a John Green Dudley que no iba a ir al infierno, que no era un monstruo de feria porque le gustaran los chicos. Ojalá le hubiera susurrado cosas bonitas al oído como hago ahora con Mae Mobley. En lugar de eso, me quedaba sentada en la cocina, esperando para ponerle pomada en las heridas que le dejaban los manguerazos.

En ese momento oímos llegar el coche de Miss Leefolt. Me pongo un poco nerviosa pensando en qué hará la mujer si escucha esto de «mamá». Mae Mobley también parece preocupada. Empieza a menear las manos como una gallinita.

–¡Chist! ¡No se lo cuentes! –me dice–. Me pegará.

Así que ya ha tenido esta conversación con su madre, y por lo visto a Miss Leefolt no le ha gustado un pelo.

Cuando Miss Leefolt entra con su nuevo peinado, Mae Mobley no le dice ni hola y sale corriendo hacia su habitación, como si tuviera miedo de que su madre pudiera escuchar lo que hay dentro de su cabeza.

La fiesta de cumpleaños de Mae Mobley estuvo bien, o al menos eso me dijo Miss Leefolt al día siguiente. El viernes por la mañana, llegué y me encontré tres cuartas partes de la tarta de chocolate en la encimera, pero ni resto de la de fresa. Esa misma tarde, Miss Skeeter se pasa para darle unos papeles a Miss Leefolt. En un momento en que su amiga se retira al baño, Miss Skeeter aprovecha para colarse en la cocina.

–¿*To* listo *pa* esta noche? –le pregunto.

–Todo listo. Allí estaré.

Miss Skeeter no sonríe casi desde que Mister Stuart y ella dejaron de salir juntos. He escuchado a Miss Hilly y a Miss Leefolt hablar mucho del tema.

Miss Skeeter se sirve un refresco de la nevera y me dice en voz baja:

–Hoy terminaremos el capítulo de Winnie y este fin de semana empezaré a organizarlo todo. Después no podremos quedar hasta el jueves, le prometí a Madre que la llevaría a Natchez el lunes para una historia de la Asociación de Hijas de la Revolución Americana. –Miss Skeeter entrecierra un poco los ojos, algo que hace cuando piensa en algo importante–. Estaré fuera tres días, ¿vale?

–*D'acuerdo*. Le vendrá bien *descansá* un poco.

Se dirige hacia el salón pero, antes de salir, se vuelve y me dice:

–Recuerda, me marcho el lunes por la mañana y estaré tres días fuera, ¿entendido?

–Sí, señorita –asiento, preguntándome por qué me lo habrá repetido dos veces.

No son más que las ocho y media de la mañana del lunes y el teléfono de casa de Miss Leefolt no para de sonar.

–Residencia de Miss Lee...

–¡Que se ponga Elizabeth ahora mismo!

Corro a avisar a Miss Leefolt, que se levanta de la cama, arrastra los pies por la cocina con los rulos y el camisón puestos, y agarra el auricular. Parece que Miss Hilly esté hablando con un megáfono y no con un teléfono. Puedo oír todo lo que dice.

–¿Has pasado por mi casa?

367

–¿Qué? ¿De qué estás habla...?

–¡Lo ha puesto en el boletín, debajo de lo de los retretes! ¡Le dije bien clarito que podían dejar en mi casa los abrigos usados, no los...!

–Espera que mire el buzón. No sé de qué estás...

–¡Cuando la pille, me la cargo!

La línea se corta. Miss Leefolt se queda contemplando el auricular. Luego, se pone una chaqueta sobre el camisón y me dice, mientras busca las llaves del coche:

–Tengo que salir un momento. Vuelvo enseguida.

A pesar de su embarazo, sale corriendo por la puerta, se sube al coche y arranca. Contemplo a Mae Mobley, que me mira sorprendida.

–A mí no me preguntes, Chiquitina. No tengo ni idea de lo que ocurre.

Lo único que sé es que Hilly y su familia regresaban hoy de pasar el fin de semana en Memphis. Siempre que Miss Hilly está de viaje, lo único de lo que habla Miss Leefolt es de adónde ha ido su amiga y cuándo volverá.

–Venga, Chiquitina –digo al cabo de un rato–. Vamos a *da* un paseo, a ver qué ha *pasao*.

Andamos por la calle Devine, giramos a la izquierda, luego a la izquierda otra vez y subimos por la calle Myrtle, donde vive Miss Hilly. A pesar de que estamos en agosto, es un paseo agradable porque todavía no hace mucho calor. Los pájaros revolotean y cantan. Mae Mobley me da la mano y balanceamos los brazos jugando. Unos cuantos coches pasan a nuestro lado, lo cual es extraño porque Myrtle es una calle sin salida.

Al doblar la curva que termina frente al blanco caserón de Miss Hilly es cuando los vemos.

Mae Mobley señala con el dedo y se ríe:

–¡Mira! ¡Mira, Aibi!

Nunca en mi vida vi algo así. Habrá unas tres docenas de tazas de váter repartidas por el césped de Miss Hilly. De diferentes colores, formas y tamaños: azules, rosas, blancas... Unas sin tapa, otras sin cisterna..., viejas y modernas, de cadena y de manecilla... Parecen una reunión de personas, algunas con la tapa levantada hablando y otras con la tapa bajada escuchando.

Nos apartamos a la cuneta, porque el tráfico en la pequeña calle está empezando a atascarse. Los coches giran en la rotonda al final del camino y pasan con las ventanillas bajadas frente a la casa. La gente se ríe y grita:

–¡Mira la casa de Hilly! ¡Mira todos estos trastos!

Contemplan los retretes como si fuera la primera vez que ven uno.

–Uno, dos, tres...

Mae Mobley empieza a contarlos. Llega hasta doce y luego tengo que seguir yo.

–Veintinueve, treinta, treinta y uno... Treinta y dos váteres, Chiquitina.

Nos acercamos un poco y puedo ver que no sólo están en el césped, hay otros dos en la entrada al garaje, uno frente a otro, y uno más en las escaleras del porche, como si estuviera esperando a que Miss Hilly le abra la puerta.

–Mira qué gracioso ése...

Pero no me da tiempo a terminar la frase porque Chiquitina se escapa de mi mano y corretea por el jardín. Llega a la taza rosa en medio del césped y levanta la tapa. Antes de que me dé cuenta, se baja los pantalones y se pone a hacer pipí. Corro en su busca mientras suenan media docena de cláxones a mis espaldas y un hombre con sombrero hace fotos.

El coche de Miss Leefolt está aparcado frente a la casa, detrás del de Miss Hilly, pero no se ve a ninguna de las dos. Deben de estar dentro discutiendo a voces cómo solucionar este lío. Las cortinas están echadas y no se ve ni una rendija. Cruzo los dedos, esperando que no hayan pillado a Chiquitina haciendo sus cosas delante de medio Jackson. Creo que es hora de volver a casa.

En el camino de regreso, Chiquitina no para de preguntarme por los retretes: «¿Por qué están ahí? ¿De dónde han venido? ¿Puedo ir a jugar con Heather en los váteres?».

Ya de vuelta en casa de Miss Leefolt, el teléfono se pasa el resto de la mañana sonando. No contesto. Espero a que se

369

calme para poder llamar a Minny. Pero entonces Miss Leefolt entra dando un portazo en la cocina y salta sobre el aparato a mil kilómetros por hora. Escuchándola, no tardo en enterarme de lo que ha pasado.

Miss Skeeter publicó por fin en el boletín de la Liga de Damas la nota con la historia de los retretes de Hilly: la lista de motivos por los cuales los blancos y los negros no debemos compartir el váter. En la misma página, más abajo, añadió un anuncio sobre la recogida de abrigos usados, como se supone que tenía que hacer. Pero, en lugar de abrigos, escribió: «Pueden dejar sus retretes usados en el 228 de Myrtle Street. Estaremos fuera de la ciudad, así que déjenlos frente a la puerta».

Sólo se equivocó en una palabra, o al menos supongo que eso es lo que Miss Skeeter le contará a su amiga.

Por desgracia para Miss Hilly, estos días no hay muchas noticias interesantes en la prensa: nada sobre Vietnam ni sobre el alistamiento; tampoco mencionan la gran marcha sobre Washington que está preparando el reverendo King. Al día siguiente, la casa de Miss Hilly con las tazas de váter aparece en la portada del *Jackson Journal*. Hay que reconocer que es una foto divertida. Es una pena que no sea en color para poder ver el contraste entre los rosas, los verdes y los blancos. Deberían titularla «la integración de los retretes».

El titular dice: «¡Pase y siéntese!». No hay ningún artículo, sólo la imagen con un breve pie de foto: «La casa de Hilly y William Holbrook, en Jackson, Misisipi, era un lugar digno de ver esta mañana».

Cuando digo que no hay muchas noticias en la prensa, no me refiero sólo a Jackson, sino a todo el país, a todo Estados Unidos. Lottie Freeman, que sirve en la casa del gobernador, donde reciben los periódicos de tirada nacional, me dijo que la foto había salido en la sección de curiosidades del *New York Times*, y que en todos los sitios aparecía el nombre: «Casa de Hilly y William Holbrook, Jackson, Misisipi».

En casa de Miss Leefolt se reciben muchas llamadas telefónicas esta semana. Miss Leefolt no para de asentir con la cabeza mientras Miss Hilly se desahoga con ella. Una parte de mí se troncha de risa por lo de los retretes, pero otra quiere llorar. Miss Skeeter está corriendo un gran riesgo al enfrentarse abiertamente a Miss Hilly. Hoy regresa de Natchez, espero que me llame. Ahora me puedo imaginar por qué se fue.

El miércoles por la mañana, todavía no he tenido noticias de Miss Skeeter. Preparo la tabla de planchar en la sala. Miss Leefolt llega a casa acompañada de Miss Hilly y se sientan a la mesa del comedor. No había vuelto a ver el pelo a Miss Hilly desde lo de los retretes; supongo que ahora no saldrá mucho. Bajo el volumen de la tele y presto oídos a su conversación.

–Míralo. Éste es el libro del que te hablé.

Miss Hilly abre un librito y pasa las páginas mientras Miss Leefolt mueve la cabeza.

–Sabes lo que esto significa, ¿verdad? ¡Quiere cambiar estas leyes! ¿Por qué, si no, iba a andar con este libro por ahí?

–¡No me lo puedo creer! –dice Miss Leefolt.

–No puedo demostrar que hiciera a propósito lo de los retretes, pero esto... –Levanta el libro y da una palmadita en la cubierta–. Esto es una prueba evidente de que está metida en algo. Pienso contárselo también a Stuart.

–Pero si ya no están juntos.

–Bueno, de todos modos tiene que saberlo, imagínate que le diera por intentar reconciliarse con ella. Lo hago por el bien de la carrera del senador Whitworth.

–Pero igual lo del boletín fue de verdad un despiste. Quizá quería...

–¡Elizabeth! –Hilly se cruza de brazos–. No me refiero a lo de los retretes, estoy hablando de las leyes de este gran estado. Quiero que pienses en una cosa: ¿te gustaría que Mae Mobley se tuviera que sentar en el colegio al lado de un niño negro? –Miss Hilly me mira y baja la voz, pero esta mujer nunca ha sabido hablar con discreción–. ¿Quieres que los negros vengan a

371

vivir a este barrio? ¿Que te toquen el culo cada vez que sales a la calle?

Levanto la mirada y veo que está empezando a hacer mella en Miss Leefolt, que se pone tensa, muy seria y formal.

–A William le dio un ataque cuando vio lo que hizo en nuestra casa. No puedo permitir que siga manchando mi reputación, no con las elecciones tan cerca. He hablado con Jeanie Caldwell y la he pedido que sustituya a Skeeter en nuestras partidas de *bridge*.

–¿La has echado del grupo de *bridge?*

–¡Por supuesto! Y también pienso echarla de la Liga de Damas.

–¿Puedes hacerlo?

–¡Pues claro que puedo! Pero quiero esperar a tenerla sentada en el salón de actos y que todas vean lo idiota que es, para que se dé cuenta del daño que se está haciendo con esas ideas suyas. –Miss Hilly mueve la cabeza–. Necesita aprender que no puede seguir así. Entre nosotras es una cosa, pero cuando se entere más gente va a estar metida en un buen lío.

–Es cierto, en esta ciudad hay muchos racistas –dice Miss Leefolt.

–Los hay, los hay –asiente Miss Hilly.

Pasado un rato, se levantan y se marchan. Me alegro de no tener que verles la cara durante un rato.

A mediodía, Mister Leefolt viene a comer a casa, algo poco habitual en él. Se sienta a la mesita del desayuno y me dice mientras ojea el periódico:

–Aibileen, prepárame algo para almorzar, por favor. –Dobla el periódico por la mitad y añade–: Quiero un poco de rosbif.

–Sí, *señó*.

Le pongo un mantelito, una servilleta y unos cubiertos de plata. Mister Leefolt es alto y muy delgado. No tardará en estar completamente calvo, pues sólo le queda un pequeño círculo de pelo por detrás de la cabeza, pero nada por delante.

–¿Te quedarás para ayudar a Elizabeth con el nuevo bebé? –me pregunta mientras lee el periódico. Por lo general, nunca me presta atención.

–Sí, *señó*.

–Porque me han dicho que te gusta mucho cambiar de trabajo.

–Sí, *señó*.

Es cierto. Casi todas las criadas se pasan toda su vida con la misma familia, pero yo no. Tengo mis motivos para cambiar de trabajo cuando los críos llegan a los ocho o nueve años. Me costó unos cuantos empleos aprenderlo.

–Es que lo que *mejó* se me da es *cuidá* bebés.

–¡Vaya! Así que no te consideras una criada, sino más bien una especie de niñera. –Deja el periódico y me mira–. Estás especializada, como yo.

No digo nada, sólo asiento con un ligero gesto de la cabeza.

–Yo, por ejemplo, hago declaraciones de la renta a empresas, pero no a particulares.

Empiezo a ponerme nerviosa. En los tres años que llevo aquí, nadie había hablado tanto tiempo conmigo.

–Debe de ser difícil tener que buscar un trabajo nuevo cada vez que los niños empiezan a ir a la escuela.

–Al final siempre sale algo.

No responde nada, así que me dispongo a sacar la carne.

–Cuando se cambia mucho de trabajo, como tú, es importante tener buenas referencias.

–Sí, *señó*.

–Me han dicho que conoces a Skeeter Phelan, la amiga de Elizabeth.

No levanto la cabeza. Muy despacito, empiezo a cortar lonchas de rosbif una tras otra. El corazón me debe de latir a mil por hora.

–A veces me pregunta cosas sobre limpieza del *hogá, pa* sus artículos.

–¿Ah, sí?

–Sí, *señó*. Me pide consejos de limpieza.

–No quiero que hables más con esa mujer. Ni para darle consejos de limpieza, ni para decirle hola, ¿entendido?

–Sí, *señó*.

–Si me entero de que habéis vuelto a hablar, estarás metida en un buen lío, ¿entendido?

–Sí, *señó* –susurro, preguntándome qué sabrá este hombre.

Mister Leefolt regresa a su periódico.

–Me comeré el rosbif en un bocadillo. Ponle un poco de mayonesa, y no tuestes demasiado el pan, no me gusta muy seco.

Esa noche, estoy sentada con Minny a la mesa de mi cocina. Por la tarde, me entró un temblor en las manos y no ha parado desde entonces.

–¡Estúpido blanco! –dice Minny.

–Me gustaría *sabé* por qué me ha dicho eso.

Llaman a la puerta trasera y Minny y yo nos miramos. Sólo una persona toca así en mi puerta, los demás pasan sin llamar. Abro y me encuentro a Miss Skeeter.

–Estoy con Minny –le susurro, porque cuando vas a entrar a una habitación siempre es bueno saber si Minny está dentro.

Me alegro de que haya venido. Tengo muchas cosas que contarle y no sé por dónde empezar. Me extraña ver que Miss Skeeter luce algo parecido a una sonrisa en el rostro. Supongo que todavía no habrá hablado con Miss Hilly.

–Hola, Minny –saluda al entrar.

–*Güenas,* Miss Skeeter –responde Minny mirando por la ventana.

Sin darme tiempo a abrir la boca, Miss Skeeter se sienta y empieza a hablar:

–Se me han ocurrido unas cuantas ideas mientras estuve fuera. Aibileen, creo que deberíamos empezar el libro con tu capítulo –dice, sacando unos papeles de su raída mochila roja–, luego el de Louvenia y después saltar al de Faye Belle, porque no conviene poner tres historias dramáticas seguidas. El resto lo ordenaremos más tarde. El tuyo, Minny, creo que debería estar al final.

—Miss Skeeter... Tengo que *hablá* con *usté* de algunas cosas —digo.

Minny y yo nos miramos.

—Yo me tengo que ir —tercia Minny, enfurruñada como si no estuviera cómoda en la silla.

Se dirige a la puerta pero, antes de salir, da una ligera palmadita en el hombro de Miss Skeeter mirando al frente, como si no lo hubiera hecho a propósito, y después se marcha.

—Han *pasao* muchas cosas mientras estaba fuera, Miss Skeeter —le digo, frotándome la nuca.

Le cuento que Miss Hilly le enseñó el librito a Miss Leefolt y que sólo Dios sabe a quién más se lo habrá mostrado.

—Ya me las arreglaré con lo de Hilly —dice Miss Skeeter—. Además, esto no te implica a ti, ni a las otras criadas, ni al libro.

Entonces le cuento lo que me dijo Mister Leefolt, lo claro que me dejó que no debía hablar con ella ni tan siquiera para los artículos sobre limpieza. No me gusta contarle estas cosas, pero al final va a enterarse y prefiero ser yo quien se lo cuente primero.

Me escucha con atención y hace algunas preguntas. Cuando termino, dice:

—Ese Raleigh es un charlatán. De todos modos, tendré que redoblar la precaución cuando vaya a visitar a Elizabeth. No volveré a entrar en la cocina.

Puedo notar que no le afecta mucho lo que está pasando: los problemas que tiene con sus amigas, el cuidado que debemos tener... Le cuento lo que dijo Miss Hilly de humillarla delante de los miembros de la Liga de Damas, que la han echado del grupo de *bridge,* que Miss Hilly va a contárselo todo a Mister Stuart, para que no se le ocurra intentar arreglar las cosas con ella.

Miss Skeeter aparta la vista e intenta sonreír.

—Si te digo la verdad, nada de eso me importa.

Fuerza una sonrisa que me hace estremecerme, porque veo que todo el mundo está preocupado: blancos, negros, todos lo estamos.

—Sólo... Prefería contárselo yo antes de que se enterara en la *ciudá* —digo—. Ahora que sabe lo que le espera, ándese con mucho *cuidao*.

Se muerde el labio, asiente y dice:

—Gracias, Aibileen.

Capítulo 23

El verano avanza, aplastándonos como una ardiente apiso-
nadora. Todas las personas de color de Jackson nos pegamos a
la primera tele que encontramos para ver a Martin Luther King
frente al Capitolio, diciéndonos que tiene un sueño. Lo sigo
desde el salón del sótano de la iglesia. Nuestro reverendo, el
padre Johnson, participa en la marcha, y me pongo a buscar su
rostro entre la multitud. No me puedo creer que haya tanta
gente: doscientos cincuenta mil, dicen en la tele. Y lo más
asombroso es que sesenta mil son blancos.

–En Misisipi, las cosas marchan al revés del resto del mundo –dice el reverendo King, y todos asentimos porque sabemos que es cierto.

Llega septiembre y una iglesia de Birmingham, con cuatro
pobres niñitas de color dentro, vuela por los aires. Es un duro
golpe, que nos borra a todas la sonrisa de la cara. ¡Leches! Llo-
ramos sin parar y parece que la vida no puede seguir, pero,
¡vaya si lo hace!

Cada vez que veo a Miss Skeeter la encuentro más delgada
y con la mirada más recelosa. Intenta sonreír, como si no le
resultara tan duro haberse quedado sin amigas.

En octubre, Miss Hilly se sienta a la mesa del comedor de
Miss Leefolt, que está tan preñada que casi no es capaz de cen-
trar la mirada. Miss Hilly lleva una bufanda de piel alrededor

del cuello, aunque estamos a quince grados en la calle. Con el dedo meñique estirado mientras sujeta la taza de té, dice:

—Skeeter pensó que era muy lista al hacer que dejaran todos esos retretes en mi jardín. Pues mira, le ha salido el tiro por la culata. Ya hemos instalado tres de esos váteres en garajes y jardines. Hasta William dijo que fue una bendita suerte inesperada.

No le voy a contar esto a Miss Skeeter, no puedo decirle que ha terminado contribuyendo a la causa contra la que luchaba. Pero pronto me entero de que no servirá de nada ocultárselo, porque Miss Hilly añade:

—Anoche le escribí una nota de agradecimiento a Skeeter. Le dije que nos ha ayudado mucho con la Iniciativa de Higiene Doméstica.

Con Miss Leefolt ocupada cosiendo ropitas para el nuevo bebé, Mae Mobley y yo pasamos cada minuto del día juntas. Se está haciendo ya muy grande para que la pueda llevar en brazos todo el rato, o igual soy yo la que está muy gorda. Para compensarla, le doy un montón de achuchones.

—¡Cuéntame mi cuento secreto! —me susurra con una gran sonrisa.

Siempre quiere que le cuente su cuento secreto, es lo primero que me pide en cuanto entro en casa, que le cuente una de las historias que me invento.

Entonces aparece Miss Leefolt con el bolso, preparada para marcharse.

—Mae Mobley, voy a salir. Ven a dar un abrazo a mamá.

Pero Mae Mobley no se mueve.

Miss Leefolt se queda con una mano apoyada en la cintura, esperando su premio.

—Vamos, Mae Mobley —le digo.

Le doy un golpecito con el codo y la pequeña se acerca para abrazar con fuerza a su madre, casi con desesperación, pero Miss Leefolt está ya ocupada buscando las llaves dentro del bolso. Sin embargo, parece que a Mae Mobley ya no le molesta como antes la indiferencia de su madre, aunque yo casi no puedo ni mirarla.

—¡Venga, Aibi! —me dice Mae Mobley después de que su madre se haya marchado—. Cuéntame mi cuento secreto.

Vamos a su habitación, nuestro lugar favorito para pasar el rato. Me siento en el sillón y ella trepa por mis piernas, sonríe y da saltitos.

—¡Cuéntame! ¡Cuéntame el cuento del regalo y el papel marrón!

Está tan ilusionada que no para quieta. Salta de mi regazo y da unas volteretas por el suelo para tranquilizarse un poco. Después, vuelve a trepar.

Es su cuento preferido, porque con él siempre se lleva dos regalos. Busco una bolsa marrón del supermercado Piggly Wiggly, arranco un trozo y envuelvo con él algo, un caramelo, por ejemplo. Luego, con el papel blanco de las bolsas de la tienda Cole envuelvo otro. Chiquitina quita los envoltorios muy seria mientras le explico que no es el color de fuera lo que importa, sino lo que hay en el interior.

—Hoy te voy a *contá* un cuento diferente —le digo, pero primero me quedo inmóvil, escuchando para asegurarme de que Miss Leefolt no ha vuelto a casa porque se haya olvidado algo. No hay moros en la costa—. Hoy voy a contarte el cuento del hombre del espacio.

Le encantan las historias de extraterrestres. Su programa preferido de la tele es *Mi marciano favorito*. Saco las antenas que hice anoche con papel de aluminio y nos las ponemos. Una para ella, otra para mí. Parecemos un par de locas con esos chismes en la cabeza.

—Érase una vez un marciano sabio que bajó a la Tierra *pa* enseñarnos algunas cosas —empiezo el cuento.

—¿Un marciano? ¿Cómo de grande?

—Oh, *pos* como de un metro noventa.

—¿Cómo se llama?

—Marciano Luther King.

Contiene la respiración sorprendida y apoya la cabeza en mi hombro. Siento su corazoncito de tres años latiendo contra mi pecho, aleteando como una mariposa sobre mi blanco uniforme.

–Era un marciano *mu* simpático, el *señó* King. Se parecía a nosotros: nariz, boca, pelo en la cabeza... Pero a veces la gente se reía de él y, bueno, había algunos que eran *mu* malos con él.

Puedo crearme muchos problemas por contarle estas historias, sobre todo como se entere Mister Leefolt. Pero Mae Mobley sabe que son nuestros «cuentos secretos».

–¿Por qué, Aibi? ¿Por qué se portaban tan mal con él? –me pregunta.

–Porque era verde.

Esta mañana el teléfono de Miss Leefolt sonó un par de veces y en ninguna de las dos me dio tiempo a responder. La primera porque estaba persiguiendo a Chiquitina, que corría desnuda por el jardín, y la segunda porque me encontraba haciendo mis cosas en mi retrete de fuera. Como era de esperar, Miss Leefolt, que salió de cuentas hace ya tres (sí, ¡tres!) semanas, tampoco pudo contestar al teléfono. Pero no me esperaba que me echara la bronca por no llegar yo. ¡Leches! Debería haberlo sabido cuando me levanté esta mañana.

Anoche, estuve trabajando con Miss Skeeter en las historias hasta casi la medianoche. Estoy derrengada, pero acabamos el capítulo ocho, lo cual significa que sólo nos quedan cuatro para terminar. El 5 de enero es la fecha límite y no sé si vamos a tenerlo listo.

Ya estamos en el tercer miércoles de octubre, así que hoy toca partida de *bridge* en casa de Miss Leefolt. Todo ha cambiado desde que expulsaron a Miss Skeeter. Ahora vienen Miss Jeanie Caldwell, esa que le llama «cariño» a todo el mundo, y Miss Lou Anne, la que sustituyó a Miss Walter. Todas son muy educadas y serias, y se pasan las dos horas de la partida dándose coba las unas a las otras. Ya no resulta divertido escucharlas.

Estoy sirviendo el último té helado cuando, ding-dong, suena el timbre. Corro a la puerta para que Miss Leefolt vea que no soy tan lenta como ella dice.

Cuando abro, me quedo alelada ante la visión de un rosa tan chillón. Es la primera vez que veo a esta mujer, pero he oído hablar de ella a Minny tantas veces como para reconocerla al instante. ¿Qué otra persona en esta ciudad iba a meter unas tetas tan grandes en un jersey tan minúsculo?

—¡Hola! —saluda, humedeciendo sus labios llenos de pintalabios.

Alarga la mano hacia mí y pienso que me va a entregar algo. Me dispongo a agarrar lo que sea y... resulta que me da un ligero apretón de manos.

—Me llamo Celia Foote. Quería ver a Miss Elizabeth Leefolt, por favor.

Estoy tan ensimismada por todo ese rosa que me cuesta unos segundos darme cuenta de lo mal que esto puede terminar para mí, y para Minny. Ha pasado ya tiempo, pero la mentira que le contamos a esta mujer sigue ahí.

—Yo... esto... —Le diría que no hay nadie en casa, pero la mesa de *bridge* está a apenas dos metros detrás de mí.

Me vuelvo y veo que las cuatro mujeres miran a la puerta con las bocas tan abiertas que se les podría colar una mosca. Miss Caldwell le dice algo al oído a Miss Hilly. Miss Leefolt se pone en pie con torpeza y fuerza una sonrisa.

—Hola, Celia —dice Miss Leefolt—. ¡Cuánto tiempo!

Miss Celia carraspea y dice en voz demasiado alta:

—Hola, Elizabeth. Pasaba a verte para... —Parpadea al ver la mesa donde están las otras mujeres—. Pero no, os estoy interrumpiendo. Ya... vendré otro día.

—No, no. ¿Qué puedo hacer por ti? —dice Miss Leefolt.

Miss Celia toma aire y su pecho se hincha aún más en su ajustadísimo jersey rosa. Por un instante, creo que todas pensamos lo mismo: «¡A ver si esta mujer va a estallar como un globo!».

—Quería ofreceros mi ayuda para la Gala Benéfica de la Liga de Damas.

Miss Leefolt sonríe y dice:

—¡Ah! Bueno, yo...

—Se me da bastante bien confeccionar ramos de flores. Todo el mundo me lo decía en mi pueblo. Hasta mi criada me lo comentó, justo después de decir que era la peor cocinera que había visto en su vida. –Suelta una risita tonta mientras se me corta la respiración al oír la palabra «criada». La mujer recupera la compostura y añade–: También puedo hacer otras cosas, como enviar invitaciones, pegar sellos...

Miss Hilly se levanta de la mesa, se acerca un poco y dice:

–No necesitamos ayuda, pero nos encantaría que Johnny y tú asistierais a la gala, Celia.

Miss Celia sonríe y pone una cara de agradecimiento tan sincero que partiría el corazón a cualquiera... que tenga corazón.

–Oh, gracias. Iremos encantados.

–Es un viernes, el 29 de noviembre en...

–... el hotel Robert E. Lee –termina la frase Miss Celia–. Ya lo sabía.

–Podemos venderte alguna entrada. Johnny vendrá contigo, ¿verdad? Tráele unas entradas, Elizabeth.

–Si hay algo en lo que pueda ayudaros...

–No, no hace falta –dice Hilly sonriendo–. Lo tenemos todo ya organizado.

Miss Leefolt llega con un sobre. Saca un par de entradas, pero Miss Hilly le quita el sobre de las manos.

–Ya que estás aquí, Celia, ¿por qué no compras entradas para tus amigos?

Miss Celia se queda helada por un segundo.

–Oh, vale –responde.

–¿Qué tal diez? Para ti, Johnny y ocho amigos. Así podréis tener una mesa para vosotros solos.

Miss Celia sonríe de manera tan forzada que empieza a temblar.

–Creo que con dos bastará.

Miss Hilly saca dos entradas y le devuelve el sobre a Miss Leefolt, que se retira a guardarlo.

–Espera que saque la chequera. ¡Por suerte la metí en el bolso esta mañana! Es que Minny, mi criada, me pidió que le trajera un hueso de jamón de la ciudad.

Mientras Miss Celia intenta garabatear como puede el cheque apoyándolo en la rodilla, yo permanezco petrificada, pidiendo a Dios que Miss Hilly no se haya dado cuenta de lo que esta mujer acaba de decir. Por fin, le pasa el cheque, pero Miss Hilly está con el ceño fruncido, pensando.

–Perdona... ¿Cómo has dicho que se llama tu criada?

–Minny Jackson. ¡Ay! ¡Carajo! –Miss Celia se tapa la boca con la mano–. Le prometí a Elizabeth que nunca diría que ella me la recomendó, y ya estoy yéndome de la lengua.

–Elizabeth... ¿te recomendó a Minny Jackson?

Miss Leefolt regresa del dormitorio.

–Aibileen, la niña se ha despertado. Ve a verla ahora mismo, que no soy capaz de levantar un alfiler del suelo con este dolor de espalda.

A toda prisa, voy al cuarto de Mae Mobley, pero en cuanto me asomo a su puerta veo que Chiquitina se ha vuelto a dormir. Regreso corriendo al comedor y llego justo cuando Miss Hilly está cerrando la puerta.

Miss Hilly se sienta, con cara de estar más feliz que unas castañuelas.

–Aibileen –dice Miss Leefolt–, puedes empezar a servir las ensaladas, estamos esperando.

Voy a la cocina. Cuando regreso al comedor, los platos que llevo en la bandeja tiemblan casi tanto como mis dientes.

–... la que robó toda la plata de tu madre y...

–... pensaba que todo el mundo en esta ciudad sabía que esa negra era una ladrona...

–... nunca jamás se me ocurriría recomendar...

–... ¿habéis visto qué ropa llevaba? Pero ¿quién se habrá...?

–Pienso enterarme de qué está pasando, aunque pierda la vida en el intento –dice Miss Hilly.

Minny

Capítulo 24

Mientras espero a que Miss Celia regrese a casa, no hago más que fregar en la cocina. He hecho jirones el trapo de tanto estrujarlo. Esa loca se levantó esta mañana, se embutió en el jersey rosa más ajustado que encontró en su armario, lo cual no es moco de pavo, y exclamó:

—Minny, he decidido que voy a pasarme por casa de Elizabeth Leefolt, así que me marcho ahora mismo, antes de que me entren las dudas otra vez.

Y se largó en su auto Bel Aire descapotable con la falda pillada por la puerta.

Me he pasado toda la mañana temblando como un flan hasta que sonó el teléfono. Era Aibileen, que tenía un ataque de hipo de lo nerviosa que estaba. Miss Celia no sólo les había contado a las otras que Minny Jackson servía en su casa, sino que además dijo que Miss Leefolt «me recomendó». Aibileen no había podido enterarse de más. Esas cotorras no tardarán ni cinco minutos en descubrirlo todo.

Así que, ahora, sólo me queda esperar, esperar a ver lo siguiente: uno, si despiden a la mejor amiga que tengo en el mundo por haberme conseguido un trabajo; dos, si Miss Hilly le contó a Miss Celia esas mentiras de que soy una ladrona; dos y medio, si Miss Hilly le explicó a Miss Celia lo que le hice para vengarme de esos embustes. No me arrepiento de la terrible trastada que le hice, pero ahora que Miss Hilly se las ha arreglado para que su criada se pudra en la cárcel, no quiero ni imaginarme lo que me podría hacer a mí.

El coche de Miss Celia no aparece hasta las cuatro y diez, una hora después de que haya terminado mi trabajo. La mujer se acerca sonriente hacia la casa, como si tuviera algo que contarme. Me subo las medias, nerviosa.

—¡Minny! ¿Qué haces aquí tan tarde? —me grita.

—¿Qué ha pasado en casa de Miss Leefolt? —le pregunto sin andarme con rodeos, pues necesito saber la verdad.

—¡Vete, por favor! Johnny puede llegar en cualquier momento —dice, empujándome hacia el cuarto de baño donde guardo mis cosas—. Mañana te lo cuento todo.

Por primera vez desde que trabajo aquí, no me apetece marcharme a mi casa. Quiero escuchar lo que Miss Hilly ha dicho sobre mí. Si alguien te cuenta que tu criada es una ladrona es como si te dijeran que el profesor de tus hijos es un sobón. No le concedes el beneficio de la duda, la mandas al infierno a las primeras de cambio.

Pero Miss Celia no va a contarme nada. Me echa de casa para poder seguir con su pantomima, tan retorcida como una enredadera. Mister Johnny ya sabe que trabajo aquí; Miss Celia sabe que su marido lo sabe, pero Mister Johnny no sabe que Miss Celia sabe que él lo sabe. Y gracias a esta ridícula situación, tengo que marcharme a las cuatro y diez, consciente de que me pasaré toda la noche sin dormir pensando en Miss Hilly.

Al día siguiente, al salir hacia el trabajo, suena el teléfono de mi casa. Es Aibileen.

—He *llamao* a la pobre Fanny esta mañana porque sé que te habrás *pasao toa* la noche dándole vueltas. —La «pobre» Fanny es la nueva criada de Miss Hilly, aunque deberíamos llamarle la «idiota de Fanny» por aceptar trabajar para esa mujer—. Ha oído que Miss Leefolt y Miss Hilly creen que fuiste tú la que se inventó *to* esto de la recomendación *pa* que Miss Celia te diera el trabajo.

¡Buff!, respiro aliviada.

–Me alegro de que no *t'hayan metío* en medio –digo–, aunque ahora Miss Hilly andará diciendo de mí que, además de ladrona, soy una mentirosa.

–No te preocupes por mí –dice Aibileen–. Lo que *ties* que *hacé* es *evitá* que Miss Hilly hable con la bocazas de tu jefa.

Cuando llego al trabajo, Miss Celia sale por la puerta. Se va de compras a buscar un vestido para la Gala Benéfica del mes que viene. Dice que quiere ser la primera en llegar a la tienda. Las cosas ya no son como cuando estaba preñada, ahora no hay forma de que se pase un minuto en casa.

Salgo al patio trasero y quito el polvo a las sillas del jardín. Los pájaros escapan volando en desbandada cuando me ven, haciendo vibrar al arbusto de las camelias. Miss Celia siempre me insiste para que recoja las flores que se caen y las ponga en casa, pero ya me conozco yo las camelias, ya. Te traes un ramo a casa, pensando que están frescas, y en cuanto te acercas a olerlas te das cuenta de que acabas de meter en tu hogar a un ejército de ácaros.

Oigo el ruido de un palo al partirse detrás de los arbustos, y luego otro. Me quedo helada y un escalofrío me recorre la espalda. Estamos en mitad de ninguna parte, nadie oiría mis gritos en kilómetros a la redonda. Afino el oído, pero no me llega nada. Me imagino que serán recuerdos de la antigua aprensión que tenía porque Mister Johnny me descubriera. O igual estoy paranoica porque anoche estuve trabajando con Miss Skeeter en el libro. Siempre que hablo con esa mujer me pongo de los nervios.

Finalmente, sigo limpiando las sillas de la piscina, recogiendo del césped las revistas de cine de Miss Celia y los pañuelos que esa marrana deja tirados por el jardín. De repente, suena el teléfono en la casa. Se supone que no tengo que contestar al teléfono mientras Miss Celia siga guardando el gran secreto de mi existencia a Mister Johnny. Pero ahora ella no está en casa, y podría ser Aibileen con noticias. Vuelvo al interior y cierro la puerta.

–Residencia de Miss Celia.

Dios, espero que no sea la propia Miss Celia la que llama.

–Hilly Holbrook al aparato. ¿Con quién hablo?

El corazón se me detiene. Durante cinco segundos, me convierto en un cuerpo vacío, sin sangre en las venas.

Bajo la voz e intento que suene ronca para parecer otra persona.

–Soy Doreena, la criada de Miss Celia.

¿Doreena? ¿Por qué habré utilizado el nombre de mi hermana?

–¿Doreena? Creía que la sirvienta de Miss Foote se llamaba Minny Jackson.

–Minny... dejó el trabajo.

–¿De verdad? Pásame a Miss Foote.

–Está... de viaje. En la costa, por...

Mi cerebro pedalea a mil por hora intentando inventar más detalles.

–¿Cuándo volverá?

–Dentro de unos cuantos días.

–Bueno, cuando llegue, dile que he llamado. Soy Hilly Holbrook, de Emerson. Mi número es seis, ocho, cuatro, cero. ¿Entendido?

–Sí, señorita. Se lo diré.

Dentro de cien años, maldita bruja.

Me aferro al borde de la encimera, esperando a que el corazón me vuelva a latir con normalidad. No me preocupa que Miss Hilly me encuentre. A ver, con sólo consultar la guía de teléfonos y buscar Minny Jackson en Tick Road podría conseguir mi dirección. Tampoco me importan los embustes que cuente sobre mí, podría explicarle a Miss Celia lo que pasó, decirle que no soy ninguna ladrona e igual hasta me cree. Lo que lo estropea todo es la terrible trastada.

Cuatro horas más tarde Miss Celia aparece cargada con cinco cajas apiladas una encima de la otra. La ayudo a llevarlas hasta el dormitorio y me quedo quieta detrás de la puerta para escuchar si empieza a llamar a las mujeres de la Liga de Damas, como de costumbre. En efecto, oigo que levanta el auricular, pero al instante cuelga. La muy idiota sigue con su manía de comprobar si hay línea por si alguien la llamase.

Aunque estamos en la tercera semana de octubre, el verano parece no haberse marchado y sigue machacándonos con su ritmo de secadora. El césped del jardín de Miss Celia todavía está de un verde maravilloso y las dalias anaranjadas siguen sonriéndole al sol. Por la noche, los malditos mosquitos salen a la caza de sangre. Las cajas de compresas para el sudor han subido a tres centavos y mi ventilador eléctrico está estropeado en el suelo de la cocina.

Una mañana, tres días después de la llamada de Miss Hilly, llego con media hora de adelanto a trabajar. He dejado a Sugar encargada de llevar a los críos a la escuela. Pongo el café en la máquina y añado el agua. Apoyo el trasero en la encimera. ¡Qué tranquilidad! Me he pasado toda la noche esperando este momento.

El frigorífico empieza a zumbar después de tirarse un rato en silencio. Poso la mano en la puerta para sentir su vibración.

—¡Qué pronto has venido, Minny!

Abro el frigorífico y escondo la cabeza dentro.

—*Güenos* días —la saludo desde el cajón de las verduras.

«Todavía es pronto para que me vea», digo para mis adentros. Toco unas alcachofas y las frías espinas del tallo se me clavan en las manos. Con la espalda inclinada de este modo, el dolor aumenta.

—Voy a prepararle a Mister Johnny y a *usté* un asado y... unas... —pero las palabras se me atascan en la garganta.

—Minny, ¿te pasa algo?

Antes de que me dé cuenta, Miss Celia está junto a la puerta del frigorífico. Mi rostro se tensa y el corte de la ceja se vuelve a abrir. La sangre caliente se desliza por mi rostro como si me pasaran una cuchilla por la cara. Normalmente, Leroy no me deja marcas visibles, pero esta vez sí.

–Ay, cariño, siéntate. ¿Te has caído? –Miss Celia pone los brazos en jarras sobre su camisón rosa–. ¿Has vuelto a tropezar con el cable del ventilador?

–Estoy bien –le digo, y procuro girarme para que no pueda verme.

Pero Miss Celia se acerca a mí y contempla con asco el corte, como si fuera lo más doloroso que ha visto en su vida. Una vez, una blanca me dijo que la sangre de las personas de color parece más roja. Saco del bolsillo una bola de algodón y la aprieto contra el rostro.

–No es *na*. Me resbalé en la bañera.

–Minny, eso está sangrando. Creo que necesitas puntos. Espera, que llamo al doctor Neal. –Descuelga el teléfono de la pared, pero enseguida cuelga–. ¡Anda! Si está de caza con Johnny. Pues llamaré al doctor Steele.

–Miss Celia, no necesito a ningún *doctó*.

–Necesitas atención médica, Minny –protesta, y levanta otra vez el teléfono.

¡No me lo puedo creer! ¿De verdad esta idiota necesita que se lo explique? Rechinando los dientes, le digo:

–Miss Celia, esos médicos de los que habla no tratan a la gente de *coló*.

Cuelga otra vez.

Me doy la vuelta y me dirijo al fregadero. Intento concentrarme. «Esto no es asunto de nadie, Minny, haz tu trabajo y ya está.» Pero no he pegado ojo en toda la noche. Leroy no ha parado de gritarme, me lanzó el tarro del azúcar a la cabeza y tiró mi ropa por el porche. A ver, cuando se pone tibio a vino barato es una cosa, pero... ¡Ay! Siento una humillación tan pesada que me parece que me aplasta contra el suelo... Esta vez Leroy no estaba como una cuba. Esta vez me pegó totalmente sobrio, sin una gota de alcohol en las venas.

–Salga de aquí, Miss Celia, déjeme *hacé* mi trabajo –digo, porque necesito quedarme un rato a solas.

Al principio, pensé que Leroy se había enterado de que colaboro con las historias de Miss Skeeter. Era la única razón que se me ocurría para que me moliera a palos. Pero no mencionó el tema. Parecía que me estuviera pegando sólo por el placer de hacerlo.

–Minny –dice Miss Celia, mirando otra vez el corte–, ¿estás segura de que te hiciste eso en la bañera?

Dejo correr el agua del grifo para que haya algo de ruido en la habitación.

–Ya se lo he dicho, me lo hice en la bañera, ¿está claro?

Me mira con recelo y, señalándome con el dedo, añade:

–Está bien, pero ahora mismo voy a prepararte un café y quiero que te tomes el día libre, ¿entendido?

Miss Celia se dirige a la máquina de café y prepara dos tazas. Pone leche en la suya y luego se detiene y me contempla sorprendida.

–No sé cómo tomas el café, Minny.

–Igual que *usté* –digo, entornando los ojos.

Echa dos azucarillos en cada taza. Me sirve el café y se queda de pie, mirando por la ventana que da al jardín trasero, con la mandíbula tensa. Empiezo a fregar los platos de la noche anterior, deseando que me deje en paz.

–¿Sabes? –dice en voz baja–. Puedes contármelo todo, Minny, no pasa nada.

Sigo fregando, sintiendo que me arde la nariz.

–Cuando vivía en Sugar Ditch vi muchas cosas. De hecho...

La miro, dispuesta a decirle que no se meta en mis asuntos, cuando de repente sus ojos se abren como platos y dice con voz extraña:

–Minny, creo que deberíamos llamar a la policía.

Dejo caer mi taza, que salpica de café la mesa.

–¡Ah, no, eso sí que no! No pienso *meté* a la policía de por medio en mis...

Señala a la ventana y dice:

–Hay un hombre ahí fuera.

Me vuelvo para mirar en la dirección que me indica. Hay un hombre, ¡desnudo!, entre los arbustos de azaleas. Parpadeo para comprobar que es verdad lo que estoy viendo. Es alto, blanco y paliducho. Está de espaldas a nosotras a unos cinco metros de la ventana. Tiene el pelo enmarañado y largo como los mendigos. Aunque sólo puedo verle la espalda, está claro que se está tocando.

–¿Quién es ese tipo? –me susurra Miss Celia–. ¿Qué está haciendo aquí?

El hombre mira hacia nosotras, como si nos hubiera oído. Las dos abrimos la boca, pues el muy guarro se agarra el cipote entre las manos y nos lo ofrece como si fuera un bocadillo.

–¡Ay, Dios mío! –dice Miss Celia.

Los ojos del hombre buscan la ventana y se encuentran con los míos. Me observa desde el césped y siento un escalofrío. Parece que me conociera. Me mira con desprecio, como si me mereciera cada mal trago que he sufrido, cada noche que me he pasado sin dormir, cada tortazo que me ha dado Leroy. Como si me mereciera todo eso y más.

El hombre empieza a darse puñetazos en la palma de su mano con un ritmo lento. ¡Placa, placa, placa! Como si supiera perfectamente lo que va a hacerme. Siento que la herida de mi ceja vuelve a abrirse.

–¡Tenemos que llamar a la policía! –susurra Miss Celia.

Busca con los ojos el teléfono que está al otro lado de la cocina, pero no se atreve a moverse de su sitio.

–Tardarán tres cuartos de hora en *llegá* hasta aquí –digo–. *Pa* entonces, ese tipo ya habrá *tirao* la puerta abajo.

Corro a la puerta del jardín y echo el pestillo. Me dirijo a la entrada principal y la cierro también, agachada cuando paso ante la ventana de la cocina. Con mucho sigilo, miro por la ventanita que hay junto a la puerta del jardín, mientras Miss Celia le vigila desde la de la cocina.

El hombre se acerca muy despacito a la casa, sube las escaleras del porche e intenta abrir la puerta. Observo cómo sacude el pomo sintiendo que el corazón me golpea con fuerza las costillas. Escucho a Miss Celia en el teléfono:

–¿Policía? ¡Están invadiendo nuestra propiedad! Un hombre desnudo está intentando entrar en...

Me aparto de la ventanita justo antes de que una piedra la atraviese y evito que los fragmentos de cristal me den en la cara.

Por la ventana de la cocina, veo que el hombre retrocede unos pasos, buscando otro lugar por el que intentarlo. «Señor –rezo–, no quiero hacerlo. No me obligues a hacerlo.»

El hombre nos contempla de nuevo desde fuera de la casa. Sé que no podemos quedarnos aquí paradas como unas pavas esperando a que entre. Lo tiene muy fácil, basta con que rompa una de las grandes ventanas del salón y colarse dentro.

Ay, Dios, ya sé lo que me toca hacer. Tengo que salir ahí fuera y plantarle cara.

–Quédese aquí, Miss Celia –le ordeno con voz temblorosa.

Voy en busca del cuchillo de caza de Mister Johnny, que está dentro de su funda en la habitación del oso. El filo es demasiado corto, tendría que acercarme demasiado al hombre para poder rozarle, así que agarro también la escoba. Miro al exterior y veo que está en medio del jardín; observa la casa, discurriendo cómo entrar.

Abro la puerta trasera y salgo. Desde el jardín, el hombre me sonríe, enseñándome los dos únicos dientes que le quedan en la boca. Deja de darse golpes en la palma de la mano y vuelve a sobarse, ahora con un ritmo más suave.

–¡Cierre la puerta! –bufo a Miss Celia–. Déjela *cerrá*.

Oigo el pestillo de la puerta. Me cuelgo el cuchillo del cinturón del uniforme, asegurándome de que está bien prieto, y sujeto la escoba con ambas manos.

–¡Fuera de aquí, loco! –grito.

Pero el hombre ni se inmuta. Avanzo unos pasos, y él hace lo mismo. Empiezo a rezar: *«Señó, protégeme de este blanco desnudo...».*

–¡Tengo un cuchillo! –aúllo.

Me acerco un poco más y él también. Cuando estoy a un par de metros, no puedo parar de jadear. Los dos nos miramos a los ojos.

–¡Eres una negra gorda! –me dice en voz alta mientras se la menea más rápido.

Contengo la respiración, me abalanzo sobre él y le ataco con la escoba. ¡Pumba! Pero fallo por unos centímetros. El hombre escapa de mí dando saltitos. Embisto de nuevo contra él y sale corriendo hacia la casa, en dirección a la puerta trasera junto a la que Miss Celia nos observa por la ventana.

–¡La negra no puede alcanzarme! ¡La negra está muy gorda y no puede correr!

Llega al porche y me asusto al pensar que va a intentar derribar la puerta. Sin embargo, se vuelve y empieza a rodear la casa con esa salchicha hinchada en la mano.

–¡Sal de aquí! –grito mientras le persigo.

Siento un dolor agudo en la ceja, pues el corte se me está abriendo cada vez más.

Corro detrás de él, por los arbustos y junto a la piscina, asfixiada y jadeando. Se detiene al borde del agua y aprovecho para acercarme y darle un buen escobazo en el trasero. ¡Pumba! El palo se parte y el cepillo sale volando.

–¡No me ha dolido! –exclama, mientras sigue tocándose abajo–. ¿Quieres un bocadillo de rabo, negra? ¡Anda, ven, toma un poco de rabo!

Le persigo otra vez por el jardín, pero el hombre es demasiado alto y rápido y yo ya no puedo más. Los golpes que intento darle con lo que me queda de escoba son cada vez más alocados y ya casi no soy capaz de andar. Me detengo y me agacho un poco, con la respiración acelerada, apoyándome en el palo de la escoba. Me busco el cuchillo en la cintura, pero no está.

Me doy la vuelta y... ¡plas!

Me tambaleo un poco. Me silban los oídos con tanta fuerza que siento que me voy a desmayar. Me tapo la oreja pero el zumbido suena más alto. El muy bastardo me ha dado un puñetazo en el lado de la cara donde tengo el corte.

Se acerca otra vez y cierro los ojos. Sé lo que va a hacerme, sé que tengo que apartarme pero no puedo. ¿Dónde está el cuchillo? ¿No lo tendrá él? Este pitido es como una pesadilla.

–¡Largo de aquí ahora mismo o te mato! –retumba una voz en mi cabeza.

Abro los ojos y veo a Miss Celia con su camisón rosa de satén. Lleva un pesado y afilado atizador de chimenea en la mano.

–¡Hombre!, ¿la blanquita también quiere un poco de boca-dillo de rabo?

El hombre se vuelve y apunta con su pene a Miss Celia, que se acerca lentamente a él, moviéndose como una gata. Conten-go la respiración mientras el tipo salta de un lado a otro, rién-dose y haciendo chocar sus desnudas encías. Miss Celia, mien-tras tanto, se queda quieta.

Pasados unos segundos, el hombre frunce el ceño. Parece enfadado porque Miss Celia no reacciona ante sus locuras, no intenta golpearle ni le grita. Entonces, mira hacia mí y me dice:

–¿Qué pasa contigo? ¿La negra está cansada y no...?

¡Pumba!

La mandíbula del hombre se desencaja y un chorro de san-gre le sale de la boca. Se tambalea, intenta darse la vuelta y Miss Celia le atiza en el otro lado de la cara, como queriendo ayudarle a recuperar el equilibrio.

El hombre se trastabilla con la mirada perdida y cae de morros.

–¡Santo Dios! Le... Le ha *noqueao!* –grito.

En mi interior, una voz me pregunta con toda tranquilidad, como si estuviéramos tomándonos un té en el jardín: «¿Esto está sucediendo de verdad? ¿Una mujer blanca le acaba de romper la crisma a un hombre blanco para salvarme a mí, a una negra? ¿O el puñetazo que me ha dado este tipo me ha par-tido la cabeza y estoy tirada en el suelo, muerta?».

Intento enfocar la mirada. Miss Celia gruñe algo, levanta el atizador y, ¡pata-clam!, le zurra en los muslos.

Esto no puede estar pasando, todo es muy extraño.

¡Pata-clam! Le vuelve a pegar, esta vez en los hombros. Con cada golpe, Miss Celia suelta un juramento.

–Le... le digo que le ha *noqueao,* Miss Celia –repito.

Pero resulta evidente que Miss Celia no está muy conven-cida. A pesar del pitido que tengo en los oídos, puedo escuchar los golpes que le da. Suenan igual que cuando parto huesos de pollo en la cocina. Me incorporo e intento centrarme antes de que esto termine en un asesinato.

–Ya vale, Miss Celia, ya vale... De hecho –preciso mientras forcejeo con ella para quitarle el atizador–, puede que esté muerto.

Consigo quitarle el objeto, que sale por los aires y aterriza sobre el césped. Miss Celia se aparta de él y escupe sobre la hierba. Se ha manchado de sangre el camisón rosa de satén y la tela se le pega a las piernas.

–No está muerto –dice.

–Pero casi –apunto.

–¿Te ha hecho daño, Minny? –me pregunta, sin apartar la vista del hombre–. ¿Te duele mucho?

Noto que la sangre me resbala por la cara, pero sé que es del corte que me hizo Leroy al tirarme el tarro de azúcar, que se ha vuelto a abrir.

–Bueno, no me ha hecho tanto daño como *usté* a él.

El hombre suelta un gemido y las dos retrocedemos un paso. Me hago con el atizador y el mango de la escoba, pero para mantenerlos lejos de Miss Celia.

El hombre se da la vuelta en el suelo. Tiene sangre a ambos lados de la cara y los ojos cerrados por los moratones. Su mandíbula está desencajada, pero, no sé muy bien cómo, consigue ponerse de pie y empieza a alejarse con pasos inestables. Ni siquiera nos mira. Nos quedamos allí observando cómo atraviesa cojeando los arbustos y desaparece entre los árboles.

–No creo que llegue *mu* lejos –digo, con el puño cerrado sobre el atizador–. Le ha *zurrao* de lo lindo.

–¿Tú crees?

–¡Se parecía a Joe Louis con una barra de hierro! –digo, mirándola de arriba abajo.

Se aparta un mechón de cabello rubio del rostro y me mira como si le doliera que me hayan pegado. De repente, me doy cuenta de que debería darle las gracias pero, la verdad, no me salen las palabras. Es algo totalmente nuevo para mí. Lo único que acierto a decir es:

–Ha *estao* muy fuerte... y decidida.

–Se me daba bien pelear. –Mira hacia los árboles y se seca el sudor de la frente con la palma de la mano–. Si me hubieras conocido hace diez años...

No tiene potingues en el rostro ni laca en el pelo, y su camisón parece un viejo vestido de campo. Aspira profundamente y entonces puedo ver a la muchacha blanca de baja estofa que era hace diez años. Una chica dura que no dejaba que nadie se metiera con ella.

Miss Celia se da la vuelta y la sigo al interior de la casa. Encuentro el cuchillo junto a un rosal y lo recojo. ¡Ay, señor! Si ese hombre lo hubiera visto, ahora estaríamos muertas. En el baño de invitados, me lavo el corte y lo tapo con una tirita blanca. Me duele un montón la cabeza. Cuando salgo, escucho a Miss Celia hablando por teléfono con la policía del condado de Madison.

Me lavo las manos preguntándome qué más me espera en este día tan horrible. Se supone que llegados a cierto punto no pueden sucederte más calamidades. Intento volver a pensar en la vida real otra vez. Quizá debería quedarme a dormir en casa de mi hermana Octavia esta noche, para que Leroy se dé cuenta de que no pienso tolerar que me vuelva a pegar. Entro en la cocina y pongo las alubias a cocer a fuego lento. ¿A quién intento engañar? Sé perfectamente que esta noche acabaré en casa.

Escucho cómo Miss Celia termina de hablar con la policía y cuelga el teléfono. Después, lleva a cabo su penoso ritual de volver a levantar el auricular para comprobar que hay línea.

Esa misma tarde hago algo horrible. Mientras conduzco de regreso a casa veo a Aibileen andando desde la parada del autobús. Mi mejor amiga me hace un gesto con la mano, pero finjo no verla, a pesar de que paso a su lado y ella lleva su llamativo uniforme blanco.

Cuando llego a casa, me pongo una bolsa con hielos en el ojo. Los niños todavía no han vuelto del colegio y Leroy está dormido en la habitación. No sé qué hacer, ni con Leroy, ni con

Miss Hilly. Y encima, esta mañana un blanco desnudo me ha atizado un puñetazo en la oreja. Me quedo sentada contemplando las grasientas paredes de la cocina. ¿Por qué nunca consigo que estén limpias?

–¡Minny Jackson! ¿Quién te has *creío* que eres *pa* no *montá* a la vieja Aibileen en tu coche?

Suspiro y giro mi magullada cabeza para que pueda verla.

–¡Córcholis! –exclama.

Miro de nuevo a la pared.

–Aibileen –digo, con un suspiro–, no te vas a *creé* lo que me ha *pasao* hoy.

–Ven a mi casa, te preparo un café y me lo cuentas.

Antes de salir, me quito el llamativo vendaje y lo meto en el bolso con la bolsa de hielos. Para mucha gente en este barrio, un corte en la ceja no sería motivo de comentarios. Pero yo tengo hijos que van a la escuela, un coche que funciona y hasta un frigorífico con congelador. Estoy orgullosa de mi familia, y la humillación que me produce esta herida es peor que el dolor.

Sigo a Aibileen por callejones y patios traseros, evitando el tráfico y las miradas. Me alegro de que mi amiga me conozca tan bien y haya elegido este camino apartado de la vista de los vecinos.

Ya en su pequeña cocina, Aibileen prepara la cafetera para mí y la tetera para ella.

–Bueno, ¿qué piensas *hacé* al respecto? –me pregunta Aibileen, y sé que se refiere a lo del ojo.

Dejar a Leroy, ni lo considero. Muchos hombres de color abandonan a sus familias, pero eso es algo que las mujeres no podemos hacer. ¿Quién se encargaría de los críos?

–He *pensao* en irme a casa de mi hermana, pero no puedo *llevá* a los críos, tienen que ir a la escuela.

–No pasa *na* si los críos se pierden unos días de clase, sobre *to* si es *pa* protegerte.

Me pongo otra vez la venda y me aplico la bolsa de hielos para que no esté tan hinchado cuando esta noche lo vean los niños.

–¿Le has vuelto a *decí* a Miss Celia que te has *caío* en la bañera?

–Sí, pero no se lo ha *creío*.

–¿Por qué? ¿Qué *t' ha* dicho? –pregunta Aibileen.

–¡*Mejó* di qué ha hecho! –exclamo, y le cuento a Aibileen cómo Miss Celia le partió la crisma al tío desnudo con el atizador.

Aunque ha sucedido esta mañana, me parece que hayan pasado ya diez años desde entonces.

–Si ese fulano hubiera *sío* de *coló,* ya estaría muerto. Le habrían puesto en busca y captura en *tos* los *estaos* del país –dice Aibileen.

–¡Quién lo iba a *decí!* ¡Con lo modosita y fina que parecía la señorita! Pues casi se lo carga...

Aibileen se ríe y me pregunta:

–¿Cómo dices que lo llamaba?

–«Bocadillo de rabo». ¡Maldito *chiflao!*

Tengo que contenerme para no echarme a reír, porque se me abriría el corte otra vez.

–¡Leches, Minny! Te pasa cada cosa...

–¿Cómo *pue* ser que esta *mujé* sepa defenderse tan bien de un *perturbao,* pero se arrastre detrás de Miss Hilly como rogándole que le pegue? –digo, aunque lo último que me preocupa ahora son los sentimientos de Miss Celia, por más que me siente bien hablar de las miserias de otra.

–Parece que te importe esa *mujé* –comenta Aibileen sonriendo.

–Es que no ve los límites, Aibileen. No es consciente de las barreras que hay entre ella y yo, o entre ella y Hilly.

Aibileen da un largo trago a su té. Pasado un rato, la miro y le pregunto:

–¿Por qué te quedas tan *callá?* Sé que quieres *decí* algo.

–Sí, pero si lo hago me vas a *acusá* de *hacé* filosofía barata.

–Adelante. No me da miedo tu filosofía.

–Pues mira, te lo diré: no *ties* razón.

–¿Qué dices?

–Lo que oyes. Estás hablando de cosas que en *realidá* no existen.

Muevo la cabeza delante de mi amiga.

–Por supuesto que existen las barreras, y además sabes tan bien como yo *ande* están.

Aibileen niega con un gesto.

–Antes creía en ellas, pero ya no. Sólo existen en nuestras cabezas. Hay gente, como Miss Hilly, *empeñá* en convencernos de que están ahí, pero no es *verdá*.

–Sí que existen, porque si las cruzas te castigan –protesto–. Por lo menos, a mí me pasa.

–Sabes que muchas mujeres creen que si le respondes al *marío,* estás cruzando las barreras y por eso mereces que te pegue. ¿Tú piensas así?

Bajo la mirada a la mesa y respondo:

–Sabes que *pa* mí no se aplica esa barrera.

–¡Porque no existe! Sólo está en la cabeza de Leroy. Y las barreras entre blancos y negros tampoco existen. Se las inventaron hace mucho tiempo. Y también las que separan a las señoritas bien y a la gente de clase baja.

Pienso en cómo salió Miss Celia al jardín atizador en mano, cuando podía haberse escondido detrás de la puerta. No sé, siento una punzada. Me gustaría que entendiera cómo son las cosas con Miss Hilly. Pero ¿cómo explicárselo a una tonta como ella?

–Entonces, *pa* ti, ¿tampoco hay barreras entre la criada y la señora?

Aibileen menea la cabeza.

–No son más que posiciones, como en un tablero de *ajedré.* Quién trabaja *pa* quién no significa *na.*

–Entonces, si le cuento a Miss Celia la *verdá,* que Miss Hilly no la considera digna de *entrá* en su círculo de amistades, ¿no estaré cruzando ninguna barrera? –Tomo mi taza de café. Estoy haciendo un gran esfuerzo por entenderlo, pero las palpitaciones de mi herida rebotan en mi cerebro–. Pero, espera... Si le digo que Miss Hilly no es de su clase... ¿No estaré admitiendo que existe una barrera entre ellas?

Aibileen se ríe y me agarra la mano.

—Lo único que quiero decirte es que no hay barreras *pa* la bondad.

—¡Puff! —Me vuelvo a poner el hielo en la cabeza—. Bueno, igual intento decírselo, antes de que esa *mujé* vaya a la Gala Benéfica con su ropa rosa y haga un ridículo tremendo.

—¿Vas a ir este año? —pregunta Aibileen.

—Si Miss Hilly va a *está* en la misma sala que Miss Celia contando sus mentiras sobre mí, me gustaría *está* presente. Además, Sugar quiere *hacé* un poco de dinero *pa Navidá*. Le vendrá bien *empezá* a *aprendé* a *serví* en fiestas.

—Yo también estaré —dice Aibileen—. Miss Leefolt me pidió hace ya tres meses que preparara una tarta de bizcocho *pa* la subasta.

—¿Otra vez ese pastel tan soso? ¿Por qué a los blancos les gusta tanto el bizcocho? ¡Sé hacer una docena de tartas mucho más ricas!

—Deben de *pensá* que eso da un toque *sofisticao*. —Aibileen mueve la cabeza—. Me da pena Miss Skeeter. Sé que no quiere ir, pero Miss Hilly le ha dicho que si no va se quedará sin su trabajo.

Me termino el excelente café de Aibileen y observo la puesta de sol. Por la ventana entra una brisa más fresca.

—Creo que ha *llegao* la hora de marcharme —digo, aunque me quedaría el resto de mi vida en la acogedora cocina de Aibileen escuchando mientras ella me explica cómo funciona el mundo.

Esto es lo que más me gusta de mi amiga, que es capaz de abordar las cosas más complicadas de la vida y reducirlas a algo tan sencillo y pequeño que te cabe en el bolsillo.

—¿Quieres *vení* con los críos a *dormí* aquí?

—No —digo, mientras me suelto el vendaje y lo meto en el bolso. Mirando a la taza de café vacía, añado—: Quiero que me vea. Que ese cerdo vea lo que le ha hecho a su *mujé*.

—Llámame si se pone violento, ¿*d'acuerdo*?

—No necesito teléfono. Desde aquí podrás oír sus gritos pidiéndome clemencia.

El termómetro que hay junto a la ventana de la cocina de Miss Celia cae de veinticinco grados a quince, y luego a doce en menos de una hora. Por fin llega un frente frío que trae aire fresco de Canadá, Chicago o algún sitio de por ahí. Estoy limpiando los guisantes mientras pienso en lo curioso que resulta que estemos respirando el mismo aire que hace un par de días respiraba la gente de Chicago. Sin ningún motivo en particular, me pregunto si ahora mismo me estarán viniendo a la cabeza Sears & Roebuck o Shake'n Bake porque alguien en Illinois estuvo pensando en ellos anteayer. Con estas tribulaciones, por lo menos consigo no acordarme de mis problemas durante cinco minutos.

Me costó unos cuantos días, pero por fin elaboré un plan. No es muy bueno, pero algo es algo. Sé que cada minuto que dejo pasar estoy dando una oportunidad a Miss Celia para que llame a Miss Hilly. Ya he esperado demasiado, y además las dos mujeres se verán las caras en la Gala Benéfica la semana que viene. Me pongo enferma sólo de pensar en Miss Celia, llena de maquillaje, alternando con todas esas señoritas como si fueran sus mejores amigas, y la cara que pondrá cuando le hablen de mí. Esta mañana, encontré al lado de la cama de Miss Celia la lista de cosas que quiere hacer antes de la gala: «Arreglarme las uñas; ir a la mercería; llevar el esmoquin a la tintorería y al planchador; llamar a Hilly Holbrook».

—Minny, ¿no te parece que este nuevo tinte para el pelo es un poco hortera?

Me la quedo mirando sin responder.

—Mañana pienso ir a la peluquera para que me lo tiña otra vez —dice sentada a la mesa de la cocina, con un puñado de muestras de tinte esparcidas delante de ella como una baraja de cartas—. ¿Cuál te gusta más? ¿Dorado o Marilyn Monroe?

—¿Por qué no le gusta el *coló* natural de su pelo?

La verdad es que no tengo ni idea de cuál es su color original, pero seguro que será mejor que ese dorado latón o ese horrible rubio de las muestras que me enseña.

—Creo que el dorado es un poco más alegre, para fiestas y cosas así, ¿no te parece?

–Bueno, si quiere que su cabeza parezca una cazuela de latón...

Miss Celia se ríe con su risita tonta. Debe de pensar que estoy bromeando.

–¡Ah! Tengo que enseñarte este nuevo esmalte de uñas.

Rebusca en el bolso y saca un frasco de algo tan rosa que parece que te lo puedas comer. Lo abre y empieza a pintarse las uñas.

–Por favor, Miss Celia, no se ponga eso encima de la mesa, es muy difícil de...

–¡Mira! ¿No es perfecto? Además, tengo dos vestidos a juego. ¡Exactamente el mismo tono!

Sale corriendo y regresa sonriente con un par de vestidos rosa chillón. Son largos, están llenos de lentejuelas y abiertos por la pierna. Cuelgan de la percha por unos tirantes tan delgados como un alambre. ¡Se la van a comer en esa fiesta!

–¿Cuál te gusta más? –me pregunta.

Señalo el que tiene menos escote.

–¡Oh, vaya! Yo prefiero el otro. Mira el ruidito que hace cuando ando.

Agita el vestido y me la imagino tintineando de un lado a otro en esa fiesta metida en esa cosa. No sé cuál es el equivalente blanco de una furcia de Juke Joint,[9] pero seguro que todo el mundo se lo llama y ella ni se dará cuenta de lo que pasa, sólo oirá los cuchicheos a su paso.

–¿Sabe, Miss Celia? –digo muy despacito, como si se me acabara de ocurrir–. En *lugá* de *llamá* tanto a esas señoritas, debería hacerse amiga de Miss Skeeter Phelan. Me han dicho que es *mu* maja.

Le pedí hace unos días este favor a Miss Skeeter, que intentara ser amable con Miss Celia para mantenerla apartada de las otras mujeres. Hasta ahora le tenía prohibido a Miss Skeeter responder a las llamadas de Miss Celia, pero en este momento es la única opción que me queda.

---

[9] Salones de baile para gente de color. *(N. del T.)*

–Creo que *usté* y Miss Skeeter se llevarían *mu* bien –añado, forzando una gran sonrisa.

–¡Oh, no! –Miss Celia me mira con los ojos muy abiertos, sujetando ese par de vestidos de cabaretera–. ¿No te has enterado? ¡Las damas de la Liga no soportan a Skeeter Phelan!

–¿*Usté* la conoce? –pregunto, cerrando los puños.

–He oído hablar de ella en la peluquería. Dicen que es la mayor vergüenza que ha conocido esta ciudad. También dicen que fue ella quien puso todos esos retretes en el jardín de Hilly Holbrook. ¿No viste las fotos que salieron en el periódico hace unos meses?

Rechino los dientes y tengo que esforzarme para no decir lo que pienso.

–Le he *preguntao* si la conoce.

–Pues no, pero si a todas no les cae bien debe de ser... bueno, algo debe... –responde, y su voz se va apagando como si sus propias palabras la hirieran.

Náuseas, asco, incredulidad... Todas esas sensaciones se enroscan a mi alrededor como la masa de un brazo de gitano. Me doy la vuelta y me sitúo frente al fregadero para resistir la tentación de terminar su frase. Me seco las manos con tanta fuerza que me hago daño. Ya sabía que esta mujer era tonta, pero no me imaginaba que fuera una hipócrita.

–¿Minny? –dice Miss Celia a mis espaldas.

–¿Sí, señora?

Habla tranquila, pero puedo notar la vergüenza en su voz.

–No me invitaron a entrar en su casa. Me tuvieron en la puerta como a un vendedor de enciclopedias.

Me vuelvo y veo que tiene los ojos clavados en el suelo.

–¿Por qué lo hacen, Minny? –susurra.

¿Qué puedo decirle? ¿Que es por su ropa, por su pelo, por cómo se le marcan las tetas en esos jerséis minúsculos que se pone? Pienso en las palabras de Aibileen sobre las barreras y la bondad. Recuerdo que mi amiga escuchó decir en casa de Miss Leefolt por qué a las mujeres de la Liga no les cae bien Miss Celia y me parece la respuesta más amable de todas.

—Porque saben que se quedó *preñá* de Mister Johnny y les molesta que apareciera de repente y se casara con uno de sus hombres.

—¿Lo saben?

—Además, porque Miss Hilly y Mister Johnny estuvieron saliendo juntos una buena *temporá*.

Parpadea un segundo y me dice:

—Johnny me contó que salió con ella, pero... ¿fue durante mucho tiempo?

Me encojo de hombros como si no supiera la respuesta, aunque la sé. Cuando empecé a trabajar en casa de Miss Walter, hace ya ocho años, Miss Hilly no paraba de hablar de que algún día se casaría con Mister Johnny.

—Creo que lo dejaron más o menos cuando *usté* lo conoció —digo.

Espero que le duela saber que su vida social está acabada. Que no tiene sentido seguir llamando a las señoritas de la Liga de Damas. Pero, por el modo en que arruga el entrecejo, parece que esté haciendo álgebra. De repente, su rostro empieza a distenderse, como si hubiera descubierto algo.

—Entonces... ¡Hilly debe de creer que yo tonteé con Johnny cuando todavía salían!

—Probablemente. Y por lo que me han dicho, Miss Hilly todavía le quiere. Aún no le ha *olvidao*.

Suponía que una persona normal, al enterarse de que una mujer anda detrás de su marido, se pondría en guardia automáticamente. Pero me he olvidado de que Miss Celia no es una persona normal.

—¡Claro! ¡Por eso no me traga! —dice, sonriendo por todas las deducciones que ha debido de hacer para llegar a esta conclusión—. Pero no me odian, sólo les molesta lo que hice.

—¿Qué dice? ¡La odian porque consideran que no es de su clase!

—Bueno, voy a tener que explicarle a Hilly que no soy una robanovios. Mira, se lo pienso decir el viernes, cuando la vea en la Gala Benéfica.

Sonríe como si acabara de descubrir la vacuna de la polio, contenta con su plan para ganarse la amistad de Miss Hilly.

Llegados a este punto, estoy ya demasiado cansada para seguir intentándolo.

El viernes de la Gala Benéfica, me quedo hasta tarde limpiando la casa de arriba abajo. Luego, frío un plato de chuletas de cerdo. Me imagino que cuanto más brillantes estén los suelos y más limpios los cristales de las ventanas, más posibilidades tendré de conservar mi trabajo el lunes. Lo más inteligente que puedo hacer, si Mister Johnny tiene vela en este entierro, es plantarle a ese hombre un buen plato de chuletas de cerdo ante las narices.

Se supone que hoy no vendrá hasta las seis, así que a las cuatro y media saco brillo una vez más a la encimera y me dirijo al interior de la casa, donde Miss Celia lleva cuatro horas arreglándose. He dejado para el final su dormitorio y su cuarto de baño para que, cuando llegue, Mister Johnny los encuentre relucientes.

–¡Miss Celia! Pero ¿qué es esto?

Hay medias colgando de las sillas, bolsos tirados por el suelo, bisutería suficiente para vestir a una familia de furcias, cuarenta y cinco pares de zapatos de tacón, abrigos, bragas, sujetadores y una botella de vino blanco medio vacía sobre el tocador, sin un posavasos.

Comienzo a recoger todas sus malditas cosas y a apilarlas en la silla. Lo mínimo que puedo hacer es pasar la aspiradora.

–¿Qué hora es, Minny? –pregunta Miss Celia desde el cuarto de baño–. Recuerda que Johnny estará aquí a las seis.

–Todavía no son las cinco –digo–, pero hoy tengo que marcharme pronto.

Debo pasar a recoger a Sugar y estar en la fiesta antes de las seis y media para empezar a servir.

–¡Ay, Minny! ¡Estoy tan ilusionada! –Oigo el vestido de Miss Celia tintinear detrás de mí–. ¿Qué te parece?

Me doy la vuelta.

–¡Santo Dios!

Con ese vestido me ha dejado tan ciega como Stevie Wonder. El rosa chillón y las lentejuelas plateadas brillan desde sus enormes tetas hasta las uñas de los pies, pintadas también de rosa.

–Miss Celia –exclamo–, tápese un poco antes de que se le escape algo.

Se sube un poco el vestido.

–¿No es precioso? ¿A que es el vestido más bonito que has visto en tu vida? Me siento como una estrella de Hollywood.

Parpadea, moviendo las pestañas postizas que sobresalen de sus ojos castaños. Lleva toda la cara untada de maquillaje, pintura y colorete. El peinado dorado le envuelve la cabeza como si llevara una pamela. Por la raja del vestido asoma una pierna hasta bien entrado el muslo. Aparto la vista porque me da vergüenza mirarla. Todo en ella rezuma sexo, sexo y más sexo.

–¿De dónde ha *sacao* esas uñas?

–He estado esta mañana en la tienda de cosméticos. Ay, Minny, estoy tan nerviosa que siento mariposas en el estómago.

Le da un buen trago a su copa de vino y se tambalea un poco sobre los taconazos.

–¿Qué ha *comío* hoy, Miss Celia?

–Nada. Estoy demasiado nerviosa para comer. ¿Y estos pendientes? ¿Me quedan bien?

–Quítese ese *vestío* y ahorita mismo le preparo unos bocadillos.

–¡Déjalo, Minny! Tengo un nudo en el estómago, no puedo comer nada.

Me dispongo a quitar la botella de vino de encima del carísimo tocador pero Miss Celia se me adelanta, se sirve lo que queda en el vaso y me la ofrece vacía con una sonrisa. Recojo el abrigo de pieles que ha dejado en el suelo. Esta mujer está empezando a acostumbrarse a tener criada.

Cuando hace unos días me enseñó el vestido, ya me di cuenta de lo descocado que era (está claro que ella lo ha elegido por el escote), pero no me hacía a la idea de lo impresionante que queda su cuerpo embutido en esa prenda. Parece que va a reventar, como una palomita de maíz. En las doce Galas Benéficas que llevo a mis espaldas, lo más exagerado que he visto es algún codo desnudo, pero nunca escotes ni hombros.

Entra en el cuarto de baño y se pone más colorete en sus brillantes mejillas.

–Miss Celia –digo, rezando con los ojos cerrados para que me salgan las palabras adecuadas–, cuando vea a Miss Hilly esta noche...

–No te preocupes, lo tengo todo planeado –me corta, sonriendo delante del espejo–. Cuando Johnny vaya al baño, pienso contarle que ya no estaban juntos cuando empecé a salir con él.

Suspiro.

–No me refería a eso... Es que... ella igual le habla de... le habla de mí.

–¿Quieres que le dé recuerdos de tu parte? –dice, saliendo del cuarto de baño–. ¡Claro! Como pasaste tantos años trabajando para su madre...

La miro. Con su conjunto rosa chillón y con tanto vino encima casi bizquea. Le entra un poco de hipo. En este estado, no merece la pena contárselo.

–No, señorita. No le diga *na* –suspiro.

Me da un abrazo.

–Te veré esta noche. Estoy tan contenta de que también vayas a estar... Así tendré a alguien con quien hablar.

–Miss Celia, yo voy a *está* en la cocina.

–¡Ay! Tengo que encontrar ese broche de... de como-se-llamen esas piedras...

Taconea hasta el armario y revuelve todas las cosas que acabo de ordenar.

«¿Por qué no te quedas en casa, palurda?», es lo que me gustaría decirle, pero ya no puedo. Es demasiado tarde. Ahora todo depende de Miss Hilly. La suerte está echada para Miss Celia, y quién sabe, puede que también para mí.

La Gala Benéfica

Capítulo 25

La Gala Benéfica Anual de la Liga de Damas de Jackson, o simplemente «la Gala», como la conoce todo el mundo por aquí, es famosa en esta ciudad y sus alrededores. A las siete en punto de un fresco atardecer de noviembre, los invitados empezarán a llegar al bar del hotel Robert E. Lee para el cóctel. A las ocho, se abrirán las puertas del salón de baile, cuyas ventanas están cubiertas por cortinones de terciopelo verde decorados con ramilletes de acebo natural.

Pegadas a las paredes, se han dispuesto unas mesas con las listas y los precios de los artículos subastados, donados por miembros de la Liga y por comerciantes locales. Se espera que la subasta recaude más de seis mil dólares este año, quinientos más que el anterior. Los beneficios se destinarán a los Pobres Niños Hambrientos de África.

En el centro de la sala, bajo una gigantesca lámpara de araña, hay veintiocho mesas dispuestas para la cena, que se servirá a las nueve. En un lateral, se encuentran la pista de baile y el estrado para la orquesta, justo enfrente de la tribuna desde la que Hilly Holbrook pronunciará su discurso.

Tras la cena, habrá un baile. Seguro que algunos de los caballeros se emborrachan, pero las damas jamás se permitirán caer tan bajo. Todas las integrantes de la Liga de Damas se consideran anfitrionas del evento, y las preguntas más habituales serán: «¿Se lo están pasando ustedes bien?», «¿Todo según lo previsto?» y «¿Ha hablado ya Hilly?». A nadie se le escapa que ésta es la noche de Hilly.

A las siete en punto, las parejas empiezan a presentarse en el recibidor del hotel y dejan sus abrigos de pieles a los camareros de color vestidos con fracs grises. Hilly, que lleva aquí desde las seis, luce un vestido largo de tafetán color granate, con cuello alto de volantes que trepan hasta su garganta y mangas ajustadas que descienden hasta las muñecas. Las únicas partes del cuerpo de Hilly que quedan a la vista son las manos y la cara.

Hay otras mujeres que visten un poco más atrevidas y, por aquí y por allá, se ven algunos hombros, pero sus guantes largos de piel aseguran que sólo unos pocos centímetros de brazo se expongan al público. Por supuesto, todos los años se presenta alguna invitada enseñando un poco de pierna o un asomo de escote. No suelen despertar muchos comentarios, porque no pertenecen a la Liga de Damas.

Celia Foote y su marido llegan más tarde de lo que habían planeado, a las siete y veinticinco. Cuando Johnny volvió a casa del trabajo, se quedó helado en la puerta del dormitorio y, con el maletín todavía en la mano, miró a su mujer y le preguntó:

–Celia, ¿no te parece que ese vestido es un poco... esto... abierto por arriba?

Celia le empujó hacia el lavabo.

–¡Ay, Johnny! ¡Qué poco entendéis los hombres de moda! Venga, date prisa o llegaremos tarde.

Johnny se dio por vencido antes incluso de intentar hacerle cambiar de opinión. Además, lo cierto es que ya era un poco tarde.

El matrimonio Foote entra en el bar justo detrás del doctor Ball y su esposa. Los Ball se dirigen a la izquierda, Johnny a la derecha y, por un momento, Celia se queda en la entrada, debajo de las ramitas de acebo, con su deslumbrante vestido rosa chillón.

En el bar, parece que el tiempo se detiene. Los maridos se quedan con el vaso de whisky a medio trago contemplando ese bulto rosa que asoma por la puerta. Les cuesta un segundo enfocar bien. Al principio miran, pero no pueden ver. Poco a poco, van descubriendo que lo que tienen delante es de verdad (carne de verdad, escote de verdad, cabello rubio puede que no tan de verdad) y se les enciende el rostro. Parece que todos están pensando en lo mismo: «¡Ya era hora de que llegara!». Pero, entonces, notan las uñas de sus esposas clavadas en la mano y ponen gesto serio. En sus ojos se adivina el remordimiento, el despecho por su vida matrimonial («¡Nunca me puedo divertir!»), los recuerdos de juventud («¿Por qué no me fui a California aquel verano?»), la nostalgia del primer amor («¡Ay, Roxanne...!»). Todo esto sucede en un lapso de apenas cinco segundos y, cuando termina, siguen mirando a Celia de reojo.

William Holbrook derrama la mitad de su Martini sobre el par de zapatos de charol que calza el principal donante de su campaña.

—Ay, Claiborne, perdona al torpe de mi esposo —se disculpa Hilly—. ¡William, tráele un pañuelo!

Pero ninguno de los dos hombres se mueve. La verdad es que lo único que les preocupa en ese momento es mirar a Celia.

Los ojos de Hilly siguen la dirección de las miradas y aterrizan en Celia. El centímetro de piel que asoma por el cuello de su vestido se pone rígido.

—Mira ese pecho —comenta un vejete—. Ante ese par de melones me olvido de que tengo setenta y cinco años.

La esposa del anciano, Eleanor Causwell, una de las fundadoras de la Liga de Damas de la ciudad, pone mala cara y exclama, mientras se lleva una mano al pecho:

—El busto sólo se debe enseñar en el dormitorio y para alimentar a los bebés, nunca en reuniones de gente decente.

—¿Y qué quieres que haga la pobre mujer, Eleanor? ¿Que las deje en casa?

—¡Que se cubra! ¡Que se las tape!

Celia se cuelga del brazo de Johnny mientras avanzan por la sala. Se trastabilla un poco al andar, pero no está claro si es debido al alcohol o a los tacones. Dan una vuelta por la estancia y charlan con otras parejas, o mejor sería decir que Johnny habla y Celia sonríe. A veces se sonroja y, agachando la cabeza para mirarse el vestido, le pregunta a su marido:

—Johnny, ¿no te parece que igual voy demasiado elegante? En la invitación ponía que había que vestir formal, pero todas las mujeres que veo aquí parece que se hayan vestido para ir a misa.

Johnny le ofrece una sonrisa complaciente. Nunca se atrevería a reprocharle su atuendo con un «¡Te lo dije!». Por el contrario, le dice con voz melosa:

—Estás preciosa, cariño, pero si tienes frío puedes ponerte mi chaqueta sobre los hombros.

—¿Cómo me voy a poner una chaqueta de hombre encima de un vestido? —rechaza Celia entornando los ojos—. De todos modos, gracias, mi amor.

Johnny le acaricia la mano y le trae otra copa del bar, la quinta que se toma hoy, aunque eso él no lo sabe.

—Intenta hacer amistades, querida. Ahora vuelvo —dice, y se dirige al lavabo de hombres.

Celia se queda sola. Se sube un poco el escote del vestido, que cada vez está más cerca de su ombligo. Canturrea una canción de campo, moviendo nerviosa el pie mientras busca algún rostro conocido a su alrededor.

—... *Liza, querida Liza, hay un agujero en el cubo*...

Por fin, ve a Hilly a lo lejos y, poniéndose de puntillas, la saluda haciendo un gesto con la mano por encima de las cabezas de la gente.

—¡Hilly! ¡Yuju!

Hilly se aparta de la conversación que está manteniendo a unas cuantas mesas de distancia, sonríe y le devuelve el saludo moviendo la mano, pero cuando Celia se acerca a ella, se escabulle entre la multitud.

Celia se detiene y da un nuevo trago a su copa. A su alrededor se forman grupitos que hablan y se ríen de todas esas cosas de las que se suele hablar y reír en las fiestas, supone Celia.

—¡Anda! ¿Qué tal, Julia? —dice Celia.

Le habían presentado a esta mujer en una de las pocas fiestas a las que asistieron Celia y Johnny después de casarse.

Julia Fenway sonríe y mira a su alrededor desesperada.

—Soy Celia, Celia Foote. ¿Qué tal estás? ¡Me encanta tu vestido! ¿Dónde lo has comprado, en la tienda de Jewel Taylor?

—No, Warren y yo estuvimos hace unos meses en Nueva Orleans... —Julia vuelve a mirar a su alrededor, pero no encuentra a nadie cerca para salvarla—. Estás... muy *glamourosa*.

Celia se acerca un poco a ella y le confiesa:

—Le he preguntado a Johnny, pero ya sabes cómo son los hombres. ¿Tú crees que voy demasiado elegante con este vestido?

Julia se ríe, pero ni tan siquiera entonces mira a Celia a los ojos.

—¡Qué va, qué va! Estás perfecta.

Una compañera de la Liga pellizca a Julia en el brazo.

—Disculpadme. Julia, te necesitamos un segundo.

Se marchan y Celia se queda sola de nuevo.

Cinco minutos más tarde, se abren las puertas del comedor y la multitud empieza a avanzar. Los invitados buscan las mesas que les han asignado mirando las tarjetitas que recogieron en la entrada. Todos sueltan exclamaciones de admiración al pasar frente a los expositores de los productos a subasta, llenos de cuberterías de plata, vestidos infantiles cosidos a mano, pañuelos de algodón, toallitas bordadas, un juego de té para niños importado de Alemania...

Minny está en una mesa al fondo de la estancia secando vasos.

—Aibileen —susurra a su amiga—, ahí la tienes.

Aibileen levanta la vista y contempla a la mujer que hace un mes llamó a la puerta de Miss Leefolt.

—Más les vale a las señoras tener bien *ataos* a sus *maríos* esta noche —contesta.

—Si la ves hablando con Miss Hilly, avísame —dice Minny, frotando con esmero el borde de un vaso.

–*D'acuerdo*. No te preocupes, me he *pasao tol* día haciendo unas oraciones especiales por ti.

–Mira, ahí está Miss Walter. ¡Vieja bruja! Y Miss Skeeter.

Skeeter lleva un vestido de terciopelo negro con manga larga y un recatado cuello redondo que resalta su cabello rubio y sus labios rojos. Ha venido sola y ofrece una sensación de vacío. Echa un vistazo al salón, con cara de aburrida. Entonces ve a Aibileen y a Minny, que apartan la mirada al instante.

Una de las sirvientas de color, Clara, se acerca a la mesa y levanta un vaso.

–Aibileen –susurra, sin apartar la vista del vaso al que saca brillo–, ¿es ésa?

–¿A qué te refieres?

–Si ésa es la que escribe historias de criadas de *coló*. ¿Por qué lo hace? ¿Qué busca? Me han dicho que se pasa por tu casa *toas* las semanas.

Aibileen agacha la cabeza.

–Mira, guapa, se supone que eso es un secreto.

Minny mira para otro lado. Nadie sabe que está metida en esa historia, ni ella ni las otras criadas. Sólo saben lo de Aibileen.

Clara asiente.

–No te preocupes, no se lo voy a *decí* a nadie.

Skeeter toma algunas notas en su cuaderno para el artículo sobre la Gala Benéfica que se publicará en el boletín de la Liga de Damas. Contempla el salón, fijándose en los verdes cortinones, los ramitos de acebo, las rosas rojas y las hojas secas de magnolia dispuestas como centros de mesa. Sus ojos se posan en Elizabeth, que está a unos metros de ella, rebuscando en su bolso. Parece agotada, pues apenas hace un mes que ha dado a luz. Skeeter observa cómo Celia Foote se acerca a Elizabeth, quien, cuando levanta la vista y ve quién se le aproxima, empieza a toser y se lleva la mano a la garganta como para protegerse de un posible ataque.

–¿No sabes dónde meterte, Elizabeth? –le pregunta Skeeter.

–¿Qué? ¡Ah, hola, Skeeter! ¿Cómo estás? –Elizabeth le dirige una rápida sonrisa–. Sólo me... estaba entrando mucho calor aquí dentro. Creo que necesito respirar un poco de aire fresco.

Skeeter contempla cómo Elizabeth se escabulle mientras Celia Foote la persigue con su horrible vestido tintineando a cada paso. Éste va a ser el notición de la noche –piensa Skeeter–. Ni la decoración floral, ni cuántas arrugas se le forman al vestido de Hilly en el trasero. Este año, el titular será *El despropósito de vestido de Celia Foote*.

Pasado un rato, se anuncia la cena y todo el mundo se dirige a los asientos que se les han asignado. Celia y Johnny se sientan con un grupo de parejas de fuera de la ciudad, amigos de amigos que en realidad no son amigos de nadie. A Skeeter le toca compartir mesa con un grupo de matrimonios locales, pero no junto a la presidenta Hilly, ni tan siquiera al lado de la secretaria Elizabeth. La sala bulle con conversaciones y elogios a la organización y al Chateaubriand. Tras el plato principal, Hilly sube al estrado y se sitúa en la tribuna. Después de una tanda de aplausos, sonríe al público y empieza a hablar:

–Buenas noches. Os agradezco a todos vuestra presencia. ¿Estáis disfrutando de la cena?

Hay gestos y voces de conformidad.

–Antes de empezar con los anuncios, me gustaría dar las gracias a todas las personas que han contribuido a que esta velada sea un éxito.

Sin girar la cabeza, Hilly hace un gesto hacia su izquierda, donde hay una fila de dos docenas de mujeres de color con sus uniformes blancos. Tras ellas se encuentra una docena de hombres, también de color, con sus fracs grises y blancos.

–Un fuerte aplauso para el servicio, por esta magnífica cena que nos han preparado y por los postres que han hecho para la subasta. –Hilly toma una tarjeta y, a partir de aquí, lee–: A su modo, contribuyen a que la Liga de Damas logre su objetivo de enviar comida a los Pobres Niños Hambrientos de África, una causa que estoy segura de que ellos también apoyan de todo corazón.

Los blancos de las mesas aplauden a las criadas y los camareros. Algunos de los sirvientes sonríen, pero la mayoría mira al infinito por encima de las cabezas de la multitud.

–A continuación, me gustaría dar las gracias a las no miembros presentes en esta sala que nos han ofrecido su tiempo y su ayuda. Gracias a vosotras, nuestro trabajo ha sido mucho más fácil.

Hay un ligero aplauso y algún frío intercambio de sonrisas y gestos entre miembros y no miembros. ¡Qué pena! –parece que piensan las miembros–. Es una verdadera lástima que no tengáis clase suficiente para que os admitamos en nuestra asociación. Hilly sigue dando gracias y reconociendo esfuerzos con un tono encendido y patriótico. Se sirve el café y los maridos se lo toman, pero la mayoría de las mujeres siguen embelesadas el discurso de Hilly.

–... gracias a la ferretería Boone... no nos podemos olvidar de la tienda de Ben Franklin... –Termina su lista con–: Y, por supuesto, queremos agradecer al donante anónimo que nos ofreció, humm..., «suministros» para la Iniciativa de Higiene Doméstica.

Se escuchan algunas risas nerviosas, pero la mayor parte de los asistentes vuelve la cabeza para comprobar si Skeeter ha tenido agallas para presentarse.

–Me gustaría que, en lugar de ser tan tímida, esta persona subiera a esta tribuna y aceptara nuestra gratitud. Sinceramente, sin su generosa ayuda no habríamos podido realizar tantas instalaciones.

Skeeter tiene la vista fija en el estrado, sin inmutarse y con un gesto de estoicismo. Hilly sonríe abiertamente y continúa con su discurso:

–Y, por último, quisiera dar las gracias a mi marido, William Holbrook, por donar un fin de semana en su coto de caza. –Le guiña un ojo a su esposo, baja la voz y añade–: Y no os olvidéis: ¡Vota a Holbrook para senador del estado!

Los presentes sueltan una carcajada cómplice ante el gesto de Hilly.

–¡Un momento! ¡Me están llamando desde Virginia! –Hilly simula que tiene un teléfono en la mano y endereza el cuerpo–: No, no me presento con él, pero tengan clara una cosa, señores congresistas, si se les ocurre tocar el tema de la segregación en las escuelas, voy a la capital y lo soluciono yo misma.

Se oyen carcajadas ante este numerito cómico. El senador Whitworth y su esposa, sentados a una mesa frente al estrado, asienten y sonríen. Al fondo de la estancia, Skeeter baja la vista a su regazo. Durante la hora del cóctel habló un poco con el senador, pero su esposa se lo llevó antes de que el hombre le diera un segundo abrazo. Stuart no ha venido.

Cuando terminan la cena y el discurso, la gente se levanta para el baile y los hombres se dirigen a la barra. Hay prisas por acercarse a las mesas de la subasta para realizar las últimas pujas. Dos ancianas se enzarzan en una lucha por el exclusivo juego de té para niños. Se ha corrido el rumor de que perteneció a una familia real y que unos contrabandistas lo sacaron de Alemania oculto en un carro tirado por asnos, hasta que terminó en la tienda de antigüedades Magnolia de la calle Fairview en Jackson, Misisipi. El precio saltó de quince dólares a ochenta y cinco en unos minutos.

En una esquina, junto a la barra, Johnny bosteza. Celia tiene el ceño fruncido.

–No me puedo creer lo que Hilly ha dicho sobre las no miembros que colaboraron en la organización de la Gala Benéfica. ¡Si me dijo que no necesitaban ayuda!

–Bueno, ya les ayudarás el año que viene –dice Johnny.

Celia busca a Hilly con la mirada. Cuando la encuentra, descubre esperanzada que en ese momento no hay mucha gente a su alrededor.

–Johnny, ahora mismo vuelvo –dice.

–Vale, pero luego nos vamos pitando de aquí. Estoy harto de llevar este traje de mono.

Richard Cross, compañero de Johnny en el coto de caza de patos, le da una palmada en la espalda. Comentan algo y se ríen. Sus miradas se pierden entre la multitud.

Celia casi consigue llegar hasta Hilly esta vez, pero de nuevo la mujer se escabulle subiendo al estrado. Celia retrocede unos pasos, temerosa de abordar a Hilly en el lugar en el que hace unos minutos parecía tan poderosa. Se dirige entonces al aseo, y Hilly aprovecha para acercarse a la esquina en la que Johnny charla con su amigo.

–¡Vaya, Johnny Foote! –dice, dándole un cariñoso apretón en el brazo–. ¡Qué sorpresa verte aquí, con lo poco que te gustan a ti estas fiestas!

–¿Sabes que mañana se abre la temporada de caza? –comenta Johnny, suspirando.

Hilly le sonríe con sus labios pintados de color caoba, a juego con su vestido. Debe de haberse pasado días buscando el pintalabios apropiado.

–Me aburre escuchar decir lo mismo a todos los hombres. Johnny Foote, ¿no te puedes perder un día de caza? Antes hacías esas cosas por mí.

Johnny entorna los ojos y murmura:

–Celia nunca me habría perdonado que no viniéramos.

–Por cierto, ¿dónde está tu mujercita? –pregunta Hilly sin apartar la mano del brazo de Johnny y tirando de él–. ¿No se habrá quedado vendiendo perritos calientes en un campo de fútbol de Luisiana?

Johnny la mira molesto por el comentario, aunque es cierto, así fue como conoció a Celia.

–¡Vamos, vamos, sabes que sólo estaba bromeando! Estuvimos saliendo juntos demasiado tiempo como para poder permitirnos algunas licencias, ¿verdad?

Antes de que Johnny pueda responder, alguien toca el hombro de Hilly, que se vuelve y va hacia la siguiente pareja entre risitas. Johnny suspira cuando ve que Celia se acerca.

–Bueno –le dice a Richard–, ahora ya podemos marcharnos. Me levanto dentro de... –Mira su reloj–. Cinco horas.

Richard no aparta los ojos de Celia mientras avanza hacia ellos. De repente, la mujer se detiene, se agacha para recoger una servilleta que se le ha caído y ofrece una generosa vista de su escote.

–Pasar de Hilly a Celia debe de haber sido todo un cambio, Johnny.

Johnny asiente con un gesto.

–Pues como si me hubiera pasado toda la vida en la Antártida y de repente me hubiese mudado a Hawai.

Richard suelta una carcajada.

–Como acostarte en un seminario y despertarte en la residencia femenina de la universidad –añade Richard, y los dos se ríen.

Luego, Richard comenta en voz baja:

–Como la primera vez que te comes un bombón.

–¡Eh! Recuerda que estás hablando de mi mujer –corta Johnny, y le recrimina con la mirada.

–Perdona, Johnny –murmura Richard–, no pretendía ofenderte.

Celia se incorpora y suspira decepcionada.

–Hola, Celia. ¿Qué tal? –saluda Richard–. Estás preciosa.

–Gracias, Richard.

A Celia se le escapa un sonoro hipo y frunce el ceño, cubriéndose la boca con una servilleta.

–¿Ya se te ha subido la bebida? –le pregunta Johnny.

–Sólo está divirtiéndose un poco, ¿verdad, Celia? –dice Richard–. De hecho, os voy a pedir un cóctel que te encantará. Se llama Alabama Slammer.

Johnny mira con enfado a su amigo y dice:

–De acuerdo, pero luego nos vamos a casa.

Tres Alabama Slammers más tarde, se anuncian los ganadores de la subasta a sobre cerrado. Susie Pernell se sube al estrado mientras la gente pulula entre las mesas fumando y bebiendo, baila las canciones de Glenn Miller y Frankie Valli o protesta por los agudos pitidos del micrófono. Se leen los nombres y los ganadores reciben sus artículos con la emoción de a quien le ha tocado la lotería, cuando en realidad han pagado tres, cuatro o cinco veces el valor de los productos que se llevan: manteles y camisones con puntillas hechas a mano adquiridos con altas pujas; extraños cubiertos de plata, que siempre tienen mucho éxito, como aparatos para servir los huevos rellenos, para quitarle el pimiento a las aceitunas rellenas, para romper los muslos de los pichones... Después llegan los postres: bizcochos, bandejas de praliné y *nougat* y, por supuesto, la tarta de Minny.

–... y la ganadora de la mundialmente famosa tarta de chocolate y crema de Minny Jackson es... ¡Hilly Holbrook!

En esta ocasión hay más aplausos de lo habitual, no sólo porque Minny sea famosa por sus recetas, sino porque el nombre de Hilly provoca aplausos cada vez que se pronuncia.

Hilly abandona la conversación en la que estaba inmiscuida y se vuelve.

–¿Cómo? ¿Han dicho mi nombre? ¡Pero si no he pujado por nada!

Como siempre, maldita tacaña, piensa Skeeter, sentada sola en una mesa apartada.

–Hilly, acabas de ganar la tarta de Minny Jackson. ¡Enhorabuena! –dice una mujer a su izquierda.

Hilly escruta las caras del salón con el ceño fruncido.

Minny, al oír que pronuncian su nombre y el de Hilly en la misma frase, se pone alerta. Tiene una taza de café sucia en una mano y una pesada bandeja de plata en la otra, pero se queda paralizada, sin atreverse a dar un paso adelante.

Hilly la localiza con la mirada, pero tampoco se mueve, sólo sonríe ligeramente.

–Vaya, parece que alguien ha pujado en mi nombre por esa tarta. ¡Qué amable!

Sigue sin apartar los ojos de Minny, quien, al darse cuenta, apila el resto de tazas en la bandeja y sale hacia la cocina a toda velocidad.

–¡Enhorabuena, Hilly! No sabía que te gustaran tanto las tartas de Minny –dice con voz chillona Celia, que ha aparecido por detrás de Hilly sin que ésta se diera cuenta. Al acercarse, tropieza con una silla y se escuchan risitas a su alrededor. Hilly permanece quieta, observando cómo avanza hacia ella.

–Celia, ¿se trata de una broma?

Skeeter se aproxima un poco. Está aburrida de esta velada tan predecible y cansada de ver los rostros avergonzados de antiguas amigas temerosas de acercarse a hablar con ella. Celia es lo único interesante que hay en este salón.

–Hilly –dice Celia, mientras la toma del brazo–, llevo toda la noche intentando hablar contigo. Creo que ha habido un malentendido entre nosotras y si me dejas que te lo explique...

–¿Qué haces? ¡Déjame en paz! –dice Hilly rechinando los dientes.

Mueve la cabeza e intenta apartarse de su lado, pero Celia le tira de la manga del vestido.

–¡No, espera! No te marches, escúchame...

Hilly pega un tirón, pero Celia la retiene por el brazo. Hay un momento de fricción entre ambas, Hilly intentando escapar y Celia sujetándola, y de repente un sonido de tela que se rasga corta el ambiente.

Celia observa sorprendida el trozo de tela roja que se le ha quedado en la mano. Acaba de arrancar el puño caoba del vestido de Hilly.

Hilly se mira el brazo y se toca la muñeca desnuda.

–Pero ¿qué intentas hacerme? –bufa entre dientes–. Esa maldita negra que tienes de criada lo ha planeado todo, ¿verdad? Sé lo que te ha contado y lo que has estado chismorreando con todo el mundo esta noche...

Un grupo de gente se ha reunido a su alrededor, y escucha y mira a Hilly con gestos de preocupación.

–¿Chismorreando? No sé a qué te...

Hilly agarra a Celia por el brazo y le grita:

–¿A quién se lo has contado?

–Bueno, sí, Minny me dijo por qué no quieres ser mi amiga...

Susie Pernell sube la voz para anunciar más ganadores por el micrófono, forzando a Celia a hablar más alto.

–Sé que piensas que Johnny y yo tuvimos una historia a tus espaldas... –grita.

En la parte delantera de la sala, se escuchan risas y más aplausos por algún comentario. Justo cuando Susie Pernell se calla para mirar sus notas, Celia exclama en voz alta:

–¡Pero me quedé embarazada después de que rompierais!

420

El eco de estas palabras retumba en las paredes del salón. Por unos segundos, todo el mundo permanece en silencio.

Las mujeres que están cerca de ellas arrugan la nariz y algunas se echan a reír.

–La mujer de Johnny está borracha –comenta alguien.

Celia mira a su alrededor, secándose el sudor que resbala por su maquillada frente.

–No te culpo porque pienses mal de mí, es normal si crees que Johnny te engañó conmigo.

–Johnny nunca sería capaz de...

–Y siento haberte felicitado, pensaba que te ilusionaría ganar esa tarta.

Hilly se agacha y recoge del suelo un botón de su vestido. Después se acerca a Celia para que nadie pueda oírla.

–Puedes decirle a tu negra que si le cuenta a alguien más lo de la tarta, lo pagará caro. Te crees que eres muy simpática pujando por mí para la tarta, ¿verdad? ¿Qué te figuras, que sobornándome voy a admitirte en la Liga de Damas?

–¿Qué?

–Dime ahora mismo a quién más le has contado lo de...

–Yo no he hablado con nadie sobre tartas, ¿qué...?

–¡Mentirosa! –exclama Hilly, pero rápidamente recupera la compostura y sonríe–. Ahí viene Johnny. ¡Johnny! Creo que tu mujercita necesita que la atiendas un poco.

Hilly dirige la vista a las mujeres que hay a su alrededor, compartiendo con ellas su broma.

–Celia, ¿qué pasa? –pregunta Johnny.

Celia le mira con gesto extrañado, y luego hace lo mismo con Hilly.

–No entiendo nada. Me acaba de llamar mentirosa y ahora me acusa de haber pujado en su nombre por la tarta y...

Se calla, mira a su alrededor como si no reconociera a nadie. Las lágrimas asoman a sus ojos. De repente, suelta un quejido, se dobla y vomita sobre la alfombra.

–¡Oh, mierda! –dice Johnny, llevándosela hacia la pared.

Celia aparta el brazo de Johnny y echa a correr hacia los aseos. Su marido sale detrás de ella.

Hilly tiene los puños cerrados de la tensión. Su rostro se pone de color carmesí, casi del mismo tono que su vestido. Da unos pasos y agarra a un camarero del brazo.

–¡Tú! Limpia eso antes de que empiece a oler.

Al momento un grupo de mujeres con cara de circunstancias la rodean, le hacen preguntas y estiran los brazos como si intentaran protegerla.

–Me habían dicho que Celia estaba enganchada a la bebida, pero no sabía que también se dedicara a inventarse cosas –le cuenta Hilly a una de las Susies. Es un rumor que ya intentó difundir sobre Minny por si acaso la historia de la tarta salía a la luz–. ¿Cómo llaman a este tipo de gente?

–¿Mentirosos compulsivos?

–¡Eso es! Una mentirosa compulsiva. –Hilly camina con las mujeres a su lado–. Celia le obligó a casarse con ella haciéndole creer que se había quedado embarazada. Supongo que ya entonces era una mentirosa compulsiva.

Después de que Celia y Johnny se hayan ido, la fiesta va decayendo poco a poco. Las mujeres de la Liga de Damas parecen agotadas y cansadas de tanto sonreír. Se habla de la subasta, de que las canguros de los niños tienen que volver a casa, pero sobre todo se habla de Celia Foote y su vomitona en plena fiesta.

A medianoche, cuando la sala está casi vacía, Hilly sube al estrado y ojea los sobres de las pujas. Mueve los labios mientras calcula la recaudación, pero sigue con la vista perdida, moviendo la cabeza. Mira al suelo y maldice porque tiene que empezar a contar de nuevo.

–Hilly, me voy a tu casa.

Hilly levanta la vista de sus papeles. Es su madre, Miss Walter, que parece más frágil que de costumbre con esa ropa formal. Lleva un vestido largo azul cielo con cuentas de 1943. Una orquídea blanca se marchita a la altura de su clavícula. A su lado, una mujer de color la acompaña.

–Mamá, no se te ocurra sacar nada del frigorífico cuando llegues a casa, no quiero que me tengas toda la noche despierta con tus dolores de estómago. Te vas directamente a la cama, ¿entendido?

422

–¿No puedo comerme un trocito de la tarta de Minny?

Hilly mira enfadada a su madre.

–Esa tarta está en la basura.

–Pero ¿por qué la has tirado? ¡Si la gané para ti!

Hilly se queda callada un momento, asimilando la noticia.

–¿Qué? ¿Tú pujaste por esa tarta en mi nombre?

–Puede que no me acuerde de mi nombre ni de en qué país vivo, pero tú y esa tarta sois dos cosas de las que nunca me olvidaré.

–Serás... ¡Vieja inútil!

Hilly tira los papeles que estaba revisando, esparciéndolos por el suelo.

Miss Walter se da la vuelta y avanza con dificultad hacia la puerta, agarrada del brazo de la mujer de color.

–Lo que son las cosas, Bessie... –dice–. Mi hija ya se ha vuelto a cabrear conmigo.

Minny

Capítulo 26

El sábado por la mañana me levanto cansada y con el cuerpo molido. Entro en la cocina y me encuentro a Sugar contando los veinticinco dólares que ganó anoche trabajando en la Gala Benéfica. Suena el teléfono y mi hija se lanza sobre el aparato como un rayo. ¡Vaya! Parece que Sugar se ha echado novio y no quiere que su mamita se entere.

–Sí, *señó*, ahora se pone –dice Sugar, pasándome el auricular.

–¿Diga?

–Minny, soy Johnny Foote. Te llamo desde el coto de caza. Quería contarte que Celia está bastante disgustada. Anoche lo pasó mal en la fiesta.

–Sí, *señó*, ya lo suponía.

–Vaya, así que te enteraste –suspira–. Bueno, cuídala un poco esta semana, por favor, Minny. Voy a estar unos días fuera y... no sé. Si ves que no se le pasa, llámame y vuelvo antes si hace falta.

–Descuide, *señó*, me encargaré de ella. Ya verá cómo se pone bien.

No vi con mis propios ojos lo que sucedió en la fiesta, pero me lo contaron mientras fregaba en la cocina. Ninguno de los camareros hablaba de otra cosa.

–¿*T' has enterao?* –me dijo Farina–. Esa *mujé* de rosa *pa* la que trabajas *s' ha emborrachao* como un indio en día de paga.

Levanté la vista del fregadero y vi a Sugar acercarse a mí con los brazos en jarras.

–Es *verdá*, mamá. Acaba de *vomitá* en medio de la sala, con *tol* mundo mirando.

Sugar se dio la vuelta y empezó a carcajearse con las otras. No vio venir el tortazo que se llevó. La espuma que tenía en las manos saltó por los aires.

–¡Cierra el pico, Sugar! –le grité, llevándomela a una esquina–. No quiero *volvé* a oírte *hablá* mal de esa *mujé*. Gracias a ella *pues comé* y comprarte ropa. *¿Entendío?*

Sugar asintió con la cabeza y seguí fregando, pero pude oír cómo murmuraba a mis espaldas:

–*Pos* tú te metes con ella *tol* rato.

Me di la vuelta y la apunté con el dedo:

–Mira, bonita, yo tengo derecho a hacerlo porque me lo gano *tos* los días trabajando *pa* esa maldita loca.

El lunes, cuando llego al trabajo, me encuentro a Miss Celia tirada en la cama con el rostro cubierto por las sábanas.

–*Güenos* días, Miss Celia –la saludo, pero ella me da la espalda sin mirarme.

A la hora de almorzar, le llevo una bandeja de bocadillos de jamón a la cama.

–No tengo apetito –me dice, tapándose la cara con la almohada.

Me quedo de pie mirándola. Parece una momia envuelta en las sábanas.

–¿Qué piensa *hacé*? ¿Pasarse *tol* día ahí *tirá*? –le pregunto, aunque ya la he visto hacerlo un montón de veces.

Sin embargo, en esta ocasión las cosas son diferentes. No lleva potingues en la cara ni sonríe como siempre.

–Por favor, déjame sola.

Intento convencerla de que lo que tiene que hacer es levantarse, ponerse su maldita ropa y olvidarse de todo, pero da tanta lástima ahí tumbada que me callo. Además, no soy su psicóloga ni me paga para eso.

425

El martes por la mañana, Miss Celia sigue en la cama. La bandeja de ayer descansa en el suelo, y los bocadillos están intactos. Lleva ese camisón zarrapastroso que se trajo del condado de Tunica, uno a cuadros azules con el volante del cuello deshilachado y manchas en el pecho, que parecen de carbón.

–Vamos, Miss Celia, déjeme *cambiá* esas sábanas. Por cierto, el serial está a punto de *empezá*. Parece que Miss Julia las va a *pasá* canutas, no se va a *creé* lo que hizo esa tonta con el *doctó* Bigmouth en el capítulo de ayer.

No reacciona ni se levanta.

Más tarde, le llevo una bandeja con un trozo de pastel de pollo, aunque lo que me gustaría es decirle que se animara y bajase a comer a la cocina.

–A ver, Miss Celia. Sé que lo que le sucedió en la Gala fue horrible, pero no *pue* pasarse el resto de su vida *tirá* en esa cama lamentándose.

Miss Celia se levanta, va al baño y cierra la puerta por dentro.

Aprovecho para hacer la cama. Cuando termino, recojo todos los pañuelos mojados con lágrimas y los vasos vacíos de la mesita de noche. Veo un taco de correo. ¡Por lo menos se ha levantado a mirar el buzón! Lo aparto para quitar el polvo a la mesita y entonces me fijo en un papel con las letras H. W. H. bien grandes en el encabezamiento. Antes de ser consciente de a quién pertenecen esas iniciales, ya he leído toda la carta:

Estimada Celia:

Las miembros de la Liga de Damas hemos decidido que, como compensación por el vestido que usted me rompió, haga una donación de no menos de doscientos dólares para nuestras campañas benéficas. Por otra parte, le rogamos que en el futuro se abstenga de ofrecerse como voluntaria para colaborar en cualquier actividad de nuestra asociación, pues su nombre ha sido incluido en nuestra lista de personas no gratas. Agradeceremos su comprensión al respecto.

Sírvase remitir el cheque a la Liga de Damas, Delegación de Jackson.

Atentamente,
Hilly Holbrook
Presidenta y Consejera de Finanzas.

El miércoles por la mañana, Miss Celia sigue entre las sábanas. Hago mi trabajo en la cocina, intentando disfrutar del hecho de que no ande rondando a mi alrededor. Pero no puedo, porque el teléfono no para de sonar y, por primera vez desde que llegué a esta casa, Miss Celia no sale corriendo a contestar. A la décima llamada, no lo soporto más y contesto.

Voy al dormitorio de Miss Celia a avisarla.

—Mister Johnny al teléfono.

—¿Qué? ¡Pero si se supone que no sabe que... que trabajas aquí!

Suelto un profundo suspiro para dejarle claro que a estas alturas me importan un pimiento sus mentiras.

—Su *marío* me llamó el otro día a mi casa, Miss Celia. Se acabó la farsa.

—Dile que estoy dormida —contesta, cerrando los ojos.

Levanto el teléfono del dormitorio y, sin apartar la vista de Miss Celia, le digo a su marido que está en la ducha.

—Sí, *señó*, está *mejó* —miento, mientras la miro enfadada.

Cuelgo el aparato y le digo a Miss Celia:

—Quería *sabé* qué tal está *usté*.

—Ya lo he oído.

—He *mentío* por *usté*, ¿sabe?

Otra vez se tapa la cara con la almohada.

Al día siguiente por la tarde ya no puedo aguantar más. Miss Celia sigue en el mismo sitio en el que se ha pasado toda la semana. Su rostro está más delgado y su cabello, con el tinte dorado, se ha vuelto muy grasiento. La habitación empieza a oler a rancio. Estoy segura de que no se ha duchado desde el viernes.

—Miss Celia —le digo.

Me mira, pero no sonríe ni abre la boca.

–Mister Johnny va a *volvé* esta noche y le prometí que iba a *cuidá* de *usté*. ¿Qué va a *pensá* de mí si la encuentra *tirá* en la cama con ese apestoso camisón que lleva?

Miss Celia empieza a gimotear, le entra hipo y luego rompe a llorar como una niña.

–Nada de esto habría pasado si me hubiera quedado en el lugar al que pertenezco. Él tendría que haberse casado con alguna más apropiada. Debería haberse casado con... Hilly.

–Vamos, Miss Celia, no es *pa...*

–¿Viste cómo me miró Hilly? Como si yo no fuera nadie. Una basura que Johnny encontró tirada en la cuneta.

–Lo que piense Miss Hilly no importa. No debe *tené* en cuenta la opinión de esa *mujé*.

–No estoy preparada para este estilo de vida. ¿Para qué quiero una mesa para doce personas en el comedor? Aunque se lo suplique de rodillas a la ciudad entera, nunca conseguiré traer a doce personas a cenar a esta casa.

Muevo la cabeza. Ya está otra vez quejándose de lo mucho que tiene.

–¿Por qué me odia así? Si ni siquiera me conoce –solloza Miss Celia–. Además, no sólo es por lo de Johnny. Me llamó mentirosa y me acusó de haberle regalado esa... tarta. –Se golpea con los puños en las rodillas y continúa llorando–. No habría vomitado de no ser por cómo me trató.

–¿Qué tarta? ¿De qué está hablando?

–Hi... Hi... Hilly ganó tu tarta, y me acusó de haber pujado por ella en su nombre, para gastarle no sé qué broma –dice entre gemidos y sollozos–. ¿Por qué iba a hacer yo eso? ¿Por qué iba a pujar por ella?

De repente, empiezo a darme cuenta de lo que está pasando. No sé quién pujó para que Hilly se llevara esa tarta, pero sé perfectamente que esa mujer se comería viva al que lo hiciera.

Contemplo la puerta. Una voz en mi interior me dice: «Minny, márchate. Déjalo estar y sal de aquí». Pero miro a Miss Celia, que se limpia los mocos en su viejo camisón, y me siento culpable.

–No puedo seguir haciéndole esto a Johnny. Ya he tomado una decisión, Minny. Me vuelvo a mi pueblo –solloza–. Me vuelvo a Sugar Ditch.

–¿Va a *dejá* a su *marío* sólo porque ha *vomitao* en una fiesta?

«¡Espera un momento!», me digo, abriendo los ojos todo lo que puedo. Miss Celia no puede abandonar a Mister Johnny... ¿Dónde demonios voy a trabajar yo?

Al recordarle lo del vómito, Miss Celia se hunde de nuevo en una crisis de llanto. Suspiro, la miro, y me pregunto qué puedo hacer.

¡Ay, Señor! Creo que ha llegado el momento. Ya es hora de que le cuente lo único que no le he dicho a nadie en toda mi vida. De cualquier modo, voy a perder mi empleo, así que, por probar, nada se pierde.

–Miss Celia... –le digo, sentándome en el sillón amarillo de la esquina.

Nunca me he sentado en esta casa más que en la cocina y aquel desgraciado día que lo hice en el suelo del cuarto de baño. Pero hoy las circunstancias son excepcionales.

–Sé por qué Miss Hilly se enfadó tanto... –le explico–. Con lo de la tarta, me refiero.

Miss Celia se suena estruendosamente la nariz en un pañuelo y me mira.

–Una vez le hice algo... terrible, horrible.

Se me acelera el corazón sólo de pensar en ello. Me doy cuenta de que no voy a poder explicarle la historia sentada en este sillón. Me levanto y me acerco al borde de la cama.

–¿El qué? –pregunta, sorbiéndose las lágrimas–. ¿Qué pasó, Minny?

–El año *pasao,* Miss Hilly me hizo *vení* a su casa un día, cuando yo todavía trabajaba *pa* su madre. Me dijo que iban a *mandá* a Miss Walter a una residencia de ancianos. Me asusté, porque tengo cinco hijos que *alimentá* y mi *marío* Leroy ya trabaja dos turnos en la fábrica. –Siento que me arde el pecho–. Sé que lo que hice no es muy cristiano, pero ¿qué tipo de persona es capaz de *enviá* a su propia madre a una residencia *pa* que la cuiden extraños? Me pareció que había algo malo en lo que hacía esa *mujé* que justificaba mi comportamiento.

Miss Celia se sienta en la cama y se limpia la nariz. Ahora parece estar prestando atención.

–Durante tres semanas, estuve buscando trabajo. Cada día, cuando terminaba en casa de Miss Walter, empezaba mi ruta. Fui a ver a Miss Childs y me mandó a paseo. Después pasé por casa de la familia Rawley, y tampoco me aceptaron. Ni ellos, ni los Rich, ni Patrick Smith, ni los Walker... Ni tan siquiera esos católicos que tienen siete hijos, los Thibodeaux. Nadie me quería.

–Oh, Minny, pobrecita... –dice Miss Celia–. ¡Qué mal lo debiste de pasar!

Tenso la mandíbula antes de continuar:

–Desde que era pequeña, mi *mamita* me decía que vigilara mi lengua, pero nunca le hice caso. Tengo fama de respondona en *toa* la *ciudá,* y me imaginaba que ésa sería la razón por la que nadie quería contratarme. Cuando sólo me quedaban dos días de trabajo en casa de Miss Walter, todavía no había *encontrao* otro empleo y empecé a asustarme de *verdá.* Con el asma de Benny, los gastos del colegio de Sugar, los de la pequeña Kindra... Ya las estábamos pasando canutas, y encima yo me iba a *quedá* sin trabajo. Entonces fue cuando Miss Hilly se pasó por casa de su madre *pa hablá* conmigo. Me dijo: «Ven a trabajar a mi casa, Minny. Te pagaré veinticinco centavos más que mi madre al día». Me estaba tentando con una zanahoria, como si yo fuera un caballo percherón. –Se me cierran los puños de la rabia al recordarlo–. Se pensaba que iba a *aceptá* quitarle el trabajo a mi amiga Yule May Crookle. Miss Hilly se cree que *tol* mundo es tan *retorcío* como ella.

Me paso la mano por la frente para secarme el sudor. Miss Celia me escucha sorprendida, con la boca abierta.

–Le contesté: «No, *grasias,* Miss Hilly». Me dijo que me pagaría cincuenta centavos más al día y le repetí: «Muchas *grasias,* señorita, pero no». Entonces me hundió en la miseria, Miss Celia. Me dijo que sabía que había *estao* en casa de los Childs, de los Rawley y de *toas* las otras familias que me rechazaron. Me dijo que les había contado a *tos* que yo era una ladrona. Nunca he *robao na* en mi vida, pero esa *mujé* contó ese embuste por *toa* la *ciudá*. Nadie va a *contratá* de criada a una negra mangante y con la lengua larga, así que no me quedaba más remedio que *trabajá pa* ella gratis... Por eso hice lo que hice.

Miss Celia pestañea y me pregunta:

—¿El qué, Minny?

—Le dije que se podía ir a *comé* mierda.

Miss Celia me mira alucinada.

—Después me fui a casa y me puse a *prepará* una de mis tartas. Eché el azúcar, chocolate de pastelería y vainilla de la buena que me había *traío* de México mi primo. Al día siguiente, la llevé a casa de Miss Walter. Sabía que Miss Hilly estaría allí porque ese día iban a *vení* los del asilo a *recogé* a su madre y así ella podría *vendé* la casa, *arramblá* con la cubertería de plata y *rapiñá to* lo que pudiera. En cuanto puse la tarta en la encimera, Miss Hilly sonrió pensando que estaba intentando *hacé* las paces con ella. Creyó que era mi forma de pedirle perdón por lo que le había dicho el día *anterió*. Me quedé allí mirando con mis propios ojos cómo se la comía. Se tragó dos trozos enteros, metiéndoselos en la boca como si nunca hubiera *probao na* tan rico. Cuando terminó, dijo: «Sabía que cambiarías de idea, Minny. Sabía que ibas a terminar aceptando mi oferta», y soltó una carcajada de niña *engreía,* como si *to* esto le hiciera mucha *grasia.* Entonces, Miss Walter dijo que tenía un poco de hambre y me pidió un trozo de tarta. Le contesté: «No, señora. Esta tarta es especial, sólo *pa* Miss Hilly». Pero Miss Hilly dijo: «Deja que mi madre la pruebe si quiere, pero sólo un trocito. Minny, ¿qué le pones para que te salga tan buena?». «Vainilla de la buena, de México», contesté, y ya no me pude aguantar más y le conté lo que había puesto en esa tarta.

Miss Celia me contempla petrificada. No me atrevo a mirarla a los ojos.

—Miss Walter se quedó boquiabierta. Nadie en esa cocina se atrevió a *pronunciá* palabra durante unos segundos. De lo sorprendidas que estaban, podría haberme *escapao* sin que se

431

dieran cuenta. Pero entonces Miss Walter se empezó a reír con unas carcajadas tan fuertes que casi se cae de la silla. Todavía entre risas, dijo: «Vaya, Hilly, parece que esta vez te llevas tu merecido. Yo, en tu lugar, no volvería a andar contando mentiras sobre Minny, si no quieres que toda la ciudad se entere de que te has comido dos trozos de su mierda».

Miro avergonzada a Miss Celia, que me observa con los ojos como platos y una expresión de asco. Me empiezo a arrepentir de habérselo contado. Nunca volverá a confiar en mí. Regreso al sillón amarillo y me vuelvo a sentar.

—Lo siento, Miss Celia. Supongo que Miss Hilly pensó que *usté* conocía esa historia y que se estaba burlando de ella. No se habría puesto así con *usté* si yo no hubiera hecho lo que hice.

Miss Celia sigue mirándome embobada.

—Sólo quiero que sepa que, si se marcha y deja a Mister Johnny, entonces Miss Hilly habrá *ganao* la partida. Nos habrá *hundío* a mí y a *usté*. —Muevo la cabeza, y pienso en Yule May, que está en la cárcel, y en Miss Skeeter, que ha perdido a todas sus amigas—. Quedan pocas personas en esta *ciudá* a las que esa *mujé* no haya *arruinao* la vida.

Miss Celia permanece un rato en silencio. Después, me mira y se dispone a decir algo, pero cierra otra vez la boca. Por fin, me dice:

—Gracias... por... contármelo.

Y se vuelve a tumbar. Creo que ha llegado el momento de retirarme. Al cerrar la puerta de su habitación, puedo ver que sus ojos siguen abiertos como platos.

A la mañana siguiente descubro que Miss Celia por fin se ha levantado de la cama, se ha lavado el pelo y ya lleva otra vez la cara llena de maquillaje. Hace mucho frío en la calle, así que se ha vuelto a embutir en uno de sus ajustados jerséis.

—¿Contenta de *tené* a Mister Johnny en casa? —le pregunto.

No es que me importe mucho, lo que quiero saber es si todavía sigue con su idea de marcharse. Pero Miss Celia no está muy habladora hoy. Sus ojos parecen cansados y no se presta a sonreír por cualquier tontería como de costumbre. Señala hacia el jardín desde la ventana de la cocina y dice:

—Creo que voy a plantar unos rosales en la parte de atrás.

—¿Cuándo florecerán?

—Deberían hacerlo para la próxima primavera.

Me tomo como una buena señal que esté haciendo planes para el futuro. Imagino que alguien que tiene pensado escapar de casa de su marido no pierde el tiempo plantando unos arbustos que no florecerán hasta el año próximo.

Durante las siguientes semanas, Miss Celia se pasa las tardes trabajando en el jardín antes de que se oculte el sol de invierno. Una lluviosa y fría mañana llego a la casa y me la encuentro en la mesa de la cocina. Tiene el periódico delante de ella, pero su vista está fija en el árbol de mimosa.

—*Güenos* días, Miss Celia.

—Hola, Minny.

Miss Celia permanece sentada, mira el árbol y juguetea con un bolígrafo en la mano. Está empezando a llover con fuerza. Las rosadas hojas de mimosa caen de las ramas y se acumulan en húmedos montones sobre la hierba.

—¿Qué quiere hoy *pa comé?* Nos queda rosbif y algo de pastel de pollo... —le pregunto, mirando en el frigorífico.

Tengo que tomar una determinación con Leroy, decirle cómo son las cosas. «O dejas de pegarme, o me voy. Y no pienso llevarme a los críos.» Lo de los niños no es verdad, pero espero que le asuste más que otra cosa.

—No quiero nada.

Miss Celia se levanta y se quita un zapato de tacón y luego el otro. Se estira, con la mirada todavía fija en el árbol. Hace crujir los nudillos y sale por la puerta del jardín.

Desde la ventana, la veo agarrar el hacha. Me da un pequeño escalofrío, porque a nadie le hace gracia ver a una mujer loca con un hacha en la mano. La balancea en el aire, como si fuera un bate de béisbol en un golpe de prueba.

—¡Esta vez se acabó, preciosidad!

433

Se está empapando por la lluvia, pero no parece importarle. Empieza a dar hachazos al árbol. Ramas y hojas rosas salen despedidas en todas las direcciones.

Poso la bandeja de rosbif en la mesa de la cocina y la contemplo, esperando que esto no termine mal. Miss Celia aprieta los labios y se seca la lluvia de los ojos. En vez de cansarse, cada vez hunde con más violencia el hacha en el tronco.

—¡Miss Celia, venga acá, que llueve mucho! —le grito—. Ya lo hará Mister Johnny cuando vuelva.

Pero no me hace caso. Ha llegado a la mitad del tronco y el árbol empieza a bambolearse ligeramente, como mi padre cuando estaba borracho. Me siento en la silla en la que estaba leyendo Miss Celia y espero a que termine. Muevo la cabeza y ojeo el periódico. Entonces encuentro entre las páginas la carta de Miss Hilly junto a un cheque de Miss Celia por valor de doscientos dólares. Lo miro con atención y me fijo en que, en la parte inferior del cheque, en la casilla reservada para «observaciones», Miss Celia ha escrito con una preciosa caligrafía cursiva: «Para zampatartas Hilly».

Oigo un crujido y observo cómo el árbol se desploma. Montones de hojas revolotean por el aire y se pegan a su cabello dorado.

Miss Skeeter

Capítulo 27

Contemplo en silencio el teléfono de la cocina. Hace tanto tiempo que nadie llama, que parece un objeto sin vida colgado de la pared. Hay una calma tensa en todas partes: en la biblioteca, en la farmacia donde recojo las medicinas de Madre, en High Street donde compro cinta para la máquina de escribir, en nuestra casa... El asesinato del presidente Kennedy, hace un par de semanas, nos ha dejado a todos sin palabras. Nadie se atreve a romper el silencio, nada parece tener importancia.

En las escasas ocasiones en las que suena el teléfono, es el doctor Neal quien llama para informarnos de nuevos resultados pesimistas en los análisis de Madre, o algún familiar que pregunta por ella. Todavía me imagino, cada vez que oigo el timbre del aparato, que podría ser Stuart, a pesar de que la última vez que me llamó fue hace cinco meses. Un día, por fin me derrumbé y le conté a Madre que lo habíamos dejado. La mujer se sorprendió, como esperaba, pero por suerte sólo soltó un suspiro.

Tomo aire, marco el cero y me encierro en la despensa. Le digo a la operadora que quiero poner una conferencia con otro estado y espero.

—Editorial Harper and Row, ¿con quién quiere hablar?

—Con el despacho de Elaine Stein, por favor.

Mientras aguardo a que responda su secretaria, pienso que debería haber llamado antes, pero me pareció poco apropiado hacerlo la semana de la muerte de Kennedy. Además, en las noticias dijeron que casi todas las empresas del país estaban cerradas. Luego, vino el día de Acción de Gracias y, cuando la telefoneé, la operadora me dijo que nadie contestaba en la editorial. Por eso la llamo ahora, dos semanas más tarde de lo que tenía pensado.

—Elaine Stein al habla, ¿dígame?

Parpadeo, sorprendida porque es ella misma la que responde en lugar de su secretaria.

—Miss Stein, perdone que la moleste, soy... Eugenia Phelan, de Jackson, Misisipi.

—Ah, sí... Eugenia —contesta y suelta un suspiro, tal vez irritada por haber tenido que responder ella al teléfono.

—La llamaba para informarle de que el manuscrito estará listo para Año Nuevo. Se lo enviaré por correo la segunda semana de enero.

Sonrío porque no me he equivocado en estas dos frases que tanto he practicado antes de llamar. Hay un silencio al otro lado de la línea. Sólo se escucha su respiración áspera y una exhalación de humo de cigarrillo. Me revuelvo nerviosa, apoyada en la lata de harina.

—Soy... la que escribe sobre las mujeres de color... en Misisipi.

—Sí, sí, no la he olvidado —dice, aunque no estoy segura de que sea verdad. Luego añade—: Es usted la escritora de veinticuatro años, ¿no? La que se presentó al puesto de editora. ¿Qué tal va el proyecto?

—Ya casi lo tengo. Sólo nos queda terminar un par de entrevistas. Quería saber si debería enviarlo directamente a su atención o a su secretaria.

—Verá, señorita, no va a poder ser. En enero me resultará imposible.

—¿Eugenia? ¿Estás en casa? —oigo que pregunta Madre.

Tapo el auricular con la mano y respondo, consciente de que si no lo hago entrará aquí a buscarme.

—Ahora mismo salgo, mamá.

—La última reunión editorial del año es el 21 de diciembre —continúa Miss Stein—. Si quiere asegurarse de que leo su

436

texto, debería tenerlo aquí antes de esa fecha. De otro modo, pasará al montón, y supongo que no querrá que la pongan en el montón, Miss Phelan.

–Pero... usted me dijo que en enero...

Estamos a 2 de diciembre. Sólo tengo diecinueve días para terminarlo todo.

–El 21 de diciembre todos nos vamos de vacaciones, y cuando volvemos en Año Nuevo nos encontramos con una avalancha de proyectos de los autores y periodistas que colaboran habitualmente con nosotros. Si se trata de una desconocida, como es su caso, Miss Phelan, su única esperanza es que lo leamos antes del 21.

Trago saliva y digo:

–No sé si...

–Por cierto, ¿esa persona con la que estaba hablando hace un minuto era su madre? ¿Todavía vive con su familia?

Intento inventarme una mentira, que sólo está de visita, que está enferma, que pasaba por aquí... No quiero que Miss Stein se entere de que no he hecho nada en mi vida. Pero termino suspirando y respondo:

–Sí, todavía vivo con mis padres.

–Y la negra que la cuidó de pequeña, supongo que aún está con ustedes.

–No, se marchó.

–Vaya, qué mal. ¿Sabe qué fue de ella? Es que se me acaba de ocurrir que sería interesante añadir un capítulo sobre su propia criada.

Cierro los ojos, luchando contra la frustración.

–La verdad es que... no sé dónde está ahora.

–Bueno, pues entérese e inclúyalo. Le añadirá un toque personal a la obra.

–Sí, señora.

No tengo ni idea de cómo voy a conseguir acabar a tiempo las dos entrevistas que me faltan y, mucho menos, redactar un capítulo sobre Constantine. Sólo de pensar en ello me entran unas ganas tremendas de tenerla a mi lado.

–Adiós, Miss Phelan. Espero que le dé tiempo a terminar –dice, pero antes de colgar, murmura–: Y, por el amor de Dios, es usted una mujer de veinticuatro años y con estudios, búsquese un piso para usted sola.

Cuelgo el teléfono, aturdida por el cambio en la fecha de entrega y por la insistencia de Miss Stein para que incluya a Constantine en el libro. Sé que tengo que ponerme manos a la obra de inmediato, pero antes paso por el cuarto de Madre a ver qué tal se encuentra. Durante los últimos tres meses, sus úlceras han empeorado bastante. Ha perdido peso y no puede estar dos días sin vomitar. Incluso el doctor Neal se sorprendió al verla en su última visita la semana pasada.

–Es miércoles –dice Madre, mirándome de arriba abajo desde la cama–. ¿No tienes partida de *bridge* hoy?

–Se ha cancelado. El bebé de Elizabeth tiene cólicos –miento.

Este cuarto está lleno a rebosar de todas las mentiras que le he contado.

–¿Qué tal estás? –le pregunto. En la cama tiene la vieja palangana metálica blanca–. ¿Te han dado mareos otra vez?

–Estoy bien, Eugenia. No arrugues así la frente, no es bueno para tu cutis.

Madre todavía no sabe que me han echado del grupo de *bridge* ni que Patsy Joiner se ha buscado una nueva pareja para jugar al tenis. Que ya no me invitan a cócteles, a bautizos ni a ningún acto social en el que pueda coincidir con Hilly, excepto a las reuniones de la Liga de Damas. Tampoco sabe que las mujeres de la ciudad, cuando discuten conmigo los temas del boletín, son breves y directas. Intento convencerme de que no me importa. Me siento ante la máquina de escribir y la mayoría de los días no me muevo de ahí. Me digo que es el precio que tienes que pagar cuando dejas treinta y dos retretes en el jardín de la casa de la chica más popular de la ciudad. La gente tiende a tratarte de otra manera a como lo hacía antes.

Ya casi hace cuatro meses que entre Hilly y yo se levantó una pared hecha de un hielo tan espeso que harían falta cien veranos de Misisipi para derretirla. No es que no hubiera previsto las consecuencias de mis actos, pero no me esperaba que el enfado le fuera a durar tanto tiempo.

Aquel día, cuando Hilly me llamó, tenía la voz ronca, como si se hubiera pasado toda la mañana gritando.

–¡Estás enferma! –me bufó–. ¡No vuelvas a dirigirme la palabra ni a cruzarte en mi camino! ¡No se te ocurra acercarte a mis hijos!

–Fue un error de imprenta, Hilly –es todo lo que se me ocurrió decirle.

–Pienso ir a casa del senador Whitworth y contarle que tú, Skeeter Phelan, hundirás su campaña para llegar a Washington. Le diré que si la gente asocia a Stuart contigo, te convertirás en una mancha para su reputación.

Me estremecí al oírla mencionar el nombre de Stuart, aunque por aquel entonces ya hacía varias semanas que habíamos roto. Me imaginaba que, al enterarse, apartaría la vista sin importarle lo más mínimo lo que yo hiciera.

–Has convertido mi jardín en un circo –añadió Hilly–. ¿Cuánto tiempo llevabas planeando humillarnos a mí y a mi familia?

Hilly no comprendía que en realidad yo no tenía nada planeado. Sin embargo, cuando empecé a pasar al boletín su iniciativa de los retretes, mientras tecleaba palabras como «enfermedad», «protégete» o «¡De nada!», fue como si algo reventara en mi interior, como cuando se abre una sandía, refrescante y dulce. Siempre había pensado que la locura sería un sentimiento oscuro y amargo, pero cuando te envuelve resulta fresca y deliciosa. Pagué cuarenta dólares a los hermanos de Pascagoula para que dejaran esos váteres en el jardín de Hilly. Tenían miedo, pero aceptaron hacerlo. Recuerdo que fue una noche muy oscura y la suerte que tuvimos porque acababan de derribar un edificio antiguo en el centro de la ciudad y había muchos retretes abandonados para elegir. Un par de veces he soñado

439

que volvía a hacerlo. No me arrepiento, pero ya no me siento tan afortunada.

—Y tendrás la desvergüenza de llamarte «cristiana».

Fueron las últimas palabras que me dirigió Hilly, mientras yo pensaba: «Dios mío, ¿cuándo he dicho yo algo así?».

En noviembre, Stooley Whitworth consiguió llegar al Senado de Washington, pero William Holbrook perdió las elecciones locales y no obtuvo su escaño en el Parlamento de Misisipi. Estoy convencida de que Hilly me culpa de la derrota de su marido. Por no mencionar la frustración que siente ante todos los esfuerzos que hizo en vano por juntarme con Stuart.

Unas horas después de haber hablado con Miss Stein por teléfono, entro una vez más con sigilo en la habitación de Madre para ver qué tal está. Padre ya duerme a su lado. Madre tiene un vaso de leche en la mesita. Su espalda está recostada sobre las almohadas. Tiene los ojos cerrados, pero en cuanto asomo la cabeza por la puerta, los abre.

—¿Quieres que te traiga algo, mamá?

—No, cariño. Sólo estoy descansando un poco. El doctor Neal me dijo que me iría bien el reposo. ¿Adónde vas, Eugenia? Son casi las siete...

—Volveré dentro de poco. Sólo voy a dar una vuelta.

La beso y espero que no me haga más preguntas. Cuando cierro la puerta, ya está dormida otra vez.

Conduzco a toda prisa hacia la ciudad. Me da miedo informar a Aibileen de la nueva fecha límite. Sé que no quiere contarme lo que le pasó a Constantine, pero ya no tenemos otra elección. La camioneta traquetea y el tubo de escape petardea al pasar por los baches de la carretera. Está muy deteriorada después de una dura cosecha de algodón. Casi doy con la cabeza en el techo, porque alguien ha subido el asiento. No tiene aire acondicionado, por lo que me veo obligada a conducir con la ventanilla bajada y sacando el brazo por fuera para que la puerta no tiemble. El parabrisas tiene un golpe con forma de puesta de sol.

Al llegar a State Street, me detengo en el semáforo que hay justo enfrente de la fábrica de papel. Miro a mi lado y veo a Elizabeth, Mae Mobley y Raleigh apretujados en el asiento delantero de su Corvair blanco. Supongo que vuelven a casa de cenar fuera. Me quedo helada, sin atreverme a girar la cabeza otra vez, temiendo que me vean y me pregunten qué hago conduciendo la camioneta por la ciudad. Les dejo que arranquen los primeros, conduzco detrás de ellos y observo sus luces de freno mientras siento un picor en la garganta. Hace mucho que no hablo con Elizabeth.

Después del incidente de los retretes, Elizabeth y yo intentamos conservar nuestra amistad. Todavía hablábamos por teléfono de vez en cuando. Pero en las reuniones de la Liga de Damas sólo cruza conmigo el saludo de rigor y algunas frases vacías, ya que Hilly estaba presente.

—No me puedo creer lo que ha crecido Mae Mobley —le dije la última vez que pasé por su casa, hace ya un mes.

Mae Mobley sonrió tímida, y se escondió detrás de la pierna de su madre. Estaba más alta, pero todavía rolliza, con la gordura de los bebés.

—Crece como los cardos en el jardín —respondió Elizabeth, y lanzó una mirada por la ventana.

«Vaya metáfora con la que comparar a una hija», pensé. ¡Un cardo!

Elizabeth todavía llevaba puesto el camisón y los rulos en la cabeza. Concluido el embarazo, ya había recuperado la figura. Tenía una sonrisa tensa y no paraba de mirar el reloj y de tocarse los rulos cada pocos segundos. Nos quedamos en la cocina.

—¿Quieres ir a almorzar al club? —le pregunté.

En ese momento, Aibileen apareció en la cocina. Al abrirse la puerta, pude ver que la mesa del comedor estaba dispuesta con el mantel bordado y la cubertería de plata.

—No puedo, Eugenia. Me fastidia meterte prisa, pero... es que tengo que ir a buscar a mi madre a la tienda de Jewel Taylor. —Volvió de nuevo los ojos a la ventana—. Y ya sabes que a mi madre no le gusta esperar.

Su sonrisa aumentó de modo exponencial.

—Oh, lo siento. Te estoy entreteniendo... —musité.

Le toqué el hombro y me dirigí a la puerta. Entonces me di cuenta de lo que pasaba. ¿Cómo he podido ser tan tonta? Era miércoles e iban a dar las doce. ¡La partida de *bridge!*

Reculé con el Cadillac delante de su casa, lamentando haberle hecho pasar el mal trago de tener que pedirme que me fuera. Cuando di la vuelta al vehículo, vi su rostro pegado a la ventana observando aliviada cómo me marchaba. Entonces me di cuenta de que no estaba preocupada por haber herido mis sentimientos. Elizabeth Leefolt estaba avergonzada de que la vieran conmigo.

Aparco en la calle de Aibileen pero a unas cuantas manzanas de su casa, consciente de que tenemos que ser más precavidas que nunca. Aunque Hilly nunca se atrevería a acercarse a esta parte de la ciudad, ahora es una amenaza para nosotras, y siento que sus ojos están en todas partes. Me imagino lo contenta que se pondría si me descubre haciendo esto. No debo olvidar que esta mujer podría llegar muy lejos con tal de asegurarse de que sufro durante el resto de mis días.

Es una fresca noche de diciembre y está empezando a caer una fina lluvia. Con la vista fija en el suelo, recorro la calle a toda prisa. Todavía resuena en mi cabeza mi conversación de esta tarde con Miss Stein. He intentado priorizar lo que me queda por hacer. La parte más dura es volver a preguntarle a Aibileen sobre lo que le pasó a Constantine. No podré hacer un buen trabajo con el capítulo de Constantine si no sé lo que le ocurrió. Dejar su historia a medias sería traicionar el objetivo del libro. No estaría contando la verdad.

Entro apresurada en la cocina de Aibileen. Debo de tener cara de que algo va mal, porque nada más verme me pregunta:

—¿Qué pasa? ¿Alguien la ha visto *entrá?*

—No —contesto, y empiezo a sacar papeles de mi mochila—. Hablé con Miss Stein esta mañana.

Le cuento todo lo que me ha explicado sobre la fecha límite y sobre «el montón».

—Bueno, entonces... —Aibileen cuenta mentalmente los días, algo que llevo haciendo yo toda la tarde—. Nos quedan dos semanas y media en *lugá* de seis. Ay, *Señó*, no nos va a *da* tiempo. Todavía tenemos que *terminá* el capítulo de Louvenia y *retocá* el de Faye Belle... ¡Ah! y el de Minny, que todavía no está *mu* bien... Por cierto, Miss Skeeter, tampoco hemos *pensao* en el título.

Me llevo las manos a la cabeza. Siento que me estoy hundiendo bajo el agua.

—Eso no es todo —digo—. Quiere... quiere que escriba un capítulo sobre Constantine. Me preguntó... qué le había pasado.

Aibileen deja su taza de té en la mesa.

—No puedo escribirlo si no sé lo que le sucedió, Aibileen. Si tú no te ves capaz de contármelo..., quizá conozcas a alguien dispuesto a hacerlo.

Aibileen menea la cabeza.

—Supongo que sí que conozco a gente dispuesta... Pero prefiero ser yo la que le cuente esa historia.

—Entonces... ¿Lo harás?

Aibileen se quita las gafas negras, se frota los ojos y vuelve a ponérselas. Me remuevo en la silla esperando su respuesta. Pensaba que iba a encontrarme ante un rostro agotado, pues lleva todo el día trabajando y ahora tendrá que esforzarse aún más para conseguir llegar a la fecha de entrega. Sin embargo, no parece cansada. Endereza la espalda y me mira con gesto desafiante.

—Voy a escribirla *pa* usté. Deme una semana, más o menos. Le contaré *to* lo que pasó con Constantine.

Trabajo durante quince horas seguidas en la entrevista de Louvenia. El jueves por la tarde acudo a la reunión de la Liga de Damas. Me muero por salir de casa. Estoy hecha un manojo de nervios con esto de la fecha límite. El árbol de Navidad empieza a oler bien. Las naranjas con clavo se están secando y esparcen su perfume. Madre tiene frío siempre, pero en casa me siento como metida en un cazo de mantequilla fundida.

Me detengo un momento en las escaleras del edificio de la Liga y respiro a pleno pulmón el aire limpio del invierno. Sé que es patético, pero me alegro de seguir redactando el boletín. Al menos una vez a la semana siento que pertenezco a algo. Y, quién sabe, puede que esta vez sea todo diferente, con las vacaciones a punto de empezar y todas esas cosas que conllevan las Navidades.

Sin embargo, en cuanto entro en la sala, todo el mundo me da la espalda. Mi exclusión es tangible, como si se hubieran levantado muros de cemento a mi alrededor. Hilly me dirige una sonrisita y gira rápidamente la cabeza para hablar con otra persona. Avanzo unos pasos entre la multitud y veo a Elizabeth. Sonríe y la saludo con la mano. Me gustaría hablar con ella de Madre, contarle lo preocupada que estoy, pero antes de que me dé tiempo a acercarme, Elizabeth se da la vuelta, baja la mirada al suelo y se aleja. Esta forma de evitarme es nueva en mi amiga. Me voy directamente a mi asiento.

En lugar de ocupar mi lugar habitual en la primera fila, me coloco en una de las sillas del fondo, enfadada porque Elizabeth no se haya dignado hablarme. A mi lado está Rachel Cole Brant. Rachel casi nunca acude a las reuniones porque tiene tres hijos y está preparando un doctorado en Inglés en la Universidad de Millsaps. Me gustaría conocerla mejor, pero siempre anda muy ocupada. Al otro lado tengo a la maldita Leslie Fullerbean con su montaña de laca en la cabeza. Seguro que cada vez que enciende un cigarrillo pone en riesgo su vida. Estoy convencida de que si le aprietas la cabeza, le saldría un chorro de laca por la boca.

Casi todas las mujeres en la sala tienen las piernas cruzadas y un cigarrillo en la mano. El humo se acumula en el techo formando nubes. Llevo dos meses sin fumar y el olor del tabaco me pone enferma. Hilly sube al estrado y anuncia las próximas campañas benéficas de recogida de abrigos usados, latas de comida y libros, y también la recolecta de dinero a secas.

444

Luego, pasa a su parte favorita de estas reuniones: la lista de quejas. El momento en el que lee en voz alta los nombres de las miembros que se han retrasado en sus tareas, que llegan tarde a las reuniones o que no cumplen sus deberes filantrópicos. Últimamente, por un motivo u otro, siempre aparezco en la lista.

Aunque en la sala hace un calor infernal, Hilly lleva un vestido de lana roja acampanado y una pequeña capa como la de Sherlock Holmes por encima de los hombros. De vez en cuando, se recoloca la capa, aunque no creo que lo haga porque le moleste, pues parece disfrutar demasiado con el gesto. Su ayudante, Mary Nell, permanece de pie junto a ella sujetándole los papeles. Mary Nell parece un perrito faldero rubio, uno de esos pequineses de patitas cortas y nariz aplastada.

—Ahora tenemos un tema muy interesante que tratar. —Hilly recoge las notas que le entrega su perrito faldero y las ojea—. El Comité de Dirección de la Liga de Damas ha decidido introducir unas mejoras en nuestro boletín.

Me pongo rígida en mi asiento. ¿No debería ser yo la que decida los cambios en el boletín?

—En primer lugar, el boletín pasará de ser una publicación semanal a mensual. Ahora que los sellos han subido a seis céntimos, resulta demasiado caro enviarlo todas las semanas. Por otra parte, vamos a añadir una columna de moda en la que recogeremos los mejores conjuntos de nuestras integrantes, y otra de maquillaje con las últimas tendencias. Ah, y también incluiremos la lista de quejas, que a partir de ahora pasará a estar en el boletín. —Hace un gesto con la cabeza y busca el contacto visual de algunas de las presentes—. Y, por último, la novedad más emocionante: hemos decidido cambiar el nombre del boletín a *The Tattler,* como la famosa revista europea que leen muchas mujeres por aquí.

—¡Es un nombre precioso! —comenta en voz alta Mary Lou White.

Hilly está tan orgullosa de su ocurrencia que no hace uso de la maza para recriminar a Mary Lou por haber hablado sin pedir turno de palabra.

–De acuerdo. Es el momento de elegir una editora para nuestro nuevo y moderno boletín mensual. ¿Se os ocurre alguna candidata?

Se alzan algunas manos en la sala. Permanezco impasible en mi silla.

–Jeanie Price, ¿qué opinas?

–Propongo a Hilly, a Hilly Holbrook.

–¡Qué encantador por tu parte! Muy bien, ¿alguien más?

Rachel Cole Brant se vuelve y me mira, como queriendo decirme: «¿Te puedes creer este numerito?». Evidentemente, es la única en esta sala que no sabe lo que pasó entre Hilly y yo.

–¿Alguien secunda a... –Hilly baja la mirada, como si no se acordara muy bien de quién ha sido la nominada– Hilly Holbrook como editora?

–¡Yo!

–¡Yo también!

–¡Y yo!

Unos golpes de maza confirman que acabo de perder mi empleo de editora del boletín. Leslie Fullerbean me contempla con los ojos fuera de sus órbitas. Puedo ver que no queda nada allá donde debería estar su cerebro.

–Skeeter, ¿no es ése tu puesto? –me pregunta Rachel.

–Era –murmullo.

Cuando termina la reunión me dirijo hacia la puerta. Nadie me habla ni me mira a los ojos, pero yo mantengo la cabeza alta.

En el recibidor, Hilly y Elizabeth charlan. Hilly se recoge el pelo oscuro detrás de las orejas, me ofrece una sonrisa diplomática y se marcha ligera a conversar con otra persona, pero Elizabeth no se mueve de su sitio. Cuando paso a su lado, me toca el brazo.

–Hola, Elizabeth –le susurro.

–Lo siento, Skeeter –murmura.

Nos miramos a los ojos un momento, pero luego ella desvía la mirada. Bajo las escaleras y me dirijo al oscuro aparcamiento. Pensaba que quería decirme algo más, pero supongo que estaba equivocada.

Tras la reunión de la Liga, no vuelvo a casa directamente. Bajo todos los cristales de las ventanillas del Cadillac y dejo que el aire nocturno me dé en el rostro. Es cálido y fresco a la vez. Sé que debería regresar para trabajar en las historias, pero en lugar de eso enfilo los anchos carriles de State Street y conduzco. Nunca me había sentido tan vacía en mi vida. No puedo evitar pensar en todas las cosas que se me acumulan: no conseguiré entregar el libro a tiempo, mis amigas me ignoran, Stuart me ha dejado, Madre tiene...

No sé lo que tiene Madre, pero todos presentimos que se trata de algo más que unas simples úlceras de estómago.

El bar Sun and Sand está cerrado y reduzco la velocidad al llegar a su altura para comprobar lo muerto que parece un anuncio luminoso cuando está apagado. Al ralentí, paso junto al alto edificio de Lamar Life, bajo las parpadeantes farolas de la calle. Sólo son las ocho, pero parece que la ciudad entera se haya ido ya a la cama. En este lugar, todo el mundo está dormido en el más amplio sentido de la palabra.

–¡Ojalá pudiera marcharme de aquí! –grito, y mi voz resulta aterradora sin nadie para escucharla.

Rodeada por la oscuridad, me veo desde arriba, como en una película. Me he convertido en una de esas personas que deambulan por la noche en su coche. Dios, soy la Boo Radley de la ciudad, como en *Matar a un ruiseñor*.

Enciendo la radio y busco desesperadamente algún sonido que llene mis oídos. Suena *It's My Party* y cambio de emisora. Estoy empezando a odiar esas ñoñas canciones de amor para adolescentes. En un momento de cruce de ondas capto la WKPO de Memphis y escucho una voz masculina y ebria que canta una triste tonada de ritmo rápido. En un callejón sin salida, me detengo en el aparcamiento de los almacenes Tote-Sum y escucho la canción. Es lo más bonito que he oído nunca.

Then you better start swimmin' or you'll sink like a stone
For the times they are a-changin' [10].

---

[10] *Más vale que empieces a nadar o te hundirás como una piedra / porque los tiempos están cambiando. (N. del T.)*

Una voz enlatada me dice que el cantante se llama Bob Dylan, pero cuando va a empezar la siguiente canción se pierde la señal. Me reclino en el asiento y contemplo los oscuros escaparates de la tienda. Siento una ola de inexplicable alivio. Es como si acabara de escuchar algo venido del futuro.

En la cabina telefónica que hay frente a la tienda, echo una moneda y llamo a Madre. Sé que estará despierta esperando a que vuelva a casa.

—¿Diga? —contesta la voz de Padre, todavía levantado a las nueve menos diez.

—¿Papá? ¿Qué haces levantado? ¿Ha pasado algo?

—Cariño, tienes que volver a casa cuanto antes.

Las luces de las farolas me resultan de repente demasiado brillantes y la noche demasiado fría.

—¿Es mamá? ¿Está mal?

—Stuart lleva dos horas sentado en el porche. Te está esperando.

¿Stuart? Esto no tiene sentido.

—Pero mamá... ¿Está...?

—Tu madre está bien. De hecho, parece que ha mejorado un poco. Ven ya, Skeeter, para atender a Stuart.

El camino de regreso a la plantación nunca me había resultado tan largo. Diez minutos más tarde, aparco delante de casa y veo a Stuart sentado en las escaleras del porche. Padre está en una de las mecedoras. Cuando apago el motor, los dos se ponen de pie.

—Hola, papá –digo, sin mirar a Stuart–. ¿Dónde está mamá?

—Está dormida, acabo de entrar a ver cómo estaba.

Padre bosteza. La última vez que lo vi levantado más tarde de las siete fue hace diez años, aquella primavera que se heló la cosecha.

—Buenas noches a los dos. Apagad las luces cuando terminéis –dice Padre y entra en casa.

Me quedo a solas con Stuart. La noche es tan oscura y tranquila que no se ven la luna, las estrellas ni los perros en el jardín.

—¿A qué has venido? –pregunto con voz apagada.

—Quiero hablar contigo.

Me siento en las escaleras y hundo la cabeza entre las manos.

—Di lo que tengas que decir y márchate rápido. Estaba empezando a recuperarme de mis penas. Hace sólo diez minutos he escuchado una canción muy bonita y me he sentido bien.

Se acerca a mí, pero no lo suficiente como para que nuestros cuerpos se rocen. Me encantaría que lo hicieran.

—He venido para decirte una cosa. Quería contarte que la he visto.

Levanto la cabeza. La primera palabra que me viene a la cabeza es «egoísta». Egoísta hijo de perra, has venido hasta aquí para hablarme de Patricia.

—Estuve en San Francisco hace un par de semanas. Me subí en mi camioneta, conduje durante toda la noche y llamé a la puerta de la dirección que me dio su madre.

Me tapo la cara con las manos. Cuando cierro los ojos, sólo veo a Stuart recogiéndome el pelo como solía hacerlo.

—No quiero que me lo cuentes, Stuart.

—Le dije que mentir así a alguien es lo peor que se le puede hacer a una persona. Parecía muy cambiada. Llevaba un vestido de florecitas, un símbolo de la paz colgado del cuello, el pelo muy largo y no se había pintado los labios. Se rio al verme y me llamó puta. –Se frota los ojos con los nudillos–. Ella, que se metió en la cama con ese tipo, me llamó puta a mí. Dijo que yo era la puta de mi padre, la puta de Misisipi.

—¿Por qué me cuentas esto?

Tengo los puños cerrados y un sabor metálico en la boca. Creo que me he mordido la lengua.

—Fui hasta allí por ti. Después de que rompiéramos, me di cuenta de que tenía que quitarme a esa mujer de la cabeza. Y lo he conseguido, Skeeter. Conduje más de mil kilómetros de ida y vuelta y he venido a contártelo. Se acabó, ese amor está muerto.

—Pues muy bien, Stuart. Me alegro por ti.

Se acerca a mí y se inclina para que pueda mirarle a los ojos. Me entran mareos y ganas de vomitar al oler su aliento a *bourbon*. Pero, a pesar de todo, todavía me gustaría que me envolviera entre sus brazos. Lo amo y lo odio al mismo tiempo.

–Vete a tu casa –digo, casi sin creerme lo que estoy haciendo–. Ya no hay lugar para ti en mi interior.

–No me lo creo.

–Es demasiado tarde, Stuart.

–¿Puedo pasarme el sábado y hablamos?

Me encojo de hombros, con los ojos llenos de lágrimas. No quiero que vuelva a dejarme tirada como un trapo. Ya me ha pasado muchas veces, con él, con mis amigas... Sería estúpida si permitiera que volviese a suceder.

–Me da igual lo que hagas.

Me levanto a las cinco de la mañana y empiezo a trabajar en las historias. Sólo quedan diecisiete días para la fecha de entrega, así que trabajo día y noche con una velocidad y una eficiencia desconocidas en mí. Termino el capítulo de Louvenia en la mitad del tiempo que me costó escribir los demás. Con un intenso dolor de cabeza, apago la luz cuando los primeros rayos de sol empiezan a asomar por la ventana. Si Aibileen me entrega la historia de Constantine para el próximo miércoles, podremos acabar a tiempo.

Justo entonces me doy cuenta de que no me quedan diecisiete días. ¡Qué idiota soy! Sólo son diez días, porque no he tenido en cuenta lo que tarda en llegar el correo hasta Nueva York.

Me echaría a llorar si tuviera tiempo para ello.

Unas horas después, me levanto y regreso al trabajo. A las cinco de la tarde, oigo el ruido de un motor que entra en nuestra propiedad y a través de la ventana veo a Stuart que baja de su camioneta. Me levanto de la máquina de escribir y salgo al porche.

–Hola –le digo desde la puerta.

–Hola, Skeeter –me saluda con un gesto, tímido, comparado con cómo se comportó hace dos noches–. Buenas tardes, Mister Phelan.

–¿Qué tal, jovencito? –Padre se levanta de la mecedora y añade–: Os dejo para que habléis tranquilos.

–No te levantes, papá. Lo siento, Stuart, pero hoy estoy muy ocupada. Si quieres, puedes quedarte con mi padre.

Regreso al interior de la casa y veo que Madre, en la cocina, se toma un vaso de leche caliente.

–¿Es Stuart el que está ahí fuera?

Me voy al comedor y me aparto de las ventanas para que Stuart no pueda verme. Le observo escondida hasta que se marcha y me quedo un buen rato contemplando la carretera.

Esa noche, como de costumbre, voy a casa de Aibileen. Le entrego, para que lo revise, el capítulo de Louvenia, el que he escrito a la velocidad del rayo. Minny está en la mesa de la cocina; se toma un refresco y mira por la ventana. No sabía que iba a estar con nosotras hoy, y preferiría que nos dejara trabajar.

Aibileen termina de leer y hace un gesto afirmativo con la cabeza.

–Creo que este capítulo ha *quedao mu* bien. Se lee igual que los que escribimos con más calma.

Suspiro, me reclino en la silla y pienso en lo que nos falta aún.

–Tenemos que decidir el título –digo, mientras me froto las sienes–. He estado pensando en algunos. Creo que deberíamos llamarlo *Empleadas del hogar de color trabajando para familias sureñas*.

–Pero ¿qué dice? –pregunta Minny, mirándome por primera vez en toda la noche.

–Es la mejor forma de describir el contenido, ¿no os parece? –digo.

–Sí, pero suena como si te estuvieran metiendo una mazorca de maíz por el culo.

–No es una obra de ficción, Minny, es sociológica. El título tiene que ser preciso.

–Pero no por eso *tie* que ser *aburrío* –replica Minny.

–Aibileen –suspiro, confiando en que podamos resolver el tema esa noche–, ¿tú qué opinas?

Aibileen se encoge de hombros y puedo ver que ya está preparando su sonrisa pacificadora. Parece que siempre tiene que calmar los ánimos cuando Minny y yo estamos en la misma habitación.

–Es un buen título, pero se va a *cansá* de *escribí* una frase tan larga en *toas* las páginas –contesta.

Ya le había explicado antes cómo se deben presentar los textos.

–Bueno, podemos acortarlo un poco... –digo, sacando mi lápiz.

Aibileen se rasca la nariz y propone:

–¿Qué os parece si lo llamamos *na más: Criadas y señoras?*

–*Criadas y señoras* –repite Minny, como si nunca hubiera escuchado la palabra.

–*Criadas y señoras* –murmuro.

Aibileen se encoge de hombros y baja los ojos con timidez, como si estuviera un poco avergonzada de su ocurrencia.

–No quiero quitarle su idea... Sólo intento *buscá* algo más sencillo.

–*Criadas y señoras* me suena bien –dice Minny, cruzándose de brazos.

–Me gusta... *Criadas y señoras* –comento, porque de verdad me gusta, y añado–: Aunque creo que deberíamos poner debajo una descripción para que quede claro de qué trata. Pero me parece un buen título.

–*¡Pos* ya está! *¡Criadas y señoras!* –exclama Minny–. Si lo publican, bien sabe Dios que vamos a *necesitá* de Sus servicios.

El domingo por la tarde, a falta de ocho días para la fecha de entrega, bajo las escaleras mareada y mis ojos parpadean por

452

haberme pasado todo el día con la vista fija en la máquina de escribir. Casi me he alegrado al escuchar el ruido del coche de Stuart al acercarse a casa. Me froto los ojos. Puede que hoy me quede un poco con él para despejarme la cabeza y luego seguir trabajando por la noche.

Stuart baja de su camioneta llena de barro. Todavía lleva la corbata de los domingos. Intento no fijarme en lo guapo que está. Me desperezo al salir al porche. Hace un calor totalmente incongruente teniendo en cuenta que sólo faltan doce días para Navidad. Madre está sentada en una mecedora, cubierta con mantas.

—Hola, Miss Phelan. ¿Qué tal se encuentra hoy? –pregunta Stuart.

Madre le hace un gesto regio con la cabeza.

—Bien; gracias por preguntar.

Me sorprende la frialdad de su tono de voz. Después, vuelve a concentrarse en su periódico y no puedo evitar sonreír. Madre sabe que Stuart ha estado viniendo a verme, pero no me lo ha mencionado más que una vez. Me pregunto cuándo saltará sobre mí.

—Hola –me dice Stuart muy tranquilo.

Nos sentamos en las escaleras del porche. En silencio, contemplamos a *Sherman*, nuestro viejo gato, que trepa por un árbol meneando la cola detrás de algún bicho que no podemos ver desde aquí.

Stuart me posa la mano en el hombro.

—No puedo quedarme mucho hoy. Me voy a Dallas para una reunión de la empresa, estaré fuera tres días. Sólo he venido a decírtelo.

—Muy bien –respondo, y me encojo de hombros como si no me importara.

—Vale –dice, y regresa a su camioneta.

Cuando se ha marchado, Madre se aclara la garganta. Sigo de espaldas a ella, porque no quiero que vea la decepción en mi rostro.

—Venga, Madre –le susurro por fin–. Suéltalo ya.

—No dejes que se aproveche de ti.

Me vuelvo y la miro con sospecha. Por muy frágil que parezca bajo sus mantas de lana, ¡ay de aquel que se atreva a minusvalorar a Madre!

—Si ese Stuart no se da cuenta de lo inteligente y atenta que eres y de lo bien que te he educado, que se vuelva a State Street. —Mira frunciendo el ceño al perro, tumbado obscenamente al sol patas arriba—. Sinceramente, no me gusta mucho ese Stuart. No sabe la suerte que tuvo por haber salido contigo.

Dejo que las palabras de Madre se posen como un dulce caramelo en mi lengua. Muy a mi pesar, me levanto de las escaleras y me dirijo hacia la puerta. Todavía me queda mucho trabajo por hacer y no dispongo de demasiado tiempo.

—Gracias, Madre.

La beso en la mejilla y entro en casa.

Estoy agotada e irritable. Llevo cuarenta y ocho horas tecleando sin parar. Me encuentro atontada con tantos datos en la cabeza sobre la vida de otras personas. Me escuecen los ojos por la tinta y tengo los dedos llenos de cortes que me he hecho con el borde de los folios. Quién iba a decir que el papel y la tinta pudieran ser tan nocivos...

Sólo me quedan seis días. Me paso por casa de Aibileen, que se ha tomado un día libre en el trabajo a pesar del enfado de Elizabeth. Supongo que sabe de lo que tenemos que hablar antes incluso de que yo abra la boca. Me deja en la cocina y vuelve con un sobre en la mano.

—Antes de darle esto... creo que tengo que contarle unas cosas *pa* que pueda *entendé* bien.

Asiento y me remuevo nerviosa en la silla. Me gustaría abrir el sobre cuanto antes y acabar con esto.

Aibileen ordena el cuaderno que tiene en la mesa de la cocina y la observo mientras alinea sus dos lápices amarillos.

—¿Recuerda que le conté que Constantine tenía una hija? Se llamaba Lulabelle. Ay, *Señó*, le salió pálida como la nieve. Cuando le creció el pelo, lo tenía del *coló* del heno, y *mu* liso, no *rizao* como el suyo.

454

–¿Tan blanca era?

Siempre me había preguntado esto desde que Aibileen me contó hace ya tiempo en la cocina de Elizabeth lo de la hija de Constantine. Pienso en lo extraño que le resultaría tener un bebé blanco entre los brazos sabiendo que esta vez era suyo.

Aibileen asiente.

–Cuando Lulabelle tenía cuatro años, Constantine... –Aibileen cambia de postura en la silla–. Bueno, la llevó a un orfanato en Chicago.

–¿Un orfanato? ¿Estás diciendo que... abandonó a su hija?

Con lo que me quería Constantine, me puedo imaginar lo mucho que querría a su propia hija.

Aibileen me mira a los ojos. Veo algo en ellos que nunca antes había visto: frustración y una cierta antipatía.

–Un montón de mujeres de *coló* tienen que *abandoná* a sus hijos, Miss Skeeter. No pueden atenderlos porque se tienen que *ocupá* de una familia blanca. –Bajo la mirada, preguntándome si Constantine no pudo ocuparse de su hija por atender a mi familia–. Aunque lo normal es que los envíen con parientes. Meterlos en un orfanato es algo... un poco distinto.

–¿Y por qué no envió a la niña con su hermana o con otro familiar?

–Su hermana no podía ocuparse de ella. Ser un negro con la piel blanca en Misisipi significa no *pertenecé* a ninguna de las dos razas. Pero no sólo fue duro *pa* la niña, también lo fue *pa* Constantine. La gente... se quedaba mirándola *tol* rato. Los blancos la abordaban *pa sabé* qué hacía ella con una niña blanca por la calle. En State Street, la policía la paraba y le preguntaba por qué no llevaba su uniforme de trabajo. Incluso la gente de *coló* la trataba distinto. Desconfiaban de ella, como si hubiera hecho algo malo. Le costaba mucho *encontrá* a alguien dispuesto a *cuidá* a Lulabelle cuando tenía que ir a *trabajá*. Constantine terminó haciendo lo que no quería *hacé*...

–¿En aquel entonces ya trabajaba para mi familia?

–*Pos* sí, llevaba ya unos años con su mamita de *usté*. Ahí fue donde *conosió* al padre de la criatura, Connor. Trabajaba en su plantación y vivía en Hotstack. –Aibileen mueve la cabeza–. A *toas* nos sorprendió que Constantine se... relacionara con él así, sin *pasá* por el *altá*. A mucha gente en la parroquia no le hizo ninguna *grasia*, sobre todo cuando la niña salió blanca, aunque su padre era tan negro como yo.

–Seguro que a mi madre tampoco le hizo mucha gracia.

No me cabe ninguna duda de que Madre lo supo. Siempre está al corriente de las circunstancias del servicio (dónde viven, si están casadas, cuántos hijos tienen). Es más una forma de control que un verdadero interés. Le gusta saber quién anda por sus propiedades.

–¿La dejó en un orfanato para niños de color o en uno de blancos? –pregunto, porque se me ocurre (o espero) que igual lo que pasó es que Constantine quería una vida mejor para su hija; quizá pensó que si la adoptaba una familia blanca no se sentiría tan diferente.

–En uno de *coló*. Los de blancos no la admitieron, nos contó. Supongo que sabían... Igual habían *tenío* el mismo caso antes. Cuando Constantine fue a la estación de tren con Lulabelle *pa* llevarla a Chicago, dicen que los blancos la miraban *sorprendíos* en el andén, preguntándose qué hacía una niña blanca *subía* en el vagón de los negros. Cuando Constantine la dejó en aquel *lugá*... la pequeña tenía ya cuatro años... era *demasiao mayó pa* que la abandonaran. Lulabelle se puso a *llorá* y *gritá* como una loca. Eso es lo que le contó Constantine a alguien de nuestra parroquia. Le dijo que Lula chillaba y se revolvía pidiéndole a su madre que no la dejara. Pero Constantine, incluso escuchando sus gritos, la dejó allá.

Mientras escucho, empiezo a comprender lo que Aibileen me está contando. Si no hubiera tenido una madre como la que tengo, igual no habría sido capaz de entenderlo tan bien.

–¿Abandonó a su hija... porque le daba vergüenza que fuera blanca?

Aibileen abre la boca para protestar, pero de repente la cierra y baja la mirada.

–Unos años más tarde, Constantine escribió al orfanato y les dijo que había *cometío* un *erró*, que quería que le devolvieran a su hija. Pero Lula había sido *adoptá*. ¡La había *perdío pa*

456

siempre! Constantine decía que *abandoná* a su hija fue el peor *erró* que cometió en su vida. –Aibileen se reclina en la silla–. Y también decía que si algún día conseguía *recuperá* a Lulabelle, no la dejaría *marchá* nunca.

Me quedo en silencio, con el corazón dolido por Constantine. Empiezo a temer que esto tenga algo que ver con Madre.

–Hace un par de años, Constantine recibió una carta de Lulabelle –continúa relatando Aibileen–. Creo que tenía ya *veinticinco* años. Parece que sus padres adoptivos le habían *dao* la dirección. Empezaron a escribirse y un día Lulabelle le dijo que quería acercarse a Misisipi y quedarse una *temporá* con su madre. *¡Señó!* Constantine estaba tan nerviosa que no era capaz de *andá* recta. No podía *comé* ni *bebé* agua, no paraba de *vomitá*. La tuve que *meté* en mi lista de oraciones.

Hace dos años. Eso sería mientras yo estaba en la universidad. ¿Por qué Constantine nunca me contó en sus cartas lo que pasaba?

–Constantine sacó *tos* sus ahorros y compró ropa *pa* Lulabelle y pulverizadores *pal* pelo. Encargó al sastre de la parroquia que le cosiera una nueva colcha *pa* la cama en la que iba a *dormí* Lula. En una reunión de la iglesia nos dijo: «¿Y si me odia? Seguro que me pregunta por qué la abandoné y, si le cuento la *verdá...*, me odiará».

Aibileen levanta la vista de su taza de té, sonríe levemente y añade:

–También nos decía: «Me muero de ganas de que Skeeter conozca a mi hija cuando vuelva de la *universidá*». Fíjese qué curioso. En aquel entonces, yo todavía no la conocía a *usté*, Miss Skeeter.

Recuerdo la última carta que recibí de Constantine, en la que me decía que tenía una sorpresa para mí. Ahora comprendo lo que quería: ¡presentarme a su hija! Contengo las lágrimas que asoman a mis ojos.

–¿Qué pasó cuando Lulabelle vino a verla?

Aibileen empuja hacia mí el sobre por encima de la mesa y dice:

–Eso tendrá que leerlo *usté* sola cuando llegue a su casa.

457

Una vez en casa, subo a mi cuarto. Antes incluso de sentarme ya he abierto el sobre de Aibileen. La carta está escrita a lápiz, en una hoja de cuaderno por las dos caras.

Después de leerla, contemplo las ocho páginas que ya he escrito sobre mi excursión a Hotstack con Constantine, sobre los puzles que hacíamos juntas, sobre cómo me apretaba con el pulgar en la mano... Tomo aire y poso las yemas de los dedos sobre las teclas de la máquina de escribir. No puedo perder más tiempo, tengo que terminar su historia.

Escribo lo que Aibileen me ha contado: que Constantine tuvo una hija y la abandonó para poder trabajar para mi familia, los Miller, como nos llamamos en el libro en honor a Henry, mi escritor proscrito preferido. No menciono que la hija de Constantine salió pálida y rubia, sólo quiero mostrar que el amor que sentía esta mujer por mí comenzó después de haber perdido a su propia hija. Puede que eso fuera lo que lo hacía tan único y profundo. El hecho de que yo fuera blanca no tenía importancia. Mientras ella deseaba recuperar a su hija, yo anhelaba que Madre no estuviera siempre descontenta conmigo.

Escribo sobre mis años universitarios y sobre las cartas que nos enviábamos cada semana. Dejo de teclear al escuchar la tos de Madre en la planta baja y los pasos de Padre que acude a atenderla. Enciendo un cigarrillo y lo apago al instante. «¡No empieces otra vez!» El ruido de la cisterna del váter resuena por toda la casa, y se lleva por el desagüe un trocito más del cuerpo de mi madre. Enciendo otro cigarrillo y me lo fumo hasta el filtro. No soy capaz de escribir sobre lo que hay en la carta de Aibileen.

Esa tarde, llamo a Aibileen a su casa.

—No puedo meterlo en el libro —le digo—. Lo de mi madre y Constantine. Lo dejaré en el momento en que me fui a la universidad. Es que...

—Miss Skeeter...

—Sé que debería ponerlo. Sé que tendría que sacrificarme tanto como tú, Minny y las otras... Pero no puedo hacerle eso a mi madre.

458

–Nadie espera que lo haga, Miss Skeeter. La *verdá* es que no tendría un buen concepto de *usté* si lo hiciera.

Al día siguiente, por la tarde, bajo a la cocina para prepararme un té.

–¿Eugenia? ¿Estás aquí abajo? –pregunta Madre.

Me acerco a su dormitorio. Padre todavía no se ha acostado, oigo la televisión en la sala de estar.

–Sí, mamá, estoy aquí.

Madre se encuentra ya en la cama, a las seis de la tarde, con la palangana blanca a su lado.

–¿Has estado llorando? Ya sabes que eso envejece tu cutis, cariño.

Me siento en la silla de mimbre que hay junto a la cama, sin saber por dónde empezar. Una parte de mí entiende por qué Madre se comportó de esa manera. La verdad es que cualquiera se enfadaría por lo que hizo Lulabelle. Pero necesito escuchar su versión de la historia. Quiero saber si Aibileen se olvidó de escribir algo en su relato que me permita perdonar a Madre.

–Quiero hablar contigo de Constantine, mamá –le digo.

–Pero bueno, Eugenia –me reprende Madre al tiempo que me agarra la mano–, hace casi dos años de eso.

–Mamá –digo, y me esfuerzo por mirarla a los ojos. Aunque está horriblemente delgada y se le marca la clavícula, todavía tiene la misma mirada penetrante de siempre–. ¿Qué pasó? ¿Qué pasó con su hija?

La mandíbula de Madre se tensa y veo que le ha sorprendido que yo sepa de la existencia de Lulabelle. Supongo que, como siempre, se negará a hablar del tema, pero esta vez suspira profundamente, se acerca un poco la palangana y dice:

–Constantine la envió a vivir a Chicago porque no podía cuidarla.

Asiento, y espero a que continúe hablando:

–Ya sabes, esa gente es diferente con estas cosas. Se ponen a tener hijos sin pararse a pensar en las consecuencias.

459

«Esa gente.» Me recuerda a Hilly en la forma de expresarse. Madre se da cuenta del malestar en mi rostro.

–Mira, yo fui muy buena con Constantine. Era muy deslenguada y a veces me contradecía, pero siempre se lo pasé por alto. Pero, Skeeter, aquella vez no me quedaba elección.

–Lo sé, Madre. Sé lo que pasó.

–¿Quién te lo ha contado? ¿Alguien más lo sabe?

Veo un temor paranoico que asoma a sus ojos. Su mayor pesadilla se está volviendo realidad. La verdad es que me da lástima.

–Nunca te diré quién me lo contó... Lo único que puedo decirte es que fue alguien... poco importante para ti –contesto–. No puedo creerme que lo hicieras, Madre.

–¿Cómo te atreves a juzgarme después de lo que hizo esa mujer? ¿Acaso sabes lo que pasó? ¿Estabas tú allí?

Veo aparecer en su rostro la vieja rabia de una mujer obstinada que ha sobrevivido a largos años de úlceras sangrantes.

–Esa muchacha –dice Madre, apuntándome con su nudoso dedo– se presentó una tarde cuando tenía a todo el grupo de las Hijas de la Revolución Americana en casa. En aquel entonces, tú estabas en la universidad. De repente, alguien llamó al timbre con violencia. Constantine estaba en la cocina colando el café porque la máquina se había quemado después de hacer dos tazas. –Madre hace un gesto de disgusto al recordar el tufo del café quemado–. Estábamos todas en el salón tomando las pastas. ¡Noventa y cinco personas en la casa! Así que abrí yo la puerta y esa muchacha se presenta y se pone a tomar café, a charlar con Sarah von Sistern, a deambular por la sala zampando pastas como si fuera una invitada más... ¡Incluso se puso a rellenar un formulario para ingresar en nuestra asociación!

Asiento de nuevo. Ignoraba estos detalles, pero no cambian en nada lo que sucedió.

–Era tan blanca como las demás, y lo sabía. Era perfectamente consciente de lo que estaba haciendo. Así que me acerqué a ella y le dije: «¿Cómo está usted, señorita?», y ella sonrió y me contestó: «Bien, gracias», y le pregunté: «No la había visto antes por aquí, ¿cómo se llama?», y me dijo: «¿De

460

verdad no lo sabe? Soy Lulabelle Bates. Ahora que soy un poco más mayor he venido a Misisipi para vivir con mi mamita. Acabo de llegar». Y me dejó para servirse otro pedazo de tarta.

–Bates –comento en voz baja, pues es otro detalle que, pese a ser insignificante, no conocía–. Así que recuperó el apellido de Constantine.

–Gracias a Dios, nadie oyó nuestra conversación. Pero luego se puso a hablar con Phoebe Miller, la presidenta de la división sureña de la Asociación de Hijas de la Revolución Americana. No aguanté más; la agarré del brazo, me la llevé a la cocina y le dije: «Miss Lula, no puede quedarse aquí. Tiene que marcharse». Entonces me miró altiva y me espetó: «¿Qué pasa? ¿En su casa los negros sólo podemos entrar al salón para limpiar?». En ese momento, Constantine apareció en la cocina. Parecía tan sorprendida como yo. «Miss Lulabelle –le dije–, salga de esta casa antes de que llame a mi marido.» Pero no se movió. Me dijo que mientras yo pensaba que era blanca la había tratado bien, pero ahora que sabía que era hija de la criada la echaba de casa. También exclamó que allá en Chicago pertenecía a un grupo de «gatos negros» o algo así. Al final, le grité a Constantine: «¡Saca a tu hija de mi casa ahora mismo!».

Los ojos de Madre parecen más hundidos que nunca. Se le dilatan las ventanas de la nariz de lo nerviosa que se pone al recordar mientras continúa su relato:

–Entonces Constantine le pidió a Lula que se marchara a casa y su hija le contestó: «Vale. De todos modos, ya me iba». Se dirigió hacia el salón, pero la detuve y le dije: «¡Alto ahí, jovencita! Tú sales por la puerta de servicio, no por la delantera como las invitadas blancas». No estaba dispuesta a permitir que mis compañeras de la asociación descubrieran aquello. Así que le dije a esa descarada, a cuya madre le dábamos diez dólares de aguinaldo todas las Navidades, que no pusiera un pie en nuestra plantación nunca más. ¿Sabes lo que hizo?

«Sí lo sé», pienso para mis adentros, pero pongo cara de no saber nada. Todavía estoy esperando que Madre me cuente algo que me permita perdonarla por lo que hizo.

461

—Me escupió. ¡Una negra intentando hacerse pasar por blanca me escupió en la cara en mi propia casa!

Me estremezco. ¿Quién podría tener las agallas de escupirle a Madre?

—Le dije a Constantine que a esa muchacha más le valía no volver a dejarse ver por aquí, por Hotstack y por todo el estado de Misisipi, y que no pensaba tolerar que siguiera viviendo con Lulabelle, no mientras tu padre pagara el alquiler de la casa de Constantine.

—Pero fue Lulabelle la que se portó mal, no Constantine.

—¿Cómo se iba a quedar por aquí? No podía imaginarme a esa muchacha paseándose por Jackson, haciéndose pasar por una blanca cuando en realidad era negra, contándole a todo el mundo que había estado en una reunión de las Hijas de la Revolución Americana en Longleaf. Doy gracias a Dios todos los días porque nadie descubrió lo que sucedió. Intentó humillarme en mi propia casa, Eugenia. ¡Cinco minutos antes había estado rellenando con Phoebe Miller los formularios para unirse a nuestra asociación!

—Hacía veinte años que Constantine no la veía. No puedes prohibirle a una persona que vea a su hija.

Pero Madre está atrapada por su propia versión de la historia.

—Constantine imaginó que podía hacerme cambiar de opinión. «Por favor, Miss Phelan, deje que se quede en mi casa. No volverá a acercarse al barrio blanco. ¡Hace tanto que no la veo!» Todavía recuerdo a esa Lulabelle, en jarras, diciendo: «Mire, blanca, mi madre me tuvo que dejar en un orfanato porque mi padre murió y ella no podía hacerse cargo de mí porque estaba muy enferma. Pero ahora no va a venir usted a separarnos otra vez».

Madre baja la voz, parece más tranquila.

—Miré a Constantine y me dio mucha vergüenza su comportamiento: primero quedarse embarazada sin estar casada y luego mentir así...

Me siento mareada y sudorosa. Quiero que esto termine de una vez. Madre frunce el ceño y añade:

–Ya es hora de que sepas, Eugenia, cómo son las cosas. Siempre idolatraste demasiado a Constantine. –Me apunta con el dedo–. Pero esa gente no es como las personas normales.

No me atrevo a mirarla a la cara. Cierro los ojos y pregunto:

–¿Y qué pasó después, Madre?

–Le pregunté directamente a Constantine: «¿Eso es lo que le has contado? ¿Así pretendes ocultar tus errores?».

Ésta es la parte que esperaba que no fuera verdad. La parte en la que deseaba que Aibileen se hubiera equivocado.

–Le conté la verdad a Lulabelle. Le dije que su padre no había muerto, que se había marchado el día que ella nació, y que su madre no había estado enferma ni un solo día en toda su vida. Que la abandonó porque era demasiado rubia y no la quería.

–¿Y no podías haber dejado que siguiera creyendo lo que le había contado su madre? Constantine se inventó esas historias porque le daba mucho miedo que su hija no la quisiera.

–Lulabelle tenía que saber la verdad y regresar adonde pertenecía, a Chicago. Éste no era su sitio.

Hundo la cabeza entre las manos. No hay un solo elemento en la historia que me ayude a perdonarla. Ahora entiendo por qué Aibileen no había querido contármelo. Nadie debería conocer nunca esta cara de su madre.

–Nunca se me ocurrió que Constantine se marcharía a Illinois con ella, Eugenia. Sinceramente, me dio pena cuando se fue.

–No, no te dio ninguna pena –la contradigo.

Pienso en Constantine, tras pasarse más de cincuenta años viviendo en el campo, atrapada en un pequeño apartamento en Chicago. ¡Qué sola se debe de haber sentido! ¡Cuánto le habrán dolido las rodillas con el frío del Norte!

–¡Sí que me dio pena! Y aunque le dije que no te escribiera, seguramente lo habría hecho si hubiera tenido más tiempo.

–¿Más tiempo?

–Constantine murió, Skeeter. Le envié un cheque por su cumpleaños a la dirección de su hija, pero Lulabelle me lo devolvió junto a una copia de la esquela.

–¡Constantine...! –Me echo a llorar. Ojalá lo hubiera sabido antes–. ¿Por qué no me lo contaste, mamá?

Madre se suena la nariz y, sin dejar de mirar al frente, se seca los ojos y responde:

–Porque sabía que me ibas a echar la culpa de todo, cuando... cuando yo no hice nada malo.

–¿Cuándo murió? ¿Cuánto tiempo estuvo viviendo en Chicago? –le pregunto.

Madre agarra la palangana y la abraza.

–Tres semanas.

Aibileen abre la puerta trasera de su casa y me deja pasar. Minny está en la mesa de la cocina y remueve con una cucharilla el café. Cuando me ve, se baja la manga del vestido, pero me da tiempo a fijarme en el vendaje que lleva en el brazo. Murmulla un saludo y vuelve a concentrarse en su taza.

Dejo caer sobre la mesa el manuscrito.

–Si lo envío mañana temprano, tardará siete días en llegar a Nueva York. ¡Hemos terminado a tiempo!

Sonrío a pesar de lo agotada que estoy. Lo hemos conseguido.

–¡Leches! ¡Vaya montón de papeles! –Aibileen sonríe y se sienta en su taburete–. ¡Doscientas sesenta y seis páginas!

–Ahora sólo nos queda... esperar –reflexiono, mientras las tres contemplamos la pila de folios.

–Por fin –dice Minny, y en su rostro creo adivinar algo; no es una sonrisa, sino más bien un ligero gesto de satisfacción.

La habitación permanece en silencio. Fuera, reina la oscuridad. La oficina postal está ya cerrada, así que decidí pasarme por aquí para enseñárselo todo a Aibileen y Minny antes de enviarlo. Normalmente, sólo les traigo capítulos sueltos.

–¿Qué pasa si lo descubren? –pregunta Aibileen muy tranquila. Minny levanta la vista de su café–. ¿Qué pasará si la gente se entera de que Niceville es en *realidá* Jackson y empiezan a *adiviná* quién es quién?

–No lo descubrirán –dice Minny–. Jackson es una *ciudá* como otra cualquiera, hay un montón de sitios iguales.

464

Hace mucho que no hablábamos de esto. Además del comentario de Winnie sobre las lenguas cortadas, no hemos vuelto a pensar en las consecuencias que el libro podría tener, más allá de que las criadas perdieran su trabajo. Durante los últimos ocho meses, en lo único que pensábamos era en lograr terminarlo a tiempo.

–Minny, *ties* que *pensá* en tus críos –dice Aibileen–. Y en Leroy... si tu *marío* se entera...

Los ojos de Minny, habitualmente confiados, parecen de repente esquivos, inquietos.

–Leroy se va a *cabreá,* eso está claro –comenta Minny, bajándose otra vez la manga del vestido–. Se cabreará y se quedará *mu* triste si los blancos se me llevan.

–¿No crees que deberíamos *buscá* un *lugá pa escapá,* en caso de que las cosas se pongan feas? –pregunta Aibileen.

Las dos se quedan reflexionando sobre el tema y mueven la cabeza.

–No sé *ande* podríamos ir –resume Minny.

–*Usté* también debería *pensá* en un sitio *pa* ocultarse, Miss Skeeter –me dice Aibileen.

–No puedo abandonar a mi madre ahora. –Me siento en una silla y añado–: Aibileen, ¿crees que... nos harán daño? Quiero decir, como lo que sale en los periódicos.

Aibileen ladea la cabeza, confusa por mis palabras. Frunce el ceño, como si hubiera un malentendido.

–A nosotras nos atizarán. Vendrán al barrio con sus bates de béisbol. Igual no nos matan, pero...

–Pero... ¿quiénes hacen eso? ¿Las mujeres blancas sobre las que escribimos? No creo que ellas vayan a hacernos daño, ¿no? –pregunto.

–¿Acaso no sabe que a los hombres blancos les encanta *protegé* a las mujeres de su *ciudá?*

Se me pone la piel de gallina. Más que por lo que pueda pasarme a mí, me preocupa el daño que podrían causarles a Aibileen, a Minny, a Louvenia, a Faye Belle y a otras ocho mujeres. El libro sigue sobre la mesa. Siento deseos de meterlo en la mochila y esconderlo.

Sin embargo, miro a Minny porque, por alguna extraña razón, creo que es la única de nosotras que realmente comprende lo que nos puede pasar. No me devuelve la mirada, está perdida en sus pensamientos, pasándose la uña del pulgar por el labio.

—Minny, ¿tú qué piensas? –le pregunto.

Ella sigue con la vista fija en la ventana, moviendo la cabeza al ritmo de sus propias elucubraciones.

—Creo que necesitamos algún tipo de seguro.

—No hay seguros *pa* nosotras –dice Aibileen.

—¿Y si ponemos en el libro la terrible trastada que le hice a Miss Hilly? –inquiere Minny.

—No podemos, Minny –le responde Aibileen–. Nos delataría.

—Pero si lo ponemos, a Miss Hilly no le hará *grasia* que la gente descubra que el libro habla de Jackson. No querrá que nadie se entere de que ella es la protagonista de esa historia. Y si alguien se acerca a la *verdá,* ella misma se encargará de *desviá* la atención.

—¡Leches, Minny! Me parece *demasiao arriesgao.* Nadie sabe de lo que es capaz esa *mujé.*

—Las únicas personas que conocen esa historia son Miss Hilly y su mamá –dice Minny–. Bueno, y Miss Celia, pero ésa no *tie* amigas *pa* contárselo.

—¿Qué pasó? –pregunto–. ¿De verdad es algo tan terrible?

Aibileen me mira y enarco las cejas sin entender.

—¿Quién sería capaz de *reconocé* algo así? –le dice Minny a Aibileen–. Además, Aibileen, tampoco *pue permití* que la gente te relacione a ti o a Miss Leefolt con el libro, porque entonces podrían *descubrí* lo que le hice. Hazme caso, Miss Hilly es la *mejó* protección que tenemos.

Aibileen asiente con la cabeza. Luego repite ambos gestos mientras la miramos expectantes.

—Si ponemos la terrible trastada en el libro y la gente descubre que las protagonistas sois tú y Miss Hilly, estarás *metía* en un buen lío –Aibileen se estremece–. Creo que no se ha *inventao* un castigo *pa* lo que hiciste.

–Es un riesgo que estoy dispuesta a *corré*. Ya lo he *decidío*. Si no lo incluís, quitáis mi capítulo entero.

Aibileen y Minny se miran fijamente. No podemos quitar el capítulo de Minny, es el que cierra el libro, en el que se explica cómo es posible que a una mujer la despidan diecinueve veces en la misma ciudad y se relata su lucha infructuosa por contener la rabia que lleva dentro. Comienza con las reglas de su madre sobre lo que hay que hacer para trabajar en casa de una mujer blanca y termina cuando Hilly envía a Miss Walter al asilo. Me gustaría intervenir, pero creo que es mejor seguir en silencio.

Por fin, Aibileen suspira y mueve la cabeza.

–Está bien. Supongo que lo *mejó* será que se lo cuentes a Miss Skeeter.

Minny me mira con el ceño fruncido. Saco papel y bolígrafo y me preparo para escribir.

–Sepa que sólo se lo cuento por el libro. Yo no soy de esas que van contando secretos por ahí.

–Voy a *prepará* más café –se ofrece Aibileen.

De regreso a Longleaf siento escalofríos pensando en la historia de la tarta de Minny. No sé qué será más seguro, si incluirla en el libro o no. Además, si la escribo entre esta noche y mañana, perderemos un día y tendremos menos posibilidades de entregarlo a tiempo. Me puedo imaginar el rostro de Hilly rojo de rabia. Todavía odia a Minny, conozco bien a mi amiga. Si nos descubren, se convertirá en nuestra más feroz enemiga. Incluso si no nos descubren, publicar la historia de la tarta cabreará a Hilly más de lo que pueda imaginar. Pero Minny tiene razón, es nuestra mejor garantía de seguridad.

Cada doscientos metros miro por el retrovisor. Conduzco al límite de velocidad y voy por carreteras secundarias. En mi mente resuena el «Nos atizarán».

Me paso toda la noche y el día siguiente escribiendo, con cara de asco ante los detalles de la historia de Minny. A las cuatro de la tarde, meto el manuscrito en un sobre de cartón y lo envuelvo en papel de celofán marrón. Normalmente tarda siete u ocho días en llegar, pero tiene que estar en Nueva York en seis días.

A pesar del miedo que tengo a la policía, conduzco a toda velocidad hasta la oficina postal, consciente de que cierra a las cuatro y media. Al llegar, me dirijo corriendo a la ventanilla. No duermo desde anteayer. Tengo el pelo revuelto por el viento. El empleado de Correos me mira sorprendido.

—¿Sopla mucho aire en la calle?

—Por favor, ¿podrían enviar esto hoy? Es para Nueva York.

Observa la dirección en el sobre y me dice:

—La furgoneta para los envíos fuera de la ciudad ya ha salido. Tendrá que esperar a la de mañana.

Pone los sellos al paquete y me vuelvo a casa.

Nada más llegar, me meto directamente en la despensa y llamo al despacho de Elaine Stein. Su secretaria me pone con ella y le cuento con voz ronca y agotada que acabo de enviarle el manuscrito.

—La última reunión editorial es dentro de seis días, Eugenia. No sólo tiene que llegar el manuscrito, también tiene que darme tiempo a leerlo. Siento decirle que lo veo poco probable.

No tengo mucho más que decir, así que sólo susurro:

—Lo comprendo. Gracias de todos modos —y añado—: Feliz Navidad, Miss Stein.

—Nosotros lo llamamos *hanukkah,* pero gracias de todos modos, Miss Phelan.

468

Capítulo 28

Después de colgar el teléfono, salgo al porche y me quedo contemplando los gélidos campos. Estoy tan agotada que ni me he dado cuenta de que el coche del doctor Neal está aparcado delante de casa. Debe de haber venido mientras yo estaba en la oficina postal. Me apoyo en la barandilla y espero a que salga del cuarto de Madre. A través de la puerta abierta, puedo ver que su dormitorio permanece cerrado.

Un poco más tarde, el doctor Neal cierra muy despacito la puerta tras él y sale al porche. Se detiene a mi lado y me dice:

—Le he dado algo para que aguante mejor el dolor.

—¿Dolor? ¿Mamá ha vuelto a vomitar esta mañana?

El anciano doctor Neal me contempla con sus nublados ojos azules durante un buen rato. Parece estar sopesando si decirme algo o no.

—Eugenia, tu madre tiene un cáncer de estómago.

Me apoyo en la fachada de la casa. Estoy aturdida, aunque, ¿acaso no me imaginaba algo así?

—No quiere contártelo, pero como se niega a que la ingresen en el hospital, es mejor que lo sepas. Los próximos meses van a ser... un poco duros. —Enarca las cejas y añade—: Duros para ella y para ti.

—¿Próximos meses? ¿Eso es todo... lo que queda?

Me tapo la boca con la mano y me da una arcada.

469

–Un poco más o un poco menos, querida. Pero conociendo a tu madre... –Mira al interior de la casa–. Estoy seguro de que peleará contra la enfermedad como un demonio.

Me quedo aturdida, incapaz de hablar.

–Llámame cuando lo necesites, Eugenia. A la consulta o a mi casa.

Entro en casa y me dirijo a la habitación de Madre. Padre está en el sofá junto a la cama con la mirada perdida. Madre tiene la espalda apoyada en el cabecero de la cama y pone los ojos en blanco al verme.

–¡Vaya! Supongo que ya te lo ha contado...

Las lágrimas me gotean por la barbilla. Le tomo las manos.

–¿Cuánto hace que lo sabes?

–Un par de meses.

–Oh, mamá.

–Ya vale, Eugenia. Es algo inevitable.

–Pero ¿qué puedo...? ¿Quedarme aquí sentada viendo cómo te...? –me interrumpo porque no puedo pronunciar la palabra. La frase entera me resulta insoportable.

–Pues claro que no te vas a quedar ahí sentada. Carlton va a hacerse abogado y en cuanto a ti –añade, y me apunta con el dedo–, no pienses que voy a permitir que descuides tu apariencia cuando ya no esté aquí. En cuanto pueda levantarme de esta cama, llamaré a la peluquería y te concertaré hora hasta el año 1975.

Me hundo en el sofá y Padre me rodea entre sus brazos. Apoyo la cabeza en su pecho y me echo a llorar.

El árbol de Navidad que Jameso puso hace una semana se ha secado y se le caen las agujas cada vez que alguien entra en el salón. Quedan sólo seis días para Navidad y nadie se ha preocupado de regalo. Bajo el árbol se encuentran los pocos regalos que Madre compró y envolvió en julio. Uno para Padre, evidentemente una corbata de domingo, algo pequeño y cuadrado para Carlton y una pesada caja para mí que sospecho que es una nueva Biblia. Ahora que todo el mundo sabe lo del cáncer de Madre, es como si fuera una marioneta a la que han cortado los hilos que la mantenían en pie. Hasta su cabeza se mantiene inestable sobre los hombros. Lo máximo que puede hacer es levantarse para ir al baño o sentarse unos minutos al día en el porche.

Por la tarde, le llevo a Madre su correo: *La Revista de la Buena Ama de Casa*, boletines de la iglesia y de la Asociación de Hijas de la Revolución Americana...

–¿Qué tal estás?

Le aparto el pelo de la cara y cierra los ojos como si disfrutara con el sentimiento. Ahora ella es la niña y yo la madre.

–Bien.

Pascagoula entra en la habitación y deja una bandeja con caldo en la mesa. Cuando se marcha, Madre mueve ligeramente la cabeza mirando hacia la puerta.

–¡Ay, no! –dice con cara de asco–. No puedo comer.

–No tienes que comer ahora, mamá. Ya lo harás más tarde.

–Constantine hacía las cosas más ricas, ¿verdad?

–Sí –respondo–, la verdad es que sí.

Es la primera vez que menciona a Constantine desde aquella terrible discusión que tuvimos.

–Dicen que una buena sirvienta es como el verdadero amor, sólo se encuentra una en la vida.

Asiento, y se me ocurre que debería anotar este comentario e incluirlo en el libro. Pero ya es demasiado tarde, el libro ya está enviado. No hay nada que yo ni nadie pueda hacer, excepto esperar a ver qué pasa.

El día de Nochebuena es deprimente, lluvioso y cálido. Cada media hora, Padre sale del dormitorio de Madre, mira por la ventana y pregunta si ya ha llegado, aunque nadie le escuche. Mi hermano Carlton salió esta tarde de la Facultad de Derecho de la Universidad de Luisiana rumbo a casa y a los dos nos alegra tenerlo aquí. Madre lleva todo el día vomitando y con

471

arcadas. Apenas es capaz de abrir los ojos, pero no puede dormir.

–Charlotte, deberías estar en un hospital –le dijo el doctor Neal esta tarde. He perdido la cuenta de las veces que se lo ha propuesto la última semana–. O por lo menos, déjame que traiga una enfermera para que te atienda aquí.

–Charles Neal –replicó Madre sin levantar la cabeza de la almohada–, no pienso pasar mis últimos días en una habitación de hospital ni convertir mi casa en una clínica.

El doctor Neal suspiró, le dio un nuevo preparado a Padre y le explicó cómo administrárselo.

–Pero ¿esto la ayudará? –oí a Padre susurrarle al médico en el salón–. ¿Se pondrá mejor?

–No, Carlton –contestó el doctor Neal posando una mano en el hombro de Padre.

A las seis de la tarde, por fin oímos el coche de mi hermano, quien entra en casa y exclama:

–¡Jesús! ¿Has vuelto a crecer, hermanita?

Me abraza con fuerza. Tiene la ropa arrugada del viaje, pero está guapo con su jersey tricotado de la universidad. Huele a aire fresco. Resulta agradable tener a alguien más en casa.

–¡Demonios! ¿Por qué hace tanto calor en esta casa?

–Madre siempre tiene frío –le digo en voz baja.

Lo acompaño al dormitorio. Madre se incorpora al verlo y extiende sus raquíticos brazos.

–¡Carlton! Por fin has llegado.

Carlton se queda inmóvil un segundo, luego se agacha y la abraza con delicadeza. Mi hermano gira la cabeza para mirarme y puedo ver reflejada la conmoción en su rostro. Me doy la vuelta y me tapo la boca para no echarme a llorar, porque si empiezo no seré capaz de parar. El gesto de Carlton dice mucho más de lo que quiero saber.

Cuando Stuart se pasa a visitarnos el día de Navidad, no le detengo cuando intenta besarme, pero le digo:

–Te lo permito sólo porque mi madre se está muriendo.

472

–¡Eugenia! –me llama Madre.

Estamos en Nochevieja y preparo té en la cocina. El día de Navidad ya pasó y Jameso se llevó el árbol esta mañana. El suelo del salón todavía está lleno de agujas, pero me las he arreglado para quitar la decoración navideña y guardarla en el armario. Ha sido una tarea agotadora y frustrante, envolver todos los adornos tal como le gusta a Madre para que estén listos para el año que viene. Intento no pensar en la futilidad de este acto.

No he tenido noticias de Miss Stein y no sé si el paquete llegó a tiempo. Anoche me derrumbé y llamé a Aibileen para decirle que todavía no sabía nada, sólo por sentir el alivio de contárselo a alguien.

–*Pos* a mí se me siguen ocurriendo cosas *pa poné* en el libro –me confiesa Aibileen–. Me olvido de que ya lo hemos *enviao*.

–A mí también me pasa. Te llamaré en cuanto sepa algo.

Me dirijo al cuarto de Madre y la encuentro sostenida por almohadas. Hemos descubierto que con la espalda recta vomita menos. La palangana blanca sigue a su lado.

–¡Hola, mamá! –la saludo–. ¿Quieres que te traiga algo?

–Eugenia, no puedes llevar esos pantalones deportivos a la fiesta de Año Nuevo de los Holbrook.

Cuando parpadea, sus ojos permanecen cerrados más de lo normal. Está agotada, parece un esqueleto metido en ese camisón blanco con absurdos lazos y tiras de adorno. Su cuello asoma por el escote como el de un cisne de cuarenta kilos. Ya no puede comer más que con pajita. Ha perdido por completo el sentido del olfato, pero todavía puede reconocer desde la otra punta de la habitación si no voy bien vestida.

–Han cancelado la fiesta, mamá.

Quizá se refiera a la fiesta de Hilly del año pasado. Según me contó Stuart, se han suspendido todas las celebraciones de Año Nuevo por la muerte de Kennedy. De todos modos, no me habían invitado. Esta noche se pasará Stuart y veremos el programa especial de Dick Clark en la tele.

Madre posa su mano delgada y angulosa en la mía. Parece tan frágil, con los nudillos asomando por debajo de la piel... Ahora mismo, usaría la talla de vestido que llevaba yo a los once años.

–Creo que deberíamos poner ahora mismo esos pantalones en la lista –me dice con mucha calma.

–Pero son muy cómodos y me dan calor.

Mueve la cabeza y cierra los ojos.

–Lo siento, Skeeter.

No hay discusión. Ya no.

–Está bien –acepto con un suspiro.

Madre saca el cuaderno del bolso secreto que se ha hecho coser debajo de todas sus sábanas para guardar pastillas anti-vómitos, pañuelos y sus pequeñas listas de dictadora. A pesar de lo débil que está, me sorprende la firmeza de su puño al escribir, en la lista de «Cosas que no se pueden vestir», los pantalones deportivos grises de corte masculino. Cuando termina, sonríe satisfecha.

Puede sonar macabro, pero cuando Madre se dio cuenta de que tras su muerte nadie iba a decirme lo que tengo que poner-me, se le ocurrió este ingenioso sistema post mórtem. Supone que yo sola nunca me compraré ropa nueva y apropiada. Pue-de que tenga razón.

–¿No has vomitado hoy? –pregunto.

Son las cuatro de la tarde y se ha tomado dos tazas de cal-do sin ponerse mala. Normalmente, habría vomitado ya tres veces.

–Ni una vez –dice, pero de repente cierra los ojos y en cues-tión de segundos se queda dormida.

El día de Año Nuevo bajo de mi habitación para preparar las judías de la buena suerte. Pascagoula las dejó anoche en remojo y me explicó cómo ponerlas al fuego con el codillo de cerdo. Es una receta bastante sencilla, aunque mi familia parece un poco nerviosa ante la idea de verme trajinar en la cocina. Recuerdo que Constantine siempre se pasaba por casa la mañana del primero de enero para prepararnos las judías de la buena suerte, aunque era su día de vacaciones. Hacía una cazuela entera y luego servía una sola judía en un plato para cada miembro de la familia y esperaba para cerciorarse de que nos la comíamos. Podía llegar a ser muy supersticiosa. Luego, fregaba los platos y se iba a casa. Pascagoula, en cambio, no se ofrece a venir en su día de descanso y, como supongo que estará con su familia, no me atrevo a pedírselo.

Estamos todos un poco tristes porque Carlton ha tenido que marcharse esta mañana temprano. Ha sido agradable tenerlo por aquí y hablar con él. Sus últimas palabras, antes de abrazarme y salir para la universidad, fueron:

–¡No quemes la casa con las judías! Mañana llamaré a ver qué tal está Madre.

Después de apagar el fuego de la cocina, salgo al porche. Padre está apoyado en la barandilla, jugueteando con unas semillas de algodón entre los dedos. Contempla los campos, vacíos porque todavía les queda un mes para la siembra.

–Padre, ¿vienes a desayunar? –le pregunto–. Las judías están listas.

Se vuelve y veo su sonrisa triste y carente de sentido.

–Ese medicamento que le han dado... –Contempla las semillas en su mano–. Creo que está funcionando. Dice que se encuentra mejor.

Niego con un gesto de desconfianza. Él tampoco parece creer mucho en sus palabras.

–En los últimos dos días sólo ha vomitado una vez.

–Papá, no te... Sólo es un... Todavía lo tiene, papá.

Los ojos de Padre están vacíos y me pregunto si me habrá oído.

–Hija, sé que ahora mismo podrías estar haciendo tu vida en algún lugar mejor que éste –comienza, y las lágrimas asoman a sus ojos–, pero no pasa un solo día sin que dé gracias a Dios por tenerte aquí junto a ella.

Me siento culpable porque piensa que estoy con ellos por voluntad propia. Le abrazo y le digo:

—Yo también estoy contenta de estar aquí, papá.

Cuando el club vuelve a abrir la primera semana de enero, me pongo la falda, agarro la raqueta y voy a jugar un poco. Al pasar junto a la cafetería ignoro a Patsy Joiner, mi antigua compañera de tenis que me dejó tirada, y a otras tres mujeres que fuman en las mesas negras. Cuando paso a su lado se inclinan y cuchichean. Esta noche pienso faltar a la reunión de la Liga de Damas, y no iré más. Hace tres días me rendí y mandé una carta solicitando que me dieran de baja.

Golpeo la pelota contra la pared del frontón intentando no pensar en nada. Últimamente, he empezado a rezar, yo, que nunca he sido muy practicante. A veces, me sorprendo murmurando largas rogativas a Dios, suplicándole que Madre mejore un poco, que reciba buenas noticias del libro, a veces incluso pidiéndole que me dé una pista sobre lo que debería hacer con Stuart. En ocasiones, me doy cuenta de que estoy rezando sin ser consciente de ello.

Cuando regreso a casa, el doctor Neal aparca el coche justo detrás del mío. Lo acompaño al cuarto de Madre, donde Padre está esperando, y cierran la puerta tras ellos. Dejo pasar el tiempo en el salón, nerviosa como una niña. Puedo comprender que Padre se aferre a este hilo de esperanza. Madre lleva cuatro días sin vomitar ni echar bilis. Todos los días come un plato de copos de avena, y a veces incluso pide que le pongamos más.

Cuando el doctor Neal sale, Padre se queda en la silla junto a la cama y yo acompaño al médico a la salida.

—Doctor, ¿le ha contado que se siente mejor?

Asiente, pero luego dice:

—No merece la pena llevarla a hacerse radiografías. Se cansaría mucho.

—Pero ¿está...? ¿Podría estar mejorando?

—Eugenia, ya he visto esto antes. A veces, se tiene un repentino resurgir de fuerzas. Supongo que es un regalo de

476

Dios, que les concede un poco más de tiempo para que puedan resolver sus asuntos pendientes. Pero eso es todo, cariño. No esperes mucho más.

—Pero ¿ha visto el color que tiene? Parece que está mucho mejor y come...

Me interrumpe negando con la cabeza:

—Procura que descanse.

El primer viernes de 1964 ya no puedo esperar más. Llevo el teléfono a la despensa y me apoyo en el saco de judías más cercano. Madre está dormida después de haberse tomado su segundo tazón de copos de avena del día. Tiene la puerta abierta, así que podré oírla si me llama.

—Despacho de Elaine Stein, ¿dígame?

—Hola, soy Eugenia Phelan, llamo desde otro estado. ¿Puedo hablar con Miss Stein?

—Lo siento, Miss Phelan, pero Miss Stein no responde a ninguna llamada relativa a la selección de manuscritos.

—¡Vaya! ¿Puede al menos decirme si lo recibió? Se lo envié justo antes de la fecha límite de entrega y...

—Un momento, por favor.

El teléfono permanece en silencio durante más o menos un minuto y luego la secretaria regresa al aparato.

—Puedo confirmarle que su paquete llegó en algún momento durante las vacaciones. Cuando Miss Stein haya tomado una decisión se lo comunicaremos. Gracias por llamar.

Escucho el sonido del teléfono al colgarse y el pitido de la línea vacía.

Unas noches más tarde, tras pasar una apasionante tarde contestando a las cartas de Miss Myrna, Stuart y yo nos sentamos en el salón. Me alegro de verlo y poder romper por un rato el mortífero silencio de la casa. Nos quedamos tranquilos viendo la televisión. Aparece un anuncio de cigarrillos Tareyton, ese en el que la chica que fuma tiene un ojo morado y dice: «Los fumadores de Tareyton preferimos pelear antes que cambiar de marca de tabaco».

Stuart y yo nos vemos ahora una vez por semana. Después de Navidad, fuimos en una ocasión al cine y otra a cenar al centro, pero normalmente él se pasa por casa porque no me gusta dejar a Madre. Se comporta conmigo de modo inseguro, actúa con timidez y reservas. Hay una paciencia en sus ojos que aplaca el pánico que sentía antes cuando estaba con él. No solemos hablar de cosas serias. Me cuenta historias de aquel verano que pasó cuando era estudiante trabajando en las plataformas petrolíferas del Golfo de México. Se duchaban con agua salada. El océano era de un cristalino color azul claro y se veía el fondo. Los demás empleados realizaban aquel brutal trabajo para alimentar a sus familias, pero Stuart, un niño rico de buena familia, regresó a la facultad en septiembre. Fue la primera vez en su vida que trabajó duro de verdad.

–Me alegro de haberlo hecho en su momento. Ahora no podría aceptar un empleo así –comenta como si hubieran pasado siglos desde entonces, en lugar de cinco años.

Parece más mayor de lo que yo recordaba.

–¿Por qué no podrías hacerlo ahora? –le pregunto, porque estoy empezando a pensar en mi futuro y me gusta escuchar las posibilidades de los demás.

–Porque no podría abandonarte –dice, frunciendo el ceño.

Me guardo estas palabras, temerosa de reconocer lo bien que sienta oírlas.

Se terminan los anuncios y vemos las noticias. Vuelve a haber escaramuzas en Vietnam. El reportero piensa que se resolverán sin muchas pérdidas.

–Mira –dice Stuart tras un largo silencio–, no quería sacar este tema, pero... Sé lo que anda diciendo la gente en la ciudad sobre ti, y no me importa. Sólo quería que lo supieras.

Lo primero que se me ocurre es el libro. ¿Habrá oído algo? Me pongo tensa.

–¿Qué te han dicho?

–Ya sabes, lo que hiciste con Hilly.

Me relajo un poco, pero no del todo. No he hablado con nadie de esto, sólo con la propia Hilly. Me pregunto si habrá cumplido sus amenazas de llamar a Stuart y contárselo.

–He visto cómo se lo ha tomado la gente. Dicen que eres una especie de loca revolucionaria y piensan que andas metida en líos.

Me miro las manos, todavía preocupada por lo que le hayan podido contar, y también un poco irritada.

–¿Cómo sabes que no estoy metida en líos?

–Porque te conozco, Skeeter –dice con dulzura–. Eres demasiado inteligente para meterte en cosas de ésas. Y así se lo dije a ellos también.

Intento sonreír. Pese a lo equivocado que está sobre mí, no puedo evitar emocionarme ante el hecho de que, por lo menos, alguien se preocupe por mí y me defienda.

–No hace falta que volvamos a hablar de esto –concluye–. Sólo quería que lo supieses, nada más.

El sábado por la tarde le doy las buenas noches a Madre. Llevo un abrigo largo para que no pueda ver el vestido que me he puesto. No enciendo las luces para que no haga comentarios sobre mi peinado. Hay pocos cambios en su estado de salud. No parece estar empeorando. Los vómitos siguen bajo control, pero su piel se ha tornado de un tono gris pálido y se le está empezando a caer el pelo. Le sujeto las manos y le acaricio la mejilla.

–Papá, si me necesitas, llama al restaurante, ¿vale?

–De acuerdo, Skeeter. Pásatelo bien.

Me subo en el coche de Stuart y me lleva a cenar al Robert E. Lee. El comedor bulle con vestidos de fiesta, rosas rojas, el tintineo de las cuberterías de plata... Se respira entusiasmo en el ambiente; parece que las cosas han vuelto a la normalidad tras el asesinato del presidente Kennedy. Estamos en 1964, un año nuevo y radiante. Muchas miradas se dirigen a nuestra mesa.

–Pareces... distinta –dice Stuart. Puedo notar que llevaba toda la noche esperando hacer este comentario y que parece más confuso que impresionado–. Ese vestido es... muy corto.

Digo que sí y me recojo el pelo detrás de la oreja como él solía hacerme.

Esta mañana le dije a Madre que iba a salir de compras, pero la encontré tan cansada que, rápidamente, cambié de opinión.

–Igual mejor me quedo contigo.

Pero ya había pronunciado las palabras mágicas. Madre me pidió que le acercara su chequera y, cuando se la di, arrancó un cheque en blanco y me entregó una cuenta de cien dólares que tenía guardada en su cartera. Sólo el hecho de escuchar la palabra «compras» le había hecho sentirse mejor.

–No te quedes corta. Y nada de pantalones deportivos. Asegúrate de que Miss LaVole te ayuda a elegir –dijo, reposando la cabeza en las almohadas–. Ella sabe muy bien cómo tienen que vestir las jovencitas como tú.

Sin embargo, la idea de Miss LaVole, con su olor a café y naftalina, posando sus arrugadas manos en mi cuerpo, me resultaba desagradable. Atravesé el centro de la ciudad sin detenerme y tomé la autopista 51 hacia Nueva Orleans. Conduje sintiéndome culpable por dejar tanto tiempo a Madre, aun a sabiendas de que el doctor Neal iba a pasarse por la tarde y que Padre estaría todo el día en casa con ella.

Tres horas más tarde, entré en los almacenes Maison Blanche de Canal Street. Ya había estado un montón de veces en este lugar con Madre y también en un par de ocasiones con Elizabeth y Hilly, pero los suelos de mármol blanco y las largas filas de sombreros y guantes y las damas empolvadas y con un aspecto tan feliz y saludable, me volvieron a sorprender como la primera vez. Antes de que pudiera buscar ayuda, un empleado delgaducho me abordó y me dijo:

–Acompáñeme, querida, encontrará lo que anda buscando en la planta de arriba.

Me condujo en el ascensor al tercer piso, a una sección llamada: «Ropa de Mujer Moderna».

480

–¿Qué es todo esto? –pregunté.

Había decenas de mujeres, *rock and roll* sonando por megafonía, vasos de champán y luces parpadeantes.

–Emilio Pucci, querida. ¡Por fin ha llegado a la ciudad! –El hombre se apartó un momento de mí y luego me preguntó–: Ha venido a la fiesta de inauguración, ¿verdad? ¿Tiene una invitación?

–Sí, la he metido en algún lado –contesté, pero el empleado perdió el interés mientras yo hacía como que rebuscaba en mi bolso.

A mi alrededor, a la ropa parecía que le habían salido raíces y flores en sus perchas. Pensé en Miss LaVole y me eché a reír. Aquí no había nada parecido a sus tristes vestidos de puritana. ¡Flores! ¡Tiras de colores brillantes! ¡Cortes que enseñan varios centímetros de muslo! Todo es eléctrico, divino, vertiginoso. Este Emilio Pucci debe de meter los dedos en un enchufe cada mañana.

Con mi cheque en blanco me compré ropa suficiente para llenar el asiento trasero del Cadillac. Luego, en Magazine Street, me gasté cuarenta y cinco dólares en decolorar, recortar y alisarme el pelo. Me había crecido mucho en invierno y lo tenía del color del agua sucia. A las cuatro de la tarde, cruzaba el puente sobre el lago Pontchartrain de regreso a casa. En la radio sonaba una banda llamada The Rolling Stones y el viento soplaba en mi pelo brillante y liso, y pensé: «Esta noche voy a quitarme la armadura y dejar que las cosas sean como antes con Stuart».

Stuart y yo nos comemos nuestro filete *chateaubriand* entre las risas de una animada charla. De vez en cuando, él mira a las otras mesas y comenta que conoce a sus ocupantes, pero nadie se acerca a saludarnos.

–Un brindis por los nuevos comienzos –propone Stuart levantando su copa de *bourbon*.

Lo acepto, aunque desearía decirle que todos los comienzos son nuevos. Sin embargo, me conformo con sonreír y brindar con mi segunda copa de vino. Nunca me ha gustado el alcohol, hasta esta noche.

Tras la cena, salimos al recibidor y vemos al senador Whitworth y a su señora en una mesa tomándose unas bebidas. La gente a su alrededor bebe y conversa. Han venido a pasar el fin de semana, me contó un poco antes Stuart, por primera vez desde que se instalaron en Washington.

—Stuart, ahí están tus padres. ¿No deberíamos acercarnos a saludar?

Pero Stuart me arrastra en dirección a la puerta, casi empujándome hacia fuera.

—No quiero que mi madre te vea con ese vestido tan corto. A ver, te queda genial, pero... —baja la vista a mi muslo—, puede que no sea el más acertado para esta noche.

Durante el regreso a casa pienso en aquel día en que Elizabeth, con los rulos puestos, se asustó porque sus compañeras de partida de *bridge* pudieran verme. ¿Por qué a todo el mundo, de repente, le da vergüenza que le vean conmigo?

Cuando llegamos a Longleaf son ya las once. Me aliso el vestido, pensando que quizá Stuart tiene razón, es demasiado corto. Las luces del dormitorio de mis padres están apagadas, así que nos sentamos en el sofá.

Bostezo y me froto los ojos. Cuando los abro, descubro con estupor que Stuart tiene un anillo entre las manos.

—¡Ay, Jesús!

—Pensaba dártelo en el restaurante, pero..., aquí mejor —sonríe nervioso.

Toco el anillo. Está frío y es precioso. A ambos lados del diamante hay engarzados tres rubíes. Miro a Stuart, sintiendo de repente mucho calor. Me quito el jersey de los hombros. Sonrío, pero al mismo tiempo estoy a punto de echarme a llorar.

—Tengo que contarte algo, Stuart —digo de pronto—. ¿Me prometes que no se lo dirás a nadie?

Me contempla y se ríe.

—Espera un poco, todavía no me has dicho el «Sí, quiero».

—Ya lo sé, pero... —Necesito saber una cosa antes—. ¿Puedes darme tu palabra de que no se lo vas a contar a nadie?

Suspira y parece disgustado porque estoy echando a perder este momento tan importante.

–Pues claro, te lo prometo.

Estoy aturdida por su propuesta, pero intento explicarme lo mejor que puedo. Mirándole a los ojos, le expongo los detalles menos comprometedores que puedo revelar sobre el libro y sobre lo que he estado haciendo durante el último año. No menciono ni un solo nombre y me callo las consecuencias que esto puede tener, sabiendo que no son buenas. Aunque este hombre acaba de pedir mi mano, no lo conozco lo suficiente como para confiar plenamente en él.

–¿Eso era sobre lo que has estado escribiendo los últimos doce meses? Pero... ¿No estabas haciendo un estudio sobre Jesucristo?

–No, Stuart... No era sobre Jesucristo.

Cuando le cuento que Hilly encontró el libro con las leyes Jim Crow en mi mochila, se queda boquiabierto y me doy cuenta de que acabo de confirmar algo que Hilly ya le había dicho sobre mí, algo que el iluso de él todavía creía que no era cierto.

–Entonces... Todas esas habladurías en la ciudad... Les dije que se equivocaban contigo..., pero resulta que tenían razón.

Le relato con orgullo que las sirvientas, después de aquella reunión para rezar, desfilaron una por una delante de mí aceptando mi propuesta. Él baja la mirada a su copa de *bourbon*.

Luego le cuento que ya he enviado el manuscrito a Nueva York y que, si aceptan publicarlo, saldrá en ocho meses o un año, supongo. Más o menos, el tiempo en el que un noviazgo se transforma en boda.

–El libro se publicará como anónimo –digo–, pero con Hilly de por medio, es más que probable que la gente piense que yo soy la autora.

Ya no reacciona a mis palabras, ni me recoge el pelo detrás de la oreja. El anillo de su abuela reposa sobre el sofá de terciopelo de Madre como una ridícula metáfora. Los dos permanecemos en silencio. No se atreve a mirarme, tiene los ojos fijos a un par de centímetros de mi cara.

Tras un largo rato, dice:

–Yo... No puedo entender por qué haces algo así. ¿Por qué te... preocupa tanto esa gente, Skeeter?

Se me eriza el pelo y miro el anillo, pulido y brillante.

–Me he expresado mal –rectifica–. Lo que quiero decir es que las cosas están bien como están. ¿Por qué quieres crear problemas?

Noto en su tono de voz que es sincero y que de verdad desea que le ofrezca una respuesta. Pero ¿cómo explicárselo? Stuart es buena persona. Sé que lo que he hecho es justo, pero también puedo entender su confusión y sus dudas.

–No estoy creando problemas, Stuart. Los problemas ya existen.

Resulta evidente que no es la respuesta que esperaba.

–No te conozco.

Bajo la mirada, y recuerdo que hace sólo unos momentos yo he pensado lo mismo.

–Bueno, supongo que tenemos el resto de nuestras vidas para solucionarlo –digo, y trato de sonreír.

–No creo que pueda casarme con alguien a quien no conozco.

Me quedo sin aliento. Abro la boca, pero soy incapaz de decir nada durante unos segundos.

–Tenía que contártelo –digo al fin, más por mí que por él–. Tenías que saberlo.

Me mira durante un buen rato y dice:

–Te prometo que no se lo contaré a nadie.

Le creo. Stuart puede ser muchas cosas, pero no un mentiroso.

Se levanta y me lanza una última mirada perdida. Luego, recoge el anillo y se marcha.

Esa noche, después de irse Stuart, deambulo de habitación en habitación, con la garganta seca y el cuerpo helado. Cuando Stuart me dejó la primera vez, ansiaba un poco de frío. Frío es lo que tengo ahora.

A medianoche, Madre me llama desde su dormitorio:

–¿Eugenia? ¿Eres tú?

Recorro el salón y llego hasta su cuarto. La puerta está entreabierta y puedo ver a Madre recostada, vestida con su almidonado camisón blanco y con el pelo cayéndole sobre los hombros. Me sorprende lo hermosa que parece. La bombilla del porche trasero está encendida y proyecta un halo de luz blanca alrededor de su cuerpo. Sonríe mostrando su nueva dentadura, la que le colocó el doctor Simon cuando sus dientes se empezaron a erosionar por los jugos gástricos de los vómitos. Ahora su sonrisa es más perfecta y blanca que en las fotos de carnavales de su adolescencia.

–Mamá, ¿quieres que te traiga algo? ¿Estás bien?

–Ven aquí, Eugenia. Tengo que decirte algo.

Me acerco a ella procurando no hacer mucho ruido. Padre es como un bulto dormido a su espalda. Pienso que debería contarle una versión más agradable de lo que ha sucedido esta noche. No le queda mucho, así que debería hacerla feliz en sus últimos días y fingir que vamos a casarnos.

–Yo también tengo algo que contarte –digo.

–¿Ah, sí? Tú primero.

–Stuart me ha pedido que me case con él –comento, forzando una sonrisa de felicidad.

De repente, me sobresalto, pues pienso que me pedirá que le enseñe el anillo.

–Ya lo sabía –contesta.

–¿De verdad?

–Pues sí. Hace un par de semanas, Stuart vino y nos pidió tu mano a tu padre y a mí.

¿Hace dos semanas? Casi me echo a reír. No podía ser de otro modo, Madre tenía que ser la primera en enterarse de algo tan importante. Me alegro de que haya tenido tanto tiempo para disfrutar de la buena nueva.

–Yo también tengo algo que contarte –dice.

El brillo que hay a su alrededor resulta sobrenatural, fosforescente. Viene de la luz del porche, pero me pregunto por qué no me había fijado antes en él. Aferra mi mano en el aire con el apretón firme de una madre que abraza a su hija recién prometida en matrimonio. Padre se estira y se incorpora un poco.

—¿Qué pasa? —pregunta adormilado—. ¿Estás bien?

—Sí, Carlton. Estoy bien, ya te lo dije antes.

Padre niega con la cabeza, cierra los ojos y se duerme antes incluso de volver a tumbarse.

—¿Qué tienes que contarme, mamá?

—He estado hablando con tu padre y he tomado una decisión.

—Ay, Dios —suspiro. Me la imagino contándoselo a Stuart cuando vino a pedir mi mano—. ¿Tiene algo que ver con mi cuenta bancaria?

—No, no es eso —dice.

Entonces pienso que debe de tratarse de algo relacionado con la boda. Siento una sacudida de tristeza al pensar que Madre no estará aquí para organizar un día tan especial. No sólo porque estará muerta, sino porque tal boda no va a tener lugar. Al mismo tiempo, siento también un horrible y vergonzante alivio por no tener que pasar por algo así con ella.

—Sé que eres consciente de que mi estado se ha estabilizado un poco estas últimas semanas —dice—. También sabrás lo que opina el doctor Neal, que es una especie de resurgir de fuerzas final, algo relacionado con...

Tose y su cuerpecillo se curva como una concha. Le ofrezco un pañuelo y frunce el ceño mientras se limpia la boca.

—Pero, como te decía, ya he tomado una decisión.

Asiento y escucho con la misma somnolencia de mi padre hace unos instantes.

—He decidido que no me voy a morir.

—¿Qué?... Mamá... Ay, Dios, por favor...

—Es demasiado tarde —dice, soltando mi mano—. Ya he tomado una decisión y no hay vuelta de hoja.

Se frota las palmas de las manos en un gesto de tirar el cáncer a la basura. Con la espalda recostada sobre el cabecero de la cama, su remilgado camisón y el halo de luz brillando a su alrededor, no puedo evitar entornar los ojos. ¡Tonta de mí!

486

Está claro que Madre va a ser tan cabezota con su muerte como lo ha sido con cada aspecto de su vida.

Es viernes, 18 de enero de 1964. Llevo un vestido negro acampanado. Me he mordido las uñas de las dos manos. Recordaré siempre hasta el más mínimo detalle de este día, igual que la gente dice que nunca se olvidará del bocadillo que se estaba comiendo o de la canción que sonaba en la radio cuando se enteró de que Kennedy había sido asesinado.

Entro en ese lugar que ya me resulta tan familiar: la cocina de la casa de Aibileen. Ya es de noche en la calle y la bombilla amarillenta parece brillar más de lo habitual. Miro a Minny, que tiene los ojos fijos en mí. Aibileen se encuentra en medio de las dos, como separando algo.

–Harper & Row –anuncio– quiere publicarlo.

Permanecemos en silencio. Hasta las moscas dejan de zumbar.

–¡Está de broma! –dice Minny.

–He hablado con ella esta tarde.

Aibileen suelta un grito de alegría como nunca antes le había oído.

–¡Ay, Dios! ¡No me lo *pueo creé!* –exclama.

Aibileen y yo nos abrazamos, luego Aibileen estrecha a Minny en sus brazos. Por fin, Minny mira en mi dirección.

–Sentaos *toas* –dice Aibileen–. Cuéntenos, ¿qué le ha dicho? ¿Qué tenemos que *hacé* ahora? ¡Ay, *Señó!* ¡Y yo sin café *preparao!*

Nos sentamos y las dos me observan inclinadas sobre la mesa. Aibileen tiene los ojos muy abiertos. He pasado cuatro horas en casa esperando antes de venir a comunicarles la noticia. Miss Stein me dejó muy claro que iba a ser una tirada reducida, que mantuviéramos nuestras expectativas entre bajas y escasas. Me siento obligada a contárselo a Aibileen para que luego no se lleve una decepción. Casi no he tenido tiempo de reflexionar sobre lo que siento.

–Mirad, me dijo que no nos emocionáramos mucho. Que sería una edición muy, muy pequeña.

Espero que Aibileen ponga mala cara, pero, en lugar de eso, le entra una risa floja que intenta controlar tapándose la boca con la mano.

–Probablemente, no serán más que unos pocos miles de ejemplares. –Aibileen aprieta la mano más fuerte contra sus labios–. Miss Stein lo definió como una tirada pírrica.

El rostro de Aibileen está cada vez más oscuro. De nuevo, experimenta otro ataque de risa floja. Está claro que no se entera de lo que le estoy contando.

–También me dijo que el adelanto que nos iban a pagar es el más bajo que ha visto nunca...

Intento mantenerme seria, pero no puedo porque Aibileen está a punto de estallar. Se le escapan las lágrimas de los ojos.

–¿Cómo de... bajo? –pregunta sin apartar la mano de la boca.

–Ochocientos dólares. A dividir entre trece.

Aibileen estalla en una carcajada y no puedo evitar reírme yo también, aunque no tiene sentido. ¿Por unos pocos miles de ejemplares y 61,50 dólares por persona?

Las lágrimas surcan el rostro de Aibileen, que por último descansa la cabeza sobre la mesa.

–No sé por qué me río. Es que de repente me parece *to* tan *divertío*.

Minny entorna los ojos y rezonga:

–Siempre he dicho que vosotras dos estabais *zumbás*... ¡De remate!

Me esfuerzo por explicarles los detalles. Cuando hablé con Miss Stein, tampoco me expresé mucho mejor. Su voz sonaba tan indiferente, casi desinteresada... ¿Y qué hice yo? ¿Intentar parecer profesional y hacerle las preguntas pertinentes sobre el contrato? ¿Darle las gracias por publicar un tema tan arriesgado? No. En vez de echarme a reír como Aibileen, me puse a lloriquear al teléfono como un niño al que le acaban de poner la vacuna de la polio.

–Tranquilícese, Miss Phelan –me dijo la mujer–. Esto no va a convertirse en un best seller.

Pero no dejé de llorar mientras me contaba los detalles.

–Sólo podemos ofrecerle cuatrocientos dólares como adelanto y otros cuatrocientos cuando esté terminado el libro. ¿Me está... oyendo?

–Sí, sí, señora.

–Además, tendrá que revisar el texto un poco. El capítulo de Sarah es el mejor –añadió.

Se lo cuento a Aibileen, que sigue con sus ataques de risa y resoplidos. Se suena la nariz, se seca los ojos y sonríe. Por fin nos calmamos un poco y nos tomamos el café que ha tenido que preparar Minny.

–También le ha gustado el capítulo de Gertrude –le digo a Minny. Saco de mi bolso el papel en el que anoté las palabras de Miss Stein para que no se me olvidaran y leo–: «Gertrude es la pesadilla de toda mujer blanca del Sur. Es adorable».

Durante un segundo, Minny me mira a los ojos. Su rostro se relaja y muestra una sonrisa infantil.

–¿De *verdá* ha dicho eso de mí?

–Parece que te conozca aunque vive a más de *ochosientos* kilómetros *d'aquí* –comenta Aibileen entre risas.

–Me dijo que tardará unos seis meses en salir al mercado. Más o menos, para agosto.

Aibileen sigue sonriendo sin inmutarse por lo que digo. Sinceramente, se lo agradezco. Sabía que le iba a hacer ilusión, pero temía que estuviera un poco defraudada, como yo. Al verla, me doy cuenta de que no estoy decepcionada. Al contrario, soy muy feliz.

Seguimos charlando y tomando café y té durante unos minutos, hasta que me doy cuenta de la hora que es.

–Le dije a mi padre que volvería en una hora.

Padre está en casa cuidando de Madre. Corrí el riesgo de dejarle el teléfono de casa de Aibileen por si acaso, diciéndole que iba a visitar a una amiga llamada Sarah.

Las dos me acompañan hasta la puerta, algo nuevo en Minny. Le digo a Aibileen que la llamaré en cuanto reciba el cheque de Miss Stein.

–Así que, dentro de seis meses vamos a *sabé* por fin cómo va a *terminá toa* esta historia –comenta Minny–. En algo bueno, en algo malo o en *na* de *na*.

–Seguro que no pasa nada –digo, pensando que se refiere a si el libro se venderá.

–En algo bueno, seguro –exclama Aibileen.

Minny cruza los brazos sobre el pecho y dice:

–Entonces, sólo me dejáis *apostá* por lo malo.

Me doy cuenta de que no está pensando en las ventas. Se refiere a lo que nos pasará cuando las mujeres de Jackson lean lo que hemos escrito sobre ellas.

Aibileen

Capítulo 29

El calor se cuela por todas partes. Hace ya una semana que estamos a cuarenta grados y con un noventa y nueve por ciento de humedad. Un poco más, y podremos nadar en el ambiente. No consigo que se me sequen las sábanas en el tendedero y la puerta de mi casa está tan dilatada que no cierra bien. No es un buen día para batir huevos para el merengue. Hasta mi peluca de los domingos se está quedando esponjosa.

Esta mañana no puedo ponerme las medias, de lo hinchadas que tengo las piernas. Ya lo haré cuando llegue a casa de Miss Leefolt, que tiene aire acondicionado. Seguro que hoy hemos batido un récord de calor, pues en los cuarenta y un años que llevo dedicándome al servicio, es la primera vez que voy al trabajo sin medias.

Pero, al llegar a casa de Miss Leefolt, descubro que hace más calor que en la mía.

–Aibileen, prepara el té y... ponte a limpiar la ensalada.

Miss Leefolt está tan acalorada que ni siquiera entra en la cocina para darme órdenes. Se queda en la sala de estar, en una silla junto a la boca del aire acondicionado para que el poco fresco que sale de ese cacharro estropeado se le cuele por debajo de la combinación. Es lo único que lleva puesto, la combinación y los pendientes. He trabajado para mujeres blancas que en verano salían tranquilamente del dormitorio en

491

cueros, pero Miss Leefolt no es de las que disfrutan andando desnudas por casa.

De vez en cuando, el motor del aire acondicionado suelta un chirrido quejumbroso, como si estuviera a punto de rendirse y pararse para siempre. Miss Leefolt ya ha llamado dos veces al técnico para que venga a arreglarlo. El hombre siempre le promete que irá, pero no creo que lo haga. Hace demasiado calor para salir a la calle.

—Y no te olvides... de ese cacharro de plata, el servidor de pepinillos, está en el...

Pero lo deja antes de terminar la frase, como si no pudiera darme órdenes del calor que hace, lo cual es mucho decir. Parece que todo el mundo en la ciudad se ha vuelto loco con estas temperaturas. En la calle reina una tranquilidad aterradora, como la que precede a un tornado. Aunque igual soy yo la que está nerviosa por el tema del libro. ¡El próximo viernes sale a la venta!

—Miss Leefolt, ¿no cree que deberían *cancelá* la partida de *bridge?* —le pregunto desde la cocina.

La partida se ha trasladado a los lunes, y las mujeres estarán aquí en unos veinte minutos.

—No, ya está... todo listo —responde, pero me doy cuenta de que no sabe lo que dice.

—Voy a *intentá batí* los *güevos* otra vez y luego iré al garaje a ponerme las medias.

—Oh, no te preocupes por eso, Aibileen. Hace demasiado calor para llevar medias.

Miss Leefolt se aparta por fin de la boca del aire acondicionado y se arrastra hasta la cocina abanicándose con un paipái, regalo del restaurante chino Chow-Chow.

—¡Dios mío! En esta cocina hace diez grados más que en el salón.

—En un minuto acabo con el horno. Los niños han *salío* al jardín a *jugá*.

Miss Leefolt contempla por la ventana a los críos, que juegan con el aspersor. Mae Mobley sólo lleva puestas las braguitas, y Ross (yo le llamo Hombrecito) su pañal. No tiene más que un añito, pero ya anda como los mayores. Aprendió a andar directamente, sin gatear primero.

–No sé cómo aguantan ahí fuera –comenta Miss Leefolt.

A Mae Mobley le encanta jugar con su hermanito. Hace como que es su madre y lo cuida. Mi Chiquitina ya no pasa todo el rato en casa con nosotros, ahora la llevan por la mañana a la guardería baptista de Broadmore. Hoy no tiene clase porque es el Día del Trabajo, festivo para todo el mundo menos para el servicio. Me alegro de que se quede en casa, no sé cuántos días me quedarán de estar con ella.

–¡Míralos! –me dice Miss Leefolt.

Me acerco a la ventana y veo que el aspersor lanza el agua hacia las copas de los árboles, formando pequeños arco iris. Mae Mobley lleva a Hombrecito en brazos. Cierran los ojos cuando las gotas les caen encima, como si los estuvieran bautizando.

–¡Son un encanto! –comenta su madre, suspirando como si no se hubiera dado cuenta de ello hasta ahora.

–¡*Pos* claro!

Tengo una sensación extraña, es como si Miss Leefolt y yo acabáramos de compartir algo mientras miramos por la ventana a unos niños a los que las dos amamos. Esto me hace preguntarme si las cosas no estarán cambiando un poco. ¡Qué demonios! Estamos en 1964, en el centro de la ciudad ya dejan a los negros entrar a la cafetería del Woolworth.

Entonces siento un pinchazo en el corazón y me pregunto si no habremos ido un poco lejos con nuestras historias. Si, después de que se publique el libro, la gente descubre que fuimos nosotras las que lo escribimos, no creo que me dejen volver a ver a estos niños en la vida. ¿Qué pasará si no puedo despedirme de Mae Mobley y decirle lo buena chica que es? ¿Y Hombrecito? ¿Quién va a contarle el cuento del Marciano Luther King?

Ya he pasado casi veinte veces por situaciones parecidas, pero en esta ocasión me afecta de verdad. Poso la mano en el cristal de la ventana, como si estuviera tocando a los pequeños. Si nos descubren... voy a echar mucho de menos a estos críos.

Me vuelvo y veo que Miss Leefolt me está mirando las piernas. Supongo que le llamarán la atención; será la primera vez que ve de cerca unas piernas negras sin medias. De repente, pone mala cara y contempla a través de la ventana a Mae Mobley con su mirada de rabia. Chiquitina se ha pringado el pecho con barro y hierba, y está embadurnando a su hermanito y dejándolo como un cerdo en una pocilga. De nuevo, el habitual descontento de Miss Leefolt con su hija aparece en su rostro. Nunca lo muestra con Hombrecito, sólo con Mae Mobley. Lo reserva especialmente para mi Chiquitina.

–¡Esta niña está estropeando el jardín!

–Ahora mismo salgo y me ocupo de que...

–Y Aibileen, no puedes atender a los invitados así... con las piernas al descubierto.

–Pero si le dije que...

–¡Hilly estará aquí en cinco minutos y esa cría ya lo ha puesto todo patas arriba! –chilla histérica.

Creo que Mae Mobley la ha oído desde fuera, porque mira asustada hacia la ventana. Se le borra la sonrisa del rostro y, al cabo de un segundo, empieza a limpiarse el barro de la cara.

Me pongo un delantal porque voy a tener que lavar a los críos con la manguera. Luego iré al garaje y me embutiré las medias. Dentro de cuatro días saldrá el libro. Señor, espero que no se retrase ni un minuto más.

Minny, Miss Skeeter, yo y el resto de criadas cuyas historias aparecen en el libro vivimos pendientes de que se publique. Es como si lleváramos siete meses esperando a que hierva el agua de una cazuela invisible que pusimos al fuego. Al tercer mes, dejamos de hablar del tema porque lo único que conseguíamos era ponernos más nerviosas.

Durante las últimas dos semanas he tenido unos sentimientos contradictorios de alegría y temor vibrando en mi interior. Me costaba Dios y ayuda encerar los suelos, hacer la colada se convertía en una carrera cuesta arriba y planchar, en una eternidad, pero ¿qué le vamos a hacer? Estamos seguras de que, al principio, no se hablará mucho de ello. Como le dijo Miss Stein a Miss Skeeter, el libro no será un superventas y no debemos hacernos muchas ilusiones. Miss Skeeter dice que incluso no deberíamos esperar nada, que la mayoría de la gente en el Sur está «reprimida» y que, aunque sientan algo, no se atreven a abrir la boca. Se limitan a contener la respiración y esperar a que se les pase, como un pedo.

–Pues espero que esa *mujé* aguante la respiración hasta *reventá* y pringue con sus entrañas *tol condao* de Hinds –comentó Minny, refiriéndose a Miss Hilly.

Me gustaría que Minny fuera un poco más benévola con los blancos, pero Minny siempre será Minny.

–¿Quieres *merendá*, Chiquitina? –le pregunto cuando regresa de la guardería el jueves.

¡Qué mayor es ya! Tiene cuatro añitos, pero está alta para su edad. La gente le calcula cinco o seis años. Aunque su mamita está en los huesos, Mae Mobley continúa siendo gordita. Su pelo no es muy bonito. Se le ocurrió probar a cortárselo con las tijeras de la escuela y no veas cómo acabó la cosa. Miss Leefolt la llevó a la peluquería de adultos, pero no pudieron hacer mucho para arreglar el estropicio. Lo tiene más corto por un lado que por el otro, y se ha quedado sin flequillo.

Le preparo un tentempié de algo bajo en calorías, porque es lo único que su madre me permite darle: galletitas saladas, atún o gelatina sin nata.

–¿Qué has *aprendío* hoy? –le pregunto todos los días, aunque todavía no está en la escuela, sólo en la guardería.

–Que los Padres Peregrinos llegaron a América, y como no encontraron nada para comer, se zamparon a los indios –me contestó el otro día.

Ya sé que los Padres Peregrinos no se comieron a los indios, pero eso es lo de menos. Lo importante es que hay que tener cuidado con lo que les meten en la cabeza a estos niños. Cada semana, le doy su clase particular: los cuentos secretos. Cuando Hombrecito sea mayor y pueda entenderlos, se los contaré también. Siempre que siga trabajando en esta casa, claro. Pero no creo que vaya a ser lo mismo con él. Hombrecito me quiere, pero es un poco salvaje, como un animalillo. Viene a abrazarse a mis rodillas con fuerza y luego sale corriendo detrás de cualquier otra distracción. Pero, aunque al final no pueda contarle los cuentos, no me siento mal. Ya he empezado esta historia con su hermana, y ese bebé, aunque todavía no sepa hablar, escucha atentamente todo lo que le dice Chiquitina.

Pero hoy, cuando le pregunto qué ha aprendido, Mae Mobley me responde: «Nada», y aprieta los labios.

–¿Te gusta tu profesora? –le digo.

–Es guapa –contesta.

–¡Qué bien! –respondo–. Tú también lo eres, ¿sabes?

–¿Por qué eres negra, Aibileen?

Algunos de los niños blancos a los que he cuidado ya me habían preguntado esto antes. Solía reírme ante su ocurrencia, pero esta vez quiero dejarle las cosas claras.

–Porque Dios me hizo así, no hay más razón que ésa.

–La señorita Taylor dice que los niños negros no vienen a nuestra escuela porque son menos listos que nosotros.

Me agacho junto a ella, le levanto la barbilla y le arreglo su divertido peinado.

–¿Tú piensas que soy tonta?

–No –susurra, con cara de decirlo de todo corazón.

Parece lamentar habérmelo contado.

–Pero ¿qué pasa con lo que dice la señorita Taylor? –me pregunta, esperando atenta una respuesta.

–Bueno, la señorita Taylor no siempre tiene razón.

Se cuelga de mi cuello y exclama:

–¡Tú eres más lista que la señorita Taylor, Aibi!

Es la gota que colma el vaso. Se me saltan las lágrimas, porque estas palabras son nuevas para mí.

Esa misma tarde, a las cuatro en punto, me bajo a toda prisa del autobús en la parada de la iglesia del Cordero de Dios.

Entro en el vestíbulo del templo y espero en el interior, mirando por la ventana. Me paso diez minutos con la respiración acelerada y tamborileando con los dedos en el respaldo de la silla. Por fin, veo llegar el coche y una blanca se baja de él. ¡No me lo puedo creer! Parece una de esas *hippies* que salen en la tele de Miss Leefolt. Lleva un vestido blanco muy corto y calza sandalias. Tiene el pelo muy largo, sin rulos ni rizos, y no se ha puesto laca. Me llevo la mano a la boca para no echarme a reír. Desearía salir corriendo ahí fuera y darle un abrazo. Hace seis meses que no veía a Miss Skeeter, desde que terminamos las correcciones del libro y entregamos la versión final.

Miss Skeeter saca una enorme caja marrón del asiento trasero y la lleva hasta la puerta de la iglesia, como si estuviera entregando ropa usada. Se detiene un segundo, echa un vistazo al interior y luego regresa al vehículo, arranca y se larga. Me da pena que tengamos que hacerlo así, pero no queremos que se vaya todo al garete antes incluso de empezar.

En cuanto se marcha, salgo al recibidor de la iglesia y arrastro la caja al interior. Tomo un ejemplar y lo contemplo. No puedo contener las lágrimas. ¡Es el libro más bonito que he visto en mi vida! La portada es de un suave color pastel, y en ella aparece un plato de galletas, como las que suelen tomar nuestras señoras con el té. El título, *Criadas y señoras*, aparece en la cubierta con llamativas letras rojas. Lo único que no me gusta es la parte del autor, donde dice «Anónimo». Me habría encantado que Miss Skeeter hubiera puesto su nombre, pero era demasiado arriesgado.

Mañana voy a entregar una copia a todas las mujeres cuyas historias salen en el libro. Miss Skeeter se encargará de llevar a la prisión del estado un ejemplar para Yule May. En cierto modo, ella es la causante de que las otras criadas aceptaran colaborar. Pero me han dicho que lo más probable es que Yule May no lo reciba. A las presas no les llega más que una de cada diez cosas que les envían porque se las quedan las funcionarias. Miss Skeeter ha dicho que piensa volver a llevárselo otras diez veces hasta cerciorarse de que lo recibe.

Me llevo la enorme caja a casa, saco un ejemplar y escondo el resto debajo de la cama. Luego, voy corriendo a casa de Minny, que está preñada de seis meses, aunque nadie lo diría. Cuando llego, la encuentro sentada en la cocina; bebe un vaso de leche. Leroy duerme en su cuarto y Benny, Sugar y Kindra pelan cacahuetes en el patio. La cocina está tranquila. Sonrío y le entrego a Minny su libro. Lo hojea y comenta:

—Este libro ha *quedao* bonito.

—Miss Skeeter dice que la paloma de la paz es un símbolo de los nuevos tiempos que están por *vení*. Dice que en California la gente la lleva en las camisetas.

—¡Me importa un pito lo que lleve la gente de California en las camisetas! –gruñe Minny, contemplando la portada–. Lo único que me interesa es *sabé* cómo se lo va a *tomá* la gente de Jackson, Misisipi.

—Mañana ya habrá ejemplares en las librerías y bibliotecas. Dos mil quinientos en Misisipi y otros tantos en el resto de *Estaos Uníos*.

Es bastante más de lo que nos dijo Miss Stein en un principio, pero desde que empezaron las marchas por la libertad y después de que aparecieran muertos esos activistas de los derechos civiles en su caravana en Misisipi, el resto del país le presta más atención a nuestro estado.

—¿Cuántos ejemplares van *pa* la biblioteca blanca de Jackson? –pregunta Minny–. ¿Ninguno?

Niego con la cabeza, sonrío y respondo:

—Tres. Me lo dijo Miss Skeeter por teléfono esta misma mañana.

Hasta Minny parece sorprendida. Hace un par de meses, la biblioteca para blancos empezó a dejar entrar gente de color. Yo misma he ido ya dos veces.

Minny abre el libro y empieza a leer un fragmento. Los críos entran y les dice lo que tienen que hacer y cómo hacerlo sin levantar la vista de su lectura. Sus ojos no paran de recorrer las líneas del texto. Yo ya me lo he leído más de una vez durante todo el año que me he pasado trabajando en él, pero Minny siempre dijo que no quería leerlo hasta que no tuviera la edición definitiva entre las manos. Piensa que, de lo contrario, lo estropearía.

Me siento con ella un rato. De cuando en cuando sonríe, y a veces se ríe abiertamente, pero, por lo general, gruñe. No le pregunto por qué. La dejo con su lectura y me marcho a casa. Después de escribir mis oraciones, me voy a la cama y pongo el libro en la almohada, junto a mi cabeza.

Al día siguiente, en el trabajo, no puedo dejar de pensar en que, en este momento, en las librerías de la ciudad estarán poniendo el libro en las estanterías. Barro, plancho, cambio pañales, pero no escucho ni una sola palabra sobre el tema en casa de Miss Leefolt. Es como si el libro no existiera. No sé lo que esperaba, quizá algo de agitación. Sin embargo, hoy no deja de ser otro caluroso viernes de verano con moscas que chocan contra la mosquitera.

Por la noche, seis de las criadas que salen en el libro me llaman para preguntar si me he enterado de algo. Nos quedamos un rato en silencio al aparato, como si, por permanecer pegadas al auricular, la respuesta fuera a cambiar.

Por fin, me llama Miss Skeeter.

—Me he pasado por la librería Bookworm esta tarde y me he quedado un rato, pero no he visto a nadie comprar ni un ejemplar.

—Eula dice que se pasó por la librería *pa* negros y que lo mismo.

—¡En fin...! —suspira.

Durante todo el fin de semana y la semana siguiente no tenemos novedades. En la mesita de noche de Miss Leefolt están los mismos libros de siempre: *Las reglas de etiqueta de Frances Benton*, *Peyton Place* y esa vieja Biblia llena de polvo que deja junto a la cama para aparentar. Pero, ¡mecachis!, cada media hora me paso por su cuarto para comprobar que no hay nada nuevo en esa pila de libros.

El miércoles todo sigue igual. En la librería de blancos no se ha vendido ni un ejemplar. En la de Farish Street dicen que se han llevado una docena, lo cual no está nada mal. Aunque puede que hayan sido las protagonistas del libro que lo compraban para regalárselo a sus amigas.

El jueves, séptimo día, justo cuando voy a salir para el trabajo, suena el teléfono.

–¡Tengo noticias! –susurra Miss Skeeter en voz bajita. Supongo que estará escondida en la despensa otra vez.

–¿Qué ha *pasao*?

–Me ha llamado Miss Stein y dice que vamos a salir en el programa de Dennis James.

–¿En *People Will Talk*? ¿El programa de la tele?

–Van a sacarnos en las críticas de libros. Dice que lo darán por el Canal Tres el próximo jueves, a la una.

¡Carajo! ¡Vamos a salir en la WLBT TV! Es un programa local de la tele de Jackson, pero es en color y justo después de las noticias de las doce.

–¿Cree que hablarán bien de nosotras?

–No lo sé. No creo que Dennis se lea los libros de los que habla. Seguramente, sólo dice lo que otra persona escribe para él.

Estoy emocionada y asustada a la vez. Después de eso, algo tiene que pasar.

–Miss Stein me contó que a alguien en el Departamento de Publicidad de Harper & Row le debimos de dar pena e hizo unas cuantas llamadas para que nos sacaran en la tele. Dice que es el primer libro que publica con un presupuesto promocional de cero dólares.

Nos reímos, pero las dos estamos nerviosas.

–Espero que puedas verlo en casa de Elizabeth. Si no puedes, te llamaré para contarte todo lo que digan.

El viernes por la noche, con el libro a la venta desde hace ya una semana, me preparo para ir a la iglesia. El padre Thomas me llamó esta mañana y me pidió que asistiera a una reunión especial. Cuando le pregunté el motivo de la reunión, me dijo que tenía prisa y colgó. Minny dice que a ella también la ha llamado. Plancho un bonito vestido de lino que me regaló Miss Greenlee y me paso por casa de Minny para ir juntas a la iglesia.

Como de costumbre, la casa de Minny parece un gallinero en llamas. Mi pobre amiga se desgañita mientras los niños gritan y se tiran trastos a la cabeza. Por primera vez, noto que se le marca la barriga en el vestido y me alegro de que por fin le asome el embarazo. Leroy no le pegará mientras esté preñada. Minny lo sabe, así que supongo que éste no será su último hijo.

—¡Kindra! ¡Levanta el culo del suelo! —chilla Minny—. Más te vale que las judías estén listas antes de que tu padre se despierte.

Kindra, que tiene ya siete años, camina con descaro hasta el horno, meneando el trasero y alzando la barbilla. Se oye ruido de cacharros en la cocina.

—¿Por qué tengo que *hacé* yo la cena? ¡Hoy le toca a Sugar!

—Porque Sugar está en casa de Miss Celia, así que o haces la cena o no llegas viva a mañana.

Benny aparece y se abraza a mis rodillas. Sonriente, me enseña el diente que se le acaba de caer y sale corriendo.

—¡Kindra! ¡Baja ese fuego si no *quiés quemá* la casa!

—Tenemos que irnos, Minny —digo, porque se pueden tirar así toda la noche—, si no queremos *llegá* tarde.

Minny mira el reloj y sacude la cabeza.

—¿Por qué no ha *llegao* Sugar todavía? Miss Celia nunca me tenía hasta tan tarde trabajando.

La semana pasada, Sugar empezó a acompañar a su madre al trabajo. Minny le está enseñando a servir, porque, cuando tenga el bebé, su hija tendrá que sustituirla. Hoy, Miss Celia le pidió a Sugar que se quedara un poco más y luego la acompañaría ella misma a casa.

—Kindra, no quiero *ve* ni una sola judía en el fregadero cuando vuelva. ¡Ponte a *limpiá* ahora mismo! —Minny le da un abrazo—. Benny, ve a decirle al bobo de tu padre que se levante de una vez.

—Jo, mamá, ¿por qué yo?

501

–Venga, sé valiente. No te quedes *mu* cerca de él cuando se despierte.

Salimos y recorremos la calle a toda prisa antes de que Leroy empiece a gritar a Benny por haberlo despertado. Aprieto el paso para que a Minny no se le ocurra regresar a casa y darle a su marido su merecido.

–Me alegro de ir a la iglesia –comenta Minny cuando llegamos a Farish Street y subimos las escaleras de la parroquia–. Por lo menos, durante una hora no tendré que *pensá* en *tos* mis problemas.

En cuanto entramos en el vestíbulo de la iglesia, uno de los hermanos Brown cierra la puerta a toda prisa detrás de nosotras. Asustada, me dispongo a preguntar qué pasa justo cuando las treinta personas que están en la sala empiezan a aplaudir. Minny y yo aplaudimos también. Supongo que algún miembro de la parroquia ha sido admitido en la universidad o algo así.

–¿Por qué aplaudimos? –le pregunto a Rachel Johnson, la esposa del reverendo.

La mujer ríe y la estancia queda en silencio. Rachel se acerca a mí y me dice al oído:

–Cariño, te aplaudimos a ti.

Y me enseña un ejemplar del libro que lleva en el bolso. Miro a mi alrededor y me doy cuenta de que todo el mundo tiene uno. Los ministros y los curas más importantes de la parroquia también.

El reverendo Johnson da unos pasos hacia mí y me dice:

–Aibileen, hoy es un día importante para ti y para nuestra congregación.

–¡Vaya! Parece que habéis *vaciao* las librerías –digo, y la gente ríe con cortesía.

–Queremos que sepas que, por tu seguridad, la parroquia sólo va a reconocer tu mérito en esta ocasión. Sé que mucha gente colaboró en el libro, pero me han dicho que no habría sido posible sin ti.

Levanto la mirada y veo que Minny sonríe satisfecha. Parece que estaba al corriente de todo.

–Hemos enviado un mensaje a la congregación para advertir a toda la comunidad que si alguien reconoce a algún personaje del libro o descubre quién lo escribió, que no se lo cuente a nadie. Esta noche es una excepción. –El reverendo sonríe y mueve la cabeza–. Espero que nos disculpes, pero no podíamos dejar pasar algo así sin una pequeña celebración.

Me entrega el ejemplar que lleva en la mano.

–Sabemos que no pudiste poner tu nombre en el libro, así que hemos escrito los nuestros por ti.

Abro el libro y me encuentro con un montón de nombres. No son treinta o cuarenta, no. Hay cientos de ellos, puede que unos quinientos, garabateados en la cubierta, en las páginas en blanco del principio y el final de la obra, en los márgenes de las páginas... Todos los miembros de mi iglesia y los de otras congregaciones. En ese momento, es tal mi emoción que tengo que contener las lágrimas. El peso de dos años de trabajo, esfuerzos y esperanzas se me viene encima de repente. Todo el mundo hace una fila y empieza a abrazarme y a decirme lo valiente que soy. Les contesto que hay muchas otras compañeras que también han sido valientes. No me gusta acaparar la atención, pero les agradezco que no hayan mencionado más nombres, no quiero meter en líos a las demás. Creo que ni se imaginan que Minny también ha puesto de su parte.

–Puede que esto te cause problemas –me avisa el reverendo Johnson–. Si sucede cualquier cosa, quiero que sepas que la iglesia te ayudará en todo lo posible.

Me echo a llorar delante de todo el mundo. Miro a Minny, que no para de reírse. Es curioso las distintas formas de expresar los sentimientos que tiene la gente. Me pregunto qué haría Miss Skeeter si estuviera aquí en este momento, y me pongo un poco triste. Sé que nadie en la ciudad firmará el libro para ella y le dirá lo valiente que ha sido. Nadie va a ofrecerle su ayuda por si pasa algo.

Entonces el reverendo me da una caja envuelta en papel blanco atado con una cinta del mismo color pastel que la portada del libro. Posa su mano en ella, como si la estuviera bendiciendo, y me dice:

—Es para tu amiga blanca. Dile que la queremos como si formara parte de nuestra familia.

El jueves me levanto al salir el sol y voy al trabajo muy temprano. Hoy va a ser un gran día. Termino las tareas de la cocina a toda prisa. A la una, preparo la tabla de planchar frente a la tele de Miss Leefolt y pongo el Canal Tres. Hombrecito está durmiendo la siesta y Mae Mobley, en la escuela.

Intento planchar un poco, pero me tiembla la mano y la ropa sale toda arrugada. Pulverizo un poco de agua sobre ella y empiezo otra vez, preocupada y en tensión. Por fin, llega la hora del programa.

Dennis James aparece en la pantalla y nos comenta los temas del programa de hoy. Lleva el cabello teñido y peinado con tanta gomina que no se le mueve ni un pelo. Nunca he visto a un sureño hablar tan rápido como este hombre. Al escucharle me entra vértigo, como si estuviera en una montaña rusa. Estoy tan nerviosa que me parece que voy a vomitar encima del traje de misa de Mister Raleigh.

—... y terminaremos el programa de hoy con la crítica de libros.

Tras los anuncios, pasan un reportaje sobre el estudio de grabación de Elvis Presley. Luego, hablan sobre la nueva autopista que van a construir, la Interestatal 55, que unirá Jackson con Nueva Orleans. Después, a la 1.22 p.m., una mujer entra en el plató y se presenta como Joline French, la crítica de libros local.

En ese mismo instante, Miss Leefolt llega a casa. Lleva su vestido de las reuniones de la Liga de Damas y esos ruidosos zapatos de tacón. Se dirige directamente al salón.

—¡Cómo me alegro de que haya terminado la ola de calor! Estoy que no quepo en mí de gozo.

Mister Dennis charla sobre un libro titulado *Pequeño gran hombre*. Intento contestar a Miss Leefolt pero estoy demasiado tensa.

—Ahora... Ahora mismo apago la tele, señora.

–¡Espera, déjala! –exclama Miss Leefolt–. ¡Ésa es Joline French, nuestra amiga! Voy a llamar a Hilly para decírselo.

Sale corriendo a la cocina y llama por teléfono. Le responde Ernestine, la tercera sirvienta que ha tenido Miss Hilly en un mes. Ernestine sólo tiene un brazo. A Miss Hilly cada vez le quedan menos criadas para elegir.

–Ernestine, soy Miss Elizabeth... ¡Vaya! ¿No está en casa? Bueno, en cuanto vuelva, dígale que una compañera de nuestra hermandad está saliendo en la tele... Eso es. Gracias.

Miss Leefolt regresa al salón y se sienta en el sofá justo cuando empiezan los anuncios. Se me acelera la respiración. ¿Qué está haciendo esta mujer? Nunca antes habíamos visto la tele juntas, y justo hoy se tiene que plantar delante del aparato como si estuviera ella misma saliendo en la pantalla.

De repente, se termina el anuncio de jabón Dial y aparece Mister Dennis con el libro en la mano. La portada es la más bonita del mundo. Muestra el libro a las cámaras y señala con el dedo la palabra «Anónimo». Durante un par de segundos, siento más orgullo que miedo. Me gustaría gritar: «¡Ése es mi libro! ¡Mi libro sale en la tele!». Pero tengo que guardar las apariencias y hacer como si estuviera viendo un aburrido programa de literatura, aunque me cuesta respirar de la emoción.

–... titulado *Criadas y señoras*, con testimonios reales de asistentas del hogar, de Misisipi...

–¡Oh, qué pena que Hilly no esté en casa! ¿A quién podría llamar? Mira qué zapatos tan bonitos lleva Joline. Seguro que los ha comprado en la zapatería Papagallo.

¡Cállese, por Dios!, pienso para mis adentros. Me acerco a la televisión y subo un poco el volumen, pero luego me arrepiento. ¿Y si hablan de mi capítulo? ¿Qué pasará si Miss Leefolt reconoce su propia historia?

–... lo leí anoche y ahora se lo está leyendo mi mujer... –Mister Dennis habla como un corredor de subastas, sonríe y sube y baja las cejas mientras señala nuestro libro– ...es realmente conmovedor. Instructivo, me atrevería a decir. Los autores lo ubican en la ciudad ficticia de Niceville, Misisipi.

505

Pero ¿quién sabe? –Hace amago de taparse la boca y exclama en voz alta–: ¡Podría tratarse de Jackson!

¿Qué dice este hombre?

–La verdad es que las historias de este libro podrían suceder en cualquier ciudad del estado. Por si acaso, cómprelo para asegurarse de que no hablan de usted. ¡Ja, ja, ja!

Me quedo helada, sintiendo un hormigueo en el cuello. Nada en el libro hace suponer que tenga que ser Jackson. Por favor, Mister Dennis, repita otra vez eso de que podría tratarse de cualquier otra ciudad.

Observo cómo Miss Leefolt sonríe al ver a su amiga en la tele. Parece como si la muy tonta pensara que puede verla. Mister Dennis sigue riendo y hablando, pero esa compañera de fraternidad, Miss Joline, tiene la cara roja como una señal de stop.

–¡Es una desgracia para los estados del Sur! Una vergüenza para todas las buenas amas de casa sureñas que siempre se han preocupado por el servicio. Yo, personalmente, trato a mi criada como si fuera de la familia, y sé que todas mis amistades hacen lo mismo.

–¿Por qué tiene Joline esa cara de mala leche? ¡Que estás saliendo en la tele, mujer! –le grita Miss Leefolt al aparato. Se acerca a la pantalla y da unos golpecitos en la frente de su amiga–. ¡Joline! Sonríe un poco, hija. Estás muy fea con esa cara.

–Joline, ¿has leído el final, lo de la tarta? –tercia Mister Dennis–. Bessie Mae, si me estás viendo, desde que leí tu historia en la novela, respeto más tu trabajo. Y no volveré a probar la tarta de chocolate. ¡Ja, ja, ja!

Pero Miss Joline sostiene el libro entre las manos con gesto de asco, como si quisiera quemarlo, y de repente estalla:

–¡No compren este libro! ¡Mujeres de Jackson, no apoyen esta calumnia con el dinero ganado por sus maridos...!

–¿Qué? –parece que le pregunta Miss Leefolt a Mister Dennis.

De repente, se corta la emisión y ponen un anuncio del detergente Tide.

–¿De qué estaban hablando? –me pregunta Miss Leefolt.

No respondo. El corazón me late a cien por hora.

–Mi amiga Joline tenía un libro en la mano.

–Sí, señora.

–¿Cómo han dicho que se llamaba? *¿Criadas y señoras* o algo parecido?

Aprieto con fuerza la plancha contra el cuello de una camisa de Mister Raleigh. Tengo que llamar a Minny y a Miss Skeeter para ver si se han enterado. Miss Leefolt sigue esperando que le responda, y sé que no va a dejarlo estar. Nunca lo hace.

–¿Dijeron que era un libro sobre Jackson? –pregunta.

Mantengo la vista fija en la tabla de planchar y no contesto.

–Sí, creo que dijeron que el libro hablaba de Jackson –reflexiona en voz alta–. Pero ¿por qué no quiere Joline que lo compremos?

Me tiemblan las manos. ¿Cómo puede estar pasando esto? Sigo planchando, intentando alisar algo que está más que arrugado.

Unos segundos más tarde, se termina el anuncio del detergente Tide y vuelve a aparecer Dennis James con el libro. Miss Joline sigue con la cara roja de ira.

–Esto es todo por hoy –dice el presentador–. No se olviden de comprar *Pequeño gran hombre* y *Criadas y señoras* en la tienda de nuestro patrocinador, la librería de State Street. Así podrán comprobar ustedes mismos si se trata o no de Jackson.

La música suena en el plató y Dennis James exclama: «¡Que tengan un buen día, Misisipi!».

Miss Leefolt me mira y dice:

–¿Lo ves? ¡Te dije que estaban hablando de un libro sobre Jackson!

Cinco minutos más tarde, sale a la librería para comprar un ejemplar donde leerá lo que he escrito sobre ella.

Minny

Capítulo 30

En cuanto termina el programa *People Will Talk*, agarro el mando a distancia y aprieto el botón de apagado. Está a punto de empezar mi telenovela favorita, pero no me importa. El doctor Strong y Miss Julia tendrán que aguantarse sin mí hoy.

Se me ocurre llamar a ese tal Dennis James y decirle: «¿Quién te crees que eres, blanquito de las narices, para ir contando esas mentiras? ¡No puedes andar soltando por todo el estado que nuestro libro habla de Jackson! No sabes a qué ciudad nos referimos».

Sé muy bien lo que le pasa a ese idiota. Le encantaría que el libro fuera sobre nuestra ciudad. Desearía que Jackson, Misisipi, fuese lo suficientemente interesante como para que alguien escriba un libro sobre ella. Pero, aunque el libro habla de Jackson... él no tiene que saberlo.

Corro a la cocina y llamo a Aibileen, pero después de intentarlo dos veces y encontrar la línea ocupada, cuelgo y lo dejo para más tarde. En el salón, enchufo la plancha y saco una de las camisas blancas de Mister Johnny del cesto de la ropa. Me pregunto por millonésima vez qué va a pasar cuando Miss Hilly lea el último capítulo. Más le vale que empiece a preocuparse por convencer a la gente de que no se trata de nuestra ciudad. De todos modos, aunque se pase toda la tarde pidiéndole a Miss Celia que me despida, no conseguirá convencerla.

508

Lo único que tenemos en común esa loca para la que trabajo y yo es el odio que sentimos por Miss Hilly. Qué hará Hilly después, eso ya no lo sé. Será nuestra propia guerra, entre ella y yo, pero no afectará a las demás.

Estoy de muy mala leche. Desde la tabla de planchar, puedo ver a Miss Celia en el patio trasero. Tiene unas pintas de furcia tremendas con esos pantalones ajustados de satén rosa. Lleva las manos cubiertas por unos guantes de plástico y está pringada de tierra hasta las rodillas. Le he pedido un montón de veces que no vuelva a trabajar en el jardín con su ropa de vestir, pero esta mujer nunca me escucha.

Por el césped, junto a la piscina, hay desperdigados rastrillos y herramientas de jardinería. Miss Celia ahora sólo se dedica a escarbar en el jardín y a plantar florecitas. No importa que Mister Johnny haya contratado, hace ya unos meses, a un jardinero llamado John Willis. Pensaba que de este modo la casa estaría un poco más protegida en caso de que volviese a aparecer el exhibicionista, pero el jardinero es un viejo que camina doblado como las ramas de un sauce y está tan delgado como un junco. Tengo la impresión de que debería salir de vez en cuando al jardín a comprobar que no le haya dado un ataque al vejestorio y esté muerto entre los arbustos. Supongo que Mister Johnny no se atreve a sustituirlo por uno más joven.

Echo más almidón en el cuello de la camisa de Mister Johnny mientras escucho a Miss Celia gritando instrucciones al jardinero sobre cómo plantar un arbolito.

—Necesitamos más hierro en la tierra para esas hortensias, ¿entendido, John Willis?

—Sí, señora —responde el otro.

—Baja la voz, estúpida —digo por lo bajo.

Por el modo en que le grita, el anciano se debe de pensar que la mujer es sorda.

Suena el teléfono y me lanzo sobre él.

—¡Ay, Minny! —dice Aibileen al aparato—. Han descubierto la *ciudá*, dentro de *na* adivinarán quiénes son los personajes.

509

–Maldito *presentadó* imbécil.

–¿Cómo sabemos que Miss Hilly se lo va a *leé?* –pregunta Aibileen, alzando la voz nerviosa. Espero que Miss Leefolt no la oiga–. ¡Leches! Teníamos que *habé pensao* en eso, Minny.

Nunca había visto a Aibileen así. Se comporta como suelo hacerlo yo..., y viceversa.

–Escucha –digo, porque algo empieza a encajar en todo esto–, como Mister James le ha *dao* tanto bombo al libro, seguro que Miss Hilly acaba leyéndolo. *Tol* mundo en la *ciudá* está como loco por comprárselo. –Mientras pronuncio estas palabras, me doy cuenta de todo lo que implican–. No nos pongamos nerviosas –añado–, porque *pue* que las cosas salgan como esperamos.

Cinco minutos después de colgar, el teléfono vuelve a sonar.

–Residencia de Miss Celia, ¿dí...?

–Acabo de *hablá* con Louvenia –susurra de nuevo Aibileen–. Miss Lou Anne acaba de *volvé* a casa con un *ejemplá pa* ella y otro *pa regalá* a su *mejó* amiga, Hilly Holbrook.

¡Agárrate, que allá vamos!

Durante toda la noche, juraría que puedo sentir a Miss Hilly leyendo nuestro libro. En mi cabeza resuenan las palabras que ella está leyendo con su voz de blanca prepotente. A las dos de la madrugada, me levanto de la cama y abro mi ejemplar, intentando adivinar a qué capítulo habrá llegado. ¿Al primero, al segundo o al décimo? Por último, me quedo mirando el color pastel de la portada. Nunca había visto un libro de un color tan bonito. Limpio una mancha de grasa de la cubierta y luego lo vuelvo a esconder en el bolsillo de ese abrigo de invierno que nunca me pongo. Tomo estas precauciones porque, desde que me casé, no he leído ningún libro y no quiero que Leroy sospeche al verme con uno. Regreso a la cama, pensando que no hay forma de saber hasta dónde habrá llegado Miss Hilly con su lectura. Seguro que todavía no ha alcanzado su parte porque está al final. Además, lo sé porque aún no he oído sus gritos.

Por la mañana, me alegro de ir al trabajo. Hoy toca fregar los suelos, justo lo que necesito para no pensar en lo del libro. Me subo en el coche y conduzco hasta el condado de Madison. Ayer, Miss Celia fue a ver a otro médico para consultarle sus problemas a la hora de quedarse embarazada. Estuve por decirle que se quedara con uno de mis hijos si tanto le apetece tener críos. Seguro que hoy me contará hasta el más mínimo detalle de la consulta. Por lo menos, la tonta de ella tuvo la feliz idea de dejar de ver al estúpido del doctor Tate.

Me detengo ante la casa. Ahora que Miss Celia ha desvelado su secreto contándole a su marido lo que él ya sabía, por fin puedo aparcar frente al porche. Veo que el coche de Mister Johnny todavía está aquí. Espero un rato sin salir de mi auto. Nunca lo he visto en casa cuando llego al trabajo. Al fin, decido entrar por la puerta trasera. Me quedo en medio de la cocina, mirando a mi alrededor. Alguien ha preparado café. Oigo una voz masculina en el comedor. Aquí está pasando algo.

Me acerco a la puerta y oigo la voz de Mister Johnny. ¿Qué hace este hombre en casa a las ocho y media, un día de entre semana? Algo me dice que debería salir corriendo y volverme por donde he venido. Igual Miss Hilly le ha llamado y le ha contado que soy una ladrona, o se ha enterado de lo de la tarta y lo del libro.

—¿Minny? —me llama Miss Celia.

Muy despacito, abro la puerta y asomo la cabeza al comedor. Miss Celia está sentada a la mesa con su marido a su lado. Los dos me miran.

Mister Johnny está más pálido que ese viejo albino que vivía detrás de casa de Miss Walter.

—Minny, tráeme un vaso de agua, por favor —me dice ella, y siento que algo va muy mal.

Le llevo lo que me ha pedido. Cuando poso el vaso en la servilleta, Mister Johnny se pone en pie y me mira con mala cara. ¡Ay, Señor! Ya sé lo que viene ahora.

511

–Le conté lo del aborto –susurra Miss Celia, y con ello rompe mis esquemas–. Bueno, lo de los abortos.

–Minny, habría perdido a mi mujer de no haber sido por ti –dice Mister Jonnny, y me agarra las manos–. Gracias a Dios que estabas aquí.

Miro a Miss Celia, que tiene los ojos muertos. Me imagino lo que le habrá dicho el doctor. Puedo ver en su mirada que no podrá tener hijos. Mister Johnny me da un apretón cariñoso en la mano y luego se acerca a su mujer. Se pone de rodillas junto a ella y descansa la cabeza en su regazo.

–No te marches, Celia. No me abandones nunca –gimotea mientras su esposa le acaricia el pelo.

–Cuéntaselo, Johnny. Cuéntale a Minny lo que me dijiste.

Mister Johnny levanta la cabeza. Con el pelo revuelto, me dice:

–Minny, siempre tendrás trabajo en esta casa. Si lo deseas, puedes quedarte con nosotros toda la vida.

–*Grasias, señó* –digo de todo corazón.

Es lo mejor que podía escuchar un día como hoy.

Me dispongo a retirarme, pero Miss Celia me dice con voz muy suave:

–Quédate un poquito con nosotros, Minny, por favor.

Me apoyo en el aparador porque cada vez me pesa más la tripa. Me pregunto por qué a unas Dios nos da tanto y a otras tan poco. Mister Johnny llora, Miss Celia llora... Al final, los tres acabamos llorando como tontos en el comedor.

–¡Te digo que sí! –le cuento a Leroy en la cocina un par de días más tarde–. No *ties* más que *apretá* un botón *pa cambiá* de canal sin levantarte del sofá.

–*Mujé*, eso es imposible –dice Leroy sin apartar la vista del periódico.

–Miss Celia *tie* uno. Se llama «mando a distancia». Es como una cajita del tamaño de media *tostá* de pan.

–¡Serán vagos los blancos! –exclama Leroy, moviendo la cabeza–. No son capaces de levantarse *pa apretá* un botón.

–Dentro de *na,* la gente volará a la Luna, ya verás –comento.

Pero no le presto atención a las palabras que salen de mi boca. Mis oídos sólo están pendientes del grito. ¿Cuándo va a terminar el libro esa mujer?

–¿Qué hay *pa cená?* –pregunta Leroy.

–Sí, mamá, ¿cuándo vamos a *comé?* –dice Kindra.

Un coche se detiene delante de nuestra casa. Escucho con atención y el cucharón se me resbala de las manos y cae en el cazo de las judías.

–Gachas –contesto.

–¡No pienso *comé* gachas *pa cená!* –protesta Leroy.

–¡Ya hemos *comío* gachas en el desayuno! –grita Kindra.

–Perdón, quería *decí*... Jamón con judías.

Voy a cerrar el pestillo de la puerta trasera. Miro por la ventana y veo que el coche se aleja. Sólo estaba dando la vuelta.

Leroy se levanta y abre la puerta otra vez.

–¿Por qué cierras? ¡Hace un *caló* de mil demonios en casa! –Se acerca a la cocina y me pregunta, pegando su rostro a un centímetro del mío–: ¿Qué te pasa hoy?

–*Na* –contesto, retrocediendo un par de pasos.

Por lo general, no se mete conmigo cuando estoy preñada. Pero se acerca otra vez y me agarra con fuerza del brazo.

–¿Qué has hecho ahora?

–*Na*... No he hecho *na* –respondo–. Sólo estoy *cansá*.

Me aprieta con más fuerza el brazo, que me empieza a arder entre sus dedos.

–Nunca te cansas hasta el décimo mes.

–No he hecho *na,* Leroy. Siéntate y déjame *prepará* la cena tranquila.

Me deja, pero no aparta los ojos de mí. No soy capaz de sostenerle la mirada.

Aibileen

Capítulo 31

Cada vez que Miss Leefolt sale a comprar, o cuando está en el jardín, o incluso cuando entra al baño, compruebo la mesita de noche en la que tiene el libro. Hago como que estoy limpiando el polvo, cuando en realidad compruebo cuántas páginas ha avanzado su marcapáginas con el dibujo de la Primera Biblia Presbiteriana. Lleva cinco días leyendo el libro, y al abrirlo hoy he descubierto que sigue en el primer capítulo, en la página catorce. Aún le quedan doscientas treinta y cinco por delante. ¡Madre mía, qué despacio lee esta mujer!

Me gustaría decirle: «Está leyendo la historia de Miss Skeeter, ¿sabe? Donde cuenta su infancia con Constantine». Y, aunque me da mucho miedo, añadiría: «Pero siga, siga leyendo, guapa, porque en el segundo capítulo hablo de usted».

Me pongo como un flan cada vez que veo ese libro en su casa. Llevo toda la semana andando de puntillas. Un día, Hombrecito apareció por detrás y me tocó la pierna. Pegué un respingo que casi me caigo de espaldas. Pero el peor día fue el jueves, cuando Miss Hilly vino de visita. Las señoritas se sentaron en la mesa del salón y charlaron sobre sus campañas benéficas. De vez en cuando, me miraban y, con una sonrisa, me pedían que les sirviera un sándwich de mayonesa o un té helado.

En un par de ocasiones, Miss Hilly entró en la cocina y telefoneó a Ernestine, su criada.

—¿Has puesto en remojo el vestido de Heather como te dije? ¡Bien! ¿Y le has quitado el polvo al baldaquino de la cama? ¿No? ¡Pues ya lo estás haciendo ahora mismo!

Cuando salí a recoger sus platos, escuché a Miss Hilly comentar:

—Pues yo ya he llegado al capítulo siete.

Me quedé helada. Los platos me temblaban en la mano. Miss Leefolt alzó la mirada y me reprendió con un gesto.

Miss Hilly, levantando el dedo índice ante Miss Leefolt, añadió:

—Creo que tienes razón. Me da la sensación de que podría ser Jackson.

—¿Tú crees?

Miss Hilly se inclinó sobre la mesa y susurró:

—Es más, apuesto a que conocemos a algunas de esas negras.

—¿En serio? —preguntó Miss Leefolt. Sentí un frío helador que me recorría todo el cuerpo. Apenas podía avanzar hacia la cocina—. Yo he leído muy poquito...

—Estoy casi segura. Y, ¿sabes? —Miss Hilly sonrió como una serpiente—. Pienso desenmascararlas a todas.

A la mañana siguiente espero en la parada del autobús con la respiración acelerada, pensando en lo que hará Miss Hilly cuando llegue a su parte, y preguntándome si Miss Leefolt habrá leído por fin el capítulo dos. Cuando entro en su casa, me la encuentro leyendo el libro en la mesa de la cocina. Me pasa a Hombrecito, que se ha quedado dormido en su regazo, sin apenas levantar los ojos del libro. Luego, se dirige a su cuarto leyendo mientras camina. Ahora que sabe que Miss Hilly está interesada en el libro, no puede dejar de leerlo.

Unos minutos más tarde, entro en su dormitorio para recoger la ropa sucia. Miss Leefolt está en el baño, así que aprovecho para abrir el libro por el marcapáginas. Está en el capítulo

515

seis, el de Winnie, justo donde cuenta que la anciana para la que servía empieza a chochear y llama todas las mañanas a la policía para decirles que una mujer negra ha entrado en su casa. Esto significa que Miss Leefolt ha leído su parte y ha seguido adelante como si nada.

Estoy asustada, pero no puedo evitar entornar los ojos. Estoy segura de que a Miss Leefolt ni se le pasó por la cabeza que ella era la protagonista de la historia. Sé que debería dar gracias a Dios, pero aun así... Seguro que, mientras leía el capítulo por la noche, movía la cabeza contrariada con la historia de esa horrible mujer que no es capaz de dar a su propia hija el cariño que la pequeña necesita.

En cuanto Miss Leefolt sale de casa, llamo a Minny. Últimamente, nos pasamos el día subiendo las facturas de teléfono de nuestras jefas.

–¿*T' has enterao d' algo* nuevo? –pregunto.

–*Na*. ¿Miss Leefolt ya se lo ha *acabao*?

–No, pero anoche llegó al capítulo de Winnie. ¿Miss Celia todavía no se lo ha *comprao*?

–Esta boba sólo lee basura... ¡Ya voy! –grita Minny–. La muy idiota se ha vuelto a *enredá* el pelo en el *secadó*. ¡Mira que le tengo dicho que no meta la cabeza en ese trasto con los rulos puestos!

–Llámame si hay alguna *novedá*.

–Algo va a *pasá* pronto, Aibileen. Lo presiento.

Esa tarde me acerco al supermercado Jitney para comprar algo de fruta y queso para Mae Mobley. Su profesora, la señorita Taylor, otra vez ha hecho de las suyas. Chiquitina bajó del autobús hoy y se fue directa a su habitación a tirarse en la cama.

–¿Qué pasa, pequeña? ¿Algún problema?

–¡Me he pintado de negro! –solloza.

–¿Qué quieres *decí?* –le pregunto–. ¿Te has *manchao* con los rotuladores?

Le miro las manos, pero no tiene restos de tinta.

–La señorita Taylor nos dijo que pintáramos lo que más nos gusta de nosotros mismos.

Entonces veo un triste papel arrugado en su mano. Lo despliego y entiendo qué quería decir Chiquitina con eso de que se había pintado de negro.

–La señorita me dijo que el negro significa que tengo una cara sucia y mala.

Hunde la cabeza en la almohada y se pone a berrear palabrotas.

¡Maldita señorita Taylor! ¡Después de todo el tiempo que empleo en enseñar a Mae Mobley a querer a todo el mundo por igual y a no juzgar a las personas por su color! Siento un puño que oprime mi corazón. ¿Quién no se acuerda de su primera maestra? Igual uno no recuerda lo que aprendió, pero de una cosa estoy segura: he criado suficientes niños para saber que los profesores les influyen.

Por lo menos, en el supermercado hace fresquito. Me siento mal por haberme olvidado de comprar la merienda de Mae Mobley esta mañana. Me doy prisa para no dejarla demasiado tiempo a solas con su madre. Ha escondido su dibujo debajo de la cama, para que Miss Leefolt no lo encuentre.

En la sección de alimentos envasados, me hago con dos latas de atún. Me dirijo a buscar gelatina en polvo de la verde y me encuentro a la buena de Louvenia, con su uniforme blanco, junto a los tarros de mantequilla de cacahuete. Siempre que pienso en ella, me acuerdo del capítulo siete.

–¡*Güenas!* ¿Qué tal está Robert? –le pregunto, palmeándole el hombro.

Louvenia trabaja todo el día para Miss Lou Anne y luego vuelve a casa por la tarde y acompaña a Robert a la escuela para ciegos, a sus clases de leer con los dedos. Nunca la he oído quejarse.

–Aprendiendo a desenvolverse. ¿Y tú qué tal, Aibileen? ¿*To* bien?

–Un poco nerviosa. ¿*T' has enterao* de algo?

–*Na,* pero mi jefa se lo está leyendo.

Miss Lou Anne juega al *bridge* con Miss Leefolt. Esta mujer se portó muy bien con Louvenia cuando Robert tuvo el accidente.

Recorremos el pasillo juntas con nuestras cestas de la compra. Junto al pan tostado, hay un par de mujeres blancas. Me resultan familiares, pero no sé cómo se llaman. Al pasar a su lado, se quedan en silencio y nos miran muy serias.

—Disculpen —digo para que me dejen pasar.

Cuando las hemos dejado atrás, oigo que una comenta:

—Ésa es la negra que sirve en casa de Elizabeth...

En ese momento pasa un carrito por el pasillo y su traqueteo no nos deja oír el final de la frase.

—Creo que tienes razón —dice la otra—. Puede ser la del segundo capítulo.

Louvenia y yo seguimos andando muy despacito, con la vista fija al frente. Siento pinchazos en mi cuello al escuchar el sonido de los tacones de las mujeres alejándose. Sé que Louvenia las ha oído mejor que yo, pues sus orejas son diez años más jóvenes que las mías. Al llegar al final del pasillo nos separamos, pero giramos la cabeza para cruzar una última mirada.

«¿He oído bien?», le preguntan mis ojos.

«Has oído bien», me responden los suyos.

Por favor, Miss Hilly, lea. Termine el libro a la velocidad del rayo.

Minny

Capítulo 32

Pasa otro día y sigo escuchando la voz de Miss Hilly leyendo las palabras, devorando las líneas. No he oído el grito, todavía no. Pero presiento que se acerca el momento.

Aibileen me ha contado lo que escuchó decir ayer a ese par de blanquitas en el supermercado, pero, aparte de eso, no hemos tenido más novedades. De lo tensa que estoy, se me caen las cosas al suelo todo el rato. Anoche rompí la última taza de medir que me quedaba en casa. Leroy me mira como si supiera lo que pasa. Ahora mismo, mi marido se está tomando el café en la mesa mientras los críos andan tirados en la cocina por donde pueden, haciendo sus deberes.

Doy un respingo al ver que Aibileen asoma la cabeza por la puerta trasera. Se lleva un dedo a los labios para indicarme que me calle, me hace un gesto para que salga a hablar con ella y desaparece.

–Kindra, pon la mesa. Sugar, vigila las judías. Felicia, dale a tu padre las notas *pa* que te las firme. Voy a *salí* un momento, mamá necesita *tomá* un poco el aire.

Salgo de casa corriendo. Aibileen me espera en el callejón, con el uniforme puesto.

–¿Qué pasa? –le pregunto.

Dentro de casa, oigo tronar a Leroy: «¡Un suspenso!». Pero sé que no se atreverá a pegar a los críos. Sólo voceará, como se supone que debe hacer un padre.

—Ernestine la Manca me llamó *pa* decirme que Miss Hilly anda contando por *toa* la *ciudá* quién es quién en el libro. Está pidiendo a las blancas que despidan a sus criadas, aunque ni siquiera ha *acertao* con sus suposiciones.

Aibileen está tan enfadada que tiembla. No para de hacer nudos en un pedazo de tela. Seguro que ni se ha dado cuenta de que se ha llevado una servilleta de casa de Miss Leefolt.

—¿A quién se lo ha *contao?*

—Le dijo a Miss Sinclair que despidiera a Annabelle. Miss Sinclair la echó y le quitó las llaves de su coche porque le había *prestao* la *mitá* del dinero *pa* comprarlo. Annabelle casi se lo había devuelto *to*, pero se ha *quedao* sin el coche.

—¡Maldita bruja! —gruño entre dientes.

—Eso no es *to*, Minny.

Oigo pasos de botas en la cocina.

—Rápido, antes de que Leroy nos pille.

—Miss Hilly le dijo a Miss Lou Anne: «Esa Louvenia que trabaja para ti sale en el libro, la he reconocido. Tienes que despedirla. Deberías denunciar a esa negra para que la metan en la cárcel».

—¡Pero si Louvenia no dijo *na* malo de Miss Lou Anne! —protesto—. Además, tiene que *cuidá* de Robert. ¿Qué dijo Miss Lou Anne?

Aibileen se muerde el labio y mueve la cabeza mientras le resbalan las lágrimas por las mejillas.

—Dijo... que iba a pensárselo.

—¿El qué? ¿Lo de despedirla o lo de denunciarla?

—Las dos cosas, supongo —contesta Aibileen, estremeciéndose.

—¡Ay, *Señó* Jesús! —digo.

Tengo ganas de partirle la cara a alguien. A quien sea.

—Minny, ¿y si Miss Hilly no termina de *leé* el libro?

—No sé, Aibileen. No sé.

520

Aibileen mira hacia la puerta. Leroy nos observa desde detrás de la mosquitera. Se queda ahí, en silencio, hasta que me despido de Aibileen y regreso a casa.

Esa noche, Leroy llega a casa a las cinco y media de la madrugada y se derrumba en la cama a mi lado. El sonido del golpe en el somier y su pestazo a alcohol me despiertan. Aprieto los dientes, rezando para que no empiece una pelea. Estoy demasiado cansada para defenderme. No he dormido nada, preocupada por lo que me ha contado Aibileen. Para Miss Hilly, Louvenia será una cabeza más en su galería de trofeos de caza.

Leroy no para de dar vueltas, menearse y sacudir la cama, sin preocuparle que su esposa embarazada intente dormir. Cuando el muy tonto por fin se acomoda, me susurra:

–¿Qué secreto os traéis entre manos, Minny?

Siento cómo me observa. Puedo notar su aliento a alcohol en mi nuca. No me atrevo a moverme.

–Sabes que terminaré por enterarme –amenaza–, como siempre.

Pasados diez segundos, su respiración se ralentiza y me pasa un brazo por encima. «Dios, gracias por haberme dado este bebé», pienso. Es la única cosa que me ha salvado de otra paliza, el bebé que llevo en mi vientre. Es la triste realidad.

Sigo sin poder dormir, apretando los dientes, preocupada, preguntándome qué va a sucedernos. Leroy sospecha algo, y sólo Dios sabe qué pasará si se entera. Seguro que está al corriente de la existencia del libro, todo el mundo lo sabe. Pero no creo que se imagine que su mujer sale en él. La gente, probablemente, piensa que no me importa que mi marido lo descubra. Sí, sé muy bien lo que piensa la gente. Se creen que Minny, la grande, la fuerte, sabe defenderse. No saben lo patética que me vuelvo cuando Leroy me pega. Me da miedo devolverle los golpes. Me da miedo que me abandone si le planto cara. Sé que no tiene sentido y me cabreo conmigo misma por ser tan débil. ¿Cómo puedo querer a un hombre que me

521

muele a palos? ¿Por qué amo a un maldito borracho? Una vez le pregunté: «¿Por qué? ¿Por qué me pegas?». Se agachó, y con su cara frente a la mía, me dijo: «Si no te pegara, quién sabe de lo que serías capaz».

Yo estaba arrinconada en una esquina del dormitorio, encogida como un perro mientras él me zurraba con el cinturón. Fue la primera vez que reflexioné sobre ello.

¡Ay, Señor Jesús! ¿Quién sabe de lo que sería capaz si Leroy dejara de pegarme de una puñetera vez?

Al día siguiente por la noche mando a todo el mundo a la cama temprano, yo incluida. Leroy no vuelve de la fábrica hasta las cuatro. Me siento muy hinchada para el mes en el que estoy. Ay, Dios, que igual tengo gemelos. No voy al doctor para que no me dé esta mala noticia. Lo único que sé es que este bebé es ya más grande que los otros que he tenido cuando nacieron, y sólo estoy de seis meses.

Caigo en un sueño profundo. Sueño que estoy ante una gran mesa de madera y que voy a darme un festín. Devoro un enorme muslo de pavo asado.

De repente, me incorporo de golpe en la cama con la respiración acelerada.

—¿Quién anda ahí?

El corazón me golpea en el pecho a gran velocidad. Miro a mi alrededor, en la oscuridad. Son las doce y media de la noche. Leroy todavía no ha vuelto, gracias a Dios. Pero algo me ha despertado.

Entonces, me doy cuenta de lo que sucede. Acabo de escuchar eso que llevaba tanto tiempo esperando. Lo que todas estábamos esperando.

Acabo de escuchar el grito de Miss Hilly.

Miss Skeeter

Capítulo 33

Abro los ojos sobresaltada, con el corazón acelerado y empapada en sudor. Desde la cama, contemplo las hojas de parra del papel de la pared de mi cuarto que trepan serpenteantes hacia el techo. ¿Qué me ha despertado? ¿Qué ha sido eso? Me levanto de la cama y escucho. No puede ser una llamada de Madre, era un sonido demasiado agudo. Ha sido un chillido, como si estuvieran partiendo a alguien por la mitad.

Me siento y me llevo la mano al corazón, que sigue latiendo con fuerza. Nada está saliendo según lo planeado. La gente ha descubierto que la ciudad del libro es Jackson. No puedo creer que me olvidara de lo lenta que es Hilly leyendo. Seguro que anda mintiéndole a todo el mundo, diciéndoles que va más avanzada con la lectura de lo que en realidad está. Las cosas se empiezan a escapar de nuestro control. Han despedido a una criada llamada Annabelle y las mujeres blancas de la ciudad han comenzado a murmurar sobre Aibileen, Louvenia y Dios sabe quién más. Lo más irónico de todo esto es que espero impaciente a que Hilly se pronuncie sobre el libro, cuando debo de ser la única persona en esta ciudad a la que le importa un pimiento lo que piense esa mujer.

¿Terminará el libro convirtiéndose en un terrible error?

Inspiro e intento pensar en el futuro, no en el presente. Hace un mes, envié quince currículum a Dallas, Memphis, Birmingham y otras cinco ciudades, entre las que se encontraba también Nueva York. Miss Stein me dijo que la podía incluir como referencia, lo cual constituye, con toda seguridad, el único dato relevante del currículum: una recomendación de una editora. Además detallé los trabajos que realicé el año pasado:

> *Columnista de la sección del hogar del periódico* The Jackson Journal.
> *Editora del boletín de la Liga de Damas de Jackson.*
> *Autora de* Criadas y señoras*, un controvertido libro sobre las relaciones entre las empleadas del hogar de color y sus jefas blancas. Publicado por Harper & Row.*

Por supuesto quité lo del libro, aunque lo puse al principio sólo por el placer de verlo escrito en mi currículum. De todos modos, aunque me ofrezcan trabajo en una gran ciudad, no puedo abandonar a Aibileen en medio de este embrollo, ahora que las cosas se están poniendo feas.

Pero, ¡Dios!, necesito salir de Misisipi. Quitando a mis padres, no me queda nada aquí. No tengo amigas, ni un trabajo interesante, ni tengo a Stuart. Sin embargo, no estoy dispuesta a escapar a cualquier sitio. Cuando envié mi currículum a los periódicos *The New York Post, The New York Times, Harper's Magazine* y *The New Yorker Magazine,* volví a sentir esa ilusión de mi época universitaria por vivir en Nueva York. Ni Dallas, ni Memphis... ¡Toda escritora que se precie tiene que vivir en la Gran Manzana! Pero, de momento, nadie me ha contestado. ¿Y si nunca salgo de aquí? ¿Y si me quedo atrapada para siempre en esta ciudad?

Me tumbo y contemplo los primeros rayos de sol que asoman por la ventana. Me entra un escalofrío al darme cuenta de que ese grito de terror que me despertó era mío.

Busco, por los pasillos de la farmacia Brent, la crema hidratante Lustre y el jabón Vinolia que me ha encargado Madre mientras el farmacéutico, el señor Roberts, prepara su medicina.

Madre dice que ya no necesita tomar el medicamento y que el mejor remedio contra el cáncer es tener una hija como yo, que no pisa la peluquería y que se pone vestidos que enseñan la rodilla hasta en domingo. Afirma que no se puede morir, porque, de lo contrario, sólo Dios sabe lo mal que iba a acabar yo.

Me alegra que Madre esté mejor. Si mi compromiso de quince segundos con Stuart despertó sus ganas de vivir, el hecho de que vuelva a estar soltera le ha dado más energías si cabe. Se disgustó mucho a raíz de nuestra ruptura, pero se ha recuperado magníficamente. Llegó incluso a concertarme una cita con un apuesto primo lejano de treinta y cinco años, guapo y, a todas luces, homosexual. No entiendo cómo Madre no lo notó: Cuando, terminada la cena, él se marchó, comenté: «Madre, este chico es... –me contuve y añadí, palmeándole el hombro–: ...muy simpático, pero me ha dicho que no soy su tipo».

Tengo prisa por salir de la farmacia antes de que entre alguien. Debería estar ya acostumbrada al aislamiento al que me somete la gente, pero no lo consigo. Echo de menos a mis amigas. No a Hilly, por supuesto, pero a veces sí que añoro un poco a Elizabeth, la dulce Elizabeth de los tiempos del instituto. La soledad se me hizo más dura cuando terminamos el libro y tuve que dejar de visitar a Aibileen. Decidimos que era un riesgo innecesario. Nuestras charlas en su casa son de las cosas que más extraño.

Cada cierto tiempo hablo con Aibileen por teléfono, pero no es lo mismo que estar con ella en persona. «Por favor –pienso mientras me cuenta lo que está pasando en la ciudad–, por favor, que esto termine bien.» Pero, hasta ahora, no sabemos nada. Sólo que las mujeres de Jackson chismorrean y se toman nuestro libro como si fuera un juego, intentando descubrir quién es quién, mientras Hilly acusa a las personas equivocadas. Yo prometí a las criadas que no las descubrirían, y me siento responsable de lo que está pasando.

Suena la campanilla de encima de la puerta de la farmacia. Levanto los ojos y veo a Elizabeth y a Lou Anne Templeton. Les doy la espalda y me oculto en el pasillo de las cremas, esperando que no se percaten de mi presencia. Las observo a través de las estanterías y veo que se acercan al pasillo de alimentación agarradas del brazo como colegialas. Lou Anne, como siempre, viste manga larga a pesar del calor del verano y luce su sempiterna sonrisa. Me pregunto si sabrá que sale en el libro.

Elizabeth lleva el flequillo abombado y el resto del cabello cubierto con el pañuelo amarillo que le regalé cuando cumplió veinticinco años. Me quedo un minuto inmóvil, mientras digiero este extraño sentimiento de observarlas sabiendo todo lo que sé sobre ellas. Elizabeth ha llegado al capítulo diez, me dijo Aibileen anoche, y todavía no tiene ni la menor idea de que el libro que está leyendo trata sobre ella y sus amigas.

–¿Miss Skeeter? –me llama el señor Roberts desde la rebotica, detrás de la caja registradora–. La medicina de su madre ya está lista.

Me dirijo al mostrador y tengo que pasar por la sección de alimentación, justo delante de Elizabeth y Lou Anne. Las dos me dan la espalda, pero por el espejo de la pared puedo comprobar que me siguen con la mirada. Al cruzarse sus ojos con los míos, bajan la vista al suelo.

Pago el medicamento y los potingues de Madre y me dirijo a la salida. Intento escapar por el otro lado de la tienda, pero Lou Anne Templeton aparece por detrás del pasillo de los peines.

–Skeeter –me dice–, ¿tienes un minuto?

Parpadeo sorprendida. Hace ocho meses que nadie me pide ni un minuto ni un segundo de mi tiempo.

–Esto... Pues claro –respondo con cautela.

Lou Anne mira a la calle y veo que Elizabeth entra en su coche con un batido en la mano. Lou Anne se acerca a mí, entre los champúes y los acondicionadores para el pelo.

–¿Qué tal está tu madre? Espero que siga bien.

Su sonrisa no es tan radiante como de costumbre. Se estira las largas mangas de su vestido, aunque el sudor resbala por su frente.

–Está algo mejor, parece que remite un poco...

–Me alegro.

Nos quedamos como dos tontas, mirándonos a los ojos sin saber qué decir. Lou Anne aspira profundamente y por fin dice:

–Sé que hace mucho que no hablamos... –comenta, y, bajando la voz, añade–: Pero creo que deberías saber lo que anda contando Hilly por ahí. Dice que tú escribiste ese libro... el de las criadas.

–Pues yo he oído que es anónimo... –respondo con prontitud.

No estoy segura de si quiero fingir que lo he leído, aunque todo el mundo en la ciudad lo está haciendo. En las tres librerías del centro se ha agotado y en la biblioteca tiene una lista de espera de dos meses.

Levanta la palma de la mano, haciéndome un gesto para que no diga más.

–Mira, no quiero saber si es cierto o no lo que dice Hilly. No me importa en absoluto. Lo que ocurre es que Hilly... –Se acerca más a mí y susurra–: Hilly Holbrook me llamó ayer y me pidió que despidiera a Louvenia, mi criada.

Su mandíbula se tensa y mueve la cabeza. Contengo la respiración mientras pienso: «Por favor, no me digas que la has echado».

–Skeeter, Louvenia... –prosigue Lou Anne, y me mira fijamente a los ojos–, ...Louvenia es la única razón por la que me levanto de la cama muchos días.

Permanezco en silencio. Puede que sea una trampa urdida por Hilly.

–Supongo que debes de pensar que no soy más que una tontita, una mujer corta de entendederas que siempre está de acuerdo con todo lo que dice Hilly. –Asoman lágrimas a sus ojos y le tiemblan los labios–. Los médicos me quieren enviar a Memphis para... un tratamiento de choque. –Se cubre el rostro con la mano, pero una lágrima se cuela entre sus dedos–. Por... por lo de la depresión y por... por lo de los intentos...

Miro sus brazos y me pregunto si será eso lo que pretende ocultar con la manga larga. Espero no estar en lo cierto, pero me estremezco sólo de pensarlo.

–Henry me dice que o mejoro o adiós, muy buenas.

Alza la mano en un gesto de despedida e intenta sonreír, pero no tarda en volver a derrumbarse y la tristeza se apodera de nuevo de su rostro.

–Skeeter, Louvenia es la persona más valiente que conozco. A pesar de todos los problemas que tiene, siempre encuentra tiempo para sentarse a mi lado a escuchar los míos. Me ayuda a soportar mis penas. Cuando leí las cosas tan bonitas que escribió sobre mí porque la ayudé cuando lo del accidente de su nieto... Nunca me he sentido tan agradecida en la vida. Hacía meses que no me sentía tan bien.

No sé qué decir. Es el único comentario bueno que he oído del libro, y me gustaría que me dijera más cosas así. Pero estoy preocupada, porque resulta evidente que lo sabe todo.

–No sé si fuiste tú la que escribió ese libro, pero si los rumores que anda contando Hilly son ciertos, sólo quiero que sepas que no pienso despedir nunca a Louvenia. Le dije que me lo pensaría, pero si Hilly Holbrook vuelve a mencionar este tema, le diré a la cara que se merece la tarta que se comió y más.

–¿Qué te hace pensar que... la de la tarta es Hilly?

Nuestra protección, nuestro seguro de vida se perderá si se descubre el secreto de la tarta.

–Puede que sea ella, o puede que no, pero es lo que comenta la gente –murmura Lou Anne, moviendo la cabeza–. Esta mañana, Hilly me llamó para decirme que piensa que la ciudad del libro no es Jackson. Quién sabe por qué.

Contengo el aliento y pienso: «Gracias a Dios».

–Bueno, Henry no tardará en volver a casa. Tengo que irme.

Se sube el asa del bolso al hombro y endereza la espalda. Como quien se pone una máscara, esboza su habitual sonrisa.

Se dirige a la puerta, pero antes de salir se vuelve para mirarme y me dice:

–Ah, otra cosa. No pienso votar a Hilly Holbrook para presidenta de la Liga de Damas en las elecciones de enero. Y, ya puestos, en ninguna otra votación.

Dicho esto, sale por la puerta y hace tintinear la campanilla.

Me quedo un buen rato mirando a la calle. Ha empezado a caer una fina lluvia que empaña los cristales de los coches y hace brillar el asfalto. Observo cómo Lou Anne se aleja por el aparcamiento, y pienso que son tantas las cosas que ignoramos de las personas... Me pregunto si habría podido hacer un poco más fácil la vida de esta mujer si lo hubiera intentado. Podría haberla tratado un poco mejor. ¿Acaso no es ése el objetivo del libro?, ¿que las mujeres nos demos cuenta de que somos personas y que hay pocas cosas que nos diferencien las unas de las otras? Al menos, no tantas como pensamos.

Lou Anne comprendió el objetivo del libro antes incluso de leerlo. En este caso, era yo la que estaba cegada por mis prejuicios.

Por la tarde llamo cuatro veces a casa de Aibileen, pero su teléfono comunica. Cuelgo el aparato y me quedo un rato sentada en la despensa, contemplando los tarros de mermelada de higos que elaboró Constantine antes de que se muriese la higuera que teníamos en el jardín. Aibileen me contó que todas las criadas de la ciudad no paran de hablar del libro y de lo que está pasando. Cada noche recibe seis o siete largas llamadas.

Suspiro. Es miércoles; mañana me toca entregar la columna de Miss Myrna que escribí hace ya tres semanas. Como no tengo nada más que hacer, he adelantado dos docenas de artículos. No tengo nada más en lo que ocuparme, excepto rumiar mis preocupaciones.

A veces, cuando me aburro, no puedo evitar pensar en cómo sería mi vida si no hubiera escrito este libro. Esta tarde, estaría jugando al *bridge;* mañana, iría a la reunión de la Liga de Damas y tomaría notas para el boletín; luego, el viernes, Stuart me llevaría a cenar y volveríamos tarde a casa; el sábado, me levantaría cansada para ir a jugar al tenis... Cansada, sonriente y... frustrada.

Frustrada porque, durante la partida de *bridge,* Hilly llamaría ladrona a su criada y yo tendría que escucharla y callar; frustrada porque vería a Elizabeth pellizcando con saña el brazo de su hija y yo apartaría la vista como si no me diese cuenta; frustrada porque estaría prometida a Stuart y ya no podría llevar vestidos cortos ni el pelo largo, ni se me ocurriría hacer algo tan arriesgado como escribir un libro sobre criadas de color, temiendo que mi novio no lo aprobase. No voy a mentirme y hacerme ilusiones pensando que he conseguido cambiar la mentalidad de gente como Hilly y Elizabeth con el libro, pero, por lo menos, ahora no tengo que fingir que estoy de acuerdo con sus opiniones.

Abandono la viciada despensa con un sentimiento de pánico. Me calzo mis sandalias guaraches masculinas y salgo al calor de la noche. La luna está llena y hay bastante claridad. Esta tarde me olvidé de comprobar el buzón, y soy la única persona en esta casa que lo hace. Lo abro y encuentro una solitaria carta. El sobre lleva el membrete de Harper & Row, así que supongo que será de Miss Stein. Me sorprende que me escriba a esta dirección, porque le pedí que me enviara todos los contratos del libro a un apartado de Correos, por si acaso. Aquí fuera no hay suficiente luz para leer, así que me guardo el sobre en el bolsillo trasero de mis tejanos.

En lugar de volver a casa por el camino, acorto por el jardín, sintiendo el suave contacto del césped bajo mis pies mientras sorteo las peras maduras que han caído del peral. Ya ha llegado septiembre y aquí sigo, todavía. Incluso Stuart se ha marchado de la ciudad. En un artículo que publicó el periódico local hace unas semanas sobre el senador, se decía que su hijo Stuart había trasladado su empresa a Nueva Orleans para poder pasar más tiempo en las plataformas petrolíferas del Golfo de México.

Escucho un ruido de gravilla. No puedo ver el vehículo que se acerca porque, por alguna razón, lleva las luces apagadas.

La observo mientras aparca su Oldsmobile ante la casa y apaga el motor. Se queda en el interior del coche. La luz del porche está encendida, amarillenta y parpadeante, rodeada de insectos nocturnos. Se inclina sobre el volante, como intentando adivinar quién está en casa. ¿Qué diablos quiere? La contemplo durante unos segundos, y luego pienso: «Abórdala tú primero. Ve a hablar con ella antes de que haga lo que tiene planeado, sea lo que sea».

Me acerco lentamente por el jardín. Ella enciende un cigarrillo y tira la cerilla al suelo por la ventanilla.

Me aproximo a su coche por detrás, de modo que no pueda verme.

–¿Esperas a alguien? –le digo al llegar a la altura de la ventanilla.

Hilly pega un respingo y tira el cigarrillo a la gravilla. Sale del coche y cierra de un portazo. Alejándose de mí, me dice:

–No te acerques ni un centímetro más.

Permanezco donde estoy y la miro. ¿Quién no se la quedaría mirando? Su cabello oscuro está completamente revuelto. Un mechón se le ha erizado y lo tiene levantado como la cresta de un gallo. Lleva la blusa por fuera del pantalón. Los botones están a punto de reventar de lo gorda que se ha puesto. Desde luego ha ganado peso. Además, le ha salido un herpes rojo y con pústulas en la comisura de los labios. No había visto a Hilly con una de esas cosas desde que Johnny la dejó cuando íbamos a la universidad.

Me mira de arriba abajo y me pregunta:

–¿Qué pasa? ¿Te has convertido en una especie de *hippie*? Dios, tu pobre madre tiene que estar tan avergonzada de ti.

–Hilly, ¿a qué has venido?

–A decirte que he llamado a mi abogado, Hibbie Goodman, que resulta que es el mayor experto en casos de calumnia y difamación de todo Misisipi. Estás metida en un buen lío, señorita. Vas a ir a la cárcel, ¿lo sabías?

–No puedes probar nada, Hilly.

Ya hablé de esto con el Departamento legal de Harper & Row. Fuimos muy cuidadosos a la hora de no dejar evidencias sobre la autoría del libro.

–Estoy totalmente segura de que tú lo escribiste, porque no hay otra mujer en la ciudad tan rastrera como para relacionarse con las negras de ese modo.

Es desconcertante que alguna vez esta mujer y yo hayamos podido ser amigas. Pienso en entrar en casa y cerrarle la puerta en las narices, pero lleva un sobre en la mano que me pone muy nerviosa.

531

–Sé que la gente no para de hablar de ello, Hilly, y que circulan por ahí muchos rumores...

–Esas habladurías no me molestan. Todo el mundo sabe que el libro no habla de Jackson. Tu mente enfermiza se inventó una ciudad. Además, sé quién te ayudó.

Se me tensa la mandíbula. Está claro que sabe lo de Minny y Louvenia. Ya lo suponía. Pero ¿sabrá algo sobre Aibileen o las demás?

Hilly blande el sobre ante mí, y lo arruga.

–He venido para contarle a tu madre lo que has hecho.

–¿Vas a chivarte a mi mamá? –me burlo.

Pero lo cierto es que Madre no sabe nada de esta historia, y prefiero que siga sin saberlo. Le haría daño y sentiría vergüenza de mí... Observo el sobre. Además, podría empeorar su estado.

–¡Ahora mismo pienso hacerlo!

Hilly sube los peldaños del porche con la barbilla muy alta.

La sigo a todo correr hasta la puerta. Hilly la abre y entra como si estuviera en su casa.

–Hilly, no te he invitado a pasar –digo, y la agarro del brazo–. ¡Sal ahora...!

En ese momento, Madre aparece en el recibidor y suelto el brazo de Hilly.

–¡Vaya, pero si es Hilly! –dice Madre. Lleva puesto el albornoz y se apoya temblorosa en su bastón–. Querida, hace mucho que no te veíamos por aquí.

Hilly la mira con cara de pasmo. No sé quién estará más sorprendida por el aspecto de la otra, si mi madre o Hilly. El espeso cabello castaño de mi madre es ahora blanco como la nieve, y muy fino. Para alguien que lleve tiempo sin verla, la delgada mano que tiembla en el bastón le resultará esquelética. Pero lo peor de todo es que Madre no se ha puesto la dentadura entera, sólo la parte de arriba, lo cual le deja unos profundos y cadavéricos agujeros en las mejillas.

–Miss Phelan, yo... esto... he venido para...

–Hilly, ¿te encuentras bien? Tienes un aspecto horrible –comenta Madre.

–Es que... no tuve tiempo de arreglarme antes de... –se excusa Hilly, mordiéndose el labio.

–Hilly, querida, un marido joven como el tuyo no puede volver a casa y encontrarla a una así. Mira tu pelo. Y eso... –Madre frunce el ceño, fijándose en el herpes–, eso que te ha salido no resulta nada atractivo.

No aparto los ojos del sobre que lleva Hilly en la mano. Madre nos apunta a las dos con su delgado dedo índice y dice:

–Mañana mismo pienso llamar a la peluquería para que os den cita a las dos.

–Miss Phelan, yo no...

–No hace falta que me des las gracias –la interrumpe Madre–. Es lo menos que puedo hacer por ti, ahora que no tienes a tu pobre madre para aconsejarte. Y, si me disculpáis, me voy a la cama. –Se dirige cojeando hacia su habitación–. Y no os quedéis levantadas hasta muy tarde, jovencitas –añade, antes de entrar en su dormitorio.

Hilly se queda paralizada un segundo, con la boca medio abierta. Por fin, se dirige a la puerta, la abre con violencia y sale. Todavía lleva el sobre en la mano.

–Estás metida en un buen lío, Skeeter –me escupe como si me diera un puñetazo–. Tú y esas negras amigas tuyas.

–¿De qué estás hablando, Hilly? –le pregunto–. No tienes ni idea de lo que dices.

–¿Ah, no? ¿Y esa Louvenia? ¿Qué me dices de ella? Pero ya me he encargado de ella, Lou Anne lo hará por mí.

El mechón levantado de su pelo se balancea cuando mueve la cabeza.

–Y le puedes decir a esa Aibileen que la próxima vez que quiera escribir sobre mi querida amiga Elizabeth... –exclama, mostrando una cruel sonrisa–, ¿te acuerdas de Elizabeth, Skeeter? La que te invitó a su boda.

Arrugo la nariz. Al oírle pronunciar el nombre de Aibileen siento deseos de darle un tortazo.

–Puedes decirle que tendría que haber sido algo más lista y no haber descrito en el libro la raja en forma de ele de la mesa del comedor de la pobre Elizabeth.

533

Se me detiene el corazón. ¡La maldita raja! ¿Cómo pude ser tan idiota de dejarlo pasar?

–Y no pienses que me olvido de Minny Jackson. Tengo un plan especial reservado para esa negra.

–Ten cuidado, Hilly –mascullo entre dientes–, no vayas a ponerte en evidencia delante de todo el mundo.

Mi voz suena tranquila y confiada, aunque en mi interior estoy temblando preguntándome cuál será ese plan del que habla.

–¡Yo no me comí esa tarta! –grita con los ojos saliéndosele de las órbitas. Se da la vuelta y corre hacia su coche. Abre violentamente la puerta y añade–: Diles a esas negras que se anden con ojo. Más les vale estar preparadas para lo que les espera.

Con la mano temblorosa, marco el número de Aibileen. Me llevo el auricular a la despensa y cierro la puerta. En la otra mano, tengo la carta de Harper & Row. Aunque parece que sea bien entrada la noche, apenas son las ocho y media.

Cuando contesta, suelto apresuradamente:

–Hilly ha venido a mi casa. Lo sabe todo.

–¿Miss Hilly? ¿Qué sabe?

Escucho la voz de Minny de fondo preguntando: «¿Hilly? ¿Qué pasa con esa bruja?».

–Minny... Está aquí conmigo –dice Aibileen.

–Bien, porque esto también le concierne a ella –digo, aunque desearía que Aibileen se lo contara más tarde, sin estar yo al teléfono.

Le explico cómo Hilly se presentó aquí y entró en mi casa, haciendo pausas para esperar a que Aibileen se lo repita todo, palabra por palabra, a Minny. Escucharlo en la voz de Aibileen hace que me resulte todavía más doloroso.

Aibileen, al aparato, suspira.

–Así que Hilly lo ha descubierto todo por culpa de esa raja en la mesa del comedor de Elizabeth... –comento.

–¡Leches! Maldita raja. No me *pueo creé* que haya *sío* tan tonta de ponerla en mi historia.

534

–Es culpa mía, Aibileen. Tenía que haberme dado cuenta al pasar a máquina el capítulo y quitarlo. No sabes cuánto lo siento.

–¿Piensa que Miss Hilly le va a *contá* a Miss Leefolt que he escrito sobre ella?

–¡No *pue* decírselo! –grita Minny–. Eso sería *admití* que el libro habla de Jackson.

Me doy cuenta de lo bueno que era el plan de Minny.

–Estoy de acuerdo con Minny –digo–. Creo que Hilly está aterrorizada, Aibileen. No sabe muy bien qué hacer. Dijo que iba a chivarse a mi madre. ¿Te lo puedes creer?

Ahora que se me ha pasado la conmoción de la visita de Hilly, casi me da la risa al recordarlo. Es lo que menos debería preocuparme. Si Madre ha sobrevivido a la ruptura de mi noviazgo, podrá soportar saber que he escrito un libro sobre criadas de color. Si lo descubre, ya me ocuparé de ello cuando llegue el momento.

–Supongo que no podemos *hacé na* más que *esperá* –dice Aibileen, pero su voz suena nerviosa.

Puede que no sea el mejor momento para contarle la otra noticia que tengo, pero no soy capaz de guardármelo por más tiempo.

–Hoy me... me ha llegado una carta de Harper & Row –le digo–. Al principio, pensé que sería de Miss Stein, pero no.

–¿De quién era?

–Es una oferta de empleo en la revista *Harper's* de Nueva York. Como... ayudante de corrector. Estoy segura de que Miss Stein me la ha conseguido.

–¡Qué bien! –exclama Aibileen, y luego la oigo decir a sus espaldas–: ¡Minny, a Miss Skeeter le han *ofrecío* un trabajo en Nueva *Yó!*

–Aibileen, no puedo aceptarlo. Sólo quería contártelo. No...

No quiero decirlo, pero la realidad es que no tengo a nadie más con quien compartir esta noticia. Por lo menos, agradezco poder contárselo a Aibileen.

–¿Qué es eso de que no *pue* aceptarlo? ¡Pero si es lo que estaba esperando! ¡El trabajo de sus sueños!

–No puedo marcharme ahora que las cosas se están poniendo mal. No voy a dejaros a vosotras solas con todo este lío.

–Mire, las cosas malas van a *pasá* esté *usté* aquí o no.

¡Dios! Al oír sus palabras, me entran unas ganas terribles de echarme a llorar. Suelto un gemido.

–Entiéndame, quiero *decí* que todavía no sabemos lo que va a *pasá*. Miss Skeeter, tiene que *aceptá* ese trabajo.

La verdad es que no sé qué hacer. Una parte de mí piensa que no debería habérselo contado a Aibileen porque estaba claro que me iba a decir que me marchase. Pero tenía que compartirlo con alguien. Escucho cómo le susurra a Minny: «Dice que no lo va a *aceptá*».

–Miss Skeeter –dice de nuevo Aibileen al aparato–, no pretendo *echá* sal en su *hería*, pero... no merece la pena que siga en Jackson. No le quedan amigas en esta *ciudá* y su mamita de *usté* ya está *mejó*...

Escucho palabras apagadas y forcejeos al otro lado de la línea. De repente, es Minny la que está al teléfono, y me dice:

–Óigame, Miss Skeeter. Yo voy a *cuidá* de Aibileen, y ella de mí. Pero a *usté* no le quedan en esta *ciudá* más que enemigas en la Liga de Damas y una mamá que va a *hacé* que termine dándose a la bebida. Ya no hay *na* que la ate a este *lugá*. Nunca volverá a *tené* un novio en esta *ciudá*, y eso *tol* mundo lo sabe. Así que más le vale mover su culo blanco y que se vaya a Nueva *Yó*, ¡pero ya!

Minny cuelga el teléfono y me quedo contemplando el auricular en una mano y la carta en la otra. «¿Podré? ¿Seré capaz de hacerlo?», pienso, considerándolo en serio por primera vez.

Sé que Minny tiene razón, y Aibileen también. No me queda nada en esta ciudad más que mis padres, pero, si me quedo con ellos, acabaré matándolos a disgustos. Sin embargo...

Me apoyo en las estanterías de la despensa y cierro los ojos. ¡Me marcho! ¡Me voy a Nueva York!

Aibileen

Capítulo 34

A la cubertería de plata de Miss Leefolt le han salido unas extrañas manchas hoy. Debe de ser porque hay mucha humedad. Rodeo la mesa de jugar a las cartas, saco otra vez brillo a cada cubierto y compruebo que no falta ninguno. Hombrecito ya está en la edad de revolverlo todo y no para de cambiar de sitio cucharillas, monedas, horquillas y todo lo que encuentra al alcance de su mano. A veces, se esconde las cosas en el pañal. Cambiarlo es como abrir un cofre del tesoro.

Suena el teléfono y voy a la cocina a contestar.

—Me he *enterao d' algo* –dice Minny al aparato.

—¿De qué?

—Miss Renfro dice que está segura de que fue Miss Hilly la que se comió la tarta.

Minny se ríe mientras lo dice, pero mi corazón se acelera.

—¡Leches! Miss Hilly va a *vení* a esta casa en menos de *sinco* minutos. Más le vale *empezá* a *acallá* esos rumores cuanto antes.

Es una locura que estemos animando a esa mujer. ¡Me resulta todo tan confuso!

—He *llamao* a Ernestine la Man... –Minny se calla de repente. Miss Celia debe de haber entrado en casa–. Ya se fue. Lo que te decía: he *llamao* a Ernestine la Manca y me ha *contao* que Miss Hilly se ha *pasao tol* santo día al teléfono pegando voces. ¡Ah! Y Miss Clara ha descubierto el capítulo de su criada, Fanny Amos.

537

–¿Y la ha *despedío?*

Miss Clara ayudó a Fanny Amos para que pudiera mandar a su hijo a la universidad. Es una de las historias bondadosas del libro.

–*Pos* no. Sólo se quedó boquiabierta con el libro entre las manos.

–*Grasias* a Dios. Llámame si te enteras *d'algo* más –digo–. Y no te cortes si contesta Miss Leefolt. Dile que eres mi hermana enferma.

Señor, no te enfades conmigo por esta mentirijilla. Lo único que me faltaba ahora es que se pusiera mala mi hermana.

Unos minutos después de esta llamada, suena el timbre de la puerta. Estoy tan nerviosa que hago como que no lo he oído. Me da pánico mirar a la cara a Miss Hilly después de lo que le contó a Miss Skeeter. Todavía no puedo creerme que escribiera eso de la raja en forma de ele. Salgo a mi retrete y me quedo sentada pensando en lo que pasará si tengo que dejar a Mae Mobley. «Señor –rezo–, si van a apartarla de mí, dale por favor a alguien bueno. No la dejes a merced de la señorita Taylor para que le cuente que todo lo negro es sucio, ni de su abuela que la pellizca para que diga gracias, ni de la fría de Miss Leefolt.» El timbre vuelve a sonar, pero no me muevo del retrete. Mañana, por si acaso, tengo que despedirme de Mae Mobley.

Cuando regreso al interior de la casa, oigo que las mujeres charlan en la mesa del salón. La voz de Miss Hilly suena más alta que las demás. Pego la oreja a la puerta de la cocina, temerosa de entrar al salón.

–¡...que no es Jackson! Ese libro es una basura, y estoy segura de que todo se lo inventó alguna maldita negra.

Oigo arrastrarse una silla y sé que Miss Leefolt está a punto de venir en mi busca. No puedo retrasarlo más, tengo que salir ahí fuera. Abro la puerta con la jarra del té helado en la mano. Rodeo la mesa, sin atreverme a levantar los ojos del suelo.

–Dicen que el personaje de Betty podría ser Charlene –comenta Miss Jeanie abriendo mucho los ojos.

A su lado, Miss Lou Anne tiene la mirada perdida, como si no le importara lo más mínimo el tema. Me gustaría poder abrazarla y decirle que doy gracias a Dios porque Louvenia trabaje para ella, pero sé que no puedo. Tampoco puedo contarle nada a Miss Leefolt porque, como de costumbre, está con cara de perro. El rostro de Miss Hilly, por su parte, parece morado como una ciruela.

–Y la criada del capítulo cuatro, ¿qué decís de ella? –continúa Miss Jeanie–. Sissy Tucker opina que...

–¡Ese libro no habla de Jackson! –grita Miss Hilly.

Asustada, doy un respingo mientras sirvo el té y una gota cae en el plato vacío de Miss Hilly. Me mira y, como por un imán, mis ojos se ven atraídos por los suyos.

–Has derramado un poco de té, Aibileen –dice muy despacito y con tranquilidad.

–Lo siento mucho, señora, ahora...

–¡Límpialo!

Temblorosa, limpio la gota con el trapo que llevo para sujetar el mango de la jarra.

Miss Hilly no aparta la vista de mí. Bajo la mirada, sintiendo que esta mujer y yo compartimos un secreto ardiente.

–Tráeme otro plato, uno que no hayas manchado con tu sucio trapo.

Le llevo otro plato. Lo mira a fondo e incluso se lo acerca a la nariz para olerlo. Luego, se gira hacia su amiga Miss Leefolt y comenta:

–Es imposible enseñar a esta gente a ser limpios.

Esa noche tengo que quedarme hasta tarde en casa de Miss Leefolt cuidando a los niños. Cuando Mae Mobley se duerme, saco mi cuaderno de oraciones y empiezo a escribir mi lista. Estoy muy contenta por Miss Skeeter. Me llamó esta mañana para decirme que había aceptado el trabajo. ¡Dentro de una semana se muda a Nueva York! Cada vez que oigo un ruido pego un respingo, pensando que Miss Leefolt va a aparecer por la puerta y decirme que lo ha descubierto todo. Cuando vuelvo a mi casa, estoy demasiado alterada para irme a la cama. Salgo a la oscuridad de la noche y recorro el camino hasta la puerta trasera de Minny. Encuento a mi amiga sentada en la cocina leyendo el periódico. Es el único momento del día en el que no está limpiando, cocinando o regañando a alguien. La casa está tan tranquila que temo que haya pasado algo malo.

–¿*Ánde* está *tol* mundo?

–Los críos *dormíos* y Leroy, en el trabajo.

Acerco una silla y me siento a su lado.

–Quiero *sabé* de una vez que nos va a *pasá,* Minny. Sé que debería dar *grasias* a Dios porque *to* no nos haya *estallao* todavía entre las manos, pero esta espera me está volviendo loca.

–No te preocupes, algo va a *sucedé,* y *mu* pronto –dice Minny como si estuviéramos hablando de la marca del café que nos tomamos.

–Minny, ¿cómo *pues está* tan tranquila?

Me mira y se lleva la mano a la barriga, que le ha crecido bastante en las últimas dos semanas.

–¿Conoces a Miss Chotard, esa blanca *pa* la que trabaja Willie Mae? Ayer le preguntó a Willie Mae si de *verdá* la trataba tan mal como esa horrible *mujé* del libro. –Minny sonríe socarrona–. Willie Mae le contestó que, aunque podía *mejorá* algo, no era de las peores jefas que había *tenío*.

–¿De *verdá* le preguntó eso?

–Luego, Willie Mae se puso a contarle historias de otras blancas *pa* las que había *trabajao,* con sus cosas buenas y sus cosas malas, mientras la *mujé* la escuchaba atentamente. Willie May dice que en los treinta y siete años que lleva de criada nunca se había *sentao* en la misma mesa con su jefa.

Aparte de la historia de Louvenia, ésta es la primera cosa buena que oigo del libro. Intento disfrutar de ella, pero pronto regreso al presente.

–¿Qué hay de Miss Hilly? ¿Qué pasa con lo que nos contó Miss Skeeter? Minny, ¿no estás ni siquiera un poco *preocupá?*

Minny deja el periódico en la mesa y dice:

–Mira, Aibileen, no te voy a *engañá*. Tengo miedo de que Leroy se entere y me mate. También me preocupa que Miss Hilly

540

le pegue fuego a mi casa. Pero, no *pueo explicá mu* bien por qué, tengo la sensación de que hemos hecho lo que debíamos.

–¿De *verdá*?

Minny suelta una carcajada y añade:

–Ay, *Señó*. Estoy empezando a *hablá* como tú, ¿te das cuenta? Será que me estoy haciendo *mayó*.

Le doy una patadita y reflexiono sobre lo que acaba de contarme. Hemos hecho algo justo y valiente, y mi amiga está orgullosa de ello y no quiere privarse de las consecuencias que implica, ni tan siquiera de las malas. Pero sigo sin comprender lo tranquila que está.

Minny vuelve a ojear su periódico. Al rato, me doy cuenta de que no está leyendo. Sólo mira las líneas, está pensando en otra cosa. De repente, se oye el sonido de la puerta de un coche que se cierra en la calle y Minny da un respingo. Entonces puedo ver todo el temor que intenta ocultar. «Pero ¿por qué? –me pregunto–. ¿Por qué quiere ocultármelo?»

La miro y empiezo a entender lo que está pasando. ¡Ahora me doy cuenta de lo que ha hecho Minny! No sé por qué no lo he captado hasta ahora. Minny se empeñó en poner la historia de la tarta para protegernos, a mí y a las otras criadas, pero no a ella. Era consciente de que con esto sólo conseguiría que Miss Hilly se enemistase más con ella, pero, de todos modos, lo hizo por el bien de las demás. Por eso no quiere que nadie se dé cuenta de lo asustada que está.

Me acerco a ella y tomo su mano entre las mías.

–Eres un ser adorable, Minny.

Entorna los ojos y me saca la lengua como si le acabara de ofrecer un plato de comida para perros.

–Mira que te lo digo siempre, Aibileen: estás empezando a *chocheá*.

Nos reímos. Es tarde y estamos muy cansadas, pero Minny se levanta, se sirve más café y prepara otra taza de té para mí. Bebemos con calma y charlamos hasta bien entrada la noche.

541

El día siguiente, sábado, la familia Leefolt al completo se encuentra en casa. Incluso Mister Leefolt está aquí hoy. Cuando entro a limpiar el dormitorio, veo que mi libro ya no descansa en la mesita de noche. Lo busco durante un rato, pero no sé dónde lo ha puesto. Por fin descubro que Miss Leefolt lo ha guardado en su bolso, que está tirado en el sofá. Esto significa que se lo lleva a todas partes. Echo un rápido vistazo y descubro que ya no tiene el marcapáginas.

Me gustaría mirarla a los ojos para adivinar qué sabe, pero Miss Leefolt se pasa casi todo el día en la cocina intentando preparar una tarta y no me deja que entre a ayudarla. Dice que es un pastel distinto de los míos, una receta de moda que ha encontrado en la revista *Gourmet*. Mañana organiza una merienda para su grupo parroquial y tenemos el salón lleno de cacharros para servir. Ha tomado prestados de Miss Lou Anne tres hornillos para calentar platos, y de Miss Hilly ocho juegos de cubiertos de plata, porque van a venir catorce personas, ¿y cómo va a ofrecer a esa gente de la parroquia un vulgar tenedor de acero?

Hombrecito está en el dormitorio de Mae Mobley jugando con su hermana y Mister Leefolt no para de deambular por la casa. De vez en cuando, se detiene ante el cuarto de Chiquitina y luego vuelve a merodear de aquí para allá. Probablemente piensa que, como es sábado, debería jugar con sus hijos, pero creo que no sabe cómo hacerlo.

No me quedan muchos sitios en la casa en los que pueda estar tranquila. Aunque sólo son las dos de la tarde, ya he dejado todas las habitaciones como los chorros del oro, he limpiado los baños, he lavado la ropa y he planchado todas las arrugas de esta casa, menos las de mi cara. Como hoy tengo prohibido entrar en la cocina, no quiero que Mister Leefolt piense que lo único que hago es jugar con los niños, así que, por último, termino dando vueltas por la casa como él.

Cuando Mister Leefolt se queda en el comedor, me asomo al cuarto de los pequeños y veo que Mae Mobley tiene un papel en la mano y le está enseñando algo a Ross. A Chiquitina le encanta jugar a hacer de profesora con su hermanito. Regreso al salón y me dedico a quitarle el polvo a los libros por segunda vez. Supongo que hoy, con tanta gente en casa, no podré despedirme de Chiquitina.

–Vamos a jugar a un juego –oigo que le dice Mae Mobley a su hermano en la habitación–. Siéntate en esta mesa. Estás en la cafetería Woolworf y eres negro. Yo soy blanca y voy a hacerte unas cosas, pero tú no puedes moverte, porque si no irás a la cárcel.

Salgo corriendo hacia su dormitorio, pero Mister Leefolt ya está observándolos desde la puerta. Me quedo detrás de él.

Mister Leefolt cruza los brazos y ladea un poco la cabeza. El corazón me late a mil por hora. Nunca he oído a Mae Mobley mencionando nuestros cuentos secretos más que a mí, y sólo cuando su madre no está en casa y nadie nos puede escuchar. Pero se encuentra tan concentrada en su juego que no se da cuenta de que su padre la está oyendo.

–Muy bien –dice Mae Mobley, ayudando a su hermano a trepar a la silla–. Ross, tú eres un *actovista* y tienes que quedarte en esta mesa del Woolworf. No puedes moverte.

Quiero hablar, pero no me sale ni una palabra. Mae Mobley se acerca muy despacito a Ross y le vacía por encima de la cabeza una caja de pinturas de cera, que caen rodando por el suelo. Hombrecito pone mala cara, pero Chiquitina le mira muy seria y dice:

–¡No te muevas! Tienes que ser valiente. Nada de *violencias*.

Después le saca la lengua y empieza a tirar de sus zapatitos. Hombrecito la mira con cara de estar pensando: «¿Por qué tengo que aguantar esta tontería?». Lloriquea y se baja de la silla.

–¡Has perdido! –exclama Chiquitina–. Ahora vamos a jugar a otro juego. Se llama «el asiento trasero del autobús», y tú vas a ser Rosa Parks.

–¿Quién te ha enseñado esas cosas, Mae Mobley? –pregunta Mister Leefolt.

Chiquitina gira la cabeza con ojos de pánico. Siento que pierdo el equilibrio. Sé que debería entrar en esa habitación y sacar a la pequeña del aprieto, pero me cuesta respirar. Mae Mobley me observa con expresión de duda y su padre se da la

543

vuelta y ve que estoy detrás de él. Mister Leefolt me ignora y mira de nuevo a su hija.

—No sé —contesta Mae Mobley a su padre.

Chiquitina dirige la vista a un juego de mesa que hay en el suelo y hace amago de empezar a jugar con él. Ya la he visto actuar así antes y sé en lo que está pensando. Cree que, si finge estar entretenida con otra cosa, su padre la dejará tranquila.

—May Mobley, tu padre te ha hecho una pregunta. ¿Quién te ha enseñado esas cosas?

Mister Leefolt se agacha y se pone a la altura de su hija. No puedo ver su rostro, pero sé que está sonriendo porque Mae Mobley pone cara de niña tímida que quiere mucho a su papá. Entonces, Chiquitina dice fuerte y claro:

—¡La señorita Taylor!

Mister Leefolt se pone de pie. Se dirige directamente a la cocina y yo le sigo. Agarra a su esposa del hombro y le dice:

—¡Mañana mismo quiero que vayas a la escuela y cambies de clase a Mae Mobley! No quiero volver a verla con la señorita Taylor.

—¿Qué? ¡No puedo cambiarla de profesora así, de repente!

Contengo la respiración, pensando «Sí puedes, por favor».

—Haz lo que te digo.

Y, como suelen hacer los hombres, Mister Raleigh Leefolt se marcha de casa para no tener que dar explicaciones a nadie.

Me paso todo el domingo dando gracias a Dios por haber alejado a Chiquitina de la señorita Taylor. La frase «Gracias, Dios; gracias, Dios; gracias, Dios», no para de resonar en mi cabeza como un salmo. El lunes por la mañana, Miss Leefolt se arregla para ir a la escuela. Cuando sale de casa, no puedo evitar sonreír porque sé lo que va a hacer.

Mientras Miss Leefolt está fuera, me pongo a trabajar con la cubertería de Miss Hilly. Miss Leefolt la ha dejado en la mesa de la cocina después de la merienda de ayer. La lavo y me paso una hora entera sacándole brillo, preguntándome cómo lo hará Ernestine la Manca. Sacar brillo a una cubertería

Grand Baroque, con todas sus curvas y pequeños detalles, es un trabajo para dos manos.

Cuando Miss Leefolt regresa, deja el bolso en la mesa y chasquea la lengua.

–¡Vaya! Quería devolver la cubertería a Hilly esta mañana, pero no me va a dar tiempo. He tenido que ir a la escuela de Mae Mobley, que resulta que se está resfriando, porque no para de estornudar. ¡Y ya son casi las diez!

–¿Mae Mobley está malita?

–Parece que sí –contesta Miss Leefolt con gesto de disgusto–. ¡Y encima llego tarde a la peluquería! Mira, Aibileen, cuando termines de sacarles brillo, lleva tú misma los cubiertos a casa de Hilly. Yo volveré después de comer.

Cuando acabo, envuelvo todos los cubiertos de Miss Hilly en un paño azul. Levanto a Hombrecito de la cama, que se acaba de despertar de la siesta y me sonríe.

–Venga, Hombrecito, vamos a cambiarte el pañal.

Lo tumbo en el cambiador y le quito el pañal mojado. ¡Santo Dios! Ahí dentro tiene tres piezas del mecano y una horquilla de su madre. Gracias al cielo, en el pañal sólo había pipí y no otra cosa.

–Chico –digo riendo–, eres como el cofre del tesoro.

El bebé hace muecas y sonríe. Señala la cuna, me acerco a ella y, rebuscando entre las sábanas, encuentro un rulo del pelo, una cucharilla y una servilleta. ¡Leches! Va a haber que hacer algo con este crío. Pero no ahora. Primero tengo que ir a casa de Miss Hilly.

Meto a Hombrecito en su cochecito y lo empujo por la calle en dirección a casa de Miss Hilly. Hace mucho calor, es un día soleado y tranquilo. Cuando llegamos al jardín, Ernestine abre la puerta. Un menudo y oscuro muñón asoma por la manga izquierda de su uniforme. No la conozco mucho, sólo sé que le encanta hablar y que va a la Iglesia Metodista.

–*Güenos* días, Aibileen –me saluda.

–Hola, Ernestine. ¿Nos has visto *llegá?*

Asiente con la cabeza y mira a Hombrecito, que observa asustado el muñón, como si fuera a saltarle encima.

545

–He *salío* antes de que se diera cuenta la jefa. –Ernestine baja la voz y añade–: ¿Ya *t' has enterao?*

–¿De qué?

Ernestine mira tras ella, y luego se acerca a mí.

–¿No lo sabes? ¡Lo que le ha *pasao* esta mañana a Flora Lou con su jefa, Miss Hester!

–¿La ha *despedío?*

Las historias de Flora Lou eran bastante fuertes. Estaba muy enfadada con Miss Hester. Todo el mundo cree que su jefa es una persona muy dulce, pero esa vieja blanca obligaba a Flora a lavarse las manos todas las mañanas con un «jabón especial para negros», que resulta que era lejía concentrada. Yo misma vi las quemaduras en las manos de Flora.

Ernestine niega con la cabeza y me cuenta lo que ha pasado:

–Miss Hester le vino con el libro esta mañana y empezó a gritarle: «¿Ésta soy yo? ¿Has escrito sobre mí?». Flora Lou le dijo: «No, señora. ¿Cómo voy a escribir yo un libro, si ni tan siquiera terminé la escuela?». Pero Miss Hester estaba *atacá* y le gritó: «¡Yo no sabía que la lejía quemaba la piel! ¡Tampoco me dijo nadie que el salario mínimo era un dólar veinticinco! Si no fuera porque Hilly está convenciendo a todo el mundo de que el libro no habla sobre Jackson, te pondría de patitas en la calle ahora mismo de una patada». Entonces, Flora Lou le preguntó: «¿Quiere decir que no me está despidiendo?», y Miss Hester le chilló: «¿Despedirte? No puedo despedirte porque la gente se enteraría de que soy la protagonista del capítulo diez. ¡Vas a quedarte a trabajar en esta casa el resto de tu vida!». Y Miss Hester le ordenó que terminara de *fregá* mientras murmuraba maldiciones en el salón.

–¡Leches! –exclamo un poco aturdida–. Espero... espero que con las demás salga *to* igual de bien.

Miss Hilly llama a gritos a Ernestine desde el interior de la casa.

–Yo no las tendría *toas* conmigo –susurra Ernestine.

Le entrego los cubiertos envueltos en el trapo. Estira el brazo bueno para recogerlos y, supongo que por costumbre, también el muñón.

546

Esa noche estalla una horrible tormenta. Yo no paro de sudar en la cocina mientras los truenos retumban fuera. Temblorosa, intento escribir mis oraciones. Flora Lou ha tenido suerte, pero ¿qué pasará con las demás? El no saber la respuesta me preocupa muchísimo y además...

Toc, toc, toc. Llaman a la puerta de casa.

«¿Quién será?», pienso mientras me levanto. El reloj de la cocina indica que son las nueve menos veinticinco. Fuera, llueve a cántaros. Cualquiera que me conozca bien, entraría por la puerta trasera.

Me acerco de puntillas a la puerta. Llaman otra vez, y del susto doy un respingo que casi me caigo de espaldas.

–¿Quién es? ¿Quién anda ahí? –pregunto, comprobando que el pestillo está echado.

–Soy yo.

¡Cristo! Respiro aliviada y abro la puerta. Es Miss Skeeter, completamente mojada y tiritando, con su mochila roja bajo el chubasquero.

–¡Santo Dios! Me ha *asustao*, Miss Skeeter.

–Lo siento. No pude llegar a la puerta trasera. Hay tanto barro en el jardín que no he sido capaz de pasar.

Está descalza y lleva en la mano sus zapatos embarrados. La dejo pasar y cierro la puerta con pestillo.

–¿La ha visto alguien?

–No se ve nada ahí fuera. Quería llamarte, pero con la tormenta no hay línea.

Algo debe de haber pasado para que venga a visitarme, pero me alegro de verla antes de que se marche a Nueva York. Hace seis meses que no la veía.

–¡A ver! Déjeme *ve* su pelo.

Miss Skeeter se quita la capucha y sacude una larga melena que le llega ya a los hombros.

–¡Qué bonito! –comento con toda sinceridad.

Ella sonríe un poco avergonzada mientras deja su mochila en el suelo.

–Mi madre lo odia.

Me río y contengo la respiración, preparándome para recibir las malas noticias que seguro ha venido a darme.

–Aibileen, las librerías están pidiendo más ejemplares del libro. Miss Stein me llamó esta tarde –dice, y me agarra las manos–. Van a lanzar otra edición. ¡Otros cinco mil libros!

–¡Vaya! No... no sabía que pudieran *hacé* eso –digo, tapándome la boca con la mano.

Nuestro libro va a entrar en otros cinco mil hogares, estará en sus estanterías, en las mesitas de noche, en los cuartos de baño...

–Por supuesto, nos darán más dinero. Por lo menos, cien dólares para cada una. Y, ¿quién sabe? Igual habrá más ediciones.

Me llevo la mano al corazón. Todavía no me he gastado ni un centavo de los primeros sesenta y un dólares que ganamos, ¡y ahora me dice que va a haber más dinero!

Miss Skeeter baja la mirada a su mochila y añade:

–Y hay algo más. El viernes, me pasé por el periódico y dejé el trabajo de la columna de Miss Myrna. –Toma aire y continúa–: Le dije al señor Golden que la nueva Miss Myrna deberías ser tú.

–¿Yo?

–Le conté que tú me habías estado ayudando a escribir las respuestas todo el tiempo. Dijo que se lo pensaría y hoy me ha llamado y dice que le parece bien, siempre que no se lo cuentes a nadie y que escribas los consejos como Miss Myrna.

Miss Skeeter posa sus zapatos llenos de barro en el felpudo, saca un cuaderno azul de su mochila y me lo entrega.

–Dijo que te pagaría lo mismo que a mí, diez dólares semanales.

¿Yo? ¿Yo trabajando para un periódico de blancos? Me siento en el sofá, abro el cuaderno y veo todas las cartas y los artículos de los últimos meses. Miss Skeeter se sienta a mi lado.

–*Grasias,* Miss Skeeter. Por esto y por *to* lo demás.

Sonríe y aspira profundamente, como si estuviera intentando contener las lágrimas.

–No *pueo creé* que mañana se vaya a Nueva *Yó*.

–Bueno, en realidad primero voy a ir a Chicago, sólo por una noche. Quiero visitar la tumba de Constantine.

–Me alegro de oírlo.

–Madre me enseñó la esquela. Está en las afueras de la ciudad. Al día siguiente, iré a Nueva York.

–Dele recuerdos a Constantine de mi parte.

Se ríe y comenta:

–Estoy muy nerviosa. Nunca he estado en Chicago, ni en Nueva York. Es la primera vez que vuelo en avión.

Permanecemos unos instantes en silencio, escuchando la tormenta. Recuerdo la primera vez que Miss Skeeter vino a mi casa y lo incómodas que nos sentimos en aquel entonces. Ahora, parece que sea de mi familia.

–Aibileen –me pregunta–, ¿tienes miedo de lo que pueda pasar?

–*Na*, estoy tranquila –contesto, girando la cabeza para que no pueda ver mis ojos.

–A veces, no sé si ha merecido la pena. Si te pasara algo... No podría vivir sabiendo que yo tuve la culpa.

Se tapa los ojos con la mano, como si no quisiera ver lo que puede ocurrir.

Voy un momento a mi cuarto y le traigo el paquete del reverendo Johnson. Lo desenvuelve y ojea el ejemplar del libro con las firmas de toda la gente.

–Iba a enviárselo a Nueva *Yó*, pero creo que es *mejó* que se lo lleve *usté* misma.

–No... no lo entiendo –dice–. ¿Esto es para mí?

–Sí, señorita –contesto, y le cuento lo que dijo el reverendo, que ella formaba parte de nuestra familia–. Y no se olvide de una cosa: cada firma que hay en ese libro significa que ha *merecío* la pena escribirlo.

Lee los agradecimientos y las pequeñas frases que ha escrito la gente, posando los dedos sobre las líneas con los ojos llenos de lágrimas.

–Estoy segura de que Constantine habría *estao mu* orgullosa de *usté*.

Miss Skeeter sonríe y me doy cuenta de lo joven que es. Después de todas las horas que hemos pasado escribiendo, del agotamiento y las preocupaciones, hacía mucho tiempo que no me fijaba en que todavía es una muchachita.

–¿Estás segura de que todo está bien? Si me marcho ahora, tal como están las...

–Váyase a Nueva *Yó*, Miss Skeeter, y viva su vida.

Sonríe, se seca las lágrimas, y dice:

–Gracias.

Por la noche me tumbo en la cama y empiezo a pensar. Estoy muy feliz por Miss Skeeter. Va a empezar una nueva vida. Las lágrimas resbalan por mis sienes hasta llegar a las orejas mientras me la imagino, con ese pelo largo y suelto que lleva, recorriendo las avenidas de la gran ciudad que he visto en la tele. Una parte de mí desearía poder comenzar también de nuevo. Esto de la columna de Miss Myrna es una novedad en mi vida, pero ya no soy joven, mi tiempo ya pasó.

Cuanto más intento dormir, más me doy cuenta de que me voy a pasar casi toda la noche despierta. Parece como si pudiera sentir el murmullo de toda la ciudad chismorreando sobre el libro. ¿Cómo puede dormir la gente con tanto alboroto? Pienso en Flora Lou, que estaría despedida de no ser porque Miss Hilly está convenciendo a todo el mundo de que la ciudad del libro no es Jackson. ¡Ay, Minny! ¡Qué buena eres! Nos has salvado el trasero a todas, menos a ti misma. Ojalá pudiera encontrar un modo de protegerte.

Miss Hilly las está pasando canutas. Todos los días aparece otra persona diciendo que cree que fue Hilly la que se comió la tarta, y ella tiene que volver a defenderse como gato panza arriba. Por primera vez en mi vida, me pregunto quién va a ganar esta batalla. Hasta ahora, siempre había apostado por Miss Hilly, pero en esta ocasión no lo tengo tan claro. Por primera vez, puede que Miss Hilly pierda.

Por fin, me duermo un poco antes de que amanezca. Es gracioso, pero cuando me levanto a las seis no estoy cansada. Me pongo un uniforme limpio que lavé ayer en la bañera. Voy a la cocina y me bebo un vaso de agua fresquita del grifo. Apago la luz y me dirijo a la puerta cuando, de repente, suena el teléfono. ¡Ay, Dios! Es demasiado temprano para que sean buenas noticias.

Contesto y escucho un gemido al otro lado de la línea:

–¿Minny? ¿Eres tú, Minny? ¿Qué...?

–¡Han *echao* a Leroy del trabajo! Le preguntó a su jefe que por qué lo despedían y le contestó que porque se lo había *pedío* Mister William Holbrook... Le dijo que la culpa la tenía la negra de su *mujé*... Cuando Leroy vino a casa casi me mata con sus propias manos. –Minny jadea sin parar–. Sacó a los niños al jardín, me encerró en el baño y dijo que le iba a *pegá* fuego a la casa conmigo dentro.

¡Santo Dios! Ya ha sucedido eso que tanto temíamos. Me llevo la mano a la boca y siento que estoy a punto de caerme en ese agujero que nosotras mismas hemos cavado. Todas estas semanas, Minny parecía muy tranquila, pero ahora...

–¡Maldita bruja! –grita Minny–. Mi *marío* va a matarme por su culpa.

–Minny, ¿*ánde* estás? ¿*Ánde* están los críos?

–Estoy en la gasolinera, he *llegao* hasta aquí descalza... Los niños están con la vecina... –Vuelve a jadear, entre hipos y gemidos–. Octavia va a *vení* a buscarnos. Espero que llegue rápido.

Octavia vive en Canton, veinte minutos al Norte, en dirección a casa de Miss Celia.

–Minny, ahora mismo me paso por ahí...

–¡No! No cuelgues, por *favó*. Quédate hablando conmigo hasta que llegue mi hermana.

–¿Estás bien? ¿Estás *hería*?

–Ya no lo aguanto más, Aibileen, no *pueo seguí* así...

Rompe a llorar al teléfono. Es la primera vez que escucho a Minny decir eso. Contengo la respiración, consciente de lo que debo hacer. Lo tengo muy claro, y ésta es la única oportunidad que voy a tener de que me escuche, ahora que está hundida y descalza en la cabina de una gasolinera.

–Minny, escúchame bien: nunca vas a *perdé* tu trabajo en casa de Miss Celia, el propio Mister Johnny te lo dijo. Además, vamos a *recibí* más dinero del libro, Miss Skeeter me lo contó anoche. Minny, escucha bien lo que te digo: ¡No tienes que *volvé* a *aguantá* que Leroy te pegue nunca más!

Minny ahoga un gemido.

–Ya ha *llegao* la hora, Minny, ¿me entiendes? ¡Eres libre!

Muy despacito, Minny va dejando de llorar hasta quedarse en un completo silencio. Si no fuera porque oigo su respiración, diría que ha colgado el teléfono. «Por favor, Minny –pienso–, por favor. Aprovecha esta oportunidad para largarte.»

Minny toma aire, temblorosa, y dice:

–Te entiendo, Aibileen.

–Déjame que vaya a la gasolinera a *esperá* contigo. Le diré a Miss Leefolt que voy a *llegá* un poco tarde.

–¡No! –me dice–. Mi hermana... no tardará. Esta noche nos quedamos en su casa.

–Minny, ¿sólo por esta noche?

Suelta un largo suspiro al teléfono y dice:

–No, ya no volveré con él nunca más. Ya he *aguantao* esto *demasiao* tiempo. –De nuevo escucho a la Minny Jackson de siempre. Aunque con voz temblorosa y todavía asustada, añade–: ¡El *Señó* se apiade de Leroy! Ese hombre no sabe de lo que es capaz Minny Jackson.

Se me acelera el corazón.

–Minny, no vayas a matarlo. Te meterían en la cárcel, que es *ande* quiere verte Miss Hilly.

¡Dios!, qué silencio tan largo y angustioso.

–No te preocupes, Aibileen, no lo voy a *matá*. Te lo prometo. Nos vamos a *quedá* con Octavia hasta que encontremos un *lugá pa viví*.

Respiro aliviada.

–Ya está aquí mi hermana –dice de repente–. Te llamo esta noche.

Cuando llego a casa de Miss Leefolt, me encuentro que reina una gran tranquilidad. Supongo que Hombrecito estará todavía dormido y Mae Mobley habrá salido ya para la escuela. Dejo mi bolsa en el cuarto de la lavadora. La puerta del comedor está cerrada y la cocina resulta un espacio fresco y acogedor.

Preparo un café y rezo una oración por Minny. Podrá quedarse una temporadita con su hermana. Octavia vive en una casa de campo bastante grande, según me contó Minny, y además queda cerca de su trabajo. El único problema es la escuela de los niños, pero lo importante es que Minny esté lejos de Leroy. Nunca antes le había oído decir que iba a dejar a Leroy, y Minny no es de las que habla por hablar. Cuando dice algo, lo cumple.

Preparo un biberón para Hombrecito y respiro aliviada. Siento que para mí ya se ha acabado el día, aunque apenas son las ocho de la mañana. Pero no estoy cansada, no sé muy bien por qué.

Abro la puerta del comedor y me encuentro a Miss Leefolt y a Miss Hilly sentadas a la mesa, una al lado de la otra, contemplándome. Durante un segundo, me quedo quieta como una tonta con el biberón en la mano. Miss Leefolt todavía lleva los rulos y su albornoz azul puestos. Miss Hilly, por el contrario, está arreglada y viste un traje pantalón de cuadros azules. Aún tiene ese desagradable herpes en la comisura del labio.

–*Güenos* días –saludo, y empiezo a andar hacia el cuarto de los niños.

–Ross está durmiendo todavía –me dice Miss Hilly–. No hace falta que vayas a verle.

Me detengo y miro a Miss Leefolt, que observa en silencio la raja en forma de ele en la mesa de su comedor.

–Aibileen –dice Miss Hilly después de humedecerse los labios–, faltan tres cubiertos en el paquete que me devolviste ayer. Concretamente, un tenedor y dos cucharas de plata.

Me quedo sin respiración.

–Esto... deje... deje que mire a *ve* en la cocina, igual me olvidé algo.

553

Miro a Miss Leefolt para ver si está de acuerdo conmigo, pero sigue con la vista clavada en la raja. Siento que un picor helado me asciende por la garganta.

–Sabes muy bien que esos cubiertos no están en la cocina, Aibileen –dice Miss Hilly.

–Miss Leefolt, ¿ha *mirao* en la cuna de Ross? A veces agarra cosas y se las mete en el...

Miss Hilly se ríe socarrona y dice:

–¿Has visto qué descaro, Elizabeth? ¡Está echándole la culpa a un bebé!

Intento recordar a toda prisa si conté los cubiertos antes de envolverlos en el paño. Creo que sí, siempre lo hago. Dios, dime que no va a acusarme de lo que pienso.

–Miss Leefolt, ¿ha *mirao* en la cocina, o en el armario de los cubiertos? ¿Miss Leefolt?

Pero sigue sin mirarme y no sé qué hacer. Todavía no soy consciente de lo mal que puede acabar esto. Puede que no se trate sólo de los cubiertos, puede que tenga que ver con Miss Leefolt y el capítulo dos.

–Aibileen –dice Miss Hilly–, o aparecen esos cubiertos para esta tarde o Elizabeth tendrá que denunciar el robo.

Miss Leefolt mira a Miss Hilly conteniendo el aliento, como si le sorprendiera este último comentario de su amiga. Entonces me pregunto si todo esto se les habrá ocurrido a las dos o sólo a Miss Hilly.

–Yo no he *robao na,* Miss Leefolt –digo.

Sólo de pronunciar esta frase me entran ganas de echar a correr.

–No sé, Hilly, está diciendo que ella no los tiene –susurra Miss Leefolt a su amiga.

Miss Hilly ignora por completo este comentario, me mira con gesto altivo y dice:

–Entonces, es mi deber informarte de que estás despedida, Aibileen. –Miss Hilly se suena la nariz y añade–: Y de que voy a llamar a la policía. Tengo muchos conocidos que trabajan en el cuerpo, ¿sabes?

–¡Mamáaa! –aúlla de repente Hombrecito desde su cuna.

Miss Leefolt mira hacia el cuarto de su hijo y luego a Hilly, sin saber muy bien qué hacer. Supongo que estará pensando en cómo se las va a arreglar sin criada.

–¡Aaai-biii! –grita Hombrecito, y se echa a llorar.

–¡Aai-biii! –me llama otra vocecita.

¡Mae Mobley está en casa! ¡Claro! Estaba enferma y por eso no habrá ido a la escuela. Me llevo la mano al pecho. Dios, no permitas que vea esto. No dejes que escuche lo que dice de mí Miss Hilly. Se abre la puerta del pasillo y aparece Chiquitina. Nos mira con los ojos enrojecidos y tose.

–Aibi, me duele la *jarjanta*.

–Ah... Ahora mismo voy, Chiquitina.

Mae Mobley vuelve a toser. Su tos suena bastante mal, como el ladrido de un perro. Me acerco a ella, pero Miss Hilly me dice:

–Aibileen, no te molestes. Recuerda que ya no trabajas aquí. Elizabeth se ocupará de sus hijos.

Miss Leefolt mira a Hilly con una cara que parece decir: «¿De verdad tengo que hacerlo?». Sin embargo, se levanta y arrastra los pies por el salón. Lleva a Mae Mobley al cuarto de Hombrecito y cierra la puerta. Me quedo a solas con Miss Hilly.

Miss Hilly se reclina sobre el respaldo de la silla y dice:

–No me gustan los mentirosos.

La cabeza me da vueltas. Me gustaría sentarme.

–Yo no he *robao* esos cubiertos, Miss Hilly.

–No me refería a los cubiertos –dice, inclinándose sobre la mesa. En un susurro, para que no la oiga Miss Leefolt, añade–: Me refería a esas cosas que escribiste sobre Elizabeth. No tiene ni idea de que el capítulo dos es sobre ella y yo soy demasiado buena amiga como para contárselo. Igual no puedo mandarte a la cárcel por lo que escribiste sobre Elizabeth, pero sí por ser una ladrona.

«No voy a ir a la cárcel, no voy a ir a la cárcel», es lo único en lo que puedo pensar.

–¡Ah, se me olvidaba! Tengo una sorpresita preparada para tu amiga Minny. Voy a llamar a Johnny Foote para decirle que

555

la despida ahora mismo. –Empiezo a ver borroso. Me tiembla todo el cuerpo y ya no puedo apretar más fuerte los puños–. Resulta que soy íntima de Johnny Foote, y hará lo que yo...

–¡Miss Hilly! –digo alto y claro.

Se queda callada, sorprendida. Apuesto a que hacía años que nadie la interrumpía al hablar.

–No se olvide de que sé algo sobre *usté*.

Me mira con mala cara, pero no dice nada, así que sigo hablando:

–Por lo que cuentan, en la cárcel una tiene mucho tiempo *pa escribí* cartas. –Estoy temblando y mi propia respiración me quema–. El suficiente *pa escribí* a *toas* y cada una de las mujeres de Jackson *pa* contarles la *verdá* sobre *usté*. Tiempo no falta, y el papel es gratis.

–Nadie se creerá lo que escribas, negra.

–Ya lo veremos. Dicen que se me da bastante bien.

Miss Hilly saca la punta de la lengua y se toca con ella el herpes. Después, aparta la mirada de mí. Antes de que pueda decir nada más, se abre la puerta de golpe y Mae Mobley, todavía en pijama, entra corriendo en el salón y se detiene a mi lado. Tiene hipo de tanto llorar y su naricita está roja como una amapola. Su madre debe de haberle contado que me marcho. Ruego a Dios que no le haya repetido las mentiras de Miss Hilly.

Chiquitina se agarra a la falda de mi uniforme y no se suelta. Le pongo la mano en la frente y descubro que está ardiendo de la fiebre.

–Chiquitina, *ties* que *volvé* a la cama.

–¡Nooo! –berrea–. No te vayas, Aibi.

Miss Leefolt sale del dormitorio con Hombrecito en los brazos y poniendo mala cara.

–¡Aibi! –me llama el pequeño.

–Hola, Hombrecito –susurro. Me alegro de que sea demasiado pequeño para comprender lo que está pasando–. Miss Leefolt, deje que lleve a la niña a la cocina *pa* darle una *medisina*. Tiene mucha fiebre.

556

Miss Leefolt mira a Miss Hilly, que permanece sentada con los brazos cruzados.

–Está bien, llévatela –dice Miss Leefolt.

Chiquitina me da su ardiente mano y la acompaño a la cocina. Vuelve a darle otro ataque de esa preocupante tos mientras busco la aspirina infantil y el jarabe para la tos. Sólo de estar aquí conmigo se tranquiliza un poco, pero todavía le caen lágrimas por la cara.

Siento a la pequeña sobre la encimera, machaco una de esas pastillitas rosadas, la mezclo con zumo de manzana y le doy una cucharada. Me doy cuenta de que le duele al tragar. Le acaricio el pelo. El trozo del flequillo que se cortó con las tijeras de la escuela está empezando a crecerle, pero sigue teniendo un peinado cómico. Últimamente, su madre ya no quiere ni mirarla a la cara.

–Por favor, Aibi, no te vayas –dice, y se echa a llorar otra vez.

–Tengo que hacerlo, Chiquitina. Lo siento.

En este momento, me echo a llorar. No quiero hacerlo porque sé que ella lo va a pasar peor, pero no puedo evitarlo.

–¿Por qué? ¿Por qué no quieres volver a verme? ¿Vas a cuidar a otra niña?

Arruga la frente, como cuando su madre le echa la bronca. Dios, siento que me están arrancando el corazón, pero, por lo menos, me alegro de que no haya escuchado lo que dijo Miss Hilly.

Envuelvo su carita con mis manos, y siento el preocupante calor de sus mejillas.

–No, Chiquitina. No me voy por eso. No quiero dejarte, pero... –¿Cómo voy a explicarle esto? No puedo contarle que me han despedido, no quiero que le eche la culpa a su madre y empeorar más aún las cosas entre las dos–. Es que me tengo que *retirá*, soy ya muy vieja. Tú vas a *se* mi última niña.

Lo que digo es cierto, aunque no sea por voluntad propia.

Dejo que llore unos momentos en mi pecho y luego vuelvo a tomar su carita entre mis manos. Respiro profundamente y le pido que haga lo mismo.

–Chiquitina –le digo–, *ties* que *recordá to* lo que te he *contao*. ¿Lo harás?

Sigue llorando sin parar, pero, al menos, ya no tiene hipo.

–¿Lo de limpiarme bien el culito cuando termino?

–No, Chiquitina, lo otro. Lo de cómo eres.

Miro sus bonitos ojos marrones, fijos en los míos. ¡Leches! Esta niña tiene ojos de persona mayor, como si hubiera vivido mil años. Me parece ver, en lo más profundo de sus pupilas, la mujer que va a ser cuando crezca, como un *flash* del futuro. Será alta y andará con la cabeza erguida, orgullosa. Lucirá un hermoso peinado y, ya de mayor, se acordará de las palabras que le metí en la cabeza.

Entonces las dice, justo lo que yo necesitaba escuchar:

–Eres buena, eres lista, eres importante.

–¡Ay, Dios! –Abrazo su cuerpecito y siento que me acaba de dar un regalo–. *Grasias,* Chiquitina.

–De nada –contesta, como le he enseñado.

Vuelve a posar su cabeza en mi hombro y nos quedamos llorando un buen rato, hasta que Miss Leefolt entra en la cocina.

–Aibileen... –dice Miss Leefolt con toda tranquilidad.

–Miss Leefolt, ¿está segura... de que esto es lo que...?

Miss Hilly aparece detrás de ella y me mira con cara de pocos amigos. Miss Leefolt asiente con cara de culpabilidad.

–Lo siento, Aibileen. Hilly, si quieres denunciarla..., es cosa tuya.

Miss Hilly levanta la nariz y dice:

–Bueno, no vale la pena perder el tiempo por tres cubiertos.

Miss Leefolt respira aliviada. Durante un segundo, nuestros ojos se cruzan y puedo ver que Miss Hilly tenía razón. Miss Leefolt no sabe que ella es la protagonista del segundo capítulo. Y aunque lo sospechara, nunca sería capaz de admitir que es ella.

Aparto con delicadeza a Mae Mobley. La pequeña me mira a mí y luego a su madre con sus ojos febriles y soñolientos. Parece asustada ante la perspectiva de pasar los próximos quince años de su vida sin mí, pero suspira, demasiado cansada para pensar en ello. Le doy un beso en la frente y ella intenta agarrarse a mí de nuevo. Muy a mi pesar, tengo que retroceder un paso para impedírselo.

Entro en el cuarto de la lavadora y recojo mi abrigo y mi bolso.

Salgo por la puerta de atrás escuchando el terrible llanto de Mae Mobley. Recorro el camino hasta la calle llorando, consciente de lo mucho que voy a echar de menos a la niña. Rezo para que su madre pueda mostrarle un poco más de afecto. Pero, al mismo tiempo, me siento liberada en cierto modo, igual que Minny. Más libre que Miss Leefolt, que está tan atrapada por su forma de pensar que no fue capaz de reconocerse cuando leyó el libro. Más libre que Miss Hilly, que se va a pasar el resto de su vida intentando convencer a la gente de que no se comió la famosa tarta. Pienso que Yule May está en la cárcel por su culpa, pero Miss Hilly está atrapada en su propia prisión de por vida.

Son las ocho y media de la mañana y recorro la acera bajo el ardiente sol, preguntándome qué voy a hacer el resto del día, el resto de mi vida. Camino temblando y con lágrimas en los ojos. Una mujer blanca pasa a mi lado y me mira con mala cara. En el periódico, me van a pagar diez dólares a la semana. Además, tengo el dinero del libro, y parece que nos van a dar más. De todos modos, con eso no me llega para vivir el resto de mis días. No creo que pueda volver a encontrar un trabajo de sirvienta, no con Miss Leefolt y Miss Hilly diciendo por ahí que soy una ladrona. Mae Mobley ha sido mi último bebé blanco y el que llevo puesto será mi último uniforme.

Hace un sol cegador, pero tengo los ojos bien abiertos. Me siento en la parada del autobús como llevo haciendo los últimos cuarenta y pico años. Dentro de media hora estaré de nuevo en casa y mi vida estará... acabada. Quizá debería seguir escribiendo, no sólo para el periódico. Igual podría escribir sobre la gente que conozco, las cosas que he visto y he hecho... ¿Quién sabe? Es posible que no sea tan mayor para volver a empezar. Me río y lloro a la vez al pensar en esto, porque justo anoche decía que ya no tenía edad para comenzar una nueva vida.